「十三五」国家重点出版物出版规划项目

国家出版基金项目

中国中药资源大典

江苏卷

3

黄璐琦 / 总主编

段金廒 吴啟南 严 辉 郭 盛 / 主 编

北京科学技术出版社

图书在版编目（CIP）数据

中国中药资源大典 . 江苏卷 . 3 / 段金廒等主编 . —
北京：北京科学技术出版社，2022.12
　　ISBN 978-7-5714-2309-4

　　Ⅰ . ①中… Ⅱ . ①段… Ⅲ . ①中药资源－资源调查－
江苏 Ⅳ . ①R281.4

　　中国版本图书馆 CIP 数据核字（2022）第 078993 号

责任编辑：侍　伟　李兆弟　董桂红　吕　慧　庞璐璐
责任校对：贾　荣
图文制作：樊润琴
责任印制：李　茗
出 版 人：曾庆宇
出版发行：北京科学技术出版社
社　　址：北京西直门南大街16号
邮政编码：100035
电　　话：0086-10-66135495（总编室）　　0086-10-66113227（发行部）
网　　址：www.bkydw.cn
印　　刷：北京博海升彩色印刷有限公司
开　　本：889 mm×1 194 mm　　1/16
字　　数：1 192千字
印　　张：53.75
版　　次：2022年12月第1版
印　　次：2022年12月第1次印刷
审 图 号：GS京（2023）1758号
ISBN 978-7-5714-2309-4

定　　价：590.00元

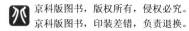

《中国中药资源大典·江苏卷》

编写工作委员会

<table>
<tr><td>顾　　问</td><td>肖培根（中国医学科学院药用植物研究所）</td></tr>
<tr><td></td><td>黄璐琦（中国中医科学院）</td></tr>
<tr><td></td><td>曹洪欣（中国中医科学院）</td></tr>
<tr><td></td><td>袁昌齐（江苏省中国科学院植物研究所）</td></tr>
<tr><td></td><td>周荣汉（中国药科大学）</td></tr>
<tr><td></td><td>李大宁（国家中医药管理局）</td></tr>
<tr><td></td><td>苏钢强（国家中医药管理局）</td></tr>
<tr><td></td><td>李　昱（国家中医药管理局）</td></tr>
<tr><td></td><td>陆建伟（国家中医药管理局）</td></tr>
<tr><td></td><td>孙丽英（国家中医药管理局）</td></tr>
<tr><td></td><td>周　杰（国家中医药管理局）</td></tr>
<tr><td></td><td>陈榕虎（国家中医药管理局）</td></tr>
<tr><td></td><td>吴勉华（南京中医药大学）</td></tr>
<tr><td></td><td>胡　刚（南京中医药大学）</td></tr>
<tr><td></td><td>赵润怀（中国中药有限公司）</td></tr>
<tr><td>主任委员</td><td>陈亦江（江苏省卫生健康委员会、江苏省中医药管理局）</td></tr>
<tr><td></td><td>朱　岷（江苏省卫生健康委员会、江苏省中医药管理局）</td></tr>
<tr><td></td><td>段金廒（南京中医药大学）</td></tr>
<tr><td>副主任委员</td><td>石志宇（江苏省中医药管理局）</td></tr>
<tr><td></td><td>王卫红（江苏省中医药管理局）</td></tr>
<tr><td></td><td>吴啟南（南京中医药大学）</td></tr>
<tr><td></td><td>谭仁祥（南京中医药大学）</td></tr>
<tr><td></td><td>程海波（南京中医药大学）</td></tr>
</table>

肖 序

中华人民共和国成立后，我国先后组织过 3 次规模不等的中药资源专项调查，初步了解、掌握了当时我国中药资源的种类、分布和蕴藏量情况，为国家及各省（区、市）制定中药资源保护与利用策略和中药资源产业发展规划、发展中药材资源的种植养殖生产等提供了宝贵的第一手资料，为保障我国中医临床用药和中成药制造等民族医药事业和产业发展做出了重要贡献。人类社会对高质量生活及健康延寿目标的期冀，以及对源自中药及天然药物资源的健康产品的迫切需求，推动了以中药资源为原料的深加工产业的快速扩张和规模化发展，形成了以中成药、标准提取物、中药保健产品为主的中医药大健康产业集群，中药资源的保护与利用、生产与需求之间的协调平衡问题成为新的挑战。

在此背景下，国家中医药管理局牵头组织开展了第四次全国中药资源普查工作，以期了解和掌握当前我国中药资源状况，为国家制定有利于协调人口与资源关系的健康中国战略提供决策依据，为我国中药资源经济可持续发展和区域特色资源产业结构调整与布局优化提供科学依据。

《中国中药资源大典·江苏卷》客观反映了目前江苏区域中药资源家底。江苏第四次中药资源普查发现中药资源种类 2 289 种，较第三次资源普查多 769 种，其中，水生、耐盐植物，以及动物、矿物的种类大幅度增加。本次普查系统记录和分析了江苏中药资源的种类、分布、蕴藏量、传统知识、药材生产等中药资源本底资料；在查清药用植物、动物、矿物资源的基础上，提出了江苏中药资源区划方案，并指出其发展道地、大宗、特色药材的适宜生产区；建立了适宜于水生及耐盐药用植物资源调查的方法技术体系，并组织实施了我国东部沿海六省区域水生、耐盐药用植物资源的专项调查研究；完成了江苏药用动物及矿物资源调查，并给出了特色产业发展建议；系统提出了江苏乃至行业中药资源性产业高质量、绿色发展的策略与模式，构建了一套适宜推广应用的方法技术体系；制订了江苏及各地市中药资源产业发展规划等。特别宝贵的是，此次普查任务锻炼、培养了一支多学科交叉、结构稳定的中药资源普查团队，为社会提供了一批中药资源高层次专业人才，显著提升了中药资源学学科建设水平和能力。

《中国中药资源大典·江苏卷》是江苏中药资源人近 7 年的野外调查和内业整理汇集成的宝贵资料，不仅为江苏中药农业、中药工业和中药服务业全产业链的构建和战略规划的制订提供了翔实的科学依据，也为服务江苏乃至全国中医药事业和中药资源产业的发展提供了有力的支撑，必将为中药资源的保护与利用和资源的可持续发展做出应有的贡献。

中国工程院院士
中国医学科学院药用植物研究所名誉所长
2022 年 3 月

黄 序

　　中药资源是国家战略资源，是人口与健康可持续发展的宝贵资源，是中医药事业和中药资源经济产业健康发展的物质基础。中国共产党第十八次全国代表大会以来，以习近平同志为核心的党中央高度重视中医药在健康中国建设和保障人口健康中的战略地位和独特价值，制定出台了一系列推动中医药事业和产业高质量、绿色发展的政策措施，有力地推动了中医药各项事业的快速发展，取得了举世瞩目的成就。随着人类社会对源自中药资源的健康产品需求的日益增加，以及中药工业的快速扩张和规模化发展，中药资源的需求量也在不断增加。新时代新需求，中药资源的可持续发展正面临新的挑战。

　　基于此，在国家有关决策部门的高度重视和大力支持下，国家中医药管理局牵头组织协调全国中医药领域高校、科研院所、医疗机构等发挥各自优势，聚集全国中药资源及相关领域的优势资源和优秀人才，系统地开展了我国第四次中药资源普查工作。江苏中药资源普查领导小组本着"全国一盘棋"的思想，紧紧围绕国家中医药管理局的整体部署和目标导向，在全国中药资源普查技术指导专家组的帮助、指导下，委任南京中医药大学段金廒教授、吴啟南教授为项目技术负责人和牵头人，具体组织实施江苏第四次中药资源普查，动员了江苏10余家相关单位的百余名专业人员，以及江苏各地市县级中医药管理部门和中医院等医疗部门协同开展工作，历时近7年出色地完成了此项国家基础性工作科研任务。

《中国中药资源大典·江苏卷》分为上篇、中篇、下篇、附篇。上篇介绍了江苏的经济社会与生态环境概况，第四次中药资源普查实施情况，中药资源概况，中药资源区划及其资源特点，水生、耐盐药用植物资源特征与产业发展，中药资源循环利用与产业绿色发展，药用动物资源种类与产业发展，药用矿物资源种类与产业发展，中药资源产业发展规划。中篇介绍了43种江苏道地、大宗、特色药材品种，涉及植物、动物、矿物类药材，系统地阐述了江苏区域道地、大宗、特色药材资源的本草记述、形态特征、资源情况、采收加工、药材性状、品质评价、功效物质、功能主治、用法用量、传统知识、资源利用等10余项内容。每个品种都是基于第四次中药资源普查的第一手资料，并结合编者长期对它的研究积累编写而成。下篇记载了江苏的中药资源物种，包括药材名、形态特征、生境分布、资源情况、采收加工、药材性状、功效物质、功能主治、用法用量、附注等内容，同时附以基原彩色图片。附篇收录了131种药用动物、矿物资源。该书充分反映了江苏中药资源学领域深厚的积累和一代又一代中药资源人矢志不渝、辛勤奉献的劳动成果，内容丰富，创新性强。

该书的出版，必将为江苏中药资源的可持续发展和特色产业结构调整与布局优化提供科学依据，为实现健康江苏的目标、培育具有竞争优势的新增长极做出应有的贡献。

付梓之际，乐为序。

中国工程院院士

国家中医药管理局副局长

中国中医科学院院长

第四次全国中药资源普查技术指导专家组组长

2022 年 3 月

前　言

　　资源是人类赖以生存和发展的物质基础。中医药作为我国独特的卫生资源、潜力巨大的经济资源、富有原创优势的科技资源、优秀的文化资源，在经济、社会发展中起着重要作用。中药资源是中医药事业和产业传承发展的战略资源，保护中药资源、发展中药产业对大力发展中医药事业、提高中医药健康服务水平、促进生态文明建设具有十分重要的意义。国家高度重视中药资源保护和可持续利用工作。随着中药资源需求量的日益增加，中药资源的可持续发展面临着新的挑战。

　　在此背景及国家有关决策部门的高度重视和大力支持下，国家中医药管理局牵头组织协调全国中医药领域高校、科研院所、医疗机构等，组成庞大的中药资源普查队伍；中国中医科学院院长黄璐琦院士牵头组织第四次全国中药资源普查技术指导专家组，发布普查指南与规范，编制普查技术方案，督导普查进度和工作质量。通过有效组织、整体部署、督察指导，第四次全国中药资源普查工作得以有序进行和系统完成。

　　江苏第四次中药资源普查工作是全国中药资源普查工作的重要组成部分。江苏中药资源普查领导小组紧紧围绕国家中医药管理局的整体部署和目标导向，在全国中药资源普查总牵头人黄璐琦院士及技术指导专家组的帮助和指导下，在江苏各级政府和江苏省中医药管理局的领导和支持下，委任南京中医药大学段金廒教授、吴啟南教授为项目技术负责人，协调组织江苏省中国科学院植物研究所、中国药科大学、南京农业大学、江苏省中医药研究院等10余家单位的百余名专业人员，组成专业普查技术队伍，历时近7年，圆满地完成了此项国家基础性工作科研任务，取得了一系列研究成果。

（1）首次实现江苏区域中药资源调查全覆盖，为江苏所有县域发展特色生物资源经济产业及优化产业布局提供了第一手资料。江苏第四次中药资源普查共发现中药资源种类2 289种，较第三次普查多769种，其中，水生、耐盐药用植物，以及动物、矿物的种类有大幅度增加。本次普查结果显示，江苏的野生药用植物资源有1 822种，较第三次普查多438种，主要涉及192科850属，其中，水生药用植物220种，耐盐药用植物116种；药用动物资源有401种，较第三次普查多291种；药用矿物资源有66种，较第三次普查多43种；其他类0种，较第三次普查少3种。本次普查调查样地2 715个，样方套11 769个；完成了栽培品种、市场流通、传统知识等信息的收集；采集、制作腊叶标本35 000余份，其中，经鉴定、核查上交国家中药资源普查办公室的有25 829份；上交药材标本7 239份，种质资源品种3 598份；拍摄并提交药用生物资源照片157 600余张。

本次普查在对江苏药用生物资源及其产业发展现状进行系统调查的基础上，创新编制了江苏水生和耐盐药用植物资源管理、保护及开发利用的发展规划；首次系统地提出了江苏所有县域中药资源产业发展规划，为江苏省委、省政府研究制订《江苏省中医药发展战略规划（2016—2030年）》等中药材及医药生物资源产业发展战略规划提供了科学依据；为江苏县以上行政单元根据辖区自然生态特点，研究制定当地自然资源保护与开发利用政策及措施提供了科学依据；结合当地生态条件、经济发展水平、养生文化等实际情况，为具有中药资源特色的乡镇研究制订了一批中医药特色小镇的建设方案，并提供项目咨询和论证服务等，代表性特色小镇有孟河中医特色小镇、射阳洋马菊花小镇、涟水万亩中药小镇、大泗中药养生小镇、溧水康养小镇。上述研究成果为江苏区域中药资源产业的发展与合理布局提供了第一手资料，为地方政府及企业发展中药资源产业提供了有力支撑。

（2）精心组织协调，注重顶层设计，促进了我国东部沿海六省水生、耐盐药用植物资源调查研究专项的顺利实施。在国家中医药公益性行业科研专项"我国水生、耐盐中药资源的合理利用研究"的支持下，项目牵头单位南京中医药大学组织江苏、辽宁、浙江、福建、山东、广东六省的任务承担单位及中医药管理部门负责人充分研讨，并达成注重项目顶层设计，完善水生、耐盐药用植物资源调查方案的共识。项目组与中国科学院南京地理与湖泊研究所、南京大学、中国中医科学院中药资源中心、中国测绘科学研究院等单位协同合作，在江苏第二次湿地调查所用湿地矢量数据的基础上，经数据融合形成了江苏水生、耐盐药用植物资源调查背景区域，并对接现有国家普查信息系统，集成现代空间网络技术，从水体测绘数据制作、水体样方设置、水体样线调查法探索、沿海滩涂地区分层抽样法研究等方面进行研究，探索性地提出并构建了适宜我国东部沿海地区水生、耐盐药用植物资源调查的方法技术体系，为我国水生、耐盐药用植物资源的调查及保护提供了方法支撑。

（3）提出了江苏中药资源区划方案及中药材生产发展规划。在资源调查的基础上，辨明地域分异规律，科学划定中药生产区划，充分发挥地区资源、经济和技术优势，因地制宜，合理布局生产基地，调整生产品种结构，发展适宜、优质药材生产，以实现资源的合理配置，为制定中药资源的保护和开发策略提供科学依据。

江苏中药资源区划实行二级分区，采用三名法，即"地理单元＋地貌＋药材类型"综合命名。全省共分为5个一级区和14个二级区，5个一级区包括宁镇扬低山丘陵道地药材区，太湖平原"四小"药材区，沿海平原滩涂野生、家种药材区，江淮中部平原家种药材区及徐淮平原家种药材区。

（4）创建了国家基本药物所需中药材种子种苗（江苏）繁育基地及江苏中药原料质量监测技术服务体系，服务于国家及区域精准扶贫与产业提质增效。按照国家整体部署，江苏建成了国家基本药物所需中药材种子种苗（江苏）繁育基地，基地育有苍术、银杏、芡实、黄蜀葵、桑、青蒿、荆芥等7个品种，具备了向行业提供优质种子、种苗的能力。在全国现代中药资源动态监测信息和技术服务体系的整体布局下，依据江苏中药资源分布和产业发展特点，江苏建成了江苏省中药原料质量监测技术服务中心及苏南、苏中、苏北3个动态监测站，有效辐射全省中药资源主产区，为区域内中药材生产企业及农户提供近百种药材生产基本信息，为培育区域性中药材交易市场、推动基于网络信息技术的现代市场交易体系建设、提升市场现代化水平提供了重要支撑。

（5）研融于教，中药资源普查工作的实施显著提升了江苏中药资源学学科建设水平和人才团队实力，打造了一支高层次、专业化的中药资源普查团队，有效补齐了该领域人才断档、青黄不接的短板。项目实施过程中研教融合，通过中药资源普查队老中青结合，本科生课程实践、研究生学位论文研究与普查研究的内容有机融合，中药资源调查研究成果转化为教学资源等方法与途径，创新了中药资源人才培养模式，重构了专业人才培养实践体系，创建了中药资源与开发专业教材体系，显著提升了中药资源人才培养质量及中药学学科建设水平。

《中国中药资源大典·江苏卷》基于20余支普查大队的百余人，历时近7年，风餐露宿、不畏困苦的外业调查和艰苦细致、一丝不苟的内业鉴定整理取得的第一手资料，并结合江苏中药资源学等相关领域一代又一代人深厚的积累和辛勤奉献的劳动成果编纂而成。借此著作出版之际，谨对为江苏中药资源事业做出贡献的前辈和专家学者们表示深深的敬意和衷心的感谢！

本书分为上篇、中篇、下篇、附篇。上篇分列9章，介绍了江苏省经济社会与生态环境概况，江苏省第四次中药资源普查实施情况，江苏省中药资源概况，江苏省中药资源区划及其资源特点，江苏省水生、耐盐药用植物资源特征与产业发展，江苏省中药资源循环利用与产业绿色发展，江苏省药用动物资源种类与产业发展，江苏省药用矿物资源种类与产业发展，江苏省中药资源产业发展规划；由段金廒教授、吴啟南教授整体规划顶层设计和主持编写，主要由段金廒、吴啟南、严辉、郭盛、宿树兰、刘圣金、孙成忠等同志执笔起草并数易其稿而成。中篇介绍了江苏道地、大宗、特色药材品种，收录了植物、动物、矿物类药材品种43个，系统地阐述了江苏区域道地、大宗、特色药材资源的本草记述、形态特征、资源情况、采收加工、药材性状、品质评价、功效物质、功能主治、用法用量、传统知识、资源利用等10余项内容。每个品种都是基于第四次中药资源普查的第一手资料，并结合撰写人所在团队对它的长期研究积累编写而成，内容翔实，创新性和实用性兼具。下篇记载了江苏的中药资源物种，包括药材名、形态特征、生境分布、资源情况、采收加工、药材性状、功效物质、功能主治、用法用量、附注等内容，同时附以基原彩色图片。附篇收录了131种药用动物、矿物资源。

资源学是一门研究资源的形成、演化、质量特征、时空分布及其与人类社会发展的相互关系的学科。中药资源调查研究的目的是摸清中华民族赖以生存和发展的独特、宝贵资源的家底，分析发现其与生态环境、人类活动相互作用演替发展的变化规律，化解我国人口基数大、可耕地少、水资源短缺等制约因素与国内外对中药资源性健康产品需求不断攀升之间的矛盾，根据我国国情制定出台有利于协调人口与资源、环境关系的政策措施，制定有利于促进和协调中医药事业与中药资源产业可持续发展的战略任务，选择有利于节约资源和保护环境的产业发展模式与生产方式，为有利于民众健康和社会和谐发展的健康中国建设提供保障，为我国中药资源经济结构调整与配置优化提供科学依据。

我们有理由相信，本书的出版必将为江苏中医药行业乃至整个中医药行业协调中药资源保护与利用的关系、促进区域特色生物医药产业结构调整与布局优化，以及中药资源的可持续发展提供科学依据，必将为健康江苏目标的实现做出应有的贡献。

段金廒　吴啟南

2022 年 2 月于南京

凡 例

（1）本书共收录江苏中药资源1522种，涉及植物药、动物药、矿物药资源，撰写过程中主要参考了《中华人民共和国药典》《中国植物志》《中华本草》等文献。

（2）本书分为上篇、中篇、下篇、附篇，共5册。上篇为"江苏省中药资源概论"，是第四次全国中药资源普查工作中江苏省中药资源情况的集中体现；中篇为"江苏省道地、大宗中药资源"，详细介绍了43种江苏道地、大宗中药资源；下篇为"江苏省中药资源各论"，介绍了江苏藻类植物、菌类植物、苔藓植物、蕨类植物、裸子植物、被子植物等中药资源；附篇为"江苏省药用动物、矿物资源"，共收录131种药用动物、矿物资源。为检索方便，本书在第1册正文前收录1～5册总目录，本书目录在页码前均标注了其所在册数（如"[1]"）。

（3）本书下篇"江苏省中药资源各论"在介绍每种中药资源时，以中药资源名为条目名，主要设药材名、形态特征、生境分布、资源情况、采收加工、药材性状、功效物质、功能主治、用法用量、附注项。上述各项的编写原则简述如下。

1)药材名。记述物种的药材名、药用部位、药材别名。同一物种作为多种药材的来源时，分别列出药材名、药用部位、药材别名。未查到药材别名的药材，该内容从略。

2）形态特征。记述物种的形态，突出其鉴别特征，并附以反映其形态特征的原色照片。其中，药用植物资源形态特征的描述顺序为习性、营养器官、繁殖器官。

3）生境分布。记述物种分布区域的海拔高度、地形地貌、周围植被、土壤等生境信息，同时记述其在江苏的主要分布区域（具体到市级或县级行政区域）。

4）资源情况。记述物种的野生、栽培情况。若该物种在江苏无野生资源，则其野生资源情况从略。同样，若该物种在江苏无栽培资源，则其栽培资源情况从略。当无法概括性评估物种的蕴藏量时，该项内容从略。

5）采收加工。记述药材的采收时间、采收方式、加工方法。当各药用部位的采收加工情况不同时，分别描述。当相应内容在文献记载中缺失时，其内容从略。

6）药材性状。记述药材的外观、质地、断面、臭、味等，在一定程度上反映药材的质量特性。当相应内容在文献记载中缺失时，其内容从略。

7）功效物质。记述物种的化学成分或其化学成分的药理作用。当相应内容在文献记载中缺失时，其内容从略。

8）功能主治。记述药材的性味、归经、毒性、功能、主治病证。当各药用部位的功能主治不同时，分别描述。当相应内容在文献记载中缺失时，其内容从略。

9）用法用量。记述药材的用法和用量。用量是指成人一日常用剂量，必要时可遵医嘱。当各药用部位的用法用量不同时，分别描述。当相应内容在文献记载中缺失时，其内容从略。

10）附注。记述物种的生长习性及其在江苏民间的药用情况等。

目 录

Contents

被子植物

蔷薇科 Rosaceae 苹果属 *Malus* 凭证标本号 321183150401018LY

垂丝海棠 *Malus halliana* Koehne

| 药 材 名 | 垂丝海棠（药用部位：花）。

| 形态特征 | 落叶乔木，植株高达 5 m。小枝紫色或紫褐色，初有毛，后脱落。叶片卵形、椭圆形至椭圆状卵形，长 3.5 ~ 12 cm，宽 1.5 ~ 4.5 cm，先端长渐尖至急尖，基部楔形至近圆形，边缘锯齿钝，叶面深绿色，有光泽，常带紫晕，叶背除中脉有时有毛外，其余无毛。伞房花序有花 4 ~ 7；花托紫红色，外面无毛；萼片先端钝，外面无毛，内面密生绒毛，与花托等长或稍短；花瓣粉红色，倒卵形，基部有短爪；雄蕊 20 ~ 25，长约等于花瓣的一半；花柱 4 ~ 5，基部密生柔毛。果实倒卵形，略带紫色，直径 6 ~ 8 mm，萼片脱落。花期 3 ~ 4 月，果期 9 ~ 10 月。

| 生境分布 | 生于山坡丛林中。分布于江苏南京、无锡、宿迁（沭阳）等。江苏公园或庭院多有栽培。 |

| 资源情况 | 栽培资源较丰富。 |

| 采收加工 | 3～4月花盛开时采收，晒干。 |

| 药材性状 | 本品暗红色，下垂；萼筒紫红色，5裂，裂片卵形，边缘有毛，外面无毛，内面密生白色绒毛。花瓣10余，倒卵形，表面光滑无毛，内面疏生白色绒毛；雄蕊多数，花柱4～5，基部密生绒毛；花梗细长，紫色，长2～4 cm，疏生绒毛。气微。 |

| 功效物质 | 花富含多糖成分，可有效改善由盐酸洛哌丁胺引起的功能性便秘。 |

| 功能主治 | 淡、苦，平。归肝经。调经和血。用于血崩。 |

| 用法用量 | 内服煎汤，6～15 g。 |

蔷薇科 Rosaceae 苹果属 *Malus* 凭证标本号 320703150428199LY

湖北海棠 *Malus hupehensis* (Pamp.) Rehd.

| 药 材 名 | 湖北海棠（药用部位：嫩叶、果实）、湖北海棠根（药用部位：根）。

| 形态特征 | 乔木，植株高达 8 m。小枝有柔毛，后脱落。叶片卵形至卵状椭圆形，长 5 ~ 10 cm，宽 2 ~ 4 cm，先端渐尖，基部宽楔形至近圆形，边缘有锐细锯齿，幼时疏生短柔毛，后脱落，常呈紫红色。伞房花序有花 3 ~ 7；花梗长 2 ~ 6 cm，无毛或稍有长柔毛；萼片三角状卵形，先端尖，外面无毛或稍有长柔毛，内面有绒毛，与花托等长或略短；花瓣白色或粉红色，倒卵形；雄蕊 20；花柱 3 ~ 5，基部有长绒毛。果实椭圆形或近球形，直径约 1 cm，黄绿色或稍带红色，萼片脱落。花期 4 ~ 5 月，果期 8 ~ 9 月。

| 生境分布 | 生于山坡杂木林中或路旁。分布于江苏连云港、南京、镇江（句

容）、常州（金坛）、无锡（宜兴）等。

| **资源情况** | 野生资源较少。

| **采收加工** | **湖北海棠**：夏、秋季采收嫩叶，鲜用；8～9月采摘果实，鲜用。
湖北海棠根：夏、秋季采挖，洗净，切片，鲜用或晒干。

| **药材性状** | **湖北海棠**：本品叶片呈卵形或卵状椭圆形，长5～10 cm，宽2.5～4 cm，先端急尖或渐尖，基部圆形或宽楔形，边缘有细锐锯齿，齿端具腺点，主脉下面具沟，幼叶被细毛；托叶2，披针形。革质。气微。

| **功效物质** | 富含黄酮类成分，其中根皮苷降解产物可抑制微生物繁殖和治疗糖尿病。

| **功能主治** | **湖北海棠**：酸，平。消积化滞，和胃健脾。用于食积停滞，消化不良，痢疾，疳积。
湖北海棠根：活血通络。用于跌打损伤。

| **用法用量** | **湖北海棠**：内服煎汤，鲜果60～90 g；或嫩叶适量，代茶饮。
湖北海棠根：内服煎汤，鲜品60～90 g。外用适量，研末调敷。

蔷薇科 Rosaceae 苹果属 Malus 凭证标本号 320125150507245LY

西府海棠

Malus × micromalus Makino

| 药 材 名 | 海红（药用部位：果实）。

| 形态特征 | 小乔木，植株高达 6 m，多主干，直立向上。小枝幼时有毛，不久脱落。叶片长圆形或长椭圆形，长 5 ～ 10 cm，宽 2.5 ～ 5 cm，先端急尖或渐尖，基部楔形，叶缘具锐锯齿；幼叶两面被柔毛，老叶近无毛，叶面光亮。伞形总状花序具花 4 ～ 7；花梗长 2 ～ 3 cm，被柔毛；花托外面密被白色长绒毛；萼片三角状卵形、披针形至长卵形，外面被白色绒毛，毛较稀疏；花瓣粉红色，圆形或长椭圆形；雄蕊 20，稍短于花瓣；花柱 5，基部有绒毛。果实近球形，红色或黄色带红晕，直径 1 ～ 1.5 cm，两洼下陷，萼片脱落或宿存。花期 4 ～ 5 月，果期 8 ～ 9 月。

| 生境分布 | 江苏各地均有栽培，宿迁有大面积种植基地。

| 资源情况 | 栽培资源丰富。

| 采收加工 | 8～9月采收成熟果实，鲜用。

| 药材性状 | 本品呈近球形，直径1～1.5 cm。表面红色带黄色，无斑点，光亮，基部凹陷。花萼脱落或宿存，内果皮革质，形似苹果。气清香，味微酸、甜。

| 功效物质 | 黄酮类化合物是西府海棠含有的重要成分。叶含有芦丁、槲皮素、葛根素等化合物，具有保护心脏、保肝、抗炎、镇痛、抗菌等功效，且具有抗氧化和抗肿瘤活性。

| 功能主治 | 酸、甘，平。归大肠经。涩肠止痢。用于泄泻，痢疾。

| 用法用量 | 内服煎汤，15～30 g；或生食。

| 附　　注 | 本种喜光，耐寒，忌水涝，忌空气过湿，较耐干旱，对土质和水分要求不高，最适生于肥沃、疏松、排水良好的砂壤土。

蔷薇科 Rosaceae 苹果属 Malus 凭证标本号 321284190414072LY

苹果 *Malus pumila* Mill.

药材名

苹果（药用部位：果实）、苹果皮（药用部位：果皮）、苹果叶（药用部位：叶）。

形态特征

落叶乔木，植株高达 15 m。嫩枝密生绒毛，老枝紫褐色，无毛。叶片卵形、椭圆形或椭圆状长圆形，长 4 ~ 10 cm，宽 2.5 ~ 5.5 cm，先端急尖，基部常近圆形或宽楔形，边缘锯齿粗，嫩时两面有短柔毛，后叶面毛脱落。伞房花序有花 3 ~ 7；萼片三角状披针形或卵形，全缘，长于花托，两面密生绒毛；花瓣倒卵形，白色，花蕾待放时带粉红色；雄蕊 20，约等于花瓣的一半；花柱 5，下半部有白色绒毛。果实扁球形，两端微下凹，萼片宿存。花期 3 ~ 4 月，果期 7 ~ 10 月。

生境分布

江苏各地均有栽培，主要分布于徐州（丰县）。

资源情况

栽培资源丰富。

| 采收加工 | 苹果：早熟品种 7 ~ 8 月采收，晚熟品种 9 ~ 10 月采收。保鲜，包装贮藏，及时调运。

苹果皮：采摘期采收成熟果实，取皮，晒干。

苹果叶：6 ~ 10 月采摘，晒干。

| 药材性状 | 苹果：本品呈梨形或扁球形，青色、黄色或红色，直径 5 ~ 10 cm 或更大，顶部及基部均凹陷；外皮薄，革质，果肉肉质，内果皮坚韧，分为 5 室，每室有种子 2。气清香，味甜、微酸。

| 功效物质 | 果实含有 L- 苹果酸、延胡索酸、琥珀酸、丙酮酸等。果皮含有叶绿素 A、叶绿素 B、脱镁叶绿素、胡萝卜素、叶黄质、槲皮素、槲皮苷、矢车菊素 -3- 半乳糖苷、矢车菊素 -3- 葡萄糖苷等。叶含有 β- 吲哚乙酸等。

| 功能主治 | 苹果：甘、酸，凉。益胃，生津，除烦，醒酒。用于津少口渴，脾虚泄泻，食后腹胀，饮酒过度。

苹果皮：甘，凉。归胃经。降逆和胃。用于反胃。

苹果叶：苦，寒。归肝、肾经。凉血解毒。用于产后血晕，月经不调，发热，热毒疮疡，烫伤。

| 用法用量 | 苹果：内服适量，生食；或捣汁；或熬膏。外用适量，捣汁涂。

苹果皮：内服煎汤，15 ~ 30 g；或沸汤泡服。

苹果叶：内服煎汤，30 ~ 60 g。

| 附　注 | 本种喜光，喜微酸性至中性土壤。最适生于土层深厚、富含有机质、心土为通气排水良好的砂壤土的土质。

| 蔷薇科 Rosaceae | 苹果属 Malus | 凭证标本号 321311190422059LY

三叶海棠
Malus sieboldii (Regel) Rehd.

| **药 材 名** | 三叶海棠（药用部位：果实）。

| **形态特征** | 落叶灌木，高 2 ~ 6 m。小枝嫩时被短柔毛，老时毛脱落。叶片卵形、椭圆形或长椭圆形，长 3 ~ 7.5 cm，宽 2 ~ 4 cm，先端急尖，基部圆形或宽楔形，边缘有尖锐锯齿，在新枝上的叶片锯齿粗锐，常 3，稀 5 浅裂，幼叶上下两面均被短柔毛，老叶上面近无毛，下面沿中肋及侧脉有短柔毛；叶柄长 1 ~ 2.5 cm，有短柔毛；托叶草质，窄披针形，先端渐尖，全缘，微被短柔毛。花 4 ~ 8 集生于小枝先端；花梗长 2 ~ 2.5 cm，有柔毛或近无毛；花直径 2 ~ 3 cm；萼筒外面近无毛或有柔毛，萼片三角状卵形，先端尾状渐尖，全缘，外面无毛，内面密被绒毛；花瓣淡粉红色，长椭圆状倒卵形，基部有短爪；雄蕊 20，花丝长短不齐，长约为花瓣之半；花柱 3 ~ 5，

基部有长柔毛，较雄蕊稍长。果实近球形，直径 6 ～ 8 mm，红色或褐黄色，萼片脱落，果柄长 2 ～ 3 cm。花期 4 ～ 5 月，果期 8 ～ 9 月。

| **生境分布** | 生于山坡杂木林或灌丛中。江苏南京及其附近地区有引种栽培。

| **资源情况** | 栽培资源较丰富。

| **采收加工** | 8 ～ 9 月果实成熟时采摘，鲜用或晒干。

| **药材性状** | 本品呈近球形，直径 6 ～ 8 mm，红色或褐黄色，萼片脱落；果柄长 2 ～ 3 cm。气微，味酸。

| **功效物质** | 主要含有各类氨基酸成分，如天冬氨酸、甲硫氨酸、苏氨酸、异亮氨酸、丝氨酸、酪氨酸、谷氨酸等。

| **功能主治** | 酸，温。归脾、胃经。消食健胃。用于饮食积滞。

| **用法用量** | 内服煎汤，6 ～ 12 g。

蔷薇科 Rosaceae 苹果属 Malus 凭证标本号 320723190927209LY

海棠花 *Malus spectabilis* (Ait.) Borkh.

| 药 材 名 | 海棠花（药用部位：果实）。

| 形态特征 | 乔木，高可达8 m。小枝粗壮，圆柱形，幼时具短柔毛，后逐渐脱落，老时红褐色或紫褐色，无毛；冬芽卵形，先端渐尖，微被柔毛，紫褐色，有数枚外露鳞片。叶片椭圆形至长椭圆形，长5～8 cm，宽2～3 cm，先端短渐尖或圆钝，基部宽楔形或近圆形，边缘有紧贴细锯齿，有时部分近全缘，幼嫩时上下两面具稀疏短柔毛，后脱落，老叶无毛；叶柄长1.5～2 cm，具短柔毛；托叶膜质，窄披针形，先端渐尖，全缘，内面具长柔毛。花序近伞形，有花4～6；花梗长2～3 cm，具柔毛；苞片膜质，披针形，早落；花直径4～5 cm；萼筒外面无毛或有白色绒毛；萼片三角状卵形，先端急尖，全缘，外面无毛或偶有稀疏绒毛，内面密被白色绒毛，萼片比萼筒

稍短；花瓣卵形，长 2 ~ 2.5 cm，宽 1.5 ~ 2 cm，基部有短爪，白色，在芽中呈粉红色；雄蕊 20 ~ 25，花丝长短不等，长约为花瓣之半；花柱 5，稀 4，基部有白色绒毛，比雄蕊稍长。果实近球形，直径 2 cm，黄色，萼片宿存，基部不下陷，梗洼隆起，果柄细长，先端肥厚，长 3 ~ 4 cm。花期 4 ~ 5 月，果期 8 ~ 9 月。

| **生境分布** | 生于平原或山地向阳处。分布于江苏南京等。江苏各地多有栽培。

| **资源情况** | 栽培资源较丰富。

| **采收加工** | 8 ~ 9 月果实成熟时采摘，鲜用或晒干。

| **功效物质** | 果实中维生素、有机酸含量较为丰富，能帮助肠胃对饮食物进行消化，故可用于消化不良、食积腹胀之症。

| **功能主治** | 凉血止血。用于崩漏，带下。

蔷薇科 Rosaceae 石楠属 Photinia 凭证标本号 320482180711456LY

光叶石楠
Photinia glabra (Thunb.) Maxim.

| 药 材 名 | 醋林子（药用部位：果实）、光叶石楠（药用部位：叶）。

| 形态特征 | 常绿乔木，植株高 3 ~ 5 m，有时达 7 m。老枝光滑，灰黑色，无毛，皮孔棕黑色。叶片革质，幼时或待脱落时呈红色，椭圆形、长圆形或椭圆状倒卵形，长 5 ~ 10 cm，宽 2 ~ 4.5 cm，先端渐尖或短渐尖，基部楔形，边缘有细锯齿，两面无毛，侧脉 10 ~ 18 对；叶柄长 0.5 ~ 1.5 cm，无毛。复伞房花序多花，顶生；花序梗和花梗光滑，无皮孔；花直径 7 ~ 8 mm；花瓣白色，倒卵形，内面基部有白色绒毛；雄蕊 20，约与花瓣等长或较短；子房先端具白色绒毛，花柱 2，稀为 3，离生或下部合生。梨果红色，卵状，长约 5 mm。花期 4 ~ 5 月，果期 9 ~ 10 月。

| 生境分布 | 生于山坡杂木林中。分布于江苏无锡（宜兴）等。

| 资源情况 | 栽培资源较丰富。

| 采收加工 | 醋林子：9 ～ 10 月果实成熟时采摘，晒干。
光叶石楠：全年均可采收，晒干，切丝。

| 药材性状 | 光叶石楠：本品呈椭圆形、长圆形或椭圆状倒卵形，长 5 ～ 9 cm，宽 2 ～ 4 cm，先端渐尖或短渐尖，基部楔形，边缘具细锯齿，两面均无毛。叶柄长 0.5 ～ 1.5 cm，无毛。叶革质。

| 功效物质 | 种子油主要含有脂肪酸及 β- 谷甾醇。果实含有花色苷色素、矢车菊素 -3- 单葡萄糖苷、蹄纹天竺素 -3- 单葡萄糖苷、矢车菊素 -3- 芸香糖苷等。叶含有熊果酸和无羁萜醇。

| 功能主治 | 醋林子：酸，温。杀虫，止血，涩肠，生津，解酒。用于蛔虫腹痛，痔漏下血，久痢。
光叶石楠：苦、辛，凉。清热利尿，消肿止痛。用于小便不利，跌打损伤，头痛。

| 用法用量 | 醋林子：内服研末，1 ～ 3 g，酒调；或盐、醋腌渍，生食。
光叶石楠：内服煎汤，3 ～ 9 g。外用适量，捣敷。

蔷薇科 Rosaceae 石楠属 Photinia 凭证标本号 321183150924838LY

小叶石楠
Photinia parvifolia (Pritz.) Schneid.

| 药 材 名 | 小叶石楠（药用部位：根）。

| 形态特征 | 落叶灌木，植株高达 3 m。小枝纤细无毛。叶片椭圆形、椭圆状卵形或菱状卵形，长 4 ~ 8 cm，宽 1 ~ 3.5 cm，先端渐尖或尾尖，基部楔形至近圆形，边缘有尖锐锯齿，叶面幼时有柔毛，后脱落，叶背无毛，侧脉 4 ~ 6 对；叶柄长 1 ~ 2 mm，无毛。花序近伞形，有花 2 ~ 9，生于侧枝先端，无花序梗；花梗长 1 ~ 2.5 cm，有皮孔；花托钟状；萼片卵形，内面疏生柔毛；花瓣白色，圆形，先端钝，基部具极短的爪，内面基部疏生长柔毛；子房先端密生长柔毛，花柱 2 或 3，中部以下合生。果实成熟时橘红色，椭圆形或卵形，长 0.9 ~ 1.2 cm，无毛，宿存萼直立，果柄长 1 ~ 2.5 cm，密生皮孔。花期 4 ~ 5 月，果期 7 ~ 8 月。

| **生境分布** | 生于山坡灌木丛中。分布于江苏南京、无锡（宜兴）、常州（溧阳）等。 |

| **资源情况** | 栽培资源较丰富。 |

| **采收加工** | 秋、冬季采挖，洗净，晒干。 |

| **功效物质** | 主要含有羽扇豆醇、β-谷甾醇、白桦酸、儿茶素及圆齿火棘酸等化合物。研究发现，圆齿火棘酸对肺腺癌、肝癌、胃癌、结肠癌有一定的抑制作用。 |

| **功能主治** | 苦、涩，微寒。归肝经。清热解毒，活血止痛。用于黄疸，乳痈，牙痛。 |

| **用法用量** | 内服煎汤，15～60 g。 |

蔷薇科 Rosaceae 石楠属 Photinia 凭证标本号 320703170420687LY

石楠
Photinia serrulata Lindl.

药材名

石楠（药用部位：叶或带叶嫩枝）、石楠实（药用部位：果实）、石楠根（药用部位：根或根皮）。

形态特征

常绿灌木或小乔木，植株高 6 ~ 12 m。小枝光滑无毛。叶片革质，长椭圆形、长倒卵形或倒卵状椭圆形，长 9 ~ 22 cm，宽 2.5 ~ 6.5 cm，先端尾尖，基部宽楔形至圆形，疏生细腺锯齿，近基部全缘，幼时沿中脉至叶柄有绒毛，后脱落至两面无毛；叶柄长 2 ~ 4 cm。复伞房花序花多而密，顶生；花序梗和花梗无皮孔；花直径 6 ~ 8 mm；萼片三角形，长约 1 mm，无毛；花瓣白色，近圆形，内面近基部无毛；雄蕊 20，花药带紫色；子房先端有毛，花柱 2 或 3，基部合生。果实近球形，直径 3 ~ 6 mm，红色，后变紫褐色。花期 4 ~ 5 月。

生境分布

生于山坡杂木林中、溪谷边林缘、山麓旷野。分布于江苏南京、无锡等。

| **资源情况** | 栽培资源较丰富。 |

采收加工	**石楠**：全年均可采收，以夏、秋季采收者为佳，晒干。
	石楠实：9 ~ 11 月果实成熟时采收，晾干。
	石楠根：全年均可采挖，洗净，切碎，鲜用或晒干。

| **药材性状** | **石楠**：本品茎呈圆柱形，直径 0.4 ~ 0.8 cm，有分枝；表面暗灰棕色，有纵皱纹，皮孔呈细点状；质坚脆，易折断，断面皮部薄，暗棕色，木部黄白色，裂片状。叶互生，具柄，长 1 ~ 4 cm，上面有 1 纵槽；叶片长椭圆形或倒卵状椭圆形，长 8 ~ 15 cm，宽 2 ~ 6 cm，先端尖或突尖，基部近圆形或楔形，边缘具细密锯齿，齿端棕色，但在幼时及萌芽枝上的叶缘具芒状锯齿；上面棕色或棕绿色，无毛，羽状脉，中脉凹入，下面中脉明显突出。叶片革质而脆。气微，茎微苦，叶微涩。以枝嫩、条匀、叶完整无碎者为佳。 |
| | **石楠实**：本品呈小球形，直径 4 ~ 6 mm；表面红色或紫褐色，较光滑，先端有凹陷的宿存萼，果肉较薄。种子 1，卵形，长约 2 mm，棕色。气微，味涩。 |

| **功效物质** | 叶含单宁、野樱苷、异绿原酸、山梨醇、熊果酸等化合物。 |

功能主治	**石楠**：辛、苦，平；有小毒。归肝、肾经。祛风湿，止痒，强筋骨，益肝肾。用于风湿痹痛，头风头痛，风疹，脚膝痿弱，肾虚腰痛，阳痿，遗精。
	石楠实：辛、苦，平。归脾、肾经。祛风湿，消积聚。用于风痹积聚。
	石楠根：辛、苦，平。祛风除湿，活血解毒。用于风痹，历节痛风，外感咳嗽，疮痈肿痛，跌打损伤。

用法用量	**石楠**：内服煎汤，3 ~ 10 g；或入丸、散剂。外用适量，研末撒；或研末吹鼻。
	石楠实：内服煎汤，6 ~ 9 g；或浸酒。
	石楠根：内服煎汤，6 ~ 9 g。外用适量，捣敷。

蔷薇科 Rosaceae 石楠属 *Photinia* 凭证标本号 320703170420707LY

毛叶石楠 *Photinia villosa* (Thunb.) DC.

| **药 材 名** | 毛叶石楠（药用部位：果实、根）。

| **形态特征** | 落叶灌木或小乔木，植株高达 5 m。小幼枝、幼叶两面、叶柄、花序梗、花梗、花托杯、萼片、子房先端均被白色长柔毛。叶片倒卵形、长椭圆状倒卵形或椭圆形，长 3 ~ 8 cm，宽 1.2 ~ 4 cm，先端尾尖，基部楔形，上半部具密生尖锐锯齿，后期仅叶背、叶脉有柔毛，侧脉 5 ~ 7 对；叶柄长 1 ~ 5 mm。伞房花序有花 10 ~ 20；花序梗、花梗皮孔明显；萼片三角状卵形；花瓣白色，近圆形，内面基部被柔毛；雄蕊较花瓣短；花柱 3，离生，无毛。果实成熟时红色或黄红色，椭圆形或卵形，长 0.8 ~ 1 cm，直径 6 ~ 8 mm，微有毛或无毛，宿存萼直立。花期 4 月，果期 8 ~ 9 月。

生境分布	生于山坡灌丛中。分布于江苏连云港、南京、镇江（句容）、无锡（宜兴）等。
资源情况	野生及栽培资源较丰富。
采收加工	果实，8～9月果实成熟时采摘，晒干；根，全年均可采挖，洗净，晒干。
功效物质	种子含油率37.90%，脂肪酸主要为亚油酸、油酸、棕榈酸、硬脂酸及花生酸。
功能主治	辛、苦，平。归脾、胃、大肠经。清热利湿，和中健脾。用于湿热内蕴，呕吐，泄泻，痢疾，劳伤疲乏。
用法用量	内服煎汤，10～15 g。

蔷薇科 Rosaceae 委陵菜属 *Potentilla* 凭证标本号 320323161104933LY

委陵菜 *Potentilla chinensis* Ser.

| **药 材 名** | 委陵菜（药用部位：全草）。

| **形态特征** | 多年生草本，植株高达 70 cm。根圆柱形。花茎和叶柄均被疏短柔毛和白色绢状长柔毛。基生叶为羽状复叶，小叶 11 ~ 31；小叶片长圆形或长圆状披针形，长 1 ~ 6 cm，宽 0.8 ~ 1.5 cm，边缘羽状深裂，裂片三角状卵形、三角状披针形或长圆状披针形，先端急尖或圆钝，叶面被短柔毛或脱落近无毛，叶背密被白色绒毛，沿脉被白色绢状长柔毛。伞房状聚伞花序，花梗长达 1.5 cm；苞片披针形，外侧与花梗均密被短柔毛；花直径约 1 cm；萼片卵状三角形，副萼片带形或披针形，被短柔毛和少数绢状柔毛；花瓣黄色，宽倒卵形。瘦果卵圆形，具明显皱纹。花果期 4 ~ 10 月。

| 生境分布 | 生于向阳山坡、疏林下或路旁草丛中。江苏各地均有分布。

| 资源情况 | 野生资源较丰富。

| 采收加工 | 春季未抽茎时采收，除去泥沙，晒干。

| 药材性状 | 本品根呈圆柱形或类圆锥形，略扭曲，有的分枝，长 5 ～ 17 cm，直径 0.5 ～ 1 cm；表面暗棕色或暗紫红色，有纵纹，粗皮易呈片状剥落；根头部稍膨大；质坚，易折断，断面皮部薄，暗棕色，常与木部分离，射线呈放射状排列。叶基生，奇数羽状复叶，有柄；小叶狭长椭圆形，边缘羽状深裂，下面及叶柄均密被灰白色柔毛。以无花茎、色灰白、无杂质者为佳。

| 功效物质 | 全草含槲皮素、山柰酚、没食子酸、壬二酸。

| 功能主治 | 苦，平。归肝、脾、胃、大肠经。清热解毒，凉血止痢。用于赤痢腹痛，久痢不止，痔疮出血，疮痈肿毒。

| 用法用量 | 内服煎汤，15 ～ 30 g；或研末；或浸酒。外用适量，煎汤洗；或捣敷；或研末撒。

蔷薇科 Rosaceae 委陵菜属 Potentilla 凭证标本号 320829170422091LY

翻白草
Potentilla discolor Bunge

| 药 材 名 | 翻白草（药用部位：全草）。

| 形 态 特 征 | 多年生草本，植株高达 45 cm。根常呈纺锤形。花茎、叶柄、茎生托叶、叶背及花梗均密被白色或灰白色绵毛。基生叶为羽状复叶，小叶 5 ～ 9（～ 11），小叶片长圆形或长圆状披针形，长 1 ～ 5 cm，宽 0.5 ～ 0.8 cm，两侧常不对称，边缘具锯齿，叶面疏被白色绵毛或脱落近无毛；茎生叶常为三出复叶；基生叶托叶膜质，被白色长柔毛，茎生叶托叶草质，边缘有缺刻状锯齿，稀全缘。聚伞花序疏散；花直径 1 ～ 2 cm；萼片三角状卵形，副萼片披针形；花瓣黄色，倒卵形。瘦果近肾形，光滑。花果期 5 ～ 9 月。

| 生 境 分 布 | 生于山坡、路旁或草丛中。江苏各地均有分布。

| 资源情况 | 野生资源较丰富。

| 采收加工 | 夏、秋季花开前采收，除去泥沙、杂质，干燥。

| 药材性状 | 本品块根呈纺锤形或圆柱形，少数瘦长，有不规则扭曲的纵槽纹，长 3 ~ 8 cm；表面黄棕色或暗红棕色，栓皮较平坦；质硬而脆，断面黄白色。基生叶丛生，奇数羽状复叶皱缩而卷曲，小叶 3 ~ 9，矩圆形或狭长椭圆形，先端小叶片较大；上表面暗绿色，下表面密生白色绒毛，边缘有粗锯齿。以根肥大、叶灰绿色者为佳。

| 功效物质 | 全草含有 β- 谷甾醇、槲皮素、异鼠李素、委陵菜酸、没食子酸、山柰酚等。

| 功能主治 | 甘、苦，平。清热解毒，止痢，止血。用于湿热泻痢，疮痈肿毒，血热吐衄，便血，崩漏。

| 用法用量 | 内服煎汤，10 ~ 15 g；或浸酒。外用适量，煎汤熏洗；或鲜品捣敷。

蔷薇科 Rosaceae 委陵菜属 Potentilla 凭证标本号 320116180401004LY

莓叶委陵菜 *Potentilla fragarioides* L.

| **药 材 名** | 雉子筵（药用部位：全草）。 |

| **形态特征** | 多年生草本，植株高达 30 cm。根多，簇生。花茎多数，丛生，与叶柄均被开展长柔毛。基生叶为羽状复叶，小叶 5 ~ 7（~ 9），小叶片倒卵形、椭圆形或长椭圆形，长 0.5 ~ 7 cm，宽 0.4 ~ 3 cm，先端圆钝或急尖，基部楔形或宽楔形，边缘有急尖或圆钝锯齿及缘毛，两面伏生柔毛，有短柄或近无柄；茎生叶常为三出复叶，叶柄短或近无柄；基生叶托叶膜质，被疏开展长柔毛，茎生叶托叶草质，伏生疏柔毛。伞房状聚伞花序疏散，顶生；花梗纤细，被疏柔毛；花直径 1 ~ 1.7 cm；萼片三角状卵形，副萼片长圆状披针形；花瓣黄色，倒卵形。瘦果近肾形，表面具脉纹。花期 4 ~ 6 月，果期 |

6 ~ 8 月。

| **生境分布** | 生于湿地、山坡、草甸、田地边、沟边、草地、灌丛及疏林下。分布于江苏连云港、南京（江宁）、镇江（句容）、无锡等。

| **资源情况** | 野生资源一般。

| **采收加工** | 秋季采收，洗净，晒干。

| **药材性状** | 本品长约 25 cm，密被绒毛。茎纤细。羽状复叶；基生叶有小叶 5 ~ 7（~ 9），先端 3 小叶较大，小叶宽倒卵形、卵圆形或椭圆形，长 0.8 ~ 4 cm，宽 0.5 ~ 2 cm，先端尖或稍钝，基部楔形或圆形，边缘具粗锯齿；茎生叶为三出复叶。花多，黄色。瘦果小，微有皱纹。气微。

| **功效物质** | 主要含有鞣质成分，以右旋儿茶素为主，具有防治心血管疾病、预防恶性肿瘤等多种功效。

| **功能主治** | 甘，温。归肺、脾经。活血化瘀，养阴清热。用于疝气，干血痨。

| **用法用量** | 内服煎汤，9 ~ 15 g。

| **附　注** | 本种为药食两用的草本植物，在民间常作为野菜食用，其含有的膳食纤维可促进肠道消化蠕动，预防便秘及多种肠道疾病。

蔷薇科 Rosaceae 委陵菜属 *Potentilla* 凭证标本号 320115160417020LY

三叶委陵菜 *Potentilla freyniana* Bornm.

| 药 材 名 | 地蜂子（药用部位：全草或根）。

| 形态特征 | 多年生草本。根茎短粗。常具细长纤匍茎。花茎纤细，直立或上升，高达 25 cm，被疏柔毛。基生叶为掌状 3 小叶；叶柄细长，被疏柔毛；小叶柄短或近无柄；小叶片长圆形、卵形或椭圆形，长 1.5 ～ 5 cm，宽 1 ～ 2 cm，基部楔形，边缘有锯齿，两面被疏柔毛，叶背沿脉较密；茎生小叶与基生小叶相似，较小，叶柄极短；基生叶托叶膜质，茎生叶托叶草质，边缘具缺刻状锐齿，与基生叶托叶均被疏长柔毛。伞房状聚伞花序疏散，顶生；花梗纤细，长 1 ～ 1.5 cm，被疏柔毛；花直径约 1 cm；萼片三角状卵形，副萼片披针形，与萼片均被柔毛；花瓣黄色，长圆状倒卵形。瘦果卵圆形，表面具明显脉纹。花果期 3 ～ 6 月。

| 生境分布 | 生于山坡草地、溪边及疏林下阴湿处。分布于江苏南京、镇江（句容）等。 |

| 资源情况 | 野生资源较少。 |

| 采收加工 | 全草，夏季采收开花的全草，晒干；根，4～10月采挖，晒干。 |

| 药材性状 | 本品根茎呈纺锤形、圆柱形或哑铃形，微弯曲，有的形似蜂腹，长1.5～4 cm，直径0.5～1.2 cm。表面灰褐色或黄褐色，粗糙，有皱纹和凸起的根痕及须根，先端有叶柄残基，被柔毛。质坚硬，不易折断，断面颗粒状，深棕色或黑褐色，中央色深，在放大镜下可见白色细小结晶。气微，味涩，微具清凉感。 |

| 功效物质 | 全草主要含有鞣质、黄酮类及三萜类化学成分。根主要富含甾醇类成分，如β-谷甾醇、胡萝卜苷。 |

| 功能主治 | 甘，温。归肺、大肠、胃、肝经。清热解毒，敛疮止血，散瘀止痛。用于咳喘，痢疾，肠炎，痈肿疔疮，烫火伤，口舌生疮，骨髓炎，骨结核，瘰疬，痔疮，毒蛇咬伤，崩漏，月经过多，产后出血，外伤出血，胃痛，牙痛，胸骨痛，腰痛，跌打损伤。 |

| 用法用量 | 内服煎汤，10～15 g；或研末，1～3 g；或浸酒。外用适量，捣敷；或煎汤洗；或研末敷。 |

| 附　注 | 本种喜温暖湿润气候，根系发达，对土壤要求不严；稍耐阴，耐寒，耐旱，耐瘠薄。 |

蔷薇科 Rosaceae 委陵菜属 Potentilla 凭证标本号 320830150509042LY

蛇含委陵菜 *Potentilla kleiniana* Wight et Arn.

| 药 材 名 | 蛇含（药用部位：全草）。

| 形态特征 | 一年生、二年生或多年生宿根草本。花茎上升或匍匐，长达 50 cm，与叶柄均被疏柔毛或开展的长柔毛。基生叶为近鸟足状 5 小叶，小叶片倒卵形或长圆状倒卵形，长 1 ～ 5 cm，宽 0.5 ～ 2 cm，先端圆钝，基部楔形，边缘有锯齿，两面被疏柔毛，有短柄或近无柄；茎上部叶为 3 小叶；茎下部叶为掌状 5 小叶；基生叶托叶膜质，被柔毛或脱落近无毛，茎生叶托叶草质，被疏长柔毛。花数朵成聚伞花序集生于枝顶；花梗长达 1.5 cm，密被开展长柔毛；花直径约 1 cm；萼片三角状卵圆形，副萼片披针形或椭圆状披针形，外侧疏被长柔毛；花瓣黄色，倒卵形。瘦果近圆形，表面具皱纹。花果期 4 ～ 9 月。

| **生境分布** | 生于山坡、路旁、水沟边或草丛中。分布于江苏南京、镇江（句容）、扬州、连云港（灌云）等。 |

| **资源情况** | 野生资源较少。 |

| **采收加工** | 5月或9～10月采收，抖净泥沙，拣去杂质，晒干；鲜品随采随用。 |

| **药材性状** | 本品长约40 cm。根茎粗短，根多数，须状。茎细长，多分枝，被疏毛。叶掌状复叶；基生叶有5小叶，小叶倒卵形或倒披针形，长1～5 cm，宽0.5～1.5 cm，边缘具粗锯齿，上下表面均被毛；茎生叶有3～5小叶。花多，黄色。果实表面微有皱纹。气微，味苦、微涩。 |

| **功效物质** | 富含黄酮类及鞣质类化学成分。 |

| **功能主治** | 苦，寒。归肝、肺经。清热定惊，截疟，止咳化痰，解毒活血。用于高热惊风，疟疾，肺热咳嗽，百日咳，痢疾，疮疖肿毒，咽喉肿痛，风火牙痛，带状疱疹，目赤肿痛，蛇虫咬伤，风湿麻木，跌打损伤，月经不调，外伤出血。 |

| **用法用量** | 内服煎汤，9～15 g，鲜品加倍。外用适量，煎汤洗；或捣敷；或捣汁涂；或煎汤含漱。 |

| **附　　注** | 本种为民间常用的解热、祛风寒药，捣敷用于治疗疮毒、肿痛及蛇虫咬伤。 |

蔷薇科 Rosaceae 委陵菜属 Potentilla 凭证标本号 320830160517001LY

绢毛匍匐委陵菜 *Potentilla reptans* L. var. *sericophylla* Franch.

| 药 材 名 | 金金棒（药用部位：块根）、匍匐委陵菜（药用部位：全草）。

| 形态特征 | 多年生匍匐草本。根常膨大成纺锤状块根。匍匐茎长达 1 m，被疏柔毛或几无毛，节上常生不定根。基生叶为鸟足状 5 小叶，叶柄长达 12 cm，被疏柔毛或近无毛；小叶片倒卵形、菱状倒卵形或倒卵圆形，长 1 ~ 3 cm，宽 0.8 ~ 1.5 cm，先端圆钝，基部楔形，边缘具急尖或圆钝锯齿，叶面近无毛或被疏柔毛，叶背被疏柔毛，沿叶脉较密，具短柄或近无柄；匍匐茎上叶与基生叶相似；基生叶托叶膜质，匍匐茎上叶托叶草质，卵状长圆形或卵状披针形，全缘，稀有 1 或 2 齿。花单生于叶腋或与叶对生；花梗细长，被疏柔毛；花直径达 2.2 cm；萼片卵状披针形，副萼片长椭圆形或椭圆状披针形，外

侧被疏柔毛，果期显著增大；花瓣黄色，宽倒卵形，先端凹缺。瘦果卵圆形，成熟时黄褐色。

| 生境分布 | 生于山坡、路旁或草丛中。分布于江苏南京、镇江（句容）、扬州等。

| 资源情况 | 野生资源较丰富。

| 采收加工 | **金金棒**：秋季挖取，晒干。
匍匐委陵菜：秋季采收，洗净，鲜用或晒干。

| 功效物质 | 主要含有鞣质类及维生素 C 等。

| 功能主治 | **金金棒**：甘，平。归肺、脾、胃经。滋阴除热，生津止渴。用于虚劳发热，虚喘，热病伤津，口渴咽干，带浊。
匍匐委陵菜：发表，止咳，止血，解毒。用于外感风热，咳嗽，崩漏，疮疖。

| 用法用量 | **金金棒**：内服煎汤，31 ~ 62 g。
匍匐委陵菜：内服煎汤，9 ~ 15 g。外用适量，捣敷。

| 附 注 | （1）本种与匍匐委陵菜的区别在于叶为掌状 3 小叶，两侧生小叶浅裂至深裂达基部，有时不分裂，边缘常具不整齐或缺刻状锯齿，叶背和叶柄伏生绢状柔毛，稀脱落被疏柔毛。花期 4 ~ 5 月，果期 6 ~ 9 月。
（2）本种在治疗疮疖时，应取鲜品捣敷。

薔薇科 Rosaceae | 委陵菜属 Potentilla | 凭证标本号 320282140825381LY

朝天委陵菜 *Potentilla supina* L.

| 药 材 名 | 朝天委陵菜（药用部位：全草）。

| 形态特征 | 一年生或二年生草本，植株高达 50 cm。茎和叶柄均被疏柔毛或脱落近无毛。基生叶为羽状复叶，小叶 5 ~ 11（~ 13），先端 1 或 2 对小叶基部下延至叶轴；小叶片倒卵形、椭圆形或倒卵状长圆形，长 0.6 ~ 3 cm，宽 0.4 ~ 1.5 cm，边缘有圆钝或缺刻状锯齿，叶面无毛，叶背微被柔毛或近无毛，无柄；茎生叶向上小叶片逐渐减少；基生叶托叶膜质，茎生叶托叶草质，与基生叶托叶均被疏柔毛或近无毛。茎下部花常单生于叶腋，茎先端花常数朵成伞房状聚伞花序；花梗被短柔毛；花直径 6 ~ 8 mm；萼片卵状三角形，副萼片长椭圆形或椭圆状披针形；花瓣黄色，倒卵形。瘦果长圆形，表面具脉纹。花果期 4 ~ 10 月。

| 生境分布 | 生于山坡、路旁、水沟边或草丛中。江苏各地均有分布。

| 资源情况 | 野生资源较丰富。

| 采收加工 | 6 ~ 9 月枝叶繁茂时采收，洗净，鲜用或晒干。

| 功效物质 | 富含黄酮类、三萜类成分。

| 功能主治 | 收敛止泻，凉血止血，滋阴益肾。用于泄泻，吐血，尿血，便血，血痢，须发早白，牙齿不固。

| 用法用量 | 内服煎汤，6 ~ 15 g。外用适量，煎汤熏洗。

蔷薇科 Rosaceae 杏属 Armeniaca 凭证标本号 320506150427049LY

杏
Armeniaca vulgaris Lam.

| 药 材 名 | 苦杏仁（药用部位：种子）。

| 形态特征 | 乔木，植株高达 10 m。小枝无毛。叶宽卵形至近圆形，长 5 ~
10 cm，宽 4 ~ 8 cm，先端急尖或具短尖头，基部圆形或近心形，
有圆钝锯齿，两面无毛或叶背脉腋具柔毛。花单生，先叶开放；花
托钟状，紫红色；萼片卵形或卵状长圆形，基部被毛，花后反折；
花瓣白色带红晕，圆形或倒卵形；心皮有毛。核果近球形，直径
2.5 ~ 5 cm，成熟时黄白色或黄红色，常带红晕，有细柔毛，有沟；
果肉多汁，成熟时不裂；核扁球形，背面平滑，沿腹缝线有深沟；
种子扁球形，味甜或苦。花期 3 ~ 4 月，果期 5 ~ 7 月。

| 生境分布 | 生于低山丘陵地带。江苏徐州、淮安、连云港等有栽培。

| 资源情况 |

栽培资源丰富。

| 采收加工 |

6 ～ 7 月果熟期采摘果实，除去果肉，洗净，敲碎果核，取出种子，晾干，防虫蛀。

| 药材性状 |

本品呈扁心形，长 1 ～ 1.9 cm，宽 0.8 ～ 1.5 cm，厚 0.5 ～ 0.8 cm。表面黄棕色至深棕色，一端尖，另一端钝圆，肥厚，左右不对称。尖端一侧有短线形种脐，圆端合点处向上具多数深棕色的脉纹。种皮薄，子叶 2，富油性。味苦。

| 功效物质 |

含有苦杏仁苷、脂肪油、苦杏仁酶、绿原酸等。

| 功能主治 |

苦，温；有小毒。归肺、大肠经。降气化痰，止咳平喘，润肠通便。用于咳嗽气喘，胸满痰多，肠燥便秘。

| 用法用量 |

内服煎汤，4.5 ～ 9 g，生品入煎剂，宜后下。

| 附　注 |

本种为阳性树种，适应性强，深根性，喜光，耐旱，抗寒，抗风。

蔷薇科 Rosaceae 杏属 Armeniaca 凭证标本号 321112180727012LY

梅
Armeniaca mume Sieb.

药 材 名

乌梅（药用部位：果实）、梅花（药用部位：花蕾）。

形态特征

小乔木，稀灌木，植株高达 10 m。小枝绿色，无毛。叶片宽卵形至椭圆形，长 4 ~ 10 cm，宽 2 ~ 5 cm，先端尾尖，基部宽楔形或近圆形，边缘有细密锯齿，幼时两面被柔毛，老时叶背脉腋具柔毛。花单生或 2 簇生，先叶开放；花梗短或几无；花托钟状，常带紫红色；萼片花后常不反折，无毛或被柔毛；花瓣白色或淡红色，倒卵形；心皮有短柔毛。核果近球形，有纵沟，直径 2 ~ 3 cm，成熟时绿白色至黄色，有短柔毛；果肉黏核；核椭圆形，有纵沟，具蜂窝状孔穴。花期 2 ~ 3 月，果期 5 ~ 6 月。

生境分布

生于山坡路边、溪边或疏林下。江苏各地均有分布。江苏南京、常州、宿迁（沭阳）等有栽培。

资源情况

栽培资源较丰富。

| **采收加工** | **乌梅：** 5～6月间果实呈黄白色或青黄色、尚未完全成熟时采摘，鲜用或烘干。 |
| | **梅花：** 2～3月采收未完全开放的花蕾，晒干或烘干。 |

药材性状 | **乌梅：** 本品呈类球形或扁球形，直径2～3 cm。表面棕黑色至乌黑色，皱缩，于放大镜下可见毛茸，基部有圆形果柄痕。果肉柔软或略硬，果核坚硬，椭圆形，棕黄色，表面有凹点，内含卵圆形、淡黄色种子1。具焦酸气，味极酸而涩。以个大、肉厚、柔润、味极酸者为佳。

梅花： 本品干燥者呈类球形，直径3～6 mm，有极短花梗。苞片数层，鳞片状，长3.5 mm，宽至2 mm，暗棕色，有短毛。萼片5，广卵形，直径约至4 mm，灰绿色或棕色，有毛。花瓣5或多数，阔卵圆形，长约4 mm，宽约至5.5 mm，黄白色。雄蕊多数。雌蕊1，子房着生于凹陷的花托上，表面密被细柔毛。体轻。气清香。

功效物质 | 成熟果实含有柠檬酸、苹果酸、琥珀酸等。种子含有苦杏仁苷。花含有挥发油，油中含苯甲醛、苯甲酸等。

功能主治 | **乌梅：** 酸，平。归肝、脾、肺、肾、胃、大肠经。敛肺，涩肠，生津，安蛔。用于肺虚久咳，久泻久痢，虚热消渴，蛔厥腹痛。

梅花： 苦、微甘、微酸，凉。归肝、胃、肺经。疏肝和中，化痰散结。用于肝胃气痛，郁闷心烦，梅核气，瘰疬，疮毒。

用法用量 | **乌梅：** 内服煎汤，2.4～4.5 g；或入丸、散剂。外用适量，煅存性，研末撒或调敷。

梅花： 内服煎汤，2～6 g；或入丸、散剂。外用适量，鲜品捣敷。

附　注 | 本种的果实又为提取枸橼酸的原料。根研成粉末可有效治疗黄疸。

蔷薇科 Rosaceae 桃属 *Amygdalus* 凭证标本号 320722180411021LY

桃 *Amygdalus persica* L.

药材名

桃子（药用部位：成熟果实）、桃仁（药用部位：种子）、碧桃干（药用部位：幼果）、桃毛（药用部位：果实上的毛）、桃花（药用部位：花）、桃叶（药用部位：叶）、桃枝（药用部位：幼枝）、桃茎白皮（药用部位：除去栓皮的树皮）、桃根（药用部位：根或根皮）、桃胶（药用部位：树脂）。

形态特征

小乔木，植株高达 8 m。小枝无毛；冬芽被柔毛，2 或 3 簇生。叶片卵状披针形或椭圆状披针形，有时为倒卵状披针形，长 7 ~ 15 cm，宽 2 ~ 4 cm，先端渐尖，基部楔形，边缘具单锯齿，较钝，叶面无毛，叶背在脉腋具少数短柔毛或无毛。花常单生；花梗几无；花托钟状，外面有短柔毛；萼片卵形或长圆形，被柔毛；花瓣粉红色，稀白色，长圆状椭圆形或倒宽卵形；花药绯红色；心皮有毛。核果卵球形、圆形或长圆形，外面有茸毛，稀无毛（油桃），纵沟明显；果肉厚，多汁，有香味；核极硬，有不规则的深沟及孔穴，与果肉分离或不分离。花期 3 ~ 4 月，果期 6 ~ 9 月。

| 生境分布 | 江苏各地均有分布。江苏各地均有栽培。

| 资源情况 | 栽培资源较丰富。

| 采收加工 | 桃子：果实成熟时采摘，鲜用或制作果脯。

桃仁：夏、秋季间采摘成熟果实，取出果核或在食用果肉时收集果核，除净果肉及核壳取出种子，晒干。

碧桃干：4～6月经风吹落后拾取，翻晒4～6天，由青色变为青黄色即得。

桃毛：刮下未成熟果实上的毛，晒干。

桃花：3～4月间花将开放时采摘，阴干。

桃叶：夏季采收，鲜用或晒干。

桃枝：夏季采收，切段，晒干，或随剪随用。

桃茎白皮：夏、秋季剥取，除去栓皮，切碎，鲜用或晒干。

桃根：全年均可采挖根，洗净，切片，晒干；或剥取根皮，切碎，晒干。

桃胶：夏季用刀切割树皮，待树脂溢出后收集，水浸，洗去杂质，晒干。

| 药材性状 | 桃仁：本品呈扁椭圆形，先端具尖，中部略膨大，基部钝圆而偏斜，边缘较薄，长1.2～1.8 cm，宽0.8～1.2 cm，厚2～4 mm。表面红棕色或黄棕色，有细小颗粒状突起；尖端一侧有1棱线状种脐，基部有合点，并自该处分散出多数棕色维管束脉纹，形成布满种皮的纵向凹纹，种皮薄。子叶肥大，富油质。气微，味微苦。

碧桃干：本品呈矩圆形或卵圆形，长1.8～3 cm，直径1.5～2 cm，厚0.9～1.5 cm，先端渐尖，呈鸟喙状，基部不对称，有的存有少数棕红色的果柄；表面黄绿色，具网状皱缩的纹理，并密被短柔毛；质坚硬，不易折断。破开，断面内果皮厚而硬化，腹缝线凸出，背缝线明显。含未成熟种子1。气微弱，味微酸、涩。

桃叶：本品多卷缩成条状，湿润展平后呈长圆状披针形，长6～15 cm，宽2～3.5 cm。先端渐尖，基部宽楔形，边缘具细锯齿或粗锯齿。上面深绿色，较光亮，下面色较淡。质脆。气微，味微苦。

桃枝：本品呈圆柱形，长短不一，直径0.5～1 cm。表面红褐色，较光滑，有类白色点状皮孔。质脆，断面黄白色，木部占大部分，中央有白色髓部。气微，味微苦、涩。

桃胶：本品呈不规则的块状、泪滴状等，大小不一。表面淡黄色、黄棕色，角质样，半透明。质软韧，干透较硬，断面有光泽。气微，加水有黏性。

| 功效物质 | 果实含有机酸，主要为苹果酸。种子含有苦杏仁苷。花含有山柰素-3-鼠李糖苷、桃皮素、绿原酸等。叶含有熊果酸、苦杏仁苷及鞣质等。幼枝含有柚皮素、山柰酚、槲皮素葡萄糖苷等。除去栓皮的树皮含有β-谷甾醇和黄酮类成分。根含有苯甲酸。树脂含有半乳糖、鼠李糖等。

| 功能主治 | 桃子：甘、酸，温。归肺、大肠经。生津，润肠，活血，消积。用于津少口渴，肠燥便秘，闭经，积聚。

桃仁：苦、甘，平。归心、肝、大肠、肺、脾经。活血祛瘀，润肠通便，止咳平喘。用于闭经，痛经，癥瘕痞块，肺痈肠痈，跌打损伤，肠燥便秘，咳嗽气喘。

碧桃干：酸、苦，平。归肺、肝经。敛汗涩精，活血止血，止痛。用于盗汗，遗精，心腹痛，吐血，妊娠下血。

桃毛：活血，行气。用于血瘕，崩漏，带下。

桃花：苦，平。归心、肝、大肠经。利水通便，活血化瘀。用于小便不利，水肿，痰饮，脚气，石淋，便秘，癥瘕，闭经，癫狂，疮疹。

桃叶：苦、辛，平。归脾、肾经。祛风清热，燥湿解毒，杀虫。用于外感风邪，头风，头痛，风痹，湿疹，痈肿疮疡，疮癣，疟疾，滴虫性阴道炎。

桃枝：苦，平。归心、胃经。活血通络，解毒杀虫。用于心腹刺痛，风湿痹痛，跌打损伤，疮癣。

桃茎白皮：苦，平。归肺、脾经。解热利湿，解毒，杀虫。用于水肿，痧气腹痛，风湿关节痛，肺热喘闷，喉痹，牙痛，疮痈肿毒，瘰疬，湿疮，湿癣。

桃根：苦，平。归肝经。清热利湿，活血止痛，消痈肿。用于黄疸，痧气腹痛，腰痛，跌打劳伤疼痛，风湿痹痛，闭经，吐血，衄血，痈肿，痔疮。

桃胶：甘、苦，平。归大肠、膀胱经。和血，通淋，止痢。用于血瘕，石淋，痢疾，腹痛，糖尿病，乳糜尿。

| 用法用量 | 桃子：内服适量，鲜食；或制作果脯食。外用适量，捣敷。

桃仁：内服煎汤，4.5～9 g；或入丸、散剂。外用适量，捣敷。

碧桃干：内服煎汤，6～9 g；或入丸、散剂。外用适量，研末调敷；或烧烟熏。

桃毛：内服煎汤，1～3 g，包煎。

桃花：内服煎汤，3～6 g；或研末，1.5 g。外用适量，捣敷；或研末调敷。

桃叶：内服煎汤，3～6 g。外用适量，煎汤洗；或捣敷。

桃枝：内服煎汤，9～15 g。外用适量，煎汤含漱或洗浴。

桃茎白皮：内服煎汤，9～15 g。外用适量，研末调敷；或煎汤洗；或煎汤含漱。

桃根：内服煎汤，15～30 g。外用适量，煎汤洗。

桃胶：内服煎汤，9～15 g；或入丸、散剂。

蔷薇科 Rosaceae 李属 Prunus 凭证标本号 320482180317374LY

樱桃李 *Prunus cerasifera* Ehrh.

| 药 材 名 | 樱桃李（药用部位：种子）。

| 形态特征 | 灌木或小乔木，高可达 8 m，多分枝。枝条细长，开展，暗灰色，有时有棘刺；小枝暗红色，无毛；冬芽卵圆形，先端急尖，有数枚覆瓦状排列的鳞片，紫红色，有时鳞片边缘有稀疏缘毛。叶片椭圆形、卵形或倒卵形，极稀椭圆状披针形，长（2 ~ ）3 ~ 6 cm，宽 2 ~ 4（ ~ 6） cm，先端急尖，基部楔形或近圆形，边缘有圆钝锯齿，有时混有重锯齿，上面深绿色，无毛，中脉微下陷，下面色较淡，中脉和侧脉均凸起，侧脉 5 ~ 8 对；叶柄长 6 ~ 12 mm，通常无毛或幼时微被短柔毛，无腺；托叶膜质，披针形，先端渐尖，边缘有带腺细锯齿，早落。花 1，稀 2；花梗长 1 ~ 2.2 cm，无毛或

微被短柔毛；花直径 2 ~ 2.5 cm；花瓣白色，长圆形或匙形，边缘波状，基部楔形；雄蕊 25 ~ 30，花丝长短不等，紧密地排成不规则 2 轮，比花瓣稍短；雌蕊 1，心皮被长柔毛，柱头盘状，花柱比雄蕊稍长，基部被稀长柔毛。核果近球形或椭圆形，长、宽几相等，直径 2 ~ 3 cm，黄色、红色或黑色，微被蜡粉，具有浅侧沟，黏核；核椭圆形或卵球形，先端急尖，浅褐色带白色，表面平滑或粗糙，有时呈蜂窝状，背缝具沟，腹缝有时扩大具 2 侧沟。花期 4 月。

| 生境分布 | 生于山坡乔灌木林中、多石砾的坡地或峡谷水沟边。江苏各地有引种栽培。

| 资源情况 | 栽培资源一般。

| 采收加工 | 7 ~ 8 月采摘成熟果实，除去果肉，收集果核，洗净，破核取仁，晒干。

| 功效物质 | 含有苦李仁苷。

| 功能主治 | 镇咳，活血，止痢，润肠。

蔷薇科 Rosaceae 李属 Prunus 凭证标本号 321322180719138LY

李 *Prunus salicina* Lindl.

| 药 材 名 |

李子（药用部位：果实）、李核仁（药用部位：种子）、李树叶（药用部位：叶）、李子花（药用部位：花）、李根（药用部位：根）、李根皮（药用部位：根皮）、李树胶（药用部位：树脂）。

| 形态特征 |

乔木，植株高达 12 m。老枝紫褐色；小枝黄红色；冬芽红紫色。叶片倒卵形至椭圆状倒卵形或长圆状披针形，长 4 ~ 10 cm，宽 3 ~ 5 cm，先端渐尖、急尖或短尾尖，基部楔形，有细钝的重锯齿，嫩时两面有毛，后脱落，仅叶背脉间簇生柔毛。花 2 ~ 4，常 3 簇生，先叶开放；花梗长 1 ~ 1.5 cm；花托钟状；萼片长圆状卵形，无毛；花瓣白色，长圆状倒卵形；心皮无毛。核果卵球形，基部内陷，下部有沟，有白粉，直径 2 ~ 3 cm，成熟时绿色、黄色或紫红色；果核卵圆形或长卵圆形，有皱纹。花期 3 ~ 4 月，果期 7 ~ 8 月。

| 生境分布 |

生于山沟路旁或灌木林内。江苏各地均有分布。江苏各地均有栽培，主要分布于徐州

（铜山）、常州（溧阳）、苏州等。

| **资源情况** | 栽培资源较丰富。

| **采收加工** | 李子：7～8月果实成熟时采摘，鲜用。

李核仁：7～8月采摘成熟果实，除去果肉，收集果核，洗净，破核取仁，晒干。

李树叶：夏、秋季间采收，鲜用或晒干。

李子花：3～4月花盛开时采摘，晒干。

李根：全年均可采挖，刮去粗皮，洗净，切段，鲜用或晒干。

李根皮：全年均可采挖根，洗净，剥取根皮，晒干。

李树胶：李树生长繁茂季节采收，晒干。

| 药材性状 | 李子：本品呈球状卵形，直径2～3 cm，先端微尖，基部凹陷，一侧有深沟。表面黄棕色或棕色。果肉较厚，果核扁平长椭圆形，长6～10 mm，宽4～7 mm，厚约2 mm，褐黄色，有明显纵向皱纹。气微，味酸、微甜。

李核仁：本品呈扁平长椭圆形，长6～10 mm，宽4～7 mm，厚约2 mm。种皮褐黄色，有明显纵向皱纹。子叶2，白色，含油脂。气微弱。

李树叶：本品大多皱缩，有的破碎，完整叶片呈椭圆状披针形或椭圆状倒卵形，长6～10 cm，宽3～4 cm，边缘有细钝的重锯齿；上下两面均为棕绿色，上面中脉疏生长毛，下面脉间簇生柔毛。叶柄长1～2 cm，上有数个腺点。质脆，易碎。气微，味淡。

李根：本品呈圆柱形，长30～130 cm，直径0.3～2.5 cm。表面黑褐色或灰褐色，有纵皱纹及须根痕。质坚硬，不易折断，切断面黄白色或棕黄色，木部有放射状纹理。气微，味淡。

李根皮：本品呈卷曲筒状、槽状或不规则块片状，长短、宽窄不一，厚0.2～0.5 cm。外表面灰褐色或黑褐色；内表面黄白色或淡黄棕色，有纵皱纹。体轻，质韧，纤维性强，难折断。气微，味苦而涩。

| 功效物质 | 果实含有胡萝卜类色素及赤霉素 A$_{32}$、维生素 A。种子含有苦李仁苷。树叶含有绿原酸、槲皮素等。

| 功能主治 | 李子：甘、酸，平。归肝、脾、肾经。清热，生津，消积。用于虚劳骨蒸，消渴，食积。

李核仁：苦，平。归肝、肺、大肠经。祛瘀，利水，润肠。用于血瘀疼痛，跌打损伤，水肿臌胀，脚气，肠燥便秘。

李树叶：甘、酸，平。归胃、脾、肺经。清热解毒。用于壮热惊痫，肿毒溃烂。

李子花：泽面。用于粉滓䵟𪒟，斑点。

李根：苦，寒。归脾、胃经。清热解毒，利湿。用于疮疡肿毒，热淋，痢疾，带下。

李根皮：苦、咸，寒。归肝、脾、心经。降逆，燥湿，清热解毒。用于气逆奔豚，湿热痢疾，赤白带下，消渴，脚气，丹毒疮痈。

李树胶：苦，寒。归心、肝经。清热，透疹，退翳。用于麻疹透发不畅，目生翳障。

| 用法用量 | 李子：内服煎汤，10 ~ 15 g；或鲜品生食，100 ~ 300 g。

李核仁：内服煎汤，3 ~ 9 g。外用适量，研末调敷。

李树叶：内服煎汤，10 ~ 15 g。外用适量，煎汤洗浴；或捣敷；或捣汁涂。

李子花：外用研末敷，6 ~ 18 g。

李根：内服煎汤，6 ~ 15 g。外用适量，烧存性，研末调敷。

李根皮：内服煎汤，3 ~ 9 g。外用适量，煎汁含漱；或磨汁涂。

李树胶：内服煎汤，15 ~ 30 g。

| 附　注 | 本种的果实忌过量多食，易致虚热脑涨、脾胃损伤。

蔷薇科 Rosaceae 火棘属 Pyracantha 凭证标本号 320803180703109LY

火棘 *Pyracantha fortuneana* (Maxim.) Li

| 药 材 名 | 赤阳子（药用部位：果实）、红子根（药用部位：根）、救军粮叶（药用部位：叶）。

| 形态特征 | 常绿灌木，高达 3 m。侧枝短，先端刺状，幼时被锈色柔毛，老时无毛。叶倒卵形或倒卵状长圆形，长 1.5 ~ 6 cm，宽 0.5 ~ 2 cm，先端圆、微凹或有短尖头，基部渐狭，下延，边缘有钝锯齿，两面无毛。花成复伞房花序，直径 3 ~ 4 cm；花白色，直径约 1 cm；花托钟状，无毛；萼片三角状卵形；花瓣近圆形；雄蕊 20；子房密被白色柔毛，花柱 5，离生。果实近球形，深红色或橘红色，直径约5 mm。花期 3 ~ 5 月，果期 8 ~ 11 月。

| 生境分布 | 生于山地、丘陵阳坡灌丛、草地或河沟路旁。分布于江苏南京（江

宁）、常州（溧阳）、苏州（常熟）、无锡（宜兴）等。

| 资源情况 | 野生及栽培资源较丰富。

| 采收加工 | 赤阳子：秋季果实成熟时采摘，晒干。

红子根：9～10月采挖，洗净，切段，晒干。

救军粮叶：全年均可采收，鲜用。

| 药材性状 | 赤阳子：本品近球形，直径约5 mm。表面红色，先端有宿存萼片，基部有残留果柄，果肉棕黄色，内有5小坚果。气微，味酸、涩。

| 功效物质 | 果实含有多种维生素、脂肪酸、β-谷甾醇、槲皮素等。叶含有芸香苷、芒花苷、槲皮素等。

| 功能主治 | 赤阳子：甘、酸、涩，平。归肝、脾、胃经。健脾消食，收涩止痢，止痛。用于食积停滞，脘腹胀满，痢疾，泄泻，崩漏，带下，跌打损伤。

红子根：酸、涩，平。归肝、肾经。清热凉血，化瘀止痛。用于潮热盗汗，肠风下血，崩漏，疮疖痈疡，目赤肿痛，风火牙痛，跌打损伤，劳伤腰痛，外伤出血。

救军粮叶：微苦，凉。归肝经。清热解毒，止血。用于疮疡肿痛，目赤，痢疾，便血，外伤出血。

| 用法用量 | 赤阳子：内服煎汤，15～30 g；或浸酒。外用适量，捣敷。

红子根：内服煎汤，10～30 g。外用适量，捣敷。

救军粮叶：内服煎汤，10～30 g。外用适量，捣敷。

蔷薇科 Rosaceae 梨属 Pyrus 凭证标本号 320482180704510LY

杜梨
Pyrus betulaefolia Bunge

| 药 材 名 | 棠梨（药用部位：果实）、棠梨枝叶（药用部位：枝叶）、棠梨树皮（药用部位：树皮）。

| 形态特征 | 乔木，植株高达 10 m。枝常有刺，嫩枝、幼叶两面、叶柄、花序梗、花梗、萼筒及萼片内外两面均密生灰白色绒毛。叶片菱状卵形至椭圆状卵形，长 4 ~ 8 cm，宽 2 ~ 4 cm，先端渐尖，基部宽楔形，稀近圆形，边缘有粗锐锯齿，老叶背面无毛或近无毛。伞形总状花序有花 10 ~ 15；萼片三角状卵形，先端急尖，全缘，内外两面均密被绒毛；花瓣白色，宽卵形，先端圆钝；雄蕊 20；花柱 2 或 3，基部微具毛。果实近球形，直径 0.5 ~ 1 cm，褐色，有浅色斑点，萼片宿存。花期 4 月，果期 8 ~ 9 月。

| 生境分布 | 生于平山坡、坡地向阳处。分布于江苏南京、无锡（宜兴）、徐州等。 |

| 资源情况 | 栽培资源较丰富。 |

| 采收加工 | 棠梨：8～9月果实成熟时采摘，鲜用或晒干。
棠梨枝叶：夏季采收，切段，晒干。
棠梨树皮：全年均可采剥，晒干。 |

| 功效物质 | 叶、幼苗含有多种酚性化合物，如表儿茶精、熊果酚苷。 |

| 功能主治 | 棠梨：酸、甘、涩，寒。涩肠，敛肺，消食。用于泻痢，咳嗽，食积。
棠梨枝叶：疏肝和胃，缓急止泻。用于反胃吐食，霍乱吐泻，转筋腹痛。
棠梨树皮：敛疮。用于皮肤溃疡。 |

| 用法用量 | 棠梨：内服煎汤，15～30 g。
棠梨枝叶：内服煎汤，15～30 g。外用适量，煎汤洗。
棠梨树皮：外用适量，煎汤熏洗。 |

蔷薇科 Rosaceae 梨属 Pyrus 凭证标本号 321023160512061LY

白梨
Pyrus bretschneideri Rehd.

| 药 材 名 | 梨（药用部位：果实）、梨皮（药用部位：果皮）、梨花（药用部位：花）、梨叶（药用部位：叶）、梨枝（药用部位：树枝）、梨木皮（药用部位：树皮）、梨木灰（药材来源：木材烧成的灰）、梨树根（药用部位：根）。

| 形态特征 | 乔木，植株高达 8 m。小枝幼时密被柔毛，后脱落，老枝紫褐色，疏生皮孔。叶片宽卵形、卵形或椭圆状卵形，长 5 ~ 11 cm，先端渐尖，稀急尖，基部宽楔形，稀近圆形，边缘具尖锐刺芒状锯齿，两面均有绒毛，后脱落。伞形总状花序有花 7 ~ 10；花序梗和花梗均被绒毛；萼片三角形，外面无毛，内面密生褐色绒毛，边缘有腺齿；花瓣白色，卵形，先端常啮齿状；雄蕊 20；花柱 4 或 5，

与雄蕊近等长，无毛。果实卵形或近球形，黄色，果柄肥厚，有细密斑点，萼片脱落。花期 4 月。

| **生境分布** | 生于干旱寒冷地区的山坡阳处。分布于江苏连云港、徐州（铜山）等。

| **资源情况** | 栽培资源较丰富。

| **采收加工** | **梨**：8 ~ 9 月当果皮呈现该品种固有的颜色、有光泽和香味、种子变为褐色、果柄易脱落时采摘，轻摘轻放，不要碰伤梨果和折断果柄。

梨皮：9 ~ 10 月采摘成熟果实，削取果皮，鲜用或晒干。

梨花：花盛开时采摘，晾干。

梨叶：夏、秋季采收，鲜用或晒干。

梨枝：全年均可采收，切小段，晒干。

梨木皮：春、秋季采剥。春季由于树液流动，皮层容易剥落，质量较差；秋季（8 ~ 9 月）则品质较优。在成龄树上可环状剥皮或一定面积条状剥皮，将剥下的树皮，按规格的宽度截成条状，晒干。

梨木灰：全年均可采收木材，晒干，烧成炭灰，保存。

梨树根：全年均可采挖，洗净，切段，晒干。

| **药材性状** | **梨**：本品多呈卵形或近球形，通常直径 5 ~ 7 cm，先端有残留花萼，基部具肥

厚果柄，长 3 ～ 4 cm；表面黄白色，有细密斑点。横切面可见白色子房 4 ～ 5 室。种子倒卵形，微扁，长 6 ～ 7 mm，褐色。果肉微香，多汁，味甜、微酸。干品为圆形横切片，多卷缩，直径 2 ～ 2.5 cm。外皮淡黄色，有细密斑点。果肉黄白色，有的可见子房室或灰褐色种子。气微，味甜、微酸。

梨皮：本品呈不规则片状或卷曲成条状。外表面淡黄色，有细密斑点，内表面黄白色。气微，味微甜而酸。

梨叶：本品多皱缩，破碎，完整者呈卵形或卵状椭圆形，长 5 ～ 10 cm，宽 3 ～ 6 cm，先端锐尖，基部宽楔形或近圆形，叶缘锯齿呈刺芒状；表面灰褐色，两面被绒毛或光滑无毛。叶柄长 2.5 ～ 7 cm。质脆，易碎。气微，味淡、微涩。

梨枝：本品呈长圆柱形，有分枝，直径 0.3 ～ 1 cm。表面灰褐色或灰绿色，微有光泽，有纵皱纹，并可见叶痕及点状凸起的皮孔。质硬而脆，易折断，断面皮部灰褐色或褐色，大部分黄白色或灰黄白色。气微，味涩。

梨木皮：本品呈卷筒状、槽状或不规则片状，长短、宽窄不一，厚 1 ～ 3 mm。外表面灰褐色，有不规则的细皱纹及较大凸起的皮孔；内表面棕色或棕黄色，较平滑，有细纵纹。质硬而脆，易折断，断面较平坦。气微，味苦、涩。

梨木灰：本品呈粉末状，表面灰白色或灰褐色。质轻。气微，味淡。

| **功效物质** | 果实含有蔗糖、果糖等。叶含有蛋白质、过氧化物酶、多酚氧化酶。

| **功能主治** | 梨：甘、微酸，凉。归肺、胃、心、肝经。清肺化痰，生津止渴。用于肺燥咳嗽，热病烦躁，津少口干，消渴，目赤，疮疡，烫火伤。

梨皮：甘、涩，凉。归肺、心、肾、大肠经。清心润肺，降火生津，解疮毒。用于暑热烦渴，肺燥咳嗽，吐血，痢疾，发背，疔疮，疥癣。

梨花：泽面祛斑。用于面生黑斑粉滓。

梨叶：苦、涩、辛，凉。归肺、脾、膀胱经。疏肝和胃，利水解毒。用于霍乱吐泻腹痛，水肿，小便不利，小儿疝气，菌菇中毒。

梨枝：辛、涩，凉。归大肠、肺经。行气和中，止痛。用于霍乱吐泻，腹痛。

梨木皮：苦、涩，凉。归肺、肝、胆经。清热解毒。用于热病发热，疮癣。

梨木灰：降逆下气。用于气积郁冒，胸满气促，结气咳逆。

梨树根：润肺止咳，理气止痛。用于肺虚咳嗽，疝气腹痛。

| **用法用量** | 梨：内服煎汤，15 ～ 30 g；或生食，1 ～ 2 枚；或捣汁；或蒸服；或熬膏。外用适量，捣敷；或捣汁点眼。

梨皮：内服煎汤，9 ~ 15 g，鲜品 30 ~ 60 g。外用适量，捣汁涂。

梨花：内服煎汤，9 ~ 15 g；或研末。外用适量，研末调敷。

梨叶：内服煎汤，9 ~ 15 g；或鲜品捣汁服。外用适量，捣敷；或捣汁涂。

梨枝：内服煎汤，9 ~ 15 g。

梨木皮：内服煎汤，3 ~ 9 g；或研末，3 g。

梨木灰：内服煎汤，3 ~ 9 g；或入丸、散剂。

梨树根：内服煎汤，10 ~ 30 g。

| 附　　注 | 脾虚便溏、肺寒咳嗽者及产妇慎服果实。用果实熬成的膏为雪梨膏，甘，平，可用于肺燥咳嗽、吐血、咯血、心火烦躁、口渴喉干。

蔷薇科 Rosaceae 梨属 Pyrus 凭证标本号 320125150507237LY

豆梨
Pyrus calleryana Dcne.

| 药 材 名 | 鹿梨（药用部位：果实）、鹿梨果皮（药用部位：果皮）、鹿梨叶（药用部位：叶）、鹿梨枝（药用部位：枝条）、鹿梨根（药用部位：根）、鹿梨根皮（药用部位：根皮）。

| 形态特征 | 乔木，植株高达8 m。小枝粗壮，圆柱形，二年生枝条灰褐色，小枝幼时有绒毛，后脱落。叶宽卵形或卵形，稀长椭圆状卵形，长4～8 cm，宽3～6 cm，先端渐尖，基部宽楔形至近圆形，边缘有细钝锯齿，两面无毛。伞形总状花序有花6～12；花序梗、花梗无毛；花梗长1.5～3 cm；萼筒无毛，萼片外面无毛，内面有绒毛，披针形，先端渐尖；花瓣白色，卵形，基部具短爪；雄蕊20，稍短于花瓣；花柱2（～5），无毛。果实近球形，直径1～1.5 cm，褐

色，有斑点，萼片脱落，果柄细长。花期 4 月，果期 8 ～ 9 月。

| 生境分布 | 生于山坡、平原或山谷杂木林中。分布于江苏丘陵山区等。

| 资源情况 | 栽培资源较少。

| 采收加工 | 鹿梨：9 月果实成熟时采摘，晒干。

鹿梨果皮：果实成熟时采摘果实，削取果皮，晒干。

鹿梨叶：夏、秋季采收，鲜用或晒干。

鹿梨枝：全年均可采收，切段，晒干。

鹿梨根：全年均可采挖，洗净，切片，晒干。

鹿梨根皮：全年均可采挖根，洗净，剥取根皮，鲜用。

| 功效物质 | 叶含有熊果酚苷、鹿梨苷、绿原酸等。

| 功能主治 | 鹿梨：酸、甘、涩，寒。健脾消食，涩肠止痢。用于饮食积滞，泻痢。

鹿梨果皮：清热生津，涩肠止痢。用于热病伤津，久痢，疥癣。

鹿梨叶：微甘、涩，凉。清热解毒，润肺止咳。用于菌菇中毒，毒蛇咬伤，胃肠炎，肺热咳嗽。

鹿梨枝：行气和胃，止泻。用于霍乱吐泻，反胃吐食。

鹿梨根：微甘、涩，凉。润肺止咳，清热解毒。用于肺燥咳嗽，疮疡肿痛。

鹿梨根皮：清热解毒，敛疮。用于疮疡，疥癣。

| 用法用量 | 鹿梨：内服煎汤，15 ～ 30 g。

鹿梨果皮：内服煎汤，9 ～ 15 g。

鹿梨叶：内服煎汤，15 ～ 30 g。外用适量，捣涂。

鹿梨枝：内服煎汤，9 ～ 15 g。

鹿梨根：内服煎汤，15 ～ 30 g。外用适量，捣敷。

鹿梨根皮：外用适量，捣敷；或煎汤熏洗。

| 附　注 | 本种的叶和花对闹羊花、藜芦有解毒作用。

蔷薇科 Rosaceae 鸡麻属 *Rhodotypos* 凭证标本号 320111170415019LY

鸡麻 *Rhodotypos scandens* (Thunb.) Makino

| 药 材 名 | 鸡麻（药用部位：果实、根）。

| 形态特征 | 落叶灌木，植株高 1 ~ 3 m。枝紫褐色，幼时绿色，光滑；冬芽具数枚鳞片。叶片卵形或椭圆状卵形，长 4 ~ 11 cm，宽 2 ~ 6 cm，先端渐尖，基部圆形或微心形，边缘具尖锐重锯齿，叶面幼时疏被柔毛，叶背被绢状柔毛，后渐脱落仅沿叶脉被疏柔毛；叶柄长 2 ~ 5 mm，被疏柔毛；托叶线形，被疏柔毛。花单生于新枝先端；花梗长 0.7 ~ 2 cm；花直径 3 ~ 5 cm；萼片 4，卵状椭圆形，先端急尖，边缘有锐锯齿，外面疏被绢状柔毛，副萼片细小，狭带形；花瓣 4，白色，倒卵形；雄蕊多数；花柱细长。核果斜椭圆形，长约 8 mm，成熟时黑色或褐色，光滑；具宿存萼。花期 4 ~ 5 月，果期 6 ~ 9 月。

生境分布	生于山坡、疏林下或山沟阴湿处。分布于江苏连云港、南京、镇江（句容）等。江苏镇江（句容）等有栽培。
资源情况	野生及栽培资源较丰富。
采收加工	果实，6～9月采摘，晒干；根，夏、秋季采挖，洗净，切片，晒干。
功效物质	含有黄酮类及三萜类化学成分。
功能主治	甘，平。归肾经。补血，益肾。用于血虚肾亏。
用法用量	内服煎汤，15～30 g。

蔷薇科 Rosaceae 蔷薇属 Rosa 凭证标本号 320683201018016LY

木香花
Rosa banksiae Ait.

| 药 材 名 |

木香花（药用部位：根、叶）。

| 形态特征 |

落叶或半常绿攀缘状灌木，植株高达 6 m。小枝具皮刺，与叶面、花梗及萼片外侧均无毛。复叶具小叶 3 ～ 5（～ 7）；叶柄和叶轴被疏柔毛，并散生小皮刺；托叶线状披针形，基部与叶柄合生，常早落；小叶片椭圆状卵形或长圆状披针形，长 2 ～ 5 cm，宽 0.8 ～ 1.8 cm，先端急尖或稍钝，基部近圆形或宽楔形，边缘有细锯齿，叶背沿中脉被柔毛。伞形花序，顶生；花梗长达 3 cm；花直径达 2.5 cm；萼片卵形，先端长渐尖，内面被白色柔毛；花瓣白色，倒卵形，重瓣或半重瓣，芳香。蔷薇果近圆球形，直径约 8 mm，无毛。花期 4 ～ 5 月，果期 8 ～ 9 月。

| 生境分布 |

江苏各地均有栽培。

| 资源情况 |

栽培资源较丰富。

| **采收加工** | 根，9 月下旬至 10 月下旬选晴天采挖，去除茎秆、泥土和叶柄，粗大者切成 2 ~ 4 块，50 ~ 60 ℃烘干；叶，夏季采收，晒干。

| **功效物质** | 含有醇类（24.23%）、脂肪烃类（17.75%）、萜烯类（17.18%）、酮类（16.76%）和酯类（16.13%），其中主要成分为苯甲醇、*β*- 石竹烯、*β*- 紫罗兰酮、乙酸苄酯、乙酸己酯、香叶基丙酮、紫苏烯、*β*- 二氢紫罗兰酮、*α*- 紫罗兰酮和乙酸叶醇酯。

| **功能主治** | 涩，平。涩肠止泻，解毒，止血。用于腹泻，痢疾，疮疖，月经过多，便血。

| **用法用量** | 内服煎汤，6 ~ 15 g。外用适量，研末撒伤口；或叶捣烂，鸡蛋清调敷。

| **附　　注** | 江苏还栽培有本种的野生原始类型白木香 *Rosa banksiae* Ait. var. *normalis* Regel（《中国树木分类学》）、黄木香 *Rosa banksiae* Ait. var. *lutescens* Voss（《中国树木分类学》）、重瓣黄木香 *Rosa banksiae* Ait. var. *lutea* Lindl.（《中国树木分类学》）。白木香又称单瓣白木香（《中国植物志》），其与本种的区别在于萼片花后脱落；花单瓣，白色，芳香；果实圆球状或卵圆状，直径 5 ~ 7 mm，成熟时红黄色或黑褐色。用途与本种相同，根皮可活血、通经。黄木香又称单瓣黄木香（《中国植物志》），其与本种的区别在于花单瓣，黄色。重瓣黄木香又称黄木香花（《中国植物志》），其与本种的区别在于花重瓣，黄色。

蔷薇科 Rosaceae　蔷薇属 Rosa　凭证标本号 320124150328060LY

月季花
Rosa chinensis Jacq.

| 药 材 名 | 月季（药用部位：叶、花）。

| 形态特征 | 常绿或半常绿直立灌木，植株高达 2 m。小枝无毛或近无毛，具皮刺或无。复叶有 3 ~ 5 小叶；叶柄和叶轴均散生小皮刺和腺毛；托叶大部分与叶柄合生，离生部分耳状，边缘常有腺毛；小叶片宽卵形或卵状长圆形，长 2.5 ~ 6 cm，宽 1 ~ 3 cm，先端长渐尖或渐尖，基部近圆形或宽楔形，边缘有锐锯齿，两面近无毛；顶生小叶有柄，侧生小叶近无柄。花数朵集生于枝端或叶腋，稀单生；花梗长达 6 cm，近无毛或有腺毛；花直径 4 ~ 5 cm；萼片卵形，先端尾状渐尖，有时延长扩展成叶片状，边缘常有羽状裂片，稀全缘，外面无毛，内面密被长柔毛，花后脱落；花瓣红色、粉红色、白色或黄色，倒

卵形，先端凹缺，重瓣或半重瓣。蔷薇果卵圆形或梨形，成熟时红色。花期 4 ~ 9
月，果期 6 ~ 11 月。

| 生境分布 | 江苏各地均有栽培。

| 资源情况 | 栽培资源丰富。

| 采收加工 | 叶，春季至秋季枝叶茂盛时均可采摘，鲜用或晒干；花，夏、秋季采收半开放
的花朵，晾干或用微火烘干。

| 药材性状 | 本品花多呈圆球形，直径 1 ~ 1.5 cm。花托倒圆锥形或倒卵形，长 5 ~ 7 mm，
直径 3 ~ 5 mm，棕紫色，基部较尖，常带有花梗。萼片 5，先端尾尖，大多向
下反折，短于或等长于花冠，背面黄绿色或橙黄色，有疏毛，内面被白色绵毛。
花瓣 5 或重瓣，覆瓦状排列，少数杂有散瓣，长 2 ~ 2.5 cm，宽 1 ~ 2.5 cm，
紫色或淡红色，脉纹明显。雄蕊多数，黄棕色，卷曲，着生于花萼筒上。雌蕊
多数，有毛，花柱伸出花托口。体轻，质脆，易碎。气清香，味微苦、涩。以
完整、色紫红、半开放、气清香者为佳。

| 功效物质 | 含有黄酮、黄酮苷、酚酸类、芳香油、鞣质类成分。

| 功能主治 | 甘，温。归肝、肾经。活血调经，疏肝解郁。用于气滞血瘀，月经不调，痛经，
闭经，胸胁胀痛。

| 用法用量 | 内服煎汤，3 ~ 6 g，鲜品 9 ~ 15 g；或开水泡服。外用适量，鲜品捣敷；或干
品研末调搽。

蔷薇科 Rosaceae 蔷薇属 Rosa 凭证标本号 321112180621003LY

小果蔷薇 *Rosa cymosa* Tratt.

| 药 材 名 | 小果蔷薇（药用部位：根、茎藤、叶、果实、花）。

| 形态特征 | 落叶或半常绿攀缘灌木，植株高达 5 m。小枝无毛或微被柔毛，幼时有时密被短柔毛，具皮刺。复叶具小叶 3 ~ 5（~ 7）；叶柄和叶轴无毛或被柔毛；托叶线形或线状披针形，基部与叶柄合生，常早落；小叶片卵状披针形或椭圆形，稀长圆状披针形，长 2.5 ~ 6 cm，宽 0.8 ~ 2.5 cm，先端渐尖，基部近圆形，边缘具紧贴、尖锐细锯齿，叶面无毛，叶背沿脉有疏长柔毛或近无毛。复伞房花序，顶生；花梗幼时密被长柔毛；萼片卵形，常羽状分裂，外面近无毛，稀有刺毛，内面被白色绒毛，花后萼片脱落；花瓣白色，倒卵形，先端凹缺。蔷薇果圆球形，直径约 0.6 cm，成熟时红色至黑褐色。花期 5 ~ 6 月，果期 7 ~ 11 月。

| 生境分布 | 生于山坡、路旁、丘陵、溪边或灌丛中。江苏各地均有分布。

| 资源情况 | 野生资源较丰富。

| 采收加工 | 根、叶，全年均可采收洗净，切碎，晒干；茎藤，全年均可割取，切段，晒干；果实，秋、冬季果实成熟时采摘，鲜用或晒干；花，5 ~ 6月花盛开时采摘，除去杂质，晾干或晒干。

| 功效物质 | 主要含有五环三萜类、黄酮类化学成分。

| 功能主治 | 根，苦、涩，平。散瘀，止血，消肿解毒。用于跌打损伤，外伤出血，月经不调，子宫脱垂，痔疮，风湿疼痛，腹泻，痢疾。茎藤，固涩益肾。用于遗尿，子宫脱垂，脱肛，带下，痔疮。叶，苦，平。解毒，活血散瘀，消肿散结。用于疮痈肿痛，烫火伤，跌打损伤，风湿痹痛。果实，化痰止咳，养肝明目，益肾固涩。用于痰多咳嗽，眼目昏糊，遗精，遗尿，带下。花，健脾，解暑。用于食欲不振，暑热口渴。

| 用法用量 | 根，内服煎汤，15.5 ~ 31 g。茎藤，内服煎汤，30 ~ 60 g；或炖肉。叶，外用适量，鲜品捣敷。果实，内服煎汤，60 ~ 90 g。花，内服煎汤，3 ~ 9 g。

蔷薇科 Rosaceae 蔷薇属 Rosa 凭证标本号 320581180515202LY

金樱子
Rosa laevigata Michx.

| 药 材 名 | 金樱子（药用部位：果实）。

| 形态特征 | 常绿攀缘灌木。小枝无毛，疏生皮刺，幼时被腺毛。复叶有 3（～ 5）小叶；小叶片革质，椭圆状卵形、倒卵形或披针状卵形，长 2 ～ 6 cm，宽 1.2 ～ 3.5 cm，先端急尖或圆钝，基部近圆形，边缘有锐锯齿，叶面无毛，具光泽，叶背幼时沿中脉有腺毛；叶柄和叶轴有皮刺和腺毛；托叶披针形，基部与叶柄合生，边缘有细齿。花单生于叶腋，直径达 7 cm；花梗长达 3 cm，与萼筒、萼片均密生刺毛和腺毛；萼片卵状披针形，先端常延长扩展成叶片状，边缘羽状浅裂，或全缘，内面密被柔毛，花后宿存；花瓣白色，宽倒卵形，先端微凹。果实梨形或倒卵圆形，成熟时紫褐色，密生刺毛，果柄长约 3 cm。花期 4 ～ 6 月，果期 7 ～ 11 月。

| **生境分布** | 生于向阳山坡、路旁或灌丛中。分布于江苏南京（溧水）、无锡（宜兴）、常州等。 |

| **资源情况** | 野生及栽培资源较丰富。 |

| **采收加工** | 10 ~ 11 月间果实红熟时采摘，晾晒后放到桶中搅拌，擦去毛刺，再晒至全干。 |

| **药材性状** | 本品为花托发育而成的假果，呈倒卵形，长 2 ~ 3.5 cm，直径 1 ~ 2 cm。表面黄红色至棕红色，略具光泽，多数刺状刚毛脱落后的残基形成棕色小突起；先端宿存萼呈盘状，其中央稍隆起，有黄色花柱基；基部渐细，有残留果柄。质坚硬，纵切后可见萼筒壁厚 1 ~ 2 mm，内壁密生淡黄色、有光泽的绒毛，瘦果数十粒，扁纺锤形，长约 7 mm，淡黄棕色，木质，外面被淡黄色绒毛。气微，味甘、微涩。以个大、色红黄、有光泽、去净毛刺者为佳。 |

| **功效物质** | 含有甾体类、三萜类、酚酸类、苯丙素类和多糖类等多种化学成分，此外，还含有维生素、氨基酸、柠檬酸、亚油酸及其衍生物、内酯类成分。 |

| **功能主治** | 酸、涩，平。归肾、膀胱、大肠、脾、肺经。固精缩尿，固崩止带，涩肠止泻。用于遗精，滑精，遗尿，尿频，崩漏，带下，久泻久痢。 |

| **用法用量** | 内服煎汤，9 ~ 15 g；或入丸、散剂；或熬膏。 |

蔷薇科 Rosaceae 蔷薇属 Rosa 凭证标本号 320830170517021LY

野蔷薇 *Rosa multiflora* Thunb.

| 药 材 名 | 蔷薇花（药用部位：花）、蔷薇露（药材来源：花的蒸馏液）、蔷薇叶（药用部位：叶）、蔷薇枝（药用部位：枝）、蔷薇根（药用部位：根）、营实（药用部位：果实）。

| 形态特征 | 落叶攀缘状灌木，植株高达 2 m。小枝有皮刺，常无毛。复叶具小叶 5 ~ 9，近花序基部有时为 3 小叶；叶柄和叶轴均被柔毛，有时被腺毛；托叶大部分与叶柄合生，边缘篦齿状，有腺毛；小叶片倒卵形、长圆形或卵形，长 1.5 ~ 5 cm，宽 0.8 ~ 2 cm，先端急尖或圆钝，基部近圆形或楔形，边缘有锐锯齿，两面幼时被柔毛。圆锥状伞房花序，顶生；常有篦齿状小苞片，与花序梗均有腺毛或无；花梗长达 3 cm；花直径约 2 cm，芳香；萼片披针形或卵状披针形，外侧常疏被柔毛和腺毛，内侧密被柔毛，沿边缘较密，花后萼片脱

落；花瓣白色，宽倒卵形，先端微凹。蔷薇果圆球形或卵形，直径达 0.8 cm，成熟时暗褐色。花期 5 ~ 7 月，果期 9 ~ 10 月。

| 生境分布 | 生于路旁、田边或丘陵地的灌丛中。江苏各地均有分布。江苏多地园圃有栽培。

| 资源情况 | 野生及栽培资源较丰富。

| 采收加工 | 蔷薇花：5 ~ 6 月花盛开时，择晴天采集，晒干。
　　　　　　蔷薇露：取蔷薇花瓣，拣净，用蒸馏法蒸取，收集蒸馏液。

蔷薇叶：夏、秋季采收，晒干。

蔷薇枝：全年均可采收，剪枝，切段，晒干。

蔷薇根：秋季采挖，切片，晒干。

营实：9～10月果实成熟时采收，鲜用或晒干。

| 药材性状 | 蔷薇花：本品大多破碎不全。花萼披针形，密被绒毛。花瓣黄白色至棕色，多数萎落，皱缩卷曲，展平后呈三角状卵形，长约1.3 cm，宽约1 cm，先端中央微凹，中部楔形，可见条状脉纹（维管束）。雄蕊多数，着生于萼筒上，黄色，卷曲成团。花托小壶形，基部有长短不等的花梗。质脆，易碎。气微香，味微苦而涩。

营实：本品呈卵圆形，长6～8 mm，具果柄，先端有宿存花托之裂片。外果皮红褐色，内为肥厚肉质果皮。种子黄褐色，果肉与种子间有白毛，果肉味酸。以个大、均匀、肉厚、无杂质者为佳。

| 功效物质 | 根皮含有鞣质。花含有挥发油，如香叶醇、香草醇等。果实含有蔷薇苷、果胶、维生素C、芦丁。

| 功能主治 | 蔷薇花：苦、涩，凉。归胃、大肠经。清暑，和胃，活血止血，解毒。用于暑热烦渴，胃脘胀闷，吐血，衄血，口疮，痈疖，月经不调。

蔷薇露：甘，平。归心、脾经。温中行气。用于胃脘不舒，胸膈郁气，口疮，消渴。

蔷薇叶：解毒消肿。用于疮痈肿毒。

蔷薇枝：甘，凉。归肾经。清热消肿，生发。用于疮疖、秃发。

蔷薇根：苦、涩，凉。归脾、胃、肾经。清热解毒，祛风除湿，活血调经，固精缩尿，消骨鲠。用于疮痈肿毒，烫伤，口疮，痔血，鼻衄，关节疼痛，月经不调，痛经，久痢不愈，遗尿，尿频，带下，子宫脱垂，骨鲠。

营实：酸，凉。归肺、脾、肝、膀胱经。清热解毒，祛风活血，利水消肿。用于疮痈肿毒，风湿痹痛，关节不利，月经不调，水肿，小便不利。

| **用法用量** | 蔷薇花：内服煎汤，3 ~ 6 g。

蔷薇露：内服温炖，30 ~ 60 g。

蔷薇叶：外用适量，研末调敷；或鲜用捣敷。

蔷薇枝：内服煎汤，10 ~ 15 g。

蔷薇根：内服煎汤，10 ~ 15 g；或研末，1.5 ~ 3 g；或鲜品绞汁。外用适量，研末敷；或煎汤含漱。

营实：内服煎汤，15 ~ 30 g，鲜品加倍。外用适量，捣敷。

蔷薇科 Rosaceae 蔷薇属 Rosa 凭证标本号 320111170509025LY

粉团蔷薇

Rosa multiflora Thunb. var. *cathayensis* Rehd. et Wils.

| 药 材 名 | 红刺玫花（药用部位：花）、红刺玫根（药用部位：根）。

| 形态特征 | 本种与野蔷薇的区别在于花为粉红色，单瓣。

| 生境分布 | 生于山坡、灌丛或河边等。江苏各地均有栽培或逸生。

| 资源情况 | 栽培资源较丰富。

| 采收加工 | **红刺玫花**：花初开或未开时采收，自然晒干。
红刺玫根：全年均可采挖，洗净，晒干。

| 功效物质 | 含有甾体类、三萜类、酚酸类、苯丙素类、鞣质类和多糖类等化学
成分。

| **功能主治** | **红刺玫花**：清暑化湿，顺气和胃。用于暑热胸闷，口渴，呕吐，食少，口疮，口糜，烫伤。
红刺玫根：活血通络。用于关节炎，面神经麻痹。 |

蔷薇科 Rosaceae 蔷薇属 Rosa 凭证标本号 320723190716147LY

七姊妹蔷薇
Rosa multiflora Thunb. var. *platyphylla* Thory

| 药 材 名 | 十姊妹（药用部位：根、叶）。

| 形 态 特 征 | 落叶或半常绿灌木。茎直立或攀缘，通常有皮刺。叶互生，奇数羽状复叶，具托叶，小叶有锯齿。花单生或组成伞房花序，生于新梢先端，花直径一般约 2 cm；花重瓣，深粉红色，常 7 ~ 10 簇生，具芳香。

| 生 境 分 布 | 生于山谷、山坡、林缘及灌丛中。江苏各地均有分布。江苏多地园圃有栽培。

| 资 源 情 况 | 栽培资源较丰富。

| 采 收 加 工 | 根，全年均可采挖，切片，晒干；叶，夏、秋季采收，鲜用或晒干。

| **功效物质** | 主要含有鞣质类、紫云英苷、挥发油类等化学成分。

| **功能主治** | 苦、微涩，平。归肝、胆经。清热化湿，疏肝利胆。用于黄疸，痞积，带下。

| **用法用量** | 内服煎汤，15 ~ 30 g。

| **附　　注** | 本种喜光，耐寒、耐旱、耐水湿，适应性强，对土壤要求不严，在黏壤土上也能生长良好。

蔷薇科 Rosaceae 蔷薇属 Rosa 凭证标本号 321284190914098LY

缫丝花
Rosa roxburghii Tratt.

| 药 材 名 | 刺梨（药用部位：果实）、刺梨根（药用部位：根）、刺梨叶（药用部位：叶）。

| 形态特征 | 落叶或半常绿灌木，植株高达 2.5 m。小枝无毛，有成对着生的皮刺。复叶有小叶 5 ～ 15；小叶片椭圆形或长圆形，稀倒卵形，长 1 ～ 2 cm，宽 0.5 ～ 1.2 cm，先端急尖或圆钝，基部宽楔形，边缘有细锐锯齿，两面无毛；叶柄和叶轴均疏生小皮刺；托叶大部分与叶柄合生，边缘有腺毛。花单生或数朵着生于短枝先端；小苞片 2 或 3，卵形，边缘有腺毛；花直径 5 ～ 6 cm；花梗和萼片外面密生针刺；萼片宽卵形，边缘常羽状分裂，内面密被短绒毛，宿存；花瓣倒卵形，淡红色或粉红色，重瓣或半重瓣。蔷薇果扁球形，直径 3 ～ 4 cm，成熟时淡黄绿色，密生针刺。花期 5 ～ 7 月，果期 8 ～ 10 月。

| 生境分布 | 江苏南京等有引种栽培。

| 资源情况 | 栽培资源一般。

| 采收加工 | 刺梨：秋、冬季采收，晒干。

刺梨根：全年均可采挖，切片，晒干。

刺梨叶：夏、秋季采收，晒干。

| 药材性状 | 刺梨：本品呈扁球形或圆锥形，稀纺锤形，直径 2 ～ 4 cm。表面黄褐色，密被针刺，有的具褐色斑点；先端常有黄褐色宿存的花萼 5 瓣，亦被针刺。纵剖后果肉黄白色；种子多数，着生于萼筒基部凸起的花托上，卵圆形，浅黄色，直径 1.5 ～ 3 mm，骨质。气微香，味酸、涩、微甜。

刺梨根：本品呈圆柱形，长 15 ～ 30 (～ 50) cm，直径 0.5 ～ 2 cm 或更粗。表面棕褐色，具细纵纹及侧根痕，少数有细须根残存。皮部薄，易剥离，皮脱落处表面呈棕红色。质坚硬，不易折断，断面纤维性，木部呈浅红棕色与黄白色间杂的放射状纹理。气微，味涩。

| 功效物质 | 主要含有鞣质、维生素、胡萝卜素等成分。

| 功能主治 | 刺梨：甘、酸、涩，平。归脾、肾、胃经。健胃，消食，止泻。用于食积饱胀，肠炎腹泻。

刺梨根：甘、酸，平。归脾、胃、肝、肾经。健胃消食，止痛，收涩，止血。用于胃脘胀满疼痛，牙痛，头痛，久咳，泻痢，遗精，带下，崩漏，痔疮。

刺梨叶：酸、涩，寒。归肺经。清热解暑，解毒疗疮，止血。用于痈肿，痔疮，暑热倦怠，外伤出血。

| 用法用量 | 刺梨：内服煎汤，9 ～ 15 g；或生食。

刺梨根：内服煎汤，9 ～ 15 g；或研末，0.15 g。

刺梨叶：内服煎汤，3 ～ 9 g。外用适量，研末麻油调涂；或鲜品捣敷。

| 附　注 | 本种喜温暖湿润和阳光充足的环境，适应性强，较耐寒，稍耐阴，对土壤要求不严，但以肥沃的砂壤土为好。

蔷薇科 Rosaceae 蔷薇属 Rosa 凭证标本号 321084180823204LY

玫瑰
Rosa rugosa Thunb.

| 药 材 名 | 玫瑰花（药用部位：花蕾）。

| 形态特征 | 落叶直立灌木，植株高达 2 m。小枝密被绒毛，兼生针刺、皮刺和腺毛；叶背、叶柄、叶轴、花梗及托叶均被绒毛和腺毛。复叶具小叶 5 ~ 9；小叶片椭圆形或椭圆状倒卵形，长 1.5 ~ 4.5 cm，宽 1 ~ 2.5 cm，边缘有锐锯齿，叶面无毛，叶脉明显下陷，有折皱；托叶大部分与叶柄合生，离生部分卵形，边缘有腺齿，或全缘。花单生或数朵簇生于叶腋；苞片卵形，边缘有腺毛，外侧被绒毛；花梗长达 2.5 cm；花直径达 5.5 cm，芳香；萼片卵状披针形，先端尾状渐尖，常有羽状裂片扩展成叶状，外侧密被柔毛和腺毛，花后宿存；花瓣倒卵形，紫红色或白色，重瓣或半重瓣。蔷薇果扁球形，直径达 2.5 cm，成熟时砖红色，肉质。花期 5 ~ 6 月，果期 8 ~ 9 月。

| 生境分布 | 江苏各地均有栽培。

| 资源情况 | 栽培资源较丰富。

| 采收加工 | 5 ~ 6 月盛花期前采摘充分膨大的未开花蕾，文火烘干或阴干。

| 药材性状 | 本品略呈球形、卵形或不规则团块状，直径 1.5 ~ 2 cm。花托壶形或半球形，与花萼基部相连，无宿梗或有短宿梗。萼片 5，披针形，黄绿色至棕绿色，伸展或向外反卷，内表面（上表面）被细柔毛，显凸起的中脉。花瓣 5 或重瓣，广卵圆形，多皱缩，紫红色，少数黄棕色。雄蕊多数，黄褐色，着生于花托周围。有多数花柱在花托口集成头状。体轻，质脆。香气浓郁，味微苦、涩。以花朵大、完整、瓣厚、色紫、色泽鲜、不露蕊、香气浓者为佳。

| 功效物质 | 富含挥发油、黄酮类，以及玫瑰酸、花青素等化学成分。

| 功能主治 | 甘、微苦，温。归肝、脾经。清热解毒，祛湿。用于风热感冒，咽喉肿痛，湿热泻痢，湿疹，疮疖，蛇虫咬伤。

| 用法用量 | 内服温饮，30 ~ 60 g。

| 附　注 | 本种喜阳光充足，耐寒、耐旱，喜排水良好、疏松肥沃的壤土或轻壤土，在黏壤土中生长不良，开花不佳。

蔷薇科 Rosaceae 悬钩子属 Rubus 凭证标本号 320282160606007LY

寒莓
Rubus buergeri Miq.

| 药 材 名 | 寒莓（药用部位：茎叶、根）。

| 形态特征 | 常绿直立或匍匐状小灌木。匍匐枝长达 2 m。枝、叶柄、花序梗、花梗均密被褐色绒毛状长柔毛，有时被稀疏小皮刺。单叶；叶片卵圆形至近圆形，直径 5 ～ 11 cm，先端圆钝，基部心形，叶面近无毛或沿叶脉有柔毛，叶背密被黄灰色绒毛，后常渐脱落，边缘有 5 ～ 7 浅裂，裂片圆钝，有不整齐细锐锯齿，基部具掌状五出脉；叶柄长达 9 cm；托叶离生，常早落，掌状或羽状深裂。花数朵成短总状花序，顶生或腋生，有时数朵簇生于叶腋；苞片与托叶相似，较小；花萼外面密被淡黄色长柔毛和绒毛，萼片披针形或卵状披针形，外侧萼片先端常浅裂，内侧萼片全缘；花瓣倒卵形，白色。聚合果近圆球形，成熟时紫黑色。花期 7 ～ 8 月，果期 9 ～ 10 月。

| **生境分布** | 生于阔叶林下或山地杂木林内。分布于江苏无锡（宜兴）等。

| **资源情况** | 野生资源较少。

| **采收加工** | 夏、秋季采收，鲜用或晒干。

| **功效物质** | 主要含有三萜类化合物。

| **功能主治** | 茎叶，甘、酸，凉。凉血止血，解毒敛疮。用于肺痨咯血，外伤出血，疮疡肿毒，湿疮流脓。根，苦、酸，寒。归肝、肾经。清热解毒，活血止痛。用于湿热黄疸，产后发热，小儿高热，月经不调，带下，胃痛吐酸，痔疮肿痛，肛门瘘管。

| **用法用量** | 茎叶，内服煎汤，15.5 ~ 31 g。外用适量，鲜品捣敷；或干品研末撒。根，内服煎汤，9 ~ 15 g，鲜品 30 ~ 60 g。

蔷薇科 Rosaceae 悬钩子属 *Rubus* 凭证标本号 320482180521290LY

掌叶复盆子

Rubus chingii Hu

| **药 材 名** | 覆盆子（药用部位：果实）。

| **形态特征** | 落叶灌木，植株高达 3 m。枝无毛，疏生小皮刺。单叶；叶片近圆形，直径 5 ~ 9 cm，叶片两面仅沿叶脉被柔毛或近无毛，基部心形，掌状（3 ~ ）5（ ~ 7）深裂，裂片椭圆形或菱状卵形，先端渐尖，边缘有重锯齿，具掌状脉；叶柄长 2 ~ 4 cm，微有柔毛或无毛，疏生小皮刺；托叶线状披针形，基部与叶柄合生。花单生于侧枝先端或叶腋；花梗长 2 ~ 4 cm，无毛；花直径 2 ~ 4 cm；萼片卵形或卵状长圆形，先端具尖头，密被柔毛；花瓣椭圆形或卵状长圆形，白色。聚合果近圆球形，直径 1.5 ~ 2 cm，成熟时红色，密被灰白色柔毛；小果核有皱纹。花期 3 ~ 4 月，果期 5 ~ 6 月。

| 生境分布 | 生于山地杂木林边、灌丛或荒野。分布于江苏南京（高淳、溧水）、无锡（宜兴）、常州（溧阳）、苏州等。

| 资源情况 | 野生资源较丰富。

| 采收加工 | 5 ～ 6 月果实未成熟呈绿色时采收，晒干。

| 药材性状 | 本品由众多核果聚合而成，略呈圆锥形或类球形，上端钝圆，底部较平坦，高 0.6 ～ 1.3 cm，直径 0.5 ～ 1.2 cm；表面灰绿色或淡棕色，密被灰白色或灰绿色短绒毛，宿存萼棕色，5 裂，先端多折断，上有多数残存花丝，下有果柄痕或连有细果柄。小核果约呈半月形，背面隆起，腹面有凸起棱线；表面棕色，背面及先端有灰白色毛，腹面及两侧有网状凹纹。质硬，内含棕色种子 1。气清香，味微酸、涩。以颗粒完整、饱满、色黄绿、具酸味者为佳。

| 功效物质 | 果实含有相当丰富的维生素 A、维生素 C、钙、钾、镁等营养元素及大量纤维。每 100 g 果实，水分占 87%，含蛋白质 0.9 g，纤维 4.7 g，能提供 209.3 kJ 的热量。果实能有效缓解心绞痛等心血管疾病，但有时会造成轻微的腹泻。

| 功能主治 | 甘、酸，平。归肝、肾经。益肾，固精缩尿，养肝明目。用于遗精，滑精，遗尿尿频，阳痿，早泄，目暗昏花。

| 用法用量 | 内服煎汤，5 ～ 10 g；或入丸、散剂；或浸酒；或熬膏。

薔薇科 Rosaceae 悬钩子属 Rubus 凭证标本号 321183150416695LY

山莓

Rubus corchorifolius L. f.

| 药 材 名 | 山莓（药用部位：果实、根、茎叶）。

| 形态特征 | 落叶灌木，高 1 ~ 3 m。枝疏生微弯小皮刺，幼时被柔毛。单叶；叶片卵形或卵状披针形，长 5 ~ 12 cm，宽 2.5 ~ 5 cm，先端渐尖，基部心形、浅心形，稀平截或近圆形，叶面沿脉被柔毛，叶背幼时密被柔毛，不分裂或有时 3 浅裂，不育枝叶常 3 裂，边缘有不整齐重锯齿，常具三至五出脉；叶柄长 1 ~ 2 cm，疏生小皮刺，幼时密被柔毛；托叶线状披针形，基部与叶柄合生。花单生，或 3 花着生于短枝先端或腋生；花梗长达 2 cm，被柔毛；花直径达 3 cm；花萼密被柔毛，萼片卵形或卵状三角形；花瓣长圆形或椭圆形，白色。聚合果圆球形或卵圆形，直径达 1.2 cm，成熟时红色，密被柔毛。花期 4 ~ 5 月，果期 5 ~ 6 月。

| 生境分布 | 生于山地杂木林边、灌丛或荒野。江苏各地均有分布。

| 资源情况 | 野生资源较丰富。

| 采收加工 | 果实，夏季果实饱满、外表呈绿色时采摘，用酒蒸晒干或用开水浸 1 ~ 2 分钟，晒干；根，9 ~ 10 月采挖，切片，晒干；茎叶，春、秋季采收，洗净，晒干。

| 功效物质 | 主要含有黄酮类、香豆素类、茶多酚类化学成分。

| 功能主治 | 果实，醒酒止咳，化痰解毒，收涩。用于醉酒，痛风，丹毒，烫火伤，遗精，遗尿。根，苦、涩、平。凉血止血，活血调经，清热利湿，解毒敛疮。用于咯血，崩漏，痔疮出血，痢疾，泄泻，闭经，痛经，跌打损伤，毒蛇咬伤，疮疡肿毒，湿疹。茎叶，苦，凉。清热利咽，解毒敛疮。用于咽喉肿痛，疮疡疖肿，乳腺炎，湿疹，黄水疮。

| 用法用量 | 果实，内服煎汤，9 ~ 15 g；或生食。外用适量，捣汁涂。根，内服煎汤，15.5 ~ 31 g。茎叶，外用适量，鲜品捣敷。

薔薇科 Rosaceae 悬钩子属 Rubus 凭证标本号 320482180425493LY

插田泡 *Rubus coreanus* Miq.

| 药 材 名 | 插田泡（药用部位：果实、叶）、倒生根（药用部位：根）。

| 形态特征 | 落叶或半常绿蔓状灌木，植株高达 3 m。枝红褐色，常被白粉，具钩状扁平皮刺。复叶具小叶（3～）5；托叶线状披针形，被柔毛，基部与叶柄合生；小叶片卵形、宽卵形或菱状卵形，长 3～8 cm，宽 2～5 cm，先端急尖，基部楔形或近圆形，两面仅沿脉疏被短柔毛，边缘有不整齐粗锯齿或缺刻状粗锯齿，顶生小叶有时 3 浅裂；顶生小叶柄长达 2 cm，侧生小叶近无柄，与叶轴均有短柔毛和小皮刺。伞房花序，顶生；花序梗和花梗均被短柔毛；苞片线形，被短柔毛；花萼外面被短柔毛，萼片卵状披针形，边缘被绒毛，花后反折；花瓣倒卵形，淡红色至深红色。聚合果近球形，成熟时深红色至紫黑色。花期 5～6 月，果期 7～8 月。

生境分布	生于山地杂木林边、灌丛或荒野。分布于江苏南部等。

资源情况	野生资源较丰富。

采收加工 | 插田泡：7 ~ 8 月采收成熟果实，晒干；春、秋季采收叶，洗净，晒干。

倒生根：9 ~ 10 月采挖，切片，晒干。

功效物质 | 主要含有黄酮类成分覆盆子苷。

功能主治 | 插田泡：果实，甘、酸，温。补肾固精，平肝明目。用于阳痿，遗精，遗尿，带下，不孕症，胎动不安，风眼流泪，目生翳障。叶，祛风明目，除湿解毒。用于风眼流泪，风湿痹痛，蛇咬伤。

倒生根：苦，凉。活血止血，祛风除湿。用于跌打损伤，骨折，月经不调，吐血，衄血，风湿痹痛，水肿，小便不利，瘰疬。

用法用量 | 插田泡：内服煎汤，6 ~ 15 g。

倒生根：外用适量，鲜品捣敷。

附　注 | 本种的果实为强壮剂，根有止血、止痛之效，叶能明目。

蔷薇科 Rosaceae 悬钩子属 Rubus 凭证标本号 320681160423051LY

蓬蘽
Rubus hirsutus Thunb.

| 药 材 名 | 托盘（药用部位：根、叶、嫩枝梢）。

| 形态特征 | 半常绿灌木，高达 2 m。枝、叶柄和花梗均被柔毛、腺毛和稀疏小皮刺。复叶具小叶 3 ~ 5；托叶披针形或卵状披针形，被柔毛，基部与叶柄合生；小叶片卵形或宽卵形，长 3 ~ 7 cm，宽 2 ~ 4 cm，先端急尖或渐尖，基部圆形或宽楔形，边缘有不整齐尖锐重锯齿，叶面被柔毛或近无毛，叶背被柔毛，沿主脉疏生小皮刺；顶生小叶柄长达 2.5 cm，侧生小叶有短柄。花单生于侧枝先端，稀腋生；苞片线状披针形，被柔毛；花梗长达 6 cm；花直径 3 ~ 4 cm；花萼与萼片外面密被柔毛和疏腺毛，萼片卵状披针形或三角状披针形，先端长尾尖，边缘被灰白色绒毛，花后反折；花瓣倒卵形或近圆形，白色。聚合果近圆球形，成熟时鲜红色。花期 4 月，果期 5 ~ 6 月。

| **生境分布** | 生于山坡、荒地、疏林下或灌丛中。江苏各地均有分布。

| **资源情况** | 野生资源较丰富。

| **采收加工** | 根，夏季采挖，切片，晒干；叶、嫩枝梢，夏、秋季采收，洗净，晒干。

| **功效物质** | 主要含有黄酮类、酚酸类、氨基酸类及维生素类成分。

| **功能主治** | 根，清热解毒，消肿止痛，止血。用于感冒，小儿高热惊厥，咽喉肿痛，牙痛，头痛，风湿筋骨痛，瘰疬，疖肿。叶、嫩枝梢，清热解毒，收敛止血。用于牙龈肿痛，暴赤火眼，疮疡疖肿，外伤出血。

蔷薇科 Rosaceae 悬钩子属 *Rubus* 凭证标本号 320481150410357LY

高粱泡
Rubus lambertianus Ser.

| 药 材 名 | 高粱泡（药用部位：根、叶）。

| 形态特征 | 半常绿藤状灌木，植株高达 3 m。枝有小皮刺，幼时有短柔毛或近无毛。单叶；叶片纸质，宽卵形或卵形，稀长圆状卵形，长 5 ～ 12 cm，宽 4 ～ 8 cm，先端渐尖，基部深心形，两面被疏柔毛，叶背沿脉常疏生小皮刺，边缘 3 ～ 5 浅裂或呈波状，有细锯齿；叶柄长 2 ～ 5 cm，被柔毛或近无毛，疏生小皮刺；托叶离生，常早落，线状深裂，被柔毛或近无毛。圆锥花序顶生，生于小枝上部叶腋的花序常近总状，有时仅数朵簇生于叶腋；花序梗、花梗和花萼均被灰白色柔毛；苞片与托叶相似；萼片卵状披针形；花瓣倒卵形，白色。聚合果近圆球形，成熟时红色。花期 8 ～ 9 月，果期 10 ～ 11 月。

生境分布	生于山沟、路旁、疏林下或灌丛中。分布于江苏南京、镇江（句容）、常州（金坛）等。
资源情况	野生资源较丰富。
采收加工	全年均可采收，洗净，晒干。
功效物质	含有黄酮类、酚酸类、维生素及矿物质。
功能主治	根，祛风清热，凉血止血，活血祛瘀。用于风热感冒，风湿痹痛，半身不遂，咯血，衄血，崩漏，闭经，痛经，产后腹痛，疮疡。叶，清热凉血，解毒疗疮。用于感冒发热，咯血，便血，崩漏，创伤出血，瘰疬溃烂，皮肤糜烂，黄水疮。
用法用量	内服煎汤，15.5 ～ 62 g。外用适量，捣敷。
附 注	本种的种子也可药用。

蔷薇科 Rosaceae 悬钩子属 Rubus 凭证标本号 320282160606009LY

太平莓
Rubus pacificus Hance

| 药 材 名 | 太平莓（药用部位：全株）。

| 形态特征 | 常绿灌木，植株高达 1 m。枝疏生小皮刺，幼时有柔毛。单叶；叶片革质，宽卵形或长卵形，长 8 ~ 16 cm，宽 5 ~ 13 cm，先端渐尖，基部心形，叶面无毛，叶背密被灰白色绒毛，基部具掌状五出脉，边缘波状或不明显浅裂，有不整齐细锐锯齿；叶柄长 4 ~ 8 cm，疏生小皮刺，幼时有柔毛；托叶叶状，离生，常早落，先端缺刻状条裂。花数朵成顶生的短总状或伞房状花序，或有时单生于叶腋；花序梗、花梗和花萼均密被绒毛状柔毛；苞片与托叶相似，较小；萼片卵形或卵状披针形，外侧萼片先端常条裂，内侧萼片全缘；花瓣白色，近圆形，基部具短爪。聚合果圆球形，成熟时红色。花期 6 ~ 7 月，果期 8 ~ 9 月。

| **生境分布** | 生于山坡、路旁或疏林下。分布于江苏无锡（宜兴）等。

| **资源情况** | 野生资源一般。

| **采收加工** | 6 ~ 8 月割取带花、叶的全株，洗净，晒干。

| **功能主治** | 酸、苦、辛，平。归肝经。清热，活血。用于发热，产后腹痛。

| **用法用量** | 内服煎汤，30 ~ 60 g。

蔷薇科 Rosaceae 悬钩子属 Rubus 凭证标本号 320111170509027LY

茅莓

Rubus parvifolius L.

| 药 材 名 |

薅田藨（药用部位：地上部分）、薅田藨根
（药用部位：根）。

| 形态特征 |

落叶蔓生状灌木，植株高达 2 m。枝、叶
柄、小叶柄、花序梗、花梗和花萼外面被
柔毛和稀疏钩状小皮刺或针刺。复叶具小
叶 3（~ 5）；托叶线形，被柔毛，基部与
叶柄合生；小叶片菱状宽卵形或倒卵形，长
2.5 ~ 6 cm，先端圆钝或急尖，基部圆形或
宽楔形，边缘具不整齐或缺刻状粗重锯齿，
叶面疏被柔毛，叶背密被灰白色绒毛，沿叶
脉疏生小针刺；顶生小叶柄长达 2 cm。伞
房花序，稀顶生花序成短总状；苞片线形，
被柔毛；花梗长达 1.5 cm；萼片卵状披针形
或三角状卵形；花瓣卵圆形或长圆形，粉红
色或紫红色，彼此靠合。聚合果卵圆形，成
熟时红色。花期 5 ~ 6 月，果期 7 ~ 8 月。

| 生境分布 |

生于丘陵、向阳山坡、路旁或灌丛中。江苏
各地均有分布。

| **资源情况** | 野生资源较丰富。

| **采收加工** | 薅田蔍：7 ~ 8 月采割，捆成小把，晒干。
薅田蔍根：秋、冬季采挖，洗净，鲜用，或切片，晒干。

| **功效物质** | 果实含有赤霉素 A_{32} 及其他赤霉素。根含有（−）- 表儿茶精、β- 谷甾醇、豆甾醇和菜油甾醇。

| **功能主治** | 薅田蔍：苦、涩，凉。清热解毒，散瘀止血，杀虫疗伤。用于感冒发热，咳嗽痰血，痢疾，跌打损伤，产后腹痛，疥疮，疖肿，外伤出血。
薅田蔍根：清热解毒，祛风利湿，活血凉血。用于感冒发热，咽喉肿痛，风湿痹痛，肝炎，肠炎，痢疾，肾炎性水肿，尿路感染，结石，跌打损伤，咯血，吐血，崩漏，疔疮肿毒，腮腺炎。

| **用法用量** | 内服煎汤，15.5 ~ 31 g。外用适量，鲜叶捣敷；或煎汤熏洗。

| **附　注** | 民间将本种的根用于妇科止血，疗效显著。

蔷薇科 Rosaceae 地榆属 Sanguisorba 凭证标本号 320830150715005LY

地榆
Sanguisorba officinalis L.

| 药 材 名 | 地榆（药用部位：根）。

| 形态特征 | 多年生草本，植株高 1 ~ 2 m。根常呈纺锤形，稀圆柱形。茎无毛或基部有稀疏腺毛。基生叶具小叶 2 ~ 9 对；叶柄无毛或基部有稀疏腺毛；小叶片卵形或长圆状卵形，长 1 ~ 7 cm，先端常圆钝，基部心形或微心形，边缘有圆钝锯齿，两面无毛，具短柄；托叶膜质，无毛或有疏腺毛。茎生叶较少，小叶片长圆形或长圆状披针形，先端急尖，基部微心形或近圆形；有短柄或近无柄；托叶较大，草质，边缘有锐锯齿。穗状花序圆柱形或卵圆形，直立，长 1 ~ 4 cm，花自花序先端向下开放；苞片膜质，披针形，较萼片短或近等长，外侧和边缘被柔毛；萼片紫红色，椭圆形或宽卵形，外侧疏被柔毛；花丝丝状，与萼片近等长或稍短。瘦果包藏于宿存萼筒内，具 4 棱。

花果期 7 ~ 10 月。

| 生境分布 | 生于山坡、路边草丛、田边、灌丛或疏林下。江苏各地均有分布。

| 资源情况 | 野生及栽培资源较丰富。

| 采收加工 | 春季发芽前、秋季枯萎前后采挖，除去地上茎叶，洗净，晒干，或趁鲜切片干燥。

| 药材性状 | 本品呈圆柱形，略扭曲状弯曲，长 18 ~ 22 cm，直径 0.5 ~ 2 cm，有时可见侧生支根或支根痕。表面棕褐色，具明显纵皱纹，先端有圆柱状根茎或其残基。质坚，稍脆，折断面平整，略具粉质，横断面形成层环明显，皮部淡黄色，木部棕黄色或带粉红色，呈显著放射状排列。气微，味微苦、涩。

| 功效物质 | 主要含有鞣质、皂苷、黄酮、多糖等，部分活性成分已被开发用于抗炎、抗菌、抗肿瘤、止血及增强免疫等。

| 功能主治 | 苦、酸，寒。归肝、肺、肾、大肠经。凉血止血，解毒敛疮。用于便血，痔血，血痢，崩漏，烫火伤，疮痈肿毒。

| 用法用量 | 内服煎汤，6 ~ 15 g，鲜品 30 ~ 120 g；或入丸、散剂；或绞汁。外用适量，煎汤或捣汁涂；或研末掺；或捣敷。

| 附　　注 | 本种药材有地榆、地榆炭、醋地榆、酒地榆、盐地榆等炮制品需贮干燥容器内，地榆炭、制地榆密封，置阴凉干燥处。地榆炭需散热防复燃。夏季采收地榆的叶，鲜用或晒干入药。

蔷薇科 Rosaceae 地榆属 Sanguisorba 凭证标本号 321183150923796LY

长叶地榆

Sanguisorba officinalis L. var. *longifolia* (Bertol.) Yü et Li

| 药 材 名 |

绵地榆（药用部位：根）。

| 形态特征 |

基生叶小叶带状长圆形至带状披针形，基部微心形、圆形至宽楔形；茎生叶较多，与基生叶相似，但更长而狭窄。花穗长圆柱形，长 2 ~ 6 cm，直径通常 0.5 ~ 1 cm；雄蕊与萼片近等长。花果期 8 ~ 11 月。

| 生境分布 |

生于山坡、路旁或林下。分布于江苏连云港（赣榆）、宿迁、淮安（盱眙）、南京、镇江（句容）、苏州、无锡（宜兴）、徐州（邳州）等。

| 资源情况 |

野生资源较丰富。

| 采收加工 |

春季发芽前、秋季枯萎前后采挖，除去地上茎叶，洗净，晒干或趁鲜切片，干燥。

| 药材性状 |

本品呈圆柱形，常弯曲，长 15 ~ 26 cm，直径 0.5 ~ 2 cm，有时支根较多。表面棕褐色。质较坚韧，不易折断，折断面细毛状，可见众多纤维，横断面形成层环不明显，皮部黄色，木部淡黄色，不呈放射状排列。气弱，味微苦、涩。以条粗、质坚、断面粉红色者为佳。

| **功效物质** | 根富含黄酮和鞣质类成分。

| **功能主治** | 苦、酸，寒。归肝、肺、肾、大肠经。凉血止血，解毒敛疮。用于便血，痔血，血痢，崩漏，烫火伤，痈肿疮毒。

| **用法用量** | 内服煎汤，6 ~ 15 g，鲜品 30 ~ 120 g；或入丸、散剂；或绞汁。外用适量，煎汤或捣汁涂；或研末掺；或捣敷。

蔷薇科 Rosaceae 花楸属 Sorbus 凭证标本号 320703160908537LY

水榆花楸

Sorbus alnifolia (Sieb. et Zucc.) K. Koch

| 药 材 名 | 水榆果（药用部位：果实）。

| 形态特征 | 落叶乔木，植株高达 20 m。幼枝微具柔毛，后脱落。单叶，叶卵形或卵状椭圆形，长 5 ~ 10 cm，宽 3 ~ 6 cm，先端短渐尖，基部宽楔形至圆形，边缘具不整齐尖锐重锯齿，有时微浅裂，两面无毛或叶背中脉和侧脉微具柔毛，侧脉 6 ~ 10（~ 14）对；叶柄长 1.5 ~ 3 cm，无毛或疏生柔毛。复伞房花序有花 6 ~ 25；花梗长 0.6 ~ 1.2 cm；萼片三角形，无毛；花瓣白色，长圆状卵形或近圆形；雄蕊 20，短于花瓣；花柱 2，基部或中部以下合生，无毛，短于雄蕊。果实长圆形或卵状长圆形，直径 0.7 ~ 1 cm，红色或黄色，无或稍有细小皮孔，2 室，先端有萼片脱落的斑点。花期 5 月，果期 8 ~ 9 月。

| **生境分布** | 生于山坡向阳处。分布于江苏连云港等。 |

| **资源情况** | 野生资源一般。 |

| **采收加工** | 秋季果实成熟时采摘，晒干。 |

| **功能主治** | 甘，平。归脾、肝经。养血补虚。用于血虚萎黄，劳倦乏力。 |

| **用法用量** | 内服煎汤，60 ~ 150 g。 |

蔷薇科 Rosaceae　绣线菊属 *Spiraea*　凭证标本号 321183150921755LY

绣球绣线菊 *Spiraea blumei* G. Don

| 药 材 名 | 麻叶绣球（药用部位：根或根皮）、麻叶绣球果（药用部位：果实）。

| 形 态 特 征 | 灌木，植株高达 2 m。除花萼内侧外，其余各部均无毛。小枝细瘦；冬芽小，卵形，具数枚鳞片。叶片菱状卵形或倒卵形，长 2 ~ 4 cm，宽 1 ~ 2.5 cm，先端微尖或圆钝，基部楔形，稀圆形或近圆形，边缘近中部以上有少数圆钝缺刻状锯齿或 3 ~ 5 浅裂，叶面绿色，叶背浅蓝绿色，具羽状脉或不明显三出脉。伞形花序着生于上年生短枝先端，具花序梗；苞片披针形；花梗长 0.6 ~ 1 cm；花托钟状，内面被短柔毛；萼片三角形或卵状三角形；花瓣白色，宽倒卵形，先端微凹；花盘由 8 ~ 10 球形裂片组成。菁葖果的宿存花柱位于背部先端；宿存萼直立。花期 4 ~ 6 月，果期 8 ~ 10 月。

| 生境分布 | 生于向阳山坡、路旁或灌丛。分布于江苏南京（浦口）、镇江（句容）等。

| 资源情况 | 野生资源较丰富。

| 采收加工 | 麻叶绣球：全年均可挖取根或剥取根皮，洗净，晒干。
麻叶绣球果：秋季果实成熟时采收，晒干。

| 功能主治 | 麻叶绣球：活血止痛，解毒祛湿。用于跌打损伤，瘀滞疼痛，咽喉肿痛，带下，疮毒，湿疹。
麻叶绣球果：辛，微温。归脾、胃经。理气和中。用于胃脘胀痛。

| 用法用量 | 麻叶绣球：内服煎汤，15 ~ 30 g；或浸酒。外用适量，研末浸油搽。
麻叶绣球果：内服研末，3 g。

蔷薇科 Rosaceae 绣线菊属 *Spiraea* 凭证标本号 320282150410374LY

中华绣线菊 *Spiraea chinensis* Maxim.

| 药 材 名 | 中华绣线菊（药用部位：根）。

| 形态特征 | 灌木，植株高达 3 m。小枝、叶背、叶柄、花梗被黄色绒毛。冬芽卵形，具数枚鳞片，外面被柔毛。叶片菱状卵形或倒卵形，长 2.5 ～ 6 cm，宽 1.5 ～ 3 cm，先端急尖或圆钝，基部宽楔形或圆形，边缘有缺刻状粗锯齿，稀不明显 3 浅裂，叶面被短柔毛，叶脉明显下陷；叶柄长 0.4 ～ 1 cm。伞形花序着生于上年生短枝先端，具花序梗；苞片线形，被短柔毛；花托钟状，外面被疏短柔毛，内面密被柔毛；萼片卵状披针形；花瓣白色，近圆形，先端微凹或圆钝；花盘圆环状，具球状裂片。蓇葖果张开，被短柔毛；宿存萼直立，稀反折。花期 4 ～ 5 月，果熟期 6 ～ 9 月。

| **生境分布** | 生于山坡灌丛、山谷溪边、田野路旁。分布于江苏南京、无锡（宜兴）、常州（溧阳）等。

| **资源情况** | 野生资源较少。

| **采收加工** | 秋、冬季采挖，除去泥土、须根，晒干。

| **功能主治** | 利咽消肿，祛风止痛。用于咽喉疼痛，风湿痹痛。

薔薇科 Rosaceae 绣线菊属 *Spiraea* 凭证标本号 320703141018047LY

华北绣线菊 *Spiraea fritschiana* Schneid.

| 药 材 名 | 桦叶绣线菊（药用部位：全株）。

| 形态特征 | 灌木，植株高达 2 m。小枝粗壮，有光泽，具棱角；冬芽卵形，具数枚褐色鳞片，幼时外面有稀疏短柔毛。叶片卵形、椭圆状卵形或椭圆状长圆形，长 2 ~ 8 cm，宽 1.5 ~ 3.5 cm，先端急尖或渐尖，基部宽楔形，边缘有不整齐重锯齿或单锯齿，叶面无毛，稀沿叶脉有稀疏柔毛，叶背有短柔毛；叶柄长 2 ~ 5 mm，幼时被短柔毛。复伞房花序着生于当年生枝先端，无毛；苞片披针形或线形，被疏短柔毛；花梗长 4 ~ 7 mm；花托钟状，内面密被短柔毛；萼片三角形；花瓣卵形，白色；花盘圆环状，有 8 ~ 10 大小不等的裂片，裂片先端微凹。小蓇葖果近直立，开张，无毛或沿腹缝线有短柔毛；宿存萼片反折。

| **生境分布** | 生于山坡、沟谷或丛林间。分布于江苏连云港等。

| **资源情况** | 野生资源一般。

| **采收加工** | 夏季采收，洗净，切碎，晒干。

| **功能主治** | 利尿通淋，活血解毒，通经。用于热淋，风火牙痛，闭经。

蔷薇科 Rosaceae 绣线菊属 *Spiraea* 凭证标本号 320830160408018LY

李叶绣线菊 *Spiraea prunifolia* Sieb. et Zucc.

| 药 材 名 | 笑靥花（药用部位：根）。

| 形态特征 | 灌木，植株高 1.5 ~ 3 m。枝条细长，常呈弧形弯垂，幼枝被短柔毛，后渐脱落近无毛；冬芽小，卵形，无毛，具数枚鳞片。叶片卵形至长圆状披针形，长 1.5 ~ 3 cm，宽 0.7 ~ 1.5 cm，先端急尖，基部楔形，边缘近基部或中部以上有细锐单锯齿，叶面幼时被短柔毛，后渐脱落，叶背被短柔毛，叶脉羽状；叶柄长 2 ~ 4 mm，被短柔毛。伞形花序着生于上年生短枝先端，无花序梗，基部簇生数枚小叶片；花梗长达 1 cm，被短柔毛；花直径 1 ~ 1.2 cm，重瓣，白色。花期 3 ~ 4 月，常不结实。

| 生境分布 | 江苏各地均有分布。江苏各地园林均有栽培。

| 资源情况 | 栽培资源较丰富。

| 采收加工 | 秋、冬季采挖，除去泥土、须根，晒干。

| 功能主治 | 苦，凉。归肺经。利咽消肿，祛风止痛。用于咽喉肿痛，风湿痹痛。

| 用法用量 | 内服煎汤，15 ~ 30 g。外用适量，捣敷。

| 附　　注 | 本种喜温暖湿润气候，较耐寒，对土质要求不严，一般土壤均可种植。

蔷薇科 Rosaceae | 小米空木属 Stephanandra | 凭证标本号 320703170419643LY

小米空木 *Stephanandra incisa* (Thunb.) Zabel

| 药 材 名 | 小米空木（药用部位：根）。

| 形态特征 | 灌木，高达 2.5 m。小枝细弱，弯曲，圆柱形，微被柔毛，幼时红褐色，老时紫灰色；冬芽卵形，先端圆钝，无毛或先端微具柔毛，红褐色。叶片卵形至三角状卵形，长 2 ~ 4 cm，宽 1.5 ~ 2.5 cm，先端渐尖或尾尖，基部心形或截形，边缘常深裂，有 4 ~ 5 对裂片及重锯齿，上面具稀疏柔毛，下面微被柔毛，沿叶脉较密，侧脉 5 ~ 7 对，在下面显著；叶柄长 3 ~ 8 mm，被柔毛；托叶卵状披针形至长椭圆形，先端急尖，微有锯齿及睫毛，长约 5 mm。顶生疏松的圆锥花序，长 2 ~ 6 cm，具多花；花梗长 5 ~ 8 mm，总花梗与花梗均被柔毛；苞片小，披针形；花直径约 5 mm；萼筒浅杯状，内外两面

微被柔毛；萼片三角形至长圆形，先端钝，边缘有细锯齿，长约 2 mm；花瓣倒卵形，先端钝，白色；雄蕊 10，短于花瓣，着生于萼筒边缘；心皮 1，花柱顶生，直立，子房被柔毛。蓇葖果近球形，直径 2 ~ 3 mm，外面被柔毛，具宿存直立或开展的萼片。花期 6 ~ 7 月，果期 8 ~ 9 月。

| 生境分布 | 生于山坡、灌丛或杂木林下。分布于江苏连云港等。

| 资源情况 | 野生资源一般。

| 采收加工 | 秋、冬季采挖，除去泥土、须根，晒干。

| 功能主治 | 用于咽喉疼痛，血崩，月经不调。

| 附　　注 | 20% ~ 40% 光照为本种的适宜光环境，过低的光照强度会抑制其生长，过高的光照强度会使叶片出现灼伤、变褐色等现象。

豆科 Fabaceae 合萌属 Aeschynomene 凭证标本号 320482180704270LY

合萌
Aeschynomene indica L.

药材名

梗通草（药用部位：茎中木部）、合萌（药用部位：地上部分）、合萌根（药用部位：根）、合萌叶（药用部位：叶）。

形态特征

一年生亚灌木状直立草本，高 30 ~ 100 cm。茎圆柱形，多分枝，无毛，稍粗糙。小枝绿色。羽状复叶互生，具 20 ~ 30 对小叶或更多；托叶膜质，披针形，长约 1 cm，先端锐尖，基部下延成耳状；小叶片线状长圆形（夜间闭合），长 3 ~ 8 mm，宽 1 ~ 3 mm，先端圆钝，有短尖头，基部圆形，歪斜，叶面密布腺点，叶背稍带白粉；无小叶柄。总状花序腋生，比叶短，有花 1 ~ 4；花梗通常有黏质；小苞片宿存；花萼膜质，钟状，二唇形；花冠黄色，具紫色条纹，旗瓣近圆形、无爪，翼瓣半月形、有爪，较旗瓣稍短，龙骨瓣较翼瓣长。荚果线状长圆形，微弯，扁平，不开裂，有 4 ~ 8（~ 10）荚节，每荚节含 1 种子，成熟时各节分离脱落，荚节平滑或有小瘤突；种子肾形，黑棕色，有光泽。花果期 8 ~ 11 月。

| 生境分布 | 生于旷野、水田边、溪河边或低湿草丛中。江苏各地均有分布。

| 资源情况 | 野生资源丰富。

| 采收加工 | **梗通草**：9 ~ 10 月采挖全株，除去根、枝叶及茎顶端部分，剥去茎皮，晒干。
合萌：9 ~ 10 月采割，鲜用或晒干。
合萌根：秋季采挖，鲜用或晒干。
合萌叶：夏、秋季采摘，鲜用或晒干。

| 药材性状 | **梗通草**：本品呈圆柱状，上端较细，长达 40 cm，直径 1 ~ 3 cm。表面乳白色，平滑，具细密的纵纹，并有皮孔样凹点及枝痕。质轻脆，易折断，断面类白色，不平坦，隐约可见同心性环纹，中央有小孔。气微，味淡。
合萌根：本品呈圆柱形，上端渐细，直径 1 ~ 2 cm。表面乳白色，平滑，具细密的纵纹及残留的分枝痕，基部有时连有多数须根。质轻而松软，易折断，折断面白色，不平坦，中央有小孔洞。气微，味淡。

| 功效物质 | 种子、叶、茎等部位主要含有蒽醌及其苷类、黄酮及其苷类、黄烷醇及其苷类等成分。果实含有生物碱类、皂苷类、鞣质类等化学成分。

| 功能主治 | **梗通草**：淡、微苦，凉。清热利尿，通乳，明目。用于热淋，小便不利，水肿，乳汁不通，夜盲。
合萌：清热利湿，祛风明目，通乳。用于热淋，血淋，水肿，泄泻，痢疾，疔肿，疮疥，目赤肿痛，目生云翳，夜盲，关节疼痛，产妇乳少。
合萌根：清热利湿，解毒消积。用于血淋，泄泻，痢疾，疳积，目昏，牙痛，疮疥。
合萌叶：解毒，消肿，止血。用于疮疡肿毒，创伤出血，毒蛇咬伤。

| 用法用量 | **梗通草**：内服煎汤，6 ~ 15 g。
合萌：内服煎汤，15 ~ 30 g。外用适量，煎汤熏洗；或捣敷。
合萌根：内服煎汤，9 ~ 15 g，鲜品 30 ~ 60 g。外用适量，捣敷。
合萌叶：内服捣汁，60 ~ 90 g。外用适量，研末调涂；或捣敷。

| 附 注 | 本种喜温暖气候，耐高温，适宜在浅水或潮湿处生长，耐阴，耐酸，但抗旱力弱。对土壤要求不严，可利用潮湿荒地、塘边或溪河边的湿润处栽培。

豆科 Fabaceae 合欢属 Albizia 凭证标本号 320506150821214LY

山槐
Albizia kalkora (Roxb.) Prain

| 药 材 名 |

合欢皮（药用部位：树皮）。

| 形态特征 |

落叶乔木，高 4 ~ 15 m。小枝棕褐色，被柔毛，皮孔明显。二回羽状复叶；羽片 2 ~ 4 对；小叶 5 ~ 14 对；小叶片长圆形或长圆状卵形，长 1.5 ~ 4.5 cm，宽 1 ~ 1.8 cm，先端圆形而有细尖，基部近圆形，偏斜，中脉显著偏向叶片的上侧，两面密生短柔毛；总叶柄基部以上及叶轴先端具 1 腺体。头状花序 2 或 3，生于上部叶腋，或多个排成顶生圆锥花序；花初期白色，后变黄色；花梗明显；花萼管状，先端 5 齿裂；花冠中下部联合成管状，中上部裂片披针形；花萼和花冠均被长柔毛。荚果带状，扁平，长 7 ~ 17 cm，宽 1.5 ~ 3 cm，深棕色；种子 4 ~ 12。花期 5 ~ 7 月，果期 9 ~ 11 月。

| 生境分布 |

生于溪沟边、路旁或山坡林中。江苏各地均有分布。

| 资源情况 |

野生及栽培资源丰富。

| 采收加工 | 夏、秋季花开时剥取，晒干，切段，生用。

| 药材性状 | 本品呈浅槽状或卷成单筒状，长 40 ～ 80 mm，厚 1 ～ 3 mm。外表面灰褐色，稍粗糙，皮孔红棕色，椭圆形；内表面平滑，淡黄白色，有纵直的细纹。质硬而脆，易折断，折断面裂片状。气微香，味微涩，稍刺舌，而后喉部有不适感。

| 功效物质 | 木部含有山合欢皂苷 E 等皂苷类成分，其由金合欢酸、葡萄糖、阿拉伯糖、木糖和鼠李糖组成。树皮含鞣质类成分。

| 功能主治 | 甘，平。归心、肝、脾经。安神解郁，活血消痈。用于心神不安，忧郁，不眠，内外痈疡，跌打损伤。

| 用法用量 | 内服煎汤，10 ～ 15 g；或入丸、散剂。外用适量，研末调敷。

| 附　注 | 本种喜光，根系较发达，对土壤要求不严，常在砖红壤、红壤、紫色土、冲积土上生长，在贫瘠的山地也能生长，但生长较慢，在土壤肥沃且稍湿润的阔叶林内、林缘、溪流附近或山坡灌丛生长较快。

豆科 Fabaceae 合欢属 *Albizia* 凭证标本号 320115150727012LY

合欢
Albizia julibrissin Durazz.

| 药 材 名 | 合欢皮（药用部位：树皮）、合欢花（药用部位：花序或花蕾）。

| 形态特征 | 落叶乔木，高达 16 m；树冠伞房状开展。小枝有棱，嫩枝、花序和叶轴被柔毛。托叶小，早落；二回羽状复叶，总叶柄近基部及叶轴先端 1 对羽片着生处各具 1 腺体；羽片 4 ~ 12 对，小叶 10 ~ 30 对；小叶片线形或长圆形，长 0.6 ~ 1.2 cm，宽 0.1 ~ 0.4 cm，两侧极不对称，中脉紧靠近上缘，下侧一半向上偏斜，具短尖头及缘毛，两面被绒毛。头状花序着生于枝端，排列成圆锥花序；花粉红色；花萼管状，长 3 mm，齿裂；花冠长 8 mm，花萼、花冠外面均被短柔毛；雄蕊多数，花丝长达 2.5 cm，显著伸出花冠外。荚果带状，扁平、下垂，长 9 ~ 15 cm，宽 1.2 ~ 2.5 cm，幼时有毛；种子椭圆形，扁平，褐色。花期 6 月，果期 8 ~ 10 月。

| **生境分布** | 江苏各地均有栽培。

| **资源情况** | 栽培资源丰富。

| **采收加工** | **合欢皮**：夏、秋季花开时采剥，晒干，切段，生用。

合欢花：晴天采摘，迅速晒干或晾干。

| **药材性状** | **合欢皮**：本品呈浅槽状或卷成单筒状，长 40 ~ 80 mm，厚 1 ~ 3 mm。外表面灰褐色，稍粗糙，皮孔红棕色，椭圆形；内表面平滑，淡黄白色，有纵直的细纹。质硬而脆，易折断，折断面裂片状。气微香，味微涩，稍刺舌，而后喉部有不适感。

合欢花：本品头状花序皱缩成团。花细长而弯曲，长 0.7 ~ 1 cm，淡黄棕色或淡黄褐色，具短梗。花萼筒状，先端具 5 小齿，疏生短柔毛。花冠筒长约为萼筒的 2 倍，先端 5 裂，裂片披针形，疏生短柔毛。雄蕊多数，花丝细长，黄棕色或黄褐色，下部合生，上部分离，伸出花冠筒外。体轻，易碎。气微香，味淡。

| **功效物质** | 树皮含有木脂素苷类、酚类、生物碱类、三萜类、甾体类等资源性成分。花镇静催眠的主要活性成分为槲皮苷、异槲皮苷和槲皮素等黄酮类成分。

| **功能主治** | **合欢皮**：甘，平。归心、肝、脾经。解郁安神，活血消肿。用于心神不安，忧郁失眠，肺痈，疮肿，跌仆伤痛。

合欢花：甘、苦，平。归心、脾经。解郁安神。用于心神不安，忧郁失眠。

| **用法用量** | **合欢皮**：内服煎汤，10 ~ 15 g；或入丸、散剂。外用适量，研末调敷。

合欢花：内服煎汤，3 ~ 9 g；或入丸、散剂。

| **附　注** | 本种喜温暖湿润和阳光充足的环境，对气候和土壤适应性强，宜在排水良好、肥沃的土壤中生长，但也耐瘠薄土壤和干旱气候，不耐水涝。耐轻度盐碱，对二氧化硫、氯化氢等有害气体有较强的抗性。

豆科 Fabaceae 紫穗槐属 Amorpha 凭证标本号 320125150505144LY

紫穗槐 *Amorpha fruticosa* L.

| 药 材 名 | 紫穗槐（药用部位：叶）。

| 形态特征 | 丛生落叶灌木，高 1 ~ 4 m。茎皮褐色。幼枝密被白色短柔毛，后脱落。羽状复叶，长 10 ~ 15 cm；小叶 11 ~ 25；叶柄长 1 ~ 2 cm；小叶片卵形、椭圆形或披针状椭圆形，长 1.5 ~ 4 cm，宽 0.6 ~ 1.5 cm，先端圆或微凹，有短尖，基部圆形，叶面无毛或被疏毛，叶背有白色短柔毛，并具黑色腺点。穗状花序数个集生于枝条上部叶腋，长 7 ~ 15 cm，密被短柔毛；花萼杯状，齿裂 5，三角形，近等长；花冠紫色，旗瓣心形，没有翼瓣和龙骨瓣；雄蕊 10，下部合生成鞘，上部分离，包于旗瓣之中，伸出花冠外。荚果长圆形，下垂，弯曲，长 7 ~ 9 mm，宽约 3 mm，棕褐色，有凸起的疣状腺点。花果期 5 ~ 10 月。

| 生境分布 | 江苏各地均有栽培。

| 资源情况 | 栽培资源丰富。

| 采收加工 | 春、夏季采收，鲜用或晒干。

| 功效物质 | 根含有紫穗槐灵和紫穗槐定等黄酮类成分。木材中的黄酮类成分主要为芒柄花苷、红车轴草素葡萄糖苷等。叶中的黄酮类成分主要为灰叶素、鱼藤素等。果实中除富含黄酮类成分外，还含有挥发油类、联苯类成分。花中富含倍半萜烯类挥发油成分。

| 功能主治 | 微苦，凉。清热解毒，祛湿消肿。用于疮疡，烫火伤，水肿。

| 用法用量 | 外用适量，捣敷；或煎汤洗。

| 附　　注 | 本种喜干冷气候，耐寒性强，耐干旱能力强，具有一定的耐涝能力，对光线要求充足。对土壤要求不严。

豆科 Fabaceae 土圞儿属 *Apios* 凭证标本号 320282170627463LY

土圞儿 *Apios fortunei* Maxim.

| **药 材 名** | 土圞儿（药用部位：块根）。

| **形态特征** | 缠绕藤本。块根近球状。茎细长，疏被白色短粗毛。小叶 3 ~ 7；小叶片卵形、菱状卵形，稀卵状披针形，长 3 ~ 7 cm，宽 2 ~ 3 cm，先端渐尖，有短尖，基部宽楔形或圆形；侧生小叶基部偏斜，叶面被极疏短柔毛，叶背沿脉疏被毛。总状花序腋生，长 6 ~ 26 cm；每 1 ~ 3 花排列在花序轴节上；苞片和小苞片线形，被白色柔毛；花萼近二唇形，无毛；花冠黄绿色或淡绿色，长约 1.1 cm，旗瓣广卵形，长约 1 cm，翼瓣长圆形，最短，龙骨瓣窄，近管状、卷曲或卷成半圆形；雄蕊管及其内的花柱反折，随之卷曲；子房被短柔毛。荚果窄带状，长 6 ~ 8 cm，宽不及 1 cm，扁平，疏被毛，种子有多个。花期 6 ~ 8 月，果期 8 ~ 10 月。

生境分布	生于山坡灌丛中，喜缠绕在树上。分布于江苏南部、中部沿海地区等。
资源情况	野生资源较丰富。
采收加工	栽后 2 ~ 3 年冬季倒苗前采挖，晒干或炕干，撞去泥土，亦可鲜用。
药材性状	本品呈扁长卵形，长约 2.2 cm，直径约 1.2 cm，根头部有数个茎基或茎痕，基部稍偏斜，并有支根或支根痕。表面棕色，不规则皱缩，具须根痕。质轻而较柔韧，易折断，断面粗糙。味微苦、涩，微有豆腥气。
功效物质	根含有淀粉类及生物碱类成分。
功能主治	甘、微苦，平。清热解毒，止咳祛痰。用于感冒咳嗽，咽喉肿痛，百日咳，乳痈，瘰疬，无名肿毒，毒蛇咬伤，带状疱疹。
用法用量	内服煎汤，9 ~ 15 g，鲜品 30 ~ 60 g。外用适量，鲜品捣敷；或酒、醋磨汁涂。

豆科 Fabaceae 落花生属 Arachis 凭证标本号 320321180614007LY

落花生 Arachis hypogaea L.

| 药 材 名 |

落花生（药用部位：种子）、花生油（药材来源：种子榨出的脂肪油）、花生壳（药用部位：果皮）、落花生枝叶（药用部位：茎叶）、落花生根（药用部位：根）、花生衣（药用部位：种皮）。

| 形态特征 |

一年生草本。根部多根瘤。茎匍匐或直立，高 30 ~ 70 cm，多分枝，有明显的棱，被褐黄色长毛。羽状复叶有小叶 4；托叶窄披针形，长 2 ~ 3 cm，基部与叶柄连生，呈鞘状抱茎，疏生柔毛；叶柄基部抱茎；小叶片卵状长圆形至倒卵形，长 2.5 ~ 5 cm，宽 1.5 ~ 2.5 cm，先端圆形，基部狭，两面无毛。花单生或簇生于叶腋；苞片 2，与小苞片均为披针形，被柔毛；萼管细，长 4 ~ 6 cm，呈花梗状，管口二唇形；花冠黄色，旗瓣近圆形，直径约 1.7 cm，先端微凹，基部有爪，翼瓣长圆形，龙骨瓣长卵圆形；雄蕊 9，退化雄蕊 1；子房含数个胚珠，受精后子房柄伸长插入土中，子房在土中发育成荚果。荚果圆柱形，外面有网脉，种子间常稍缢缩，成熟于土中。花果期 5 ~ 10 月。

| **生境分布** | 江苏各地均有栽培。

| **资源情况** | 栽培资源丰富。

| **采收加工** | 落花生：秋末挖取果实，剥去果壳，取种子，晒干。
花生壳：剥取花生时收集果皮，晒干。
落花生枝叶：夏、秋季采收茎叶，洗净，鲜用；或切碎，晒干。
落花生根：秋季挖取根部，洗净，鲜用；或切碎，晒干。
花生衣：在加工油料或制作食品时收集红色种皮，晒干。

| **药材性状** | 本品种子短圆柱形或一端较平截，长 0.5 ～ 1.5 cm，直径 0.5 ～ 0.8 cm。种皮棕色或淡棕红色，不易剥离。子叶 2，类白色，油润，中间有胚芽。气微，味淡，嚼之有豆腥味。 |

| **功效物质** | 果实含有丰富的卵磷脂和脑磷脂等脂肪类、氨基酸类及蛋白质类营养性成分，此外尚含有儿茶素等酚类成分。花生油中脂肪酸主要有棕榈酸、硬脂酸、亚油 |

酸、花生酸等。果皮含有多种黄酮类成分，包括槲皮素、原花色素低聚物等功能性成分，且富含多酚类及芪类成分，如白藜芦醇、儿茶素及原花色素等。果壳含有黄酮类、三萜类、甾体类及酚类成分。茎叶含有多种挥发性成分及酚酸类成分。根含有白藜芦醇。

| 功能主治 | 落花生：甘，平。归脾、肺经。健脾养胃，润肺化痰。用于脾虚不运，反胃不舒，产妇乳少，脚气，肺燥咳嗽，大便燥结。

花生油：润燥，滑肠，去积。用于蛔虫性肠梗阻，胎衣不下，烫伤。

花生壳：化痰止咳，降血压。用于咳嗽气喘，痰中带血，高胆固醇血症，高血压。

落花生枝叶：清热解毒，宁神，降血压。用于跌打损伤，痈肿疮毒，失眠，高血压。

落花生根：祛风除湿，通络。用于风湿关节痛。

花生衣：凉血止血，散瘀。用于血友病，类血友病，血小板减少性紫癜，术后出血，便血，咯血，衄血，子宫出血。

| 用法用量 | 落花生：内服煎汤，30 ~ 100 g；生研冲汤，每次 10 ~ 15 g；炒熟或煮熟食，30 ~ 60 g。

花生油：内服煎汤，60 ~ 125 g。外用适量，涂抹。

花生壳：内服煎汤，10 ~ 30 g。

落花生枝叶：内服煎汤，30 ~ 60 g。外用适量，鲜品捣敷。

落花生根：内服煎汤，15 ~ 30 g。

花生衣：内服煎汤，6 ~ 9 g；或入丸、散剂。

| 附　注 | 本种宜气候温暖、生长季节较长、雨量适中的砂土地区。

豆科 Fabaceae 黄芪属 Astragalus 凭证标本号 320322190424078LY

华黄芪
Astragalus chinensis L.

| 药 材 名 | 华黄芪（药用部位：根）。

| 形态特征 | 多年生草本，高 35 ~ 60 cm。茎直立，通常单一，无毛，有深沟槽。复叶长 5 ~ 12 cm，有小叶 17 ~ 25；托叶离生，披针形，基部与叶柄稍贴生；小叶片窄椭圆形或长圆形，长 1.5 ~ 2.5 cm，叶面无毛，叶背疏被白色伏毛。总状花序生多数花；花序梗较叶短；苞片膜质；花萼管状钟形，外面被毛，萼齿三角状披针形；花冠黄色或淡黄色，旗瓣宽椭圆形，长 1.2 ~ 1.6 cm，基部渐狭成瓣柄，翼瓣小，龙骨瓣与旗瓣近等长；子房无毛。荚果椭圆形，长 1 ~ 1.5 cm，膨胀，厚革质，无毛，密布横皱纹，假 2 室，果柄明显伸出宿存萼外；种子肾形，褐色。花期 6 ~ 7 月，果期 7 ~ 8 月。

| **生境分布** | 生于向阳的山坡、路旁沙地或草地上。分布于江苏徐州（邳州）、连云港、南通（启东）等。 |

| **资源情况** | 野生资源一般。 |

| **采收加工** | 秋季植株枯萎或翌年春季尚未萌发前采挖，不要伤根，晒干。 |

| **功效物质** | 根含有生物碱类、鞣质类、蛋白质类等资源性成分。种子含有黄酮类、脂肪类、甾体类等成分。 |

| **功能主治** | 补肾固精，益肝明目。用于肝肾不足，腰痛膝软，遗精，早泄，小便频数，耳鸣眩晕，眼目昏花。 |

豆科 Fabaceae 黄芪属 Astragalus 凭证标本号 321284190914012LY

膜荚黄芪 Astragalus membranaceus (Fisch.) Bunge

| 药 材 名 | 黄芪（药用部位：根）。

| 形态特征 | 多年生草本，高 50 ~ 100 cm。主根肥厚，木质，常分枝，灰白色。茎直立，上部多分枝，有细棱，被白色柔毛。羽状复叶有小叶 13 ~ 27，长 5 ~ 10 cm；叶柄长 0.5 ~ 1 cm；托叶离生，卵形、披针形或线状披针形，长 4 ~ 10 mm，下面被白色柔毛或近无毛；小叶椭圆形或长圆状卵形，长 7 ~ 30 mm，宽 3 ~ 12 mm，先端钝圆或微凹，具小尖头或不明显，基部圆形，上面绿色，近无毛，下面被贴伏白色柔毛。总状花序稍密，有 10 ~ 20 花；总花梗与叶近等长或较长，至果期显著伸长；苞片线状披针形，长 2 ~ 5 mm，背面被白色柔毛；花梗长 3 ~ 4 mm，连同花序轴稍密被棕色或黑色柔毛；小苞片 2；花萼钟状，长 5 ~ 7 mm，外面被白色或黑色

柔毛，有时萼筒近无毛，仅萼齿有毛，萼齿短，三角形至钻形，长仅为萼筒的1/5 ～ 1/4；花冠黄色或淡黄色，旗瓣倒卵形，长 12 ～ 20 mm，先端微凹，基部具短瓣柄，翼瓣较旗瓣稍短，瓣片长圆形，基部具短耳，瓣柄较瓣片长约1.5 倍，龙骨瓣与翼瓣近等长，瓣片半卵形，瓣柄较瓣片稍长；子房有柄，被细柔毛。荚果薄膜质，稍膨胀，半椭圆形，长 20 ～ 30 mm，宽 8 ～ 12 mm，先端具刺尖，两面被白色或黑色细短柔毛，果颈超出萼外；种子 3 ～ 8。花期 6 ～ 8 月，果期 7 ～ 9 月。

| **生境分布** | 生于林缘、灌丛、疏林下、山坡草地或草甸中。江苏南京、盐城等有引种栽培。

| **资源情况** | 栽培资源一般。

| **采收加工** | 秋季植株枯萎或翌年春季尚未萌发前采挖，注意不要伤根，晒干。

| **药材性状** | 本品呈圆柱形，上粗下细，少有分枝，长 20 ～ 60 cm，直径 1 ～ 3 cm。表面淡黄棕色至深褐色，有明显的皱纹及横长皮孔。质硬而略韧，折断面纤维状，略带粉性。横切面皮部约占半径的 1/3，乳白色至淡黄白色，木部淡黄色，射线细密，韧皮射线略弯曲，有裂隙。老根头断面木部偶呈枯朽状，黑褐色或呈空洞状。气特异，味微甜，嚼之有豆腥味。以条粗长、皱纹少、质坚而绵、断面色黄白、粉性足、味甜者为佳。

| **功效物质** | 含有多糖类、环羊毛脂烷型四环三萜皂苷类、黄酮类、氨基酸类等功效成分，其中 γ- 氨基丁酸含量达 0.024% ～ 0.036%。多糖类成分主要为杂多糖及葡聚糖，具有显著的免疫调节、辅助抗肿瘤、抗氧化等活性；皂苷类及黄酮类成分具有显著的保护心血管、保护神经、保肝、护肾等生物活性。

| **功能主治** | 甘，温。归肺、脾经。补气升阳，固表止汗，利水消肿，生津养血，行滞通痹，托毒排脓，敛疮生肌。用于气虚乏力，食少便溏，中气下陷，久泻脱肛，便血崩漏，表虚自汗，气虚水肿，内热消渴，血虚萎黄，半身不遂，痹痛麻木，痈疽难溃，久溃不敛。

| **用法用量** | 内服煎汤，10 ～ 15 g，大剂量可用 30 ～ 60 g；或入丸、散、膏剂。

豆科 Fabaceae 黄芪属 *Astragalus* 凭证标本号 320584200503022LY

蒙古黄芪

Astragalus membranaceus (Fisch.) Bunge var. *mongholicus* (Bunge) P. K. Hsiao

| 药 材 名 | 黄芪（药用部位：根）。

| 形态特征 | 多年生草本，高 40 ~ 80 cm。主根长而粗壮，灰白色。茎直立，上部多分枝，被白色柔毛。复叶长 10 ~ 15 cm，小叶 13 ~ 31；托叶离生，卵状或窄披针形，有毛；小叶片椭圆形、卵状长圆形，长 7 ~ 30 mm，宽 3 ~ 18 mm，先端钝圆，基部圆形，叶面无毛，叶背密被白色短柔毛。总状花序腋生，较叶长，有多花（10 ~ 20）；花序梗、花梗密被棕色或黑色柔毛；花萼钟状，外面密生短柔毛，萼齿披针形；花冠黄色或淡黄色；子房被细柔毛，子房柄较子房长。荚果卵状长圆形，膜质，膨胀，长 2 ~ 3 cm，先端有短喙，有长子房柄，有显著的网纹，下垂。花期 6 ~ 8 月，果期 7 ~ 9 月。

| 生境分布 | 生于向阳草地或山坡上。分布于江苏徐州等。

| 资源情况 | 栽培资源一般。

| 采收加工 | 夏季采挖，洗净，反复晾晒，直至干透，切片。

| 药材性状 | 本品呈圆柱形，上粗下细，少有分枝，长 20 ～ 60 cm，直径 1 ～ 3 cm。表面淡黄棕色至深褐色，有明显的皱纹及横长皮孔。质硬而略韧，折断面纤维状，略带粉性。横切面皮部约占半径的 1/3，乳白色至淡黄白色，木部淡黄色，射线细密，韧皮射线略弯曲，有裂隙。老根头断面木部偶呈枯朽状，黑褐色或呈空洞状。气特异，味微甜，嚼之有豆腥味。以条粗长、皱纹少、质坚而绵、断面色黄白、粉性足、味甜者为佳。

| 功效物质 | 根富含黄酮类成分，其种类及含量均较为丰富，此外还含有黄芪苷、羽扇豆醇、羽扇豆烯酮等皂苷类成分，以及木脂素类、核苷类、甾体类、多糖类等资源性成分。茎和叶同样富含黄酮类及皂苷类成分。

| 功能主治 | 甘，温。归肺、脾经。补气升阳，固表止汗，利水消肿，生津养血，行滞通痹，托毒排脓，敛疮生肌。用于气虚乏力，食少便溏，中气下陷，久泻脱肛，便血崩漏，表虚自汗，气虚水肿，内热消渴，血虚萎黄，半身不遂，痹痛麻木，痈疽难溃，久溃不敛。

| 用法用量 | 内服煎汤，10 ～ 15 g，大剂量可用 30 ～ 60 g；或入丸、散、膏剂。

豆科 Fabaceae 黄芪属 Astragalus 凭证标本号 320323170510805LY

糙叶黄芪

Astragalus scaberrimus Bunge

| 药 材 名 | 糙叶黄芪（药用部位：种子）。

| 形态特征 | 多年生草本，密被白色贴伏毛。根茎短缩，多分枝，木质化；地上茎不明显或极短，有时伸长而匍匐。羽状复叶有 7 ~ 15 小叶，长 5 ~ 17 cm；叶柄与叶轴等长或稍长；托叶下部与叶柄贴生，长 4 ~ 7 mm，上部呈三角形至披针形；小叶椭圆形或近圆形，有时披针形，长 7 ~ 20 mm，宽 3 ~ 8 mm，先端锐尖、渐尖，有时稍钝，基部宽楔形或近圆形，两面密被贴伏毛。总状花序生 3 ~ 5 花，排列紧密或稍稀疏；总花梗极短或长达数厘米，腋生；花梗极短；苞片披针形，较花梗长；花萼管状，长 7 ~ 9 mm，被细贴伏毛，萼齿线状披针形，与萼筒等长或稍短；花冠淡黄色或白色，旗瓣倒卵状椭圆形，先端微凹，中部稍缢缩，下部稍狭成不明显的瓣柄，翼瓣

较旗瓣短，瓣片长圆形，先端微凹，较瓣柄长，龙骨瓣较翼瓣短，瓣片半长圆形，与瓣柄等长或稍短；子房有短毛。荚果披针状长圆形，微弯，长 8 ～ 13 mm，宽 2 ～ 4 mm，具短喙，背缝线凹入，革质，密被白色贴伏毛，假 2 室。花期 4 ～ 8 月，果期 5 ～ 9 月。

| 生境分布 | 生于山坡草地、砾石质草丛中。分布于江苏徐州等。

| 资源情况 | 野生资源一般。

| 采收加工 | 秋季植株枯萎或翌年春季尚未萌发前采挖，注意不要伤根。

| 功能主治 | 补肾益肝，固精明目。

| 附　　注 | 本种耐旱，耐瘠薄，为广幅旱生植物。适宜在砂质、砂砾质和砾石质性的栗钙土上生长，是针茅草原、冷蒿草原群落中的常见伴生种，也可进入荒漠草原边缘砾石质残丘坡地，亦可见于山地林缘。

豆科 Fabaceae 黄芪属 Astragalus 凭证标本号 320829170422092LY

紫云英 *Astragalus sinicus* L.

| 药 材 名 | 红花菜（药用部位：全草）、紫云英子（药用部位：种子）。

| 形态特征 | 二年生草本。茎高 10 ~ 30 cm，匍匐，多分枝。羽状复叶长 5 ~ 15 cm，小叶 13 ~ 17；小叶片倒卵形或宽椭圆形，长 5 ~ 20 mm，宽 5 ~ 12 mm，先端凹或钝圆，基部楔形，两面被白色长硬毛；托叶离生，卵形。总状花序有花 5 ~ 10，密集成伞形，总花序梗长达 15 cm；花萼钟状，被长毛，萼齿三角形；花冠紫色，稀为白色，旗瓣倒卵形，翼瓣较旗瓣短，龙骨瓣与旗瓣近等长；子房、花柱及柱头均无毛。荚果线状长圆形，微弯，长 1 ~ 2 cm，具短喙，黑色，无毛，具隆起的网脉；种子肾形，黑褐色。花期 3 ~ 5 月，果期 4 ~ 6 月。

| 生境分布 | 江苏各地多有引种栽培。

| **资源情况** | 栽培资源一般。 |

| **采收加工** | 红花菜：3、4 月间采收，鲜用或晒干。 |
| | 紫云英子：春、夏季果实成熟时割下全草，打下种子，晒干。 |

| **药材性状** | 紫云英子：本品呈长方状肾形，两侧明显压扁，长达 3.5 mm；腹面中央内陷较深，一侧呈沟状。表面黄绿色或棕绿色。质坚硬。气微弱，味淡，嚼之微有豆腥味。 |

| **功效物质** | 全草含有氨基酸类、核苷酸类、糖类、蛋白质类等丰富的营养性成分。种子含有蛋白质类、氨基酸类、甾醇类、精胺及亚精胺类，尚含有多种微量元素。 |

| **功能主治** | 红花菜：甘、辛，温；有毒。归肝、膀胱经。清热解毒，祛风明目，凉血止血。用于咽喉痛，风痰咳嗽，目赤肿痛，疔疮，带状疱疹，疥癣，痔疮，齿衄，外伤出血，月经不调，带下，血小板减少性紫癜。 |
| | 紫云英子：辛，凉。归肝经。祛风明目。用于目赤肿痛。 |

| **用法用量** | 红花菜：内服煎汤，6 ~ 9 g。外用适量，捣敷；或煎汤洗；或研末撒敷。 |
| | 紫云英子：内服煎汤，6 ~ 9 g；或研末。 |

| **附 注** | 本种喜温暖、湿润的气候。对土壤要求不严，在疏松、肥沃、湿润的壤土上生长较好。适宜生长的土壤 pH 为 5.5 ~ 7.5。 |

豆科 Fabaceae 云实属 *Caesalpinia* 凭证标本号 320282151017054LY

云实
Caesalpinia decapetala (Roth) Alston

| 药 材 名 | 云实（药用部位：种子）。

| 形态特征 | 落叶攀缘灌木，树皮暗红色。枝、叶轴和花序被柔毛，且密生倒钩状刺。二回羽状复叶，长 20 ~ 30 cm；羽片 3 ~ 10 对，对生；小叶 12 ~ 24；小叶片长椭圆形，长 1.5 ~ 2.5 cm，宽 0.6 ~ 1.2 cm，先端圆，微凹，基部圆形，微偏斜，叶面绿色，叶背有白粉。总状花序顶生，长 15 ~ 30 cm，直立，具多花；花梗长 2 ~ 4 cm，花萼下具关节，花易脱落；花萼裂片 5，长圆形，被毛；花冠黄色，圆形或倒卵形，膜质，有光泽；雄蕊稍长于花冠，花丝下半部密生绒毛。荚果长椭圆形，栗褐色，无毛，木质，长 6 ~ 12 cm，宽 2.3 ~ 3 cm，先端具喙尖，沿腹缝线有宽 3 ~ 4 mm 的狭翅，成熟时沿腹缝线开裂；种子 6 ~ 9，椭圆形，平滑，棕色。花期 5 月，果期 8 ~ 10 月。

| 生境分布 | 生于山坡岩石旁、灌丛中、平原、丘陵、河旁等。分布于江苏南京、无锡、宜兴、徐州（铜山）等。 |

| 资源情况 | 野生及栽培资源丰富。 |

| 采收加工 | 秋季采收成熟果实，剥取种子，晒干，除去杂质，洗净，干燥，筛去灰屑，用时捣碎。 |

| 药材性状 | 本品呈长圆形，长约 1 cm，宽约 6 mm。外皮棕黑色，有纵向灰黄色纹理及横向裂缝状环圈。种皮坚硬，剥开后，内有棕黄色子叶 2。气微，味苦。 |

| 功效物质 | 根含有萜类、黄酮类及鞣质类，其中，萜类成分主要为羽扇豆烷型三萜及白桦脂酸；黄酮类成分母核主要为苏木查尔酮型。茎含有黄烷酮、查尔酮等黄酮类成分，以及有机酸酯、联苯化合物等。叶含有萜类、芪类、黄酮类及甾体类等资源性成分。种子含有蛋白质、氨基酸类、脂肪类等营养性成分，以及卡山烷二萜类成分。 |

| 功能主治 | 辛、苦，温。解毒除湿，化痰止咳，杀虫。用于痢疾，疟疾，慢性支气管炎，疳积，虫积。 |

| 用法用量 | 内服煎汤，9～15 g；或入丸、散剂。 |

| 附　注 | 本种为阳性树种，喜光，耐半阴，喜温暖、湿润的环境，在肥沃、排水良好的微酸性壤土中生长为佳。耐修剪，适应性强，抗污染。 |

豆科 Fabaceae 杭子梢属 *Campylotropis* 凭证标本号 3205061609160241LY

杭子梢
Campylotropis macrocarpa (Bunge) Rehd.

| 药 材 名 | 壮筋草（药用部位：根、枝叶）。

| 形态特征 | 小灌木，高达 2 m。幼枝密生白色短毛。羽状复叶具 3 小叶，托叶窄三角形至披针状钻形，叶柄长 1 ~ 3.5 cm；顶生小叶片椭圆形或卵形，长 3 ~ 6.5 cm，宽 1.5 ~ 4 cm，先端圆或微凹，有短尖，基部圆形，叶面无毛，脉纹明显，叶背有淡黄色柔毛；侧生小叶较小。总状花序腋生，长 4 ~ 10 cm，花序轴密被短柔毛，花序梗长 1 ~ 4 cm；花梗细，长可达 1 cm，有关节和绢毛；花萼阔钟状，5 裂，萼齿三角形，上方萼裂片近全合生，下方萼裂片较窄长，有柔毛；花冠紫红色或近粉红色，长 1 ~ 1.2 cm。荚果斜椭圆形，长约 1.2 cm，脉纹明显，先端有短喙，边缘有毛。花果期 6 ~ 9 月。

| 生境分布 | 生于山坡、灌丛、林缘、山谷沟边及林中。江苏各地均有分布，主要分布于北部和南部的低山丘陵地区。 |

| 资源情况 | 野生资源较丰富。 |

| 采收加工 | 夏、秋季采收，洗净，切片或切段，晒干。 |

| 功能主治 | 苦、微辛，平。疏风解表，活血通络。用于风寒感冒，痧症，肾炎性水肿，肢体麻木，半身不遂。 |

| 用法用量 | 内服煎汤，10 ~ 15 g；或浸酒。 |

豆科 Fabaceae 刀豆属 Canavalia 凭证标本号 NAS00582949

刀豆
Canavalia gladiata (Jacq.) DC.

| 药 材 名 | 刀豆（药用部位：种子）。

| 形态特征 | 缠绕性草质藤本，长达 7 m。茎枝光滑。羽状复叶具 3 小叶；顶生小叶片宽卵形，长 8 ~ 20 cm，宽 5 ~ 16 cm，先端渐尖，基部近圆形，两面被微柔毛或近无毛；侧生小叶偏斜。总状花序，有花 10 ~ 20；花序梗长 15 ~ 25 cm；花疏生于花序轴隆起的节上；花萼二唇形，上唇 2 裂，下唇 3 齿较小，卵形，均无毛；花冠粉红色或白色，长 3 ~ 4 cm；子房有疏长硬毛。荚果带状，长可达 35 cm，宽 4 ~ 5 cm，厚可达 2 cm，离缝线约 5 mm 处有纵棱，先端具钩状短喙；种子椭圆形或肾形，长约 3.5 cm，种皮红色或褐色，种脐白色，长约为种子全长的 3/4。花期 7 ~ 9 月，果期 10 月。

| 生境分布 | 江苏各地均有栽培。

| 资源情况 | 栽培资源较丰富。

| 采收加工 | 秋季采收成熟果实，剥取种子，晒干。

| 药材性状 | 本品呈扁卵形或扁肾形，长 2 ～ 3.5 cm，宽 1 ～ 2 cm，厚 0.5 ～ 1.5 cm。表面淡红色、红紫色或黄褐色，少数类白色或紫黑色，略有光泽，微皱缩，边缘具灰褐色种脐，长约为种子的 3/4，宽约 2 mm，其上有类白色、膜片状珠柄残余，近种脐的一端有凹点状珠孔，另一端有深色的合点，合点与种脐间有隆起的种脊。质硬，难破碎。种皮革质，内表面棕绿色，平滑，子叶黄白色，胚根位于珠孔一端，歪向一侧。气微，味淡，嚼之具豆腥味。

| 功效物质 | 种子含有赤霉素类植物激素，此外还含有豌豆球蛋白及游离氨基酸（如刀豆氨酸），油酸、亚油酸等脂肪酸，谷甾醇、豆甾醇等甾体类成分。

| 功能主治 | 甘，温。归脾、胃、肾经。温中，下气，止呃。用于虚寒呃逆，呕吐。

| 用法用量 | 内服煎汤，9 ～ 15 g；或烧存性，研末。

| 附 注 | 本种喜温耐热，喜强光，光照不足会影响开花结荚。抗逆性强，对土壤适应性强。

豆科 Fabaceae 锦鸡儿属 *Caragana* 凭证标本号 320481170401373LY

锦鸡儿 *Caragana sinica* (Buc'hoz) Rehd.

| 药 材 名 |

锦鸡儿（药用部位：花、根）。

| 形态特征 |

灌木，植株高 1 ~ 2 m。小枝有棱，无毛。托叶三角形，硬化成针刺状；叶轴脱落或宿存，硬化成针刺状；小叶 4，羽状排列，先端 1 对小叶通常较大，倒卵形或长圆状倒卵形，长 1 ~ 3.5 cm，宽 5 ~ 15 mm，先端圆或微凹，有针尖，无毛。花单生，长 2.8 ~ 3.1 cm；花梗长约 1 cm，中部有关节；花萼钟形，长 12 ~ 14 mm，基部偏斜；花冠黄色带红色，旗瓣狭长倒卵形，翼瓣稍长于旗瓣，瓣柄与瓣片近等长，耳短于瓣柄，龙骨瓣稍短于翼瓣；子房近无柄，无毛。荚果圆筒形，下垂，长 3 ~ 3.5 cm，宽约 5 mm，无毛，稍扁。花果期 4 ~ 6 月。

| 生境分布 |

生于山间林下，亦有栽培于庭园。分布于江苏南部等。

| 资源情况 |

野生及栽培资源较丰富。

| 采收加工 | 花，春季采收，晒干；根，秋季采挖，洗净，晒干，或除去木心，切片，晒干。 |

| 药材性状 | 本品为蝶形花，呈长形，花冠黄色或赭黄色；花萼钟状，基部具囊状突起，萼齿 5 裂；花冠旗瓣狭倒卵形，基部粉红色，翼瓣先端圆钝，基部伸长成短耳状，具长爪，龙骨瓣宽而钝，直立；雄蕊 10，二体。气微，味淡。以干燥、色新鲜、无霉变、无杂质者为佳。 |

| 功效物质 | 根含有甾醇类及皂苷类成分，甾醇类成分如 β- 谷甾醇、胆甾醇、菜油甾醇；皂苷类成分如刺楸根皂苷 F 等。 |

| 功能主治 | 花，甘，微温。归脾、肾经。健脾益肾，和血祛风，解毒。用于虚劳咳嗽，头昏耳鸣，腰膝酸软，气虚，带下，疳积，痘疹透发不畅，乳痈，痛风，跌仆损伤。根，归肺、脾经。补肺健脾，活血祛风。用于虚劳倦怠，肺虚久咳，血崩，带下，乳少，风湿骨痛，痛风，半身不遂，跌打损伤，高血压。 |

| 用法用量 | 内服煎汤，3 ~ 15 g；或研末。 |

| 附　注 | 本种喜温暖，喜光，耐寒冷，耐干旱，耐贫瘠，忌水涝。 |

豆科 Fabaceae 决明属 *Cassia* 凭证标本号 320703160906478LY

望江南
Cassia occidentalis L.

| 药 材 名 |

望江南（药用部位：茎叶、种子）。

| 形态特征 |

灌木或半灌木，高 1 ~ 2 m。枝有棱。叶互生，偶数羽状复叶，长约 20 cm；叶柄近基部有 1 腺体，小叶 6 ~ 10，对生；小叶片卵形或卵状披针形，长 2 ~ 6 cm，宽 1 ~ 2 cm，边缘有细毛。伞房状总状花序腋生或顶生；萼筒短，裂片 5，不等大，外生的近圆形，内生的卵形；花瓣 5，黄色，外侧的卵形，长约 1.5 cm，其余长达 2 cm，均有短窄的瓣柄；发育雄蕊 7，上面 3 不育，无花药，最下面的 2 花药较大。荚果带状镰形，扁平，长 10 ~ 13 cm，宽约 1 cm，稍弯曲，沿缝线边缘增厚，中间棕色，边缘淡黄棕色，有种子 30 ~ 40，种子间有隔膜；种子卵形，稍扁。花期 7 ~ 8 月。

| 生境分布 |

生于山间林下。分布于江苏南京等。

| 资源情况 |

野生资源较丰富。

| 采收加工 | 茎叶，夏季植株生长旺盛时采收，阴干，或随采随用；种子，10 月果实成熟变黄时，割取全株，晒干后脱粒，再晒干。

| 功效物质 | 根含有蒽醌类、黄酮类、甾体类等化学成分，其中，蒽醌类成分主要为望江南醇 I、东非决明醇 I 等；黄酮类成分中含有呫酮类成分，如色素 E。此外，叶和花富含蒽醌类成分，其中叶中的蒽醌类成分主要为蒽醌苷类成分。种子含有蒽醌类、生物碱类、脂肪酸类、糖类、蛋白质类等成分。荚果主要含有黄酮类成分。

| 功能主治 | 茎叶，肃肺，清肝，利尿，通便，解毒消肿。用于咳嗽气喘，头痛目赤，血淋，大便秘结，痈肿疮毒，毒蛇咬伤。种子，清肝，健胃，通便，解毒。用于目赤肿痛，头昏头胀，消化不良，胃痛，痢疾，便秘，痈肿疔毒。

| 用法用量 | 内服煎汤，6 ～ 9 g，鲜品 15 ～ 30 g；或捣汁。外用适量，鲜叶捣敷。

| 附　　注 | （1）本种的花可治疗痔疮出血。
（2）本种喜温暖湿润和光照充足的环境，耐寒性差，怕积水，对土壤要求不严，宜在疏松肥沃和排水良好的壤土中生长。

豆科 Fabaceae 决明属 Cassia 凭证标本号 321084180821152LY

决明 *Cassia tora* L.

| 药 材 名 | 决明子（药用部位：种子）。

| 形态特征 | 一年生亚灌木状草本，高 1 ~ 2 m。羽状复叶长 4 ~ 8 cm，小叶 3 对，叶柄无腺体，叶轴 2 小叶之间有 1 腺体；小叶片倒卵形至倒卵状长圆形，长 1.5 ~ 6.5 cm，宽 0.8 ~ 3 cm，幼时两面疏生长柔毛。花通常 2，腋生；总花梗极短，长 0.6 ~ 1 cm；花梗长 1 ~ 1.5 cm；萼片 5，分离，稍不等大，卵形或卵状长圆形，外面被柔毛；花冠黄色，花瓣倒卵形，长约 1.2 cm，最下面的 2 瓣稍长；发育雄蕊 7，花药四方形；子房无柄，被白色柔毛。荚果纤细，近四棱形，长达 15 cm，直径 3 ~ 4 mm；种子多数，近菱形，淡褐色，有光泽。花期 7 ~ 9 月，果期 10 月。

| **生境分布** | 生于向阳缓坡地、沟边、路旁。分布于江苏北部、中部等。

| **资源情况** | 野生及栽培资源较丰富。

| **采收加工** | 秋季采收成熟果实，晒干，打下种子，除去杂质，洗净，干燥。

| **药材性状** | 本品呈四棱短圆柱形，一端钝圆，另一端倾斜并有尖头，长 4 ~ 6 mm，宽 2 ~ 3 mm。表面棕绿色或暗棕色，平滑，有光泽，背、腹面各有一凸起的棱线，棱线两侧各有一从脐点向合点斜向的浅棕色线形凹纹。质坚硬，横切面种皮薄；胚乳灰白色，半透明；胚黄色，2 子叶重叠，呈 "S" 状折曲。完整种子气微，破碎后有微弱豆腥气，味微苦，稍带黏性。

| **功效物质** | 茎皮含有蒽醌类、黄酮类、香豆素类、三萜类、脂肪酸类及甾体类等功效成分，其中，香豆素类成分如橙皮油烯醇；三萜类成分如大戟二烯醇、椴树醇。叶含有蒽醌类及赤霉素类植物激素。花含有蒽醌类及黄酮类成分。种子富含蒽醌类成分，其中蒽醌类成分有决明酮、决明内酯等游离的苷元，以及决明子苷等蒽醌苷，此外种子尚含有黄酮类、维生素类、核苷类及甾醇类成分。

| **功能主治** | 苦、甘、咸，微寒。归肝、肾、大肠经。清热明目，润肠通便。用于目赤涩痛，畏光多泪，头痛眩晕，目暗不明，大便秘结。

| **用法用量** | 内服煎汤，6 ~ 15 g，大剂量可用至 30 g；或研末；或代茶饮。外用适量，研末调敷。

| **附　　注** | 本种是喜光植物，喜欢温暖湿润气候，阳光充足有利于其生长。对土壤的要求不严，以土层深厚、肥沃、排水良好的砂壤土为宜，pH 6.5 ~ 7.5 均可，过黏重、盐碱地不宜栽培。

豆科 Fabaceae 紫荆属 Cercis 凭证标本号 321322180721145LY

紫荆
Cercis chinensis Bunge

| 药 材 名 | 紫荆皮（药用部位：树皮）、紫荆木（药用部位：木部）、紫荆根（药用部位：根或根皮）、紫荆花（药用部位：花）、紫荆果（药用部位：果实）。

| 形态特征 | 灌木。小枝灰白色，具皮孔，无毛。叶片纸质，近圆形，先端急尖，基部心形，长 6～14 cm，宽 5～14 cm，两面无毛，叶缘透明膜质；叶柄长 3.5～5 cm，无毛。花先于叶开放，4～10 簇生于老枝上；小苞片 2，宽卵形；小花梗细柔，长 0.6～1.5 cm；花萼红色；花冠玫瑰红色，长 1.5～1.8 cm，龙骨瓣基部有深紫色斑纹；子房嫩绿色。荚果厚纸质，长圆形，扁平，长 5～10 cm，宽 1～1.5 cm，常下垂，沿腹缝线有狭翅，不开裂，先端急尖，喙细而弯，果颈长 2～4 mm；种子 2～8，扁圆形，近黑色，有光泽。花期 4～5 月。

| **生境分布** | 生于山坡、溪边、灌丛中。常栽培于庭园向阳处。

| **资源情况** | 栽培资源较丰富。

| **采收加工** | 紫荆皮：7 ~ 8 月剥取，晒干。

紫荆木：全年均可采收，鲜时切片，晒干。

紫荆根：全年均可采挖，洗净，剥皮鲜用，或切片，晒干。

紫荆花：4 ~ 5 月采收，晒干。

紫荆果：5 ~ 7 月采收，晒干。

| **药材性状** | 紫荆皮：本品呈筒状、槽状或不规则的块片状，向内卷曲，长 6 ~ 25 cm，宽约 3 cm，厚 3 ~ 6 mm。外表面灰棕色，粗糙，有皱纹，常显鳞甲状；内表面紫棕色或红棕色，有细纵纹理。质坚实，不易折断，断面灰红棕色。对光照视，可见细小的亮点。气无，味涩。

紫荆花：本品花蕾椭圆形，开放的花呈蝶形，长约 1 cm。花萼钟状，先端 5 裂，钝齿状，长约 3 mm，黄绿色。花冠蝶形，花瓣 5，大小不一，紫色，有黄白色晕纹。雄蕊 10，分离，基部附着于花萼内，花药黄色。雌蕊 1，略扁，有柄，光滑无毛，花柱上部弯曲，柱头短小，呈压扁状，色稍深。花梗细，长 1 ~ 1.5 cm。质轻脆。有茶叶样气，味酸、略甜。以色紫、无杂质者为佳。

| 功效物质 | 叶含有黄酮类、酚酸类、鞣质类等成分。花富含缅茄苷、松醇、芦丁、阿福豆苷等黄酮类及花色苷类成分。地上部分含有黄酮类、二苯氧杂䓬类、三萜类等成分，其中，黄酮类成分包括黄酮、黄烷醇等母核结构类型；二苯氧杂䓬类成分包括总状花羊蹄甲素、羊蹄甲抑素等；三萜类成分包括无羁萜等。种子含有微量游离的赖氨酸和天冬氨酸。根含有挥发油1.10%，主要包括α-蒎烯、β-蒎烯、柠檬烯、龙脑、乙酸龙脑酯等。 |

| 功能主治 | 紫荆皮：苦，平。归肝经。活血，通淋，解毒。用于月经不调，瘀滞腹痛，风湿痹痛，小便淋痛，喉痹，痈肿，疥癣，跌打损伤，蛇虫咬伤。
紫荆木：苦，平。活血，通淋。用于月经不调，瘀滞腹痛，小便淋沥涩痛。
紫荆根：苦，平。破瘀活血，消痈解毒。用于月经不调，瘀滞腹痛，疮痈肿毒，疟腮，狂犬咬伤。 |

紫荆花：苦，平。清热凉血，通淋解毒。用于热淋，血淋疮疡，风湿筋骨痛。

紫荆果：甘、微苦，平。止咳平喘，行气止痛。用于咳嗽痰多，哮喘，心口痛。

| **用法用量** | 紫荆皮：内服煎汤，6 ～ 15 g；或浸酒；或入丸、散剂。外用适量，研末调敷。

紫荆木：内服煎汤，9 ～ 15 g。

紫荆根：内服煎汤，6 ～ 12 g。外用适量，研末调敷。

紫荆花：内服煎汤，3 ～ 6 g。外用适量，研末敷。

紫荆果：内服煎汤，6 ～ 12 g。

| **附　注** | 本种为暖带树种，较耐寒。喜光，稍耐阴。喜肥沃、排水良好的土壤，不耐湿。萌芽力强，耐修剪。

豆科 Fabaceae 猪屎豆属 Crotalaria 凭证标本号 320722181016332LY

野百合 *Crotalaria sessiliflora* L.

| 药 材 名 | 农吉利（药用部位：全草）。

| 形态特征 | 直立草本，高 20 ~ 100 cm，基部常木质化。茎单一或分枝，被紧贴粗糙的长柔毛。单叶互生；叶片形态变异较大，通常为线形、线状披针形或线状长圆形，两端渐尖，长 3 ~ 8 cm，宽 0.5 ~ 1 cm，叶面近无毛，叶背密被柔毛；托叶线形，宿存或早落。总状花序顶生、腋生或密生于枝端，亦有单生于叶腋，有花 1 至多朵；小苞片成对生于萼筒基部；花萼二唇形，密被棕褐色长柔毛，成熟后黄褐色；花冠蓝色或紫蓝色，包于花萼内，旗瓣长圆形，基部具 2 胼胝体，龙骨瓣中上部变窄，形成扭转的长喙。荚果短圆柱形，包于花萼内，下垂，紧贴于枝，无毛；种子 10 ~ 15。花期 8 ~ 9 月，果期 9 ~ 10 月。

| 生境分布 | 生于荒地路旁或山谷草地。江苏各地均有分布。

| 资源情况 | 野生及栽培资源较丰富。

| 采收加工 | 7～10月采收，鲜用，或切段，晒干。

| 药材性状 | 本品茎呈圆柱形，稍有分枝；表面灰绿色，密被灰白色茸毛。单叶互生，叶片多皱缩卷曲，完整者线形或线状披针形，暗绿色，下表面有柔毛，全缘。荚果长1～1.4 cm，包于宿存萼内，宿存萼5裂，密被棕黄色或白色长毛；种子细小，肾形或心形而扁，成熟时棕色，有光泽。气无，味淡。以色绿、完整、果多者为佳。

| 功效物质 | 主要含有生物碱类、黄酮类、氨基酸类、多糖类等化学成分，生物碱类成分如野百合碱、全缘千里光碱和毛束草碱等；黄酮类成分如牡荆素、荭草素和异荭草素等，具有抗氧化活性。

| 功能主治 | 甘、淡、平；有毒。清热，利湿，解毒，消积。用于痢疾，热淋，咳喘，风湿痹痛，疔疮疖肿，毒蛇咬伤，疳积，恶性肿瘤。

| 用法用量 | 内服煎汤，15～60 g。外用适量，研末调敷或撒敷；或鲜品捣敷；或煎汤洗。

豆科 Fabaceae 猪屎豆属 Crotalaria 凭证标本号 320115151104014LY

猪屎豆 *Crotalaria pallida* Ait.

| 药 材 名 | 太阳麻根（药用部位：根）。

| 形态特征 | 一年生亚灌木状直立草本，高达 2 m。茎、枝有小沟纹，密生绢质短柔毛。单叶，互生；叶片长圆状披针形或长圆形，长 5 ~ 10 cm，宽 1.5 ~ 2.3 cm，两端渐狭，先端有短尖，两面密生褐色绢质短柔毛；托叶小，线形，长约 2 mm，易脱落。总状花序顶生或腋生，有花 12 ~ 20；小苞片线形，细小，密生绢质短柔毛；花萼二唇形，长 1 ~ 1.5 cm，被锈色长柔毛，深裂几达基部，萼齿披针形；花冠黄色，较萼长，旗瓣长圆形，长 1.5 ~ 2.5 cm，龙骨瓣中部以上变窄，形成扭转的长喙；雄蕊 10，合生成一体，花药二型。荚果圆柱形，长 3 ~ 4 cm，密生锈色绢质短柔毛；种子 10 ~ 15。花果期 7 ~ 10 月。

| **资源情况** | 野生资源较丰富。

| **生境分布** | 生于荒地路旁或山坡疏林中。

| **采收加工** | 夏、秋季采挖，晒干。

| **功效物质** | 茎皮主要含有黄酮类、多肽类、三萜类、甾体类、木质素、半纤维素等化学成分，其中，黄酮类成分如猪屎豆呋喃、大豆苷元等；多肽类成分如抗菌肽；三萜类成分如羽扇豆醇。种子富含生物碱类成分，如全缘千里光碱、猪屎豆碱，此外尚包括脂肪酸类、蛋白质类等成分。

| **功能主治** | 苦，寒。利尿解毒。用于尿浊，小便淋痛，尿道结石，疥癣，跌打损伤。

| **用法用量** | 内服煎汤，3 ~ 10 g。外用适量，捣敷；或煎汤洗。

| **附　注** | 本种的种子及幼嫩叶含大量生物碱，可通过皮肤吸收，主要对肝脏产生毒性作用。

豆科 Fabaceae 黄檀属 Dalbergia 凭证标本号 321183150924841LY

黄檀
Dalbergia hupeana Hance

| 药 材 名 | 檀根（药用部位：根）、黄檀叶（药用部位：叶）。

| 形态特征 | 乔木，高 10 ~ 17 m；树皮灰色，呈薄片状脱落。幼枝无毛，浅绿色。羽状复叶长 15 ~ 25 cm，有小叶 9 ~ 11；小叶片长圆形或宽椭圆形，长 3 ~ 5.5 cm，宽 1.5 ~ 3 cm，先端钝，微缺，基部圆形或宽楔形，两面无毛，网状脉明显；叶轴与小叶柄有白色疏柔毛；托叶早落。圆锥花序顶生或生在上部叶腋间；花序梗和花梗有锈色疏毛；花萼钟状，萼齿 5，不等，最下面 1 萼齿披针形，较长，长为其余 4 萼齿的 1 倍，上面 2 萼齿宽卵形，近合生，较短，有锈色柔毛；花冠黄白色或淡紫色；雄蕊 10，二体；子房无毛，具短柄，花柱纤细，柱头头状。荚果长圆形，扁平，长 3 ~ 7 cm；种子 1 ~ 3，肾形，扁平。花果期 7 ~ 10 月。

| 生境分布 | 生于山地林中、灌丛中、山沟溪旁及有小树林的坡地。江苏各地均有分布。

| 资源情况 | 栽培资源较丰富。

| 采收加工 | 檀根：夏、秋季采挖，洗净，切碎，晒干。
黄檀叶：夏、秋季采摘，鲜用或晒干。

| 功效物质 | 树皮富含皂苷类、黄酮类等化学成分，其中，皂苷类成分主要为齐墩果烷型五环三萜皂苷，如槐花皂苷Ⅲ；黄酮类成分主要为右旋来欧卡品、左旋来欧辛、光果铁苏木素、光果铁苏木辛等。

| 功能主治 | 檀根：辛、苦，平；有小毒。清热解毒，止血消肿。用于疮疖疔毒，毒蛇咬伤，细菌性痢疾，跌打损伤。
黄檀叶：清热解毒，活血消肿。用于疔疮肿毒，跌打损伤。

| 用法用量 | 檀根：内服煎汤，15 ～ 30 g。外用适量，研末调敷。
黄檀叶：外用适量，鲜品捣敷；或干品研末调敷。

| 附　　注 | 本种喜光，耐干旱、瘠薄，不择土壤，但以在深厚、湿润、排水良好的土壤中生长较好，忌盐碱地。深根性，萌芽力强。

豆科 Fabaceae 山蚂蝗属 Desmodium 凭证标本号 320282150730201LY

小槐花 *Desmodium caudatum* (Thunb.) DC.

| 药 材 名 | 清酒缸（药用部位：全株或根）。

| 形态特征 | 直立灌木或亚灌木，高达 1 m，上部分枝，稍有毛。叶为羽状三出复叶，小叶 3；叶柄长 1.5 ~ 4 cm，两侧具窄翅；顶生小叶披针形或宽披针形，长 3.5 ~ 10 cm，叶面近无毛或中脉上略有疏毛，叶背稍粉白色，有紧贴疏短毛；侧生小叶较小，近无柄；托叶狭披针形。总状花序腋生或顶生，长 5 ~ 30 cm；花序轴密被柔毛并混生钩状毛，每节生 2 花，具小苞片；花梗长 3 ~ 4 mm；花萼窄钟状，有毛，二唇形，上面 2 齿几联合，下面 3 齿披针形；花冠绿白色或浅黄白色，有明显脉纹，长 5 ~ 7 mm，龙骨瓣有爪；子房密生绢毛。荚果线形，扁平，长 4 ~ 8 cm，稍弯，被伸展的钩状毛，腹背缝线浅缢缩，有 4 ~ 6 节，荚节长椭圆形。花期 7 ~ 9 月，果期 10 月。

| 生境分布 | 生于山坡、路旁草地、沟边、林缘或林下。分布于江苏连云港、南京、镇江（句容）、常州（溧阳）、苏州、无锡（宜兴）等。

| 资源情况 | 野生及栽培资源丰富。

| 采收加工 | 9 ~ 10 月采收，切段，晒干。

| 药材性状 | 本品根呈圆柱形，大小不一，有支根；表面灰褐色或棕褐色，具细纵皱纹，可见疣状突起及长圆形皮孔。质坚韧，不易折断，断面黄白色，纤维性。茎圆柱形，常有分枝；表面灰褐色，具类圆形的皮孔突起。质硬而脆，折断面黄白色，纤维性。三出复叶互生；叶柄长 1.6 ~ 2.8 cm；小叶片多皱缩脱落，展平后呈阔披针形，长 4 ~ 9 cm，宽 1 ~ 3 cm，先端渐尖或锐尖，基部楔形，全缘，上表面深褐色，下表面色稍淡，小叶柄长约 1 mm。气微，味淡。

| 功效物质 | 含有生物碱类、酚类、三萜类、甾体类、脂肪酸类、鞣质类等化学成分，其中，生物碱类成分主要为槐果碱、苦参碱、*N, N-* 二甲基色胺、5- 羟基 -*N, N-* 二甲基色胺等；酚类成分主要为柠檬酚、异柠檬酚、山柰酚等；三萜类成分结构母核为白桦脂醇型五环三萜。

| 功能主治 | 全株，苦，凉。清热利湿，消积散瘀。用于劳伤咳嗽，吐血，水肿，疳积，痈疮溃疡，跌打损伤。根，微苦，温。祛风利湿，化瘀拔毒。用于风湿痹痛，痢疾，黄疸，痈疽，瘰疬，跌打损伤。

| 用法用量 | 全株，内服煎汤，9 ~ 15 g，鲜品 15 ~ 30 g。外用适量，煎汤洗；或捣敷；或研末敷。根，内服煎汤，15 ~ 30 g；或浸酒。外用适量，捣敷；或煎汤洗。

豆科 Fabaceae 扁豆属 Lablab 凭证标本号 320111151017012LY

扁豆
Lablab purpureus (L.) Sweet

| 药 材 名 | 白扁豆（药用部位：种子）。

| 形态特征 | 多年生缠绕草质藤本。茎近无毛，呈绿色或紫色。托叶披针形；小托叶线形；羽状复叶具 3 小叶，顶生小叶片菱状广卵形，长 6 ～ 10 cm，先端短尖或渐尖，基部宽楔形或近截形，两面沿叶脉处有白色短柔毛；侧生小叶斜菱状广卵形。总状花序直立，长 15 ～ 25 cm；花 2 ～ 4 丛生于花序轴的节上；花萼钟形，上面 2 齿合生，下面 3 齿近相等；花冠白色或紫红色，旗瓣基部两侧有 2 附属体；子房线形，花柱弯曲，一侧扁平，近先端有白色髯毛。荚果扁，镰形或半椭圆形，边缘弯曲并具不整齐的小突起，先端有长而弯的喙，长 5 ～ 7 cm，具种子 3 ～ 5；种子扁，椭圆形或长圆形，白花的种子为白色，紫花的种子为紫黑色，种脐线形，长约占种子周长的

2/5。花果期 7 ～ 9 月。

| 生境分布 | 生于路边、房前屋后、沟边等。江苏各地均有栽培。

| 资源情况 | 栽培资源丰富。

| 采收加工 | 秋、冬季采收成熟果实，晒干，取出种子，再晒干。

| 药材性状 | 本品呈扁椭圆形或扁卵圆形，长 0.8 ～ 1.3 cm，宽 6 ～ 9 mm，厚约 7 mm。表面淡黄白色或淡黄色，平滑，稍有光泽，有的可见棕褐色斑点，一侧边缘有隆起的白色半月形种阜，种阜长 7 ～ 10 mm，剥去后可见凹陷的种脐，紧接种阜的一端有珠孔，另一端有种脊。质坚硬，种皮薄而脆，子叶 2，肥厚，黄白色。气微，味淡，嚼之有豆腥味。以粒大、饱满、色白者为佳。

| 功效物质 | 花含有黄酮类、多元醇类等成分，其中，黄酮类成分如漆叶苷、大波斯菊苷等，多元醇类如甘露醇。种子富含脂肪类、三萜皂苷类、甾体皂苷类、多胺类、黄酮类、氨基酸类等化学成分，其中含油量为 0.62%，内含棕榈酸、亚油酸、反油酸、油酸、硬脂酸、花生酸、山萮酸等；三萜皂苷类成分主要为扁豆苷；甾体皂苷类成分主要为镰扁豆内酯；多胺类成分主要为精胺、亚精胺等。此外，种子还含有葫芦巴碱等生物碱类成分，以及 L-2- 哌啶酸和具有毒性的植物凝集素。

| 功能主治 | 甘、淡，平。归脾、胃经。健脾化湿，和中消暑。用于脾胃虚弱，食欲不振，大便溏泻，带下，暑湿吐泻，胸闷腹胀。

| 用法用量 | 内服煎汤，10 ～ 15 g；或生品捣研水绞汁；或入丸、散剂。外用适量，捣敷。

豆科 Fabaceae 野扁豆属 Dunbaria 凭证标本号 320482181015060LY

野扁豆 *Dunbaria villosa* (Thunb.) Makino

| 药 材 名 | 野扁豆（药用部位：全草或种子）。

| 形态特征 | 多年生缠绕草本。全体有锈色腺点。茎细弱，密生短柔毛。羽状复叶具3小叶，顶生小叶片较大，菱形或近三角形，长1.5～3cm，宽2～3.5cm，先端渐尖或急尖，基部圆形，有疏毛；侧生小叶偏斜，先端渐尖或突尖，基部圆，有疏毛和锈色腺点。总状花序腋生，长可达6cm，有2～7花；花长约2cm；花萼钟状，长5～9mm，有短柔毛和腺点，萼齿5，披针形或线状披针形，上方2齿合生，下面1齿最长；花冠黄色，旗瓣圆形，长1～3cm；子房密生长柔毛和锈色腺点，基部有杯状腺体。荚果线状长圆形，扁，长约4cm，宽约0.7cm，有种子6或7；种子近圆形，黑色。花果期8～10月。

| 生境分布 | 生于河边、草丛、灌丛，或攀缘于树上。分布于江苏连云港、南京（六合、溧水）、镇江（句容）、常州（溧阳）、苏州、无锡（宜兴）等。

| 资源情况 | 野生资源丰富。

| 采收加工 | 全草，春季采收，洗净，晒干；种子，秋季采收，晒干。

| 药材性状 | **毛野扁豆**：本品全体缠绕成团。茎细长，草绿色，具毛茸和锈色腺点。叶皱缩易碎，完整叶为三出复叶，先端小叶较大，长 1.5 ~ 3 cm，宽 2 ~ 3.5 cm，叶片菱形，先端渐尖或突尖，基部圆形，全缘，两侧小叶斜菱形，绿色或枯绿色，下表面具腺点。荚果条形而扁，长约 4 cm，宽 0.7 cm，表面具毛茸，有种子 6 ~ 7，椭圆形，果柄长约 2.5 mm。气微，具豆腥气。

长柄野扁豆：本品茎具棱。小叶长可达 4.5 cm，宽约 5 cm，背面毛较多，可见锈色腺点。荚果条形，长达 7 cm，宽约 1 cm，密被短柔毛，内含种子 9 ~ 10。种子近圆形，黑色。果柄长可达 1.5 cm。

| 功能主治 | 甘，平。清热解毒，消肿止带。用于咽喉肿痛，乳痈，牙痛，肿毒，毒蛇咬伤，带下。

| 用法用量 | 内服煎汤，10 ~ 30 g。外用适量，捣敷；或煎汤洗。

豆科 Fabaceae 皂荚属 *Gleditsia* 凭证标本号 320703170419641LY

山皂荚
Gleditsia japonica Miq.

| 药 材 名 |

皂角刺（药用部位：棘刺）。

| 形态特征 |

落叶乔木，高约16 m。刺粗壮，基部稍扁，紫褐色或棕黑色，常分枝，长5 ~ 10 cm。小枝灰绿色，无毛，微有棱。一或二回偶数羽状复叶，具羽片2 ~ 6对，长10 ~ 25 cm；小叶6 ~ 20；小叶片卵状长圆形、卵状披针形或长圆形，长3 ~ 7 cm，宽1.5 ~ 3 cm，全缘或具疏圆齿，中脉被微毛。花黄绿色；穗状花序腋生或顶生，雄花序长8 ~ 20 cm，雌花序长5 ~ 16 cm。雄花花托外面密被褐色短柔毛，萼片3或4，两面均被柔毛；花瓣4，被柔毛；雄蕊6 ~ 8。雌花萼片和花瓣均为4或5，两面密被柔毛；不育雄蕊4 ~ 8；子房无毛，花柱短，下弯，柱头膨大，2裂。荚果红褐色，带形，扁平，长20 ~ 35 cm，宽窄不规则，旋扭或弯曲成镰状，果颈长1.5 ~ 3.5 cm，果瓣革质，常具泡状隆起；种子扁，长圆形。花期4 ~ 6月，果期6 ~ 10月。

| 生境分布 |

生于山地林中。分布于江苏南京、镇江（句

容）等。江苏南京有栽培。

| **资源情况** | 野生及栽培资源丰富。

| **药材性状** | 本品完整者为主刺及 1 ~ 2 次分枝；扁圆柱状，长 5 ~ 10 cm，基部直径 8 ~ 12 mm，末端尖锐；分枝刺螺旋形排列，与主刺成 60° ~ 80° 角，向周围伸出，一般长 1 ~ 7 cm；于次分枝上又常有更小的刺，分枝刺基部内侧常呈小阜状隆起；全体紫棕色，光滑或有细皱纹。体轻，质坚硬，不易折断。商品多切成斜薄片，一般是长披针形，长 2 ~ 6 cm，宽 3 ~ 7 mm，厚 1 ~ 3 mm，常带有尖细的刺端。切面木部黄白色，中心髓部松软，呈淡红色。质脆，易折断。无臭，味淡。以片薄、纯净、无核梗、色棕紫、切片中间棕红色、糠心者为佳。

| **功效物质** | 心材含有漆黄素、皂荚素等黄酮类成分。叶含有黄酮类、酚酸类等成分，其中，黄酮类成分如牡荆素、异牡荆素、荭草素、异荭草素等，酚酸类成分如新绿原酸、隐绿原酸等。果实含有三萜皂苷类、黄酮类成分，如皂荚皂苷 B、皂荚皂苷 C、皂荚皂苷 D_2 等。种子含有生物碱类、黄酮类、糖类、甾体皂苷类、内酯类、香豆素类、氨基酸类、蛋白质及多肽类、油脂等丰富的资源性成分。皂荚刺含有白桦脂酸型三萜类成分。

| **功能主治** | 辛，温。归肝、肺经。消肿透脓，祛风杀虫。用于痈疽肿毒，瘰疬，疬风，疮疹顽癣，产后缺乳，胎衣不下。

| **用法用量** | 内服煎汤，3 ~ 9 g；或入丸、散剂。外用适量，醋煎涂；或研末撒；或调敷。

豆科 Fabaceae 皂荚属 Gleditsia 凭证标本号 320703141018040LY

皂荚
Gleditsia sinensis Lam.

药材名

大皂角（药用部位：果实）、皂角刺（药用部位：棘刺）、猪牙皂（药用部位：不育果实）。

形态特征

乔木，高达 15 m。刺粗壮，圆柱形，红褐色，常有分枝，长可达 16 cm。一回偶数羽状复叶簇生，长 10 ~ 20 cm；小叶 6 ~ 14，长卵形、长椭圆形至卵状披针形，长 3 ~ 9 cm，宽 1.5 ~ 4.5 cm，先端渐尖或钝，基部圆形或楔形，边缘有细锯齿，无毛；叶面网状脉明显。花杂性，总状花序腋生或顶生，长 5 ~ 14 cm，被柔毛；花萼钟状，裂片 4，三角状披针形；花瓣 4，长圆形，白色、黄白色或浅绿色；雄蕊（6 ~ ）8；子房沿缝线有毛，柱头 2 浅裂。荚果扁平长条形刀鞘状，不扭转，长 12 ~ 30 cm，宽 2 ~ 4 cm，微厚，黑棕色，外面有白霜；种子多数，长圆形，扁平，亮棕色。有时荚果短小，长 5 ~ 13 cm，宽 1 ~ 1.5 cm，常呈新月形，内无种子。花期 4 ~ 5 月，果期 9 ~ 10 月。

| **生境分布** | 生于山坡林中或谷底、路旁。江苏各地均有分布。 |

| **资源情况** | 野生及栽培资源丰富。 |

采收加工	**大皂角：** 秋季采摘，除去杂质，晒干。
	皂角刺： 全年均可采收，干燥，或趁鲜切片，干燥。
	猪牙皂： 秋季采摘，除去杂质，晒干，用时捣碎。

| **药材性状** | **大皂角：** 本品呈扁长的剑鞘状而略弯曲，长 15 ~ 20 cm，宽 2 ~ 3.5 cm，厚 0.8 ~ 1.5 cm，表面深紫棕色至黑棕色，被灰色粉霜，种子所在处隆起，基部渐狭而略弯，有短果柄或果柄痕。两侧有明显的纵棱线，摇之有响声，质硬，剖开后，果皮断面黄色，纤维性。种子多数，扁椭圆形，黄棕色，光滑。气特异，有强烈刺激性，粉末嗅之有催嚏性。味辛、辣。

皂角刺： 本品完整者为主刺及 1 ~ 2 次分枝；呈扁圆柱状，长可达 16 cm，基部直径 8 ~ 12 mm，末端尖锐；分枝刺螺旋形排列，与主刺成 60° ~ 80° 角，向周围伸出，一般长 1 ~ 7 cm；于次分枝上又常有更小的刺，分枝刺基部内侧常呈小阜状隆起；全体紫棕色，光滑或有细皱纹。体轻，质坚硬，不易折断。商品多切成斜薄片，一般是长披针形，长 2 ~ 6 cm，宽 3 ~ 7 mm，厚 1 ~ 3 mm，常带有尖细的刺端。切面木部黄白色，中心髓部松软，呈淡红色。质脆，易折断。无臭，味淡。以片薄、纯净、无核梗、色棕紫、切片中间棕红色、糠心者为佳。

猪牙皂： 本品呈圆柱形，略扁，弯曲作镰状，长 4 ~ 12 cm，直径 0.5 ~ 1.2 cm。

表面紫棕色或紫黑色，被灰白色蜡质粉霜，擦去后有光泽，并有细小疣状突起及线状或网状裂纹，先端有鸟喙状花柱残基，基部具果柄痕。质硬脆，断面棕黄色，外果皮革质，中果皮纤维性，内果皮粉性，中间疏松，有灰绿色或淡棕黄色丝状物。纵向剖开可见整齐的凹窝，偶有发育不全的种子。气微、有刺激性，味微苦、辛，粉末有催嚏性。以个小、饱满、色紫黑、有光泽、肉多而黏、断面淡绿色者为佳。

| 功效物质 | 皂荚富含三萜皂苷类、鞣质、长链脂肪烷类、甾醇类等成分，其中皂苷类成分主要为皂荚萜苷、皂荚皂苷、牛蹄豆苷、葡萄叶铁线莲苷等，由三萜烯类和低聚糖通过糖苷键连接而成，具有消炎、抗溃疡、抗病变、抗肿瘤和提高艾滋病病人免疫力等活性。皂角刺含有黄酮苷、酚类、氨基酸类、甾醇类等资源性成分。

| 功能主治 | **大皂角：**辛，温；有小毒。祛痰开窍，散结消肿。用于中风口噤，昏迷不醒，癫痫痰盛，关窍不通，喉痹痰阻，顽痰喘咳，咯痰不爽，大便燥结；外用于痈肿。

皂角刺：辛，温。归肝、肺经。消肿托毒，排脓，杀虫。用于痈疽初起或脓成不溃；外用于疥癣麻风。

猪牙皂：辛、咸，温；有毒。归肺、肝、胃、大肠经。祛痰开窍，散结消肿。用于中风口噤，昏迷不醒，癫痫痰盛，关窍不通，喉痹痰阻，顽痰喘咳，咯痰不爽，大便燥结；外用于痈肿。

| 用法用量 | **大皂角：**内服煎汤，1.5 ~ 4.5 g。

皂角刺：内服煎汤，3 ~ 9 g；或入丸、散剂。外用适量，醋煎涂；或研末撒；或调敷。

猪牙皂：内服入丸、散剂，1 ~ 3 g。外用适量，研末搐鼻；或煎汤洗；或研末掺或调敷；或熬膏涂；或烧烟熏。

| 附　注 | （1）本种的根、茎、叶可用于生产清热解毒的中药口服液。
（2）本种喜光，稍耐阴。在微酸性、石灰质、轻盐碱土甚至黏土或砂土中均能正常生长，属于深根性植物，具较强耐旱性。

豆科 Fabaceae 大豆属 *Glycine* 凭证标本号 320922180715012LY

大豆 *Glycine max* (L.) Merr.

| 药 材 名 |

大豆黄卷（药材来源：种子发芽后晒干而成）、淡豆豉（药材来源：成熟种子的发酵加工品）、黑豆（药用部位：种子）。

| 形态特征 |

一年生草本，高达 90 cm。全体密被褐色长硬毛。茎粗壮，直立或上部近半蔓性。羽状复叶具 3 小叶，互生；托叶宽卵形，被黄色柔毛；顶生小叶片宽卵形、近圆形或椭圆状披针形，长 5 ～ 12 cm，宽 2 ～ 7 cm，先端渐尖或近圆形，具小刺尖，基部宽楔形，两面散生糙毛或叶背无毛；侧生小叶片较小，斜卵形。总状花序腋生，具 5 ～ 8、几无柄而密生的花，在植株下部的花单生或成对生于叶腋；花萼钟状，长 4 ～ 6 mm，密被长硬毛，深裂，裂片披针形；花紫色、淡紫色或白色，旗瓣倒卵状近圆形，先端微凹并向外反卷；雄蕊二体；子房被毛。荚果长圆形，略弯，长 4 ～ 7 cm，下垂，密生黄色长硬毛，种子 2 ～ 5；种子黄绿色，卵形至近球形，长约 1 cm。花果期 8 ～ 10 月。

| 生境分布 |

江苏各地均有栽培。

| 资源情况 | 野生及栽培资源丰富。

| 采收加工 | **大豆黄卷**：10月种子成熟后采收。选择肥壮饱满的种子，于冷水中泡涨后，用湿布盖好，或放入麻袋、蒲包中，置于温暖处，经常翻动和洒少量的水，促其发芽。待芽长约1cm时，用清水洗净，晒干。

淡豆豉：10月采收成熟种子，发酵加工。

黑豆：秋季采收，脱壳后放阴凉干燥处。

| 药材性状 | **大豆黄卷**：本品种子呈椭圆形或肾形，稍扁，长约1cm，宽5～8mm；表面灰黄色、黑褐色或紫褐色，光亮，有横向皱纹，一侧有长圆形种脐，长2～3mm。种皮常裂开、破碎或脱落。子叶黄色，肥厚，胚根细长，伸出种皮之外，弯曲，长0.5～1cm；质脆，易断。也有少数未发芽的种子，种皮完整。气无，味淡，有油腻感。以粒大饱满、有皱纹及短芽者为佳。

淡豆豉：本品呈椭圆形，略扁，长0.6～1cm，直径0.5～0.7cm。表面黑色，皱缩不平，无光泽，一侧有棕色的条状种脐，珠孔不明显。子叶2，肥厚。质柔软，断面棕黑色。气微，味微甘。以粒大、饱满、色黑者为佳。

黑豆：本品呈椭圆形而略扁，长6～10mm，直径5～7mm，厚1～6mm。表面黑色，略有光泽，有时具横向皱纹，一侧边缘具长圆形种脐。种皮薄，内表面呈灰黄色，除去种皮，可见2子叶，黄绿色，肥厚。质较坚硬。气微，具豆腥气。

| 功效物质 | 叶和花富含黄酮类成分，如大豆苷元、大豆苷等。种子除富含大豆异黄酮类成分外，尚含有丰富的皂苷类、蛋白质类、脂肪类、糖类、氨基酸类、核苷类、维生素类等活性成分。种子作为药食同源的大宗品种，具有很高的营养价值和保健价值。

| 功能主治 | **大豆黄卷**：甘，平。归脾、胃、肺经。解表祛暑，清热利湿。用于暑湿感冒，湿温初起，发热汗少，胸闷脘痞，肢体酸重，小便不利。

淡豆豉：苦、辛，平。归肺、胃经。解表，除烦，宣发郁热。用于感冒，寒热头痛，烦躁胸闷，虚烦不眠。

黑豆：甘，平。归脾、肾经。益精明目，养血祛风，利水，解毒。用于阴虚烦渴，头晕目昏，体虚多汗，肾虚腰痛，水肿尿少，痹痛拘挛，手足麻木，药食中毒。

| 用法用量 | **大豆黄卷**：内服煎汤，6～15g；或捣汁；或入散剂。

淡豆豉：内服煎汤，5 ~ 15 g；或入丸剂。外用适量，捣敷；或炒焦研末调敷。

黑豆：内服煎汤，9 ~ 30 g；或入丸、散剂。外用适量，研末掺；或煮汁涂。

| 附　注 | 本种喜暖，种子在 10 ~ 12 ℃开始发芽，发芽适温 15 ~ 20 ℃，生长适温 20 ~ 25 ℃，开花结荚期适温 20 ~ 28 ℃，低温下结荚延迟，低于 14 ℃不能开花，温度过高则植株提前结束生长。

豆科 Fabaceae 大豆属 Glycine 凭证标本号 320621181124015LY

野大豆
Glycine soja Siebold et Zucc.

| 药 材 名 | 稆豆（药用部位：种子）、野大豆藤（药用部位：茎叶、根）。

| 形态特征 | 一年生缠绕草本。茎细瘦，各部疏生黄褐色长硬毛。羽状复叶有 3 小叶；顶生小叶片卵圆形或卵状披针形，长 1～5 cm，宽 1～2.5 cm，先端急尖，基部圆形，两面有白色糙伏毛；侧生小叶斜卵状披针形；托叶卵状披针形，急尖，有黄色柔毛。总状花序腋生，有花 1～7；花小，长约 5 mm；花梗密生黄色长硬毛；花萼钟状，萼齿 5，三角状披针形，上方 2 齿 1/3 以下合生，有黄色硬毛；花冠紫红色，旗瓣近圆形，先端微凹，翼瓣斜倒卵形，有明显的耳，龙骨瓣最短，密被长毛。荚果长圆形，稍弯，长约 3 cm，种子间稍缢缩，种子 2 或 3；种子椭圆形、圆形，稍扁，褐色或黑色。花期 7～8 月，果期 8～10 月。

| 生境分布 | 生于海拔 150 ~ 2 650 m 的潮湿的田边、园边、沟旁、河岸、湖边、沼泽、草甸、沿海和岛屿向阳的矮灌丛或芦苇丛中，稀见于沿河岸疏林下。江苏各地均有分布。

| 资源情况 | 野生资源丰富。

| 采收加工 | **稆豆**：秋季果实成熟时割取全草，晒干，打开果荚，收集种子，晒至全干。
野大豆藤：秋季采收，晒干。

| 功效物质 | 富含大豆异黄酮、大豆皂苷、大豆低聚糖、大豆磷脂等丰富的资源性成分，具有较高的开发价值。

| 功能主治 | **稆豆**：甘，凉。归肾、肝经。补益肝肾，祛风解毒。用于肾虚腰痛，风痹，筋骨疼痛，阴虚盗汗，内热消渴，目昏头晕，产后风痉，疳积，痈肿。
野大豆藤：甘，凉。清热敛汗，舒筋止痛。用于盗汗，劳伤筋痛，胃痛，小儿食积。

| 用法用量 | **稆豆**：内服煎汤，9 ~ 15 g；或入丸、散剂。
野大豆藤：内服煎汤，30 ~ 120 g。外用适量，捣敷；或研末调敷。

| 附   注 | 本种具有喜光耐湿、耐盐碱、耐阴、抗旱、抗病、耐瘠薄等优良性状。

豆科 Fabaceae 甘草属 Glycyrrhiza 凭证标本号 321084180605020LY

刺果甘草 *Glycyrrhiza pallidiflora* Maxim.

| **药 材 名** | 狗甘草（药用部位：果实）、狗甘草根（药用部位：根）。

| **形态特征** | 多年生草本，植株高 1 ~ 1.5 m。茎直立，基部木质化，有棱，密被黄色鳞片状腺体。奇数羽状复叶长 6 ~ 20 cm，有小叶 5 ~ 13；托叶披针形；小叶片披针形或卵状披针形，长 2 ~ 5 cm，先端渐尖，基部楔形，边缘具钩状细齿，两面密被鳞毛状腺点。总状花序，花密集成长圆状；苞片膜质，卵状披针形；花萼钟状，萼齿披针形，有鳞片状腺体和短毛；花冠淡紫色、紫色或淡紫红色。果序呈圆柱状；荚果卵球状，长 1 ~ 1.7 cm，先端具尖喙，表面密生尖硬刺，具种子 2；种子圆肾状，黑色。花果期 6 ~ 9 月。

| **生境分布** | 生于田边、路边、河沟边、高坎上、草丛中。分布于江苏北部等。

| 资源情况 | 野生及栽培资源较丰富。

| 采收加工 | 狗甘草：秋、冬季果实成熟后采摘，晒干。
狗甘草根：全年均可采挖，晒干。

| 药材性状 | 狗甘草根：本品呈圆柱形，头部有分枝，长 20 ~ 100 cm，直径 0.3 ~ 1.5 cm。表面灰黄色至灰褐色，有不规则扭曲的纵皱纹及横长皮孔。质坚硬，难折断，断面纤维状，有粉性，皮部灰白色，占断面的 1/5 ~ 1/4，木部淡黄色，有放射状纹理。气微，味苦、涩，嚼之微有豆腥味。根茎头部有小型芽或芽痕，断面中心有髓，根无芽无髓。

| 功效物质 | 根及根茎富含黄酮类、三萜类、香豆素类、氨基酸类、甾体类、挥发油类等资源性成分，其中尤以黄酮类和三萜类成分含量高，活性丰富。黄酮类成分主要包括刺果甘草查尔酮、高紫檀素、美迪紫檀素等，其中紫檀素具有抗肿瘤活性；三萜类成分主要为刺果甘草酸、马其顿甘草酸、三萜皂苷 A、三萜皂苷 B、白桦脂酸等；香豆素类成分主要为 4'-*O*- 甲基香豆雌酚等。

| 功能主治 | 狗甘草：甘、辛，微温。催乳。用于产后缺乳。
狗甘草根：甘、辛，温。杀虫止痒，镇咳。用于滴虫性阴道炎，百日咳。

| 用法用量 | 狗甘草：内服煎汤，6 ~ 9 g。
狗甘草根：内服煎汤，9 ~ 15 g。外用适量，煎汤熏洗。

| 附　注 | 本种喜生于盐土和盐碱土上，适宜土壤 pH 为 8.0 ~ 8.5。在排水良好、阳光充足、土层深厚的盐化壤土上生长繁茂。

豆科 Fabaceae 米口袋属 Gueldenstaedtia 凭证标本号 320323170511850LY

少花米口袋
Gueldenstaedtia verna (Georgi) A. Boriss

| 药 材 名 | 甜地丁（药用部位：全草）。

| 形态特征 | 多年生草本。根圆锥形。茎缩短，长 2 ~ 3 cm。全体包被白色柔毛。复叶丛生于短茎上，长 10 ~ 13 cm，具小叶 11 ~ 21，椭圆形、卵形或长椭圆形；小叶片披针形或线形，长 0.6 ~ 2.2 cm，宽 0.2 ~ 0.8 cm；托叶三角形，基部合生；托叶、花萼和花梗上均有长柔毛。伞形花序腋生，有花 2 ~ 6（~ 8）；花萼钟形，上面 2 萼齿最大，与萼筒等长，下面 3 萼齿较小；花冠紫红色，旗瓣卵形，长约 1.3 cm，翼瓣长约 1 cm，龙骨瓣短，长 0.5 ~ 0.6 cm；子房圆筒形，密被贴伏的长柔毛，花柱内曲。荚果圆筒形，被毛，无假隔膜，长 1.7 ~ 2.2 cm；种子肾形，有凹点，表面有光泽。花期 4 ~ 5 月，果期 6 ~ 7 月。

| **生境分布** | 生于海拔 1 300 m 以下的山坡、路旁、田边等。江苏各地均有分布。

| **资源情况** | 野生资源较丰富。

| **采收加工** | 夏、秋季采收，鲜用或扎把晒干。

| **药材性状** | 本品根呈长圆锥形，有的略扭曲，长 9 ~ 18 cm，直径 0.3 ~ 0.8 cm；表面红棕色或灰黄色，有纵皱纹、横向皮孔及细长侧根；质硬，断面黄白色，边缘绵毛状，中央浅黄色，颗粒状。茎短而细，灰绿色，有茸毛。奇数羽状复叶，丛生，具托叶，叶多皱缩、破碎，完整小叶片展平后椭圆形，长 0.5 ~ 2 cm，宽 0.2 ~ 0.8 cm，灰绿色，有白色茸毛。有时可见伞形花序，蝶形花冠紫色或黄棕色。荚果圆柱形，长 1.7 ~ 2.2 cm，棕色，有白色茸毛；种子黑色，细小。气微，味淡、微甜，嚼之有豆腥味。

| **功效物质** | 根茎含有黄酮类、三萜类、酚酸类等成分，黄酮类成分主要为芫花素、槲皮素等以及异黄烷类成分；三萜类成分的母核主要为齐墩果烷型及白桦脂酸型。地上部分主要含有黄酮类、香豆素类、酚酸类、倍半萜类、大柱香波龙烷类等资源性成分，香豆素类成分主要有七叶树内酯、伞形酮等；酚酸类成分主要为阿魏酸；倍半萜类成分主要为菜豆酸；大柱香波龙烷类成分主要为布卢竹柏醇A、长春花苷等。

| **功能主治** | 甘、苦，寒。归心、肝经。清热解毒，凉血消肿。用于痈肿疔疮，丹毒，肠痈，瘰疬，毒蛇咬伤，黄疸，肠炎，痢疾。

| **用法用量** | 内服煎汤，6 ~ 30 g。外用适量，鲜品捣敷；或煎汤洗。

豆科 Fabaceae 木蓝属 *Indigofera* 凭证标本号 320282170426414LY

多花木蓝 *Indigofera amblyantha* Craib

| 药 材 名 | 木蓝山豆根（药用部位：根）。

| 形态特征 | 灌木，高 0.8 ~ 2 m。枝、叶、果实密生白色"丁"字毛。茎圆柱形，幼枝有棱。羽状复叶长约 18 cm；叶柄长超过 3 cm；小叶 7 ~ 11，倒卵形或倒卵状长圆形，长 1.5 ~ 4 cm，先端圆形，有短针尖，基部阔楔形，全缘，两面被白色毛，并混生褐色"丁"字毛，叶背毛较密。总状花序，长约 11 cm，明显短于羽状复叶，近无总花梗，花萼被白色平贴的"丁"字毛；花冠淡红色，旗瓣倒宽卵形，长约 6 mm，外侧被毛，翼瓣长约 7 mm，龙骨瓣较翼瓣短，距长 1 mm；花药先端具小凸尖；子房被毛。荚果线状圆柱形，棕褐色，长 3.5 ~ 6 cm，种子间有横隔，内无斑点；种子褐色，长圆形。花期 5 ~ 7 月，果期 9 ~ 11 月。

| **生境分布** | 生于海拔 600 ~ 1 600 m 的山坡草地、沟边、路旁灌丛中及林缘。分布于江苏南京等。 |

| **资源情况** | 野生资源一般。 |

| **采收加工** | 秋季采收，鲜用或晒干。 |

| **药材性状** | 本品呈圆柱形，头部膨大成结节状，下面着生 3 ~ 5 支根，多扭曲，有 2 ~ 3 分枝和多数须根，长 30 ~ 60 cm，直径 0.5 ~ 1.2 cm。表面黄褐色至棕褐色，有不规则纵皱纹和微凸起的横长皮孔，栓皮多皱缩开裂，易脱落，脱落处色较深，呈深棕褐色。质硬而脆，易折断，断面纤维状，皮部棕色，木部淡黄色，有放射状纹理。气微，味微苦。 |

| **功效物质** | 含有芸香苷等黄酮类成分。 |

| **功能主治** | 苦，寒。清热利咽，解毒，通便。用于暑温，热结便秘，咽喉肿痛，肺热咳嗽，黄疸，痔疮，白秃疮，蛇、虫、犬咬伤。 |

| **用法用量** | 内服煎汤，15 ~ 30 g。外用适量，研末敷；或捣汁搽。 |

| **附　　注** | 本种抗旱、耐寒，喜光、喜温暖，可耐 -20 ℃ 低温，适生于亚热带广大地区。对土壤要求不严，耐贫瘠，在 pH 为 4.5 ~ 7 的绿壤、黄壤、紫红壤上均生长良好，在岩峭边、石头边均能扎根生长。 |

豆科 Fabaceae 木蓝属 Indigofera 凭证标本号 320111150505012LY

苏木蓝
Indigofera carlesii Craib

| 药 材 名 | 苏木蓝（药用部位：根）。

| 形态特征 | 灌木，高达 1.5 m。茎圆柱形，幼枝有棱，幼时有"丁"字毛。羽状复叶长 7 ~ 20 cm，通常有（5 ~ ）7 ~ 9 小叶，坚纸质，椭圆形或倒卵状椭圆形，长 2 ~ 4 cm，先端钝圆，有针状短尖，基部钝圆或阔楔形，两面密生白色"丁"字毛。总状花序腋生，长 10 ~ 20 cm，通常较叶片长，有多数花；花梗长 2 ~ 4 mm，花长 1 ~ 1.5 cm；花萼杯状，萼齿三角状披针形，外面有毛；花冠粉红色或玫瑰红色，旗瓣近椭圆形，背面有密毛，翼瓣、龙骨瓣等长，边缘有缘毛，距长约 1.5 mm；花药卵形，两端有髯毛。荚果线状圆柱形，褐色，长 3 ~ 5 cm，外面有毛；果瓣 2 片开裂，后旋卷，内具紫色斑点。花期 5 月，果期 6 ~ 7 月。

| **生境分布** | 生于海拔 500 ~ 1 000 m 的山坡路旁及丘陵灌丛中。分布于江苏连云港、南京、镇江等。

| **资源情况** | 野生资源较丰富。

| **采收加工** | 秋季采挖，洗净晒干或先除去心部再晒干。

| **药材性状** | 本品呈圆柱形，头部略膨大，有 3 ~ 5 分枝和须根，多弯曲，长 15 ~ 45 cm，直径 0.2 ~ 0.8 cm。表面灰褐色，有细密纵皱纹和凸起的点状或横长皮孔，有的可见栓皮脱落，脱落处呈类白色或浅棕褐色。质硬，易折断，断面纤维状，皮部浅棕褐色，木部类白色，有放射状纹理。气微，味微苦。

| **功效物质** | 根含有生物碱类、三萜类、甾体类、有机酸类等成分，其中，生物碱类成分主要为小冠花素、花木蓝素 B 等；三萜类成分结构母核主要为羽扇豆烷型、白桦脂酸型等。

| **功能主治** | 微苦，平。清肺热，敛汗，止血。用于咳嗽，自汗，外伤出血。

| **用法用量** | 内服煎汤，9 ~ 15 g。外用适量，研末撒。

豆科 Fabaceae 木蓝属 *Indigofera* 凭证标本号 320125150505157LY

华东木蓝 *Indigofera fortunei* Craib

| 药 材 名 | 木蓝山豆根（药用部位：根）。

| 形 态 特 征 | 灌木，高约1m。除花外，全体无毛。茎分枝有棱。羽状复叶长10 ~ 15 cm，小叶7 ~ 15，对生；小叶片卵形、卵状椭圆形或披针形，长1.5 ~ 4.5 cm，先端急尖、钝或微凹，有长约2 mm的小针尖，基部圆形或阔楔形，全缘，革质，两面无毛；小托叶针状。总状花序长10 ~ 13 cm，腋生，总花序梗长近3 cm，常短于叶柄；苞片卵形，脱落；花萼斜杯状，长约2 mm，萼齿三角形，最下萼齿稍长，外面有疏"丁"字毛；花冠紫红色或粉红色，旗瓣倒阔卵形，长约10 mm，外侧生短柔毛，翼瓣边缘有睫毛，龙骨瓣边缘及上部有毛，距短。荚果线状圆柱形，长3 ~ 6 cm，无毛，褐色；成熟后2片开裂，果瓣旋卷，内具斑点。花期5月，果期6 ~ 7月。

| 生境分布 | 生于海拔 200 ~ 800 m 的山坡疏林或灌丛中。分布于江苏南部及连云港等。

| 资源情况 | 野生资源一般。

| 采收加工 | 春、秋季采收，洗净，切碎，晒干。

| 药材性状 | 本品呈圆柱状，有分枝及须根，略弯曲，长 20 ~ 50 cm，直径 0.4 ~ 1 cm。表面灰黄色或黄褐色，具细纵皱纹及微凸的横长皮孔，有的栓皮开裂或呈鳞片状脱落，脱落处呈棕褐色。质坚实，易折断，断面略呈纤维性，黄白色或淡黄色，有放射状纹理。气微，味微苦。

| 功效物质 | 含有芸香苷等黄酮类成分。

| 功能主治 | 苦，寒。清热利咽，解毒，通便。用于暑温，热结便秘，咽喉肿痛，肺热咳嗽，黄疸，痔疮，白秃疮，蛇、虫、犬咬伤。

| 用法用量 | 内服煎汤，15 ~ 30 g。外用适量，研末敷；或捣汁搽。

豆科 Fabaceae 木蓝属 *Indigofera* 凭证标本号 321112180724010LY

马棘
Indigofera pseudotinctoria Matsum.

| 药 材 名 |　马棘（药用部位：地上部分、根）。

| 形态特征 |　灌木，高 1 ~ 3 m。枝、叶、果实均有白色"丁"字毛。茎多分枝，小枝有棱。羽状复叶，长 3.5 ~ 5.5 cm；叶柄长不超过 1.5 cm；小叶 7 ~ 11，椭圆形、倒卵形或倒卵状椭圆形，长 1 ~ 2.5 cm，先端圆或微凹，有短尖，基部圆楔形，全缘；小托叶锥状。总状花序，花密生，花开放后较叶长，长 3 ~ 10 cm；总花梗短于叶柄；花萼钟状，萼齿不等长；花冠淡红色或紫红色，花长 4.5 ~ 5.5 mm，旗瓣倒阔卵形，先端螺壳状，外面有毛，翼瓣基部有耳状附属物，龙骨瓣与翼瓣近等长，距长约 1 mm。荚果线状圆柱形，长 1.5 ~ 3 cm，种子间有横隔，横隔上有紫红色斑点，果柄下弯；种子长圆形。花期 5 月，果期 6 ~ 7 月。

| **生境分布** | 生于海拔 100 ～ 1 300 m 的山坡林缘、灌丛中或草坡上。分布于江苏南京、无锡（宜兴）、常州（溧阳）等。 |

| **资源情况** | 野生资源较丰富。 |

| **采收加工** | 在播种后的翌年 8 ～ 9 月收获，选晴天，离地面 10 cm 处，割下地上部分，晒干即成，以后可每年收割 1 次；秋后采挖根，切段，鲜用或晒干。 |

| **功效物质** | 茎含有黄酮类、酚酸类成分。叶含有三萜类、甾醇类、烷醇类等成分，三萜类结构母核主要为羽扇豆烷型及齐墩果烷型。根富含高丽槐素、芒柄花素、染料木素等黄酮类成分，结构母核主要为齐墩果烷型的三萜类成分，以及甾醇类成分。 |

| **功能主治** | 苦、涩，平。清热解表，散瘀消积。用于风热感冒，肺热咳嗽，烫火伤，疔疮，毒蛇咬伤，瘰疬，跌打损伤，食积腹胀。 |

| **用法用量** | 内服煎汤，20 ～ 30 g。外用适量，鲜品捣敷；或干品炒炭存性，研末调敷。 |

豆科 Fabaceae 鸡眼草属 *Kummerowia* 凭证标本号 320721181018285LY

长萼鸡眼草

Kummerowia stipulacea (Maxim.) Makino

| 药 材 名 |

鸡眼草（药用部位：全草）。

| 形态特征 |

一年生草本。茎多分枝，平伏上升或直立，茎及枝上疏生向上的白毛。小叶倒卵形、宽倒卵形，长 5 ~ 15 mm，先端微凹或近平截，基部楔形，叶背中脉及叶缘有毛；托叶卵形，长 3 ~ 8 mm，较叶柄长或近等长，被短缘毛，叶背纵脉明显。花常 1 ~ 3，淡紫色或略紫色，长 5.5 ~ 7 mm；花基部有 4 小苞片，其中 1 苞片生于花梗关节之下，有 1 ~ 3 明显的纵脉；花萼钟状，5 裂，萼齿宽卵形，有缘毛。荚果椭圆状卵形，露出宿存萼外，较花萼长 3 ~ 4 倍，表面有网纹和短毛，有 1 种子；种子黑色，平滑。花果期 7 ~ 9 月。

| 生境分布 |

生于海拔 100 ~ 1 200 m 的路旁、草地、山坡、固定或半固定沙丘等。江苏各地均有分布。

| 资源情况 |

野生资源较丰富。

| 采收加工 | 7 ~ 8 月采收，鲜用或晒干。

| 药材性状 | 本品茎多枝，较粗壮，长 10 ~ 25 cm，疏被向上生长的硬毛。小叶 3，完整小叶倒卵形或椭圆形，长 5 ~ 15 mm，宽 3 ~ 12 mm；叶端圆或微凹，具短尖，叶基楔形；上面无毛，下面中脉及叶缘有白色长硬毛。花簇生于叶腋，花梗有白色硬毛，花萼钟状，花冠暗紫色。荚果卵形，长约 3 mm。种子黑色，平滑。气微，味淡。

| 功效物质 | 含有酚酸类和黄酮类成分，具有明显的抗氧化活性。

| 功能主治 | 甘、辛、微苦，平。清热解毒，活血止血，健脾利湿。用于感冒发热，暑湿吐泻，黄疸，痈疖疔疮，痢疾，疳积，血淋，咯血，衄血，跌打损伤，赤白带下。

| 用法用量 | 内服煎汤，9 ~ 30 g，鲜品 30 ~ 60 g；或捣汁；或研末。外用适量，捣敷。

豆科 Fabaceae 鸡眼草属 Kummerowia 凭证标本号 320506150705063LY

鸡眼草 *Kummerowia striata* (Thunb.) Schindl.

| **药 材 名** | 鸡眼草（药用部位：全草）。

| **形态特征** | 一年生草本。茎直立或平卧，常铺地分枝而呈匍匐状，长 5 ~ 30 cm，茎和分枝上倒生向下的白色细毛。羽状复叶具 3 小叶；小叶片纸质，长椭圆形或倒卵状长椭圆形，稀倒卵形，长 5 ~ 20 mm，宽 3 ~ 7 mm，主脉和叶缘有疏毛；托叶长卵形，较叶柄长，干膜质，有长缘毛，宿存。花 1 ~ 2 腋生，花梗基部有 2 叶状苞片，长 3 ~ 6 mm；花萼基部具 4 小苞片，其中 1 苞片极小，生于花梗关节处；花萼钟状，长 2.5 ~ 3 mm，5 深裂，裂片卵状椭圆形，有网状脉纹；花冠粉红色，露出花萼外，较花萼长 1 倍。荚果卵状圆形，先端稍急尖，通常较花萼稍长或等长，表面有网纹，外面有细短毛。种子扁卵形，暗褐色。花期 8 ~ 9 月。

| **生境分布** | 生于山坡、路旁、田边的杂草地中。江苏各地均有分布。

| **资源情况** | 野生资源丰富。

| **采收加工** | 7 ~ 8 月采收，鲜用或晒干。

| **药材性状** | 本品茎枝呈圆柱形，多分枝，长 5 ~ 30 cm，被白色向下的细毛。三出复叶互生，叶多皱缩，完整小叶长椭圆形或倒卵状长椭圆形，长 5 ~ 20 mm；叶端钝圆，有小突刺，叶基楔形；沿中脉及叶缘疏生白色长毛；托叶 2。花腋生，花萼钟状，深紫褐色；蝶形花冠浅玫瑰色，较花萼长 1 倍。荚果卵状矩圆形，先端稍急尖，有小喙，长达 4 mm。种子 1，黑色，具不规则褐色斑点。气微，味淡。

| **功效物质** | 全草富含黄酮类成分，如金丝桃苷、漆黄素、香树素、柚皮苷、花旗松素、樱桃苷、萹蓄苷、桐棉苷等。

| **功能主治** | 甘、辛、微苦，平。清热解毒，健脾利湿，活血止血。用于感冒发热，暑湿吐泻，黄疸，疮痈疔疖，痢疾，疳积，血淋，衄血，咯血，跌打损伤，赤白带下。

| **用法用量** | 内服煎汤，9 ~ 30 g，鲜品 30 ~ 60 g；或捣汁；或研末。外用适量，捣敷。

| **附　　注** | 本种是一种广布型牧草，适应温带、亚热带甚至热带的气候和土壤条件；耐热性很强，还具有一定的耐阴性。性喜温暖，不耐霜冻，喜水、喜肥，尤喜富于钙质的壤土或黏质壤土；耐酸性很强。

豆科 Fabaceae 胡枝子属 Lespedeza 凭证标本号 320282161114245LY

胡枝子
Lespedeza bicolor Turcz.

| 药 材 名 | 胡枝子（药用部位：枝叶、根、花）。

| 形态特征 | 灌木，高 1 ～ 3 m。小枝微具棱，被疏短毛；芽具数枚黄褐色鳞片。羽状复叶具 3 小叶；叶柄长 2 ～ 7 cm；托叶线状披针形；小叶片草质，卵形、倒卵形或卵状长圆形，长 1.5 ～ 6 cm，宽 1 ～ 2 cm，先端钝圆或微凹，具短刺尖，基部近圆形，叶面无毛，绿色，叶背被疏毛，浅绿色。总状花序比叶长，常在枝上部集成大型、松散的圆锥花序；花序梗长 4 ～ 10 cm；花萼钟状，5 浅裂，被毛，裂片短于萼筒，裂片三角状卵形，上方 2 裂片合生成 2 齿；花冠紫红色，长约 1 cm，旗瓣倒卵形。无闭锁花。荚果斜卵形，压扁，长约 1 cm，密被短柔毛，有网纹。花期 7 ～ 9 月，果期 9 ～ 10 月。

| 生境分布 | 生于山坡林缘、路旁和灌丛中。分布于江苏连云港、南京、苏州等。

| 资源情况 | 野生资源较丰富。

| 采收加工 | 枝叶，夏、秋季采收，鲜用，或切段，晒干；根，夏、秋季采挖，洗净，切片，晒干；花，7～9月花开时采收，阴干。

| 功效物质 | 根皮、花及叶含有黄酮类、必需氨基酸及鞣质等资源性成分，其中，根皮中黄酮类成分如胡枝子黄烷酮 F、胡枝子黄烷酮 G，叶中黄酮类成分如漆叶苷、美丽胡枝子宁，花中黄酮类成分为锦葵素 -3,5- 二吡喃葡萄糖苷。

| 功能主治 | 枝叶，甘，平。清热润肺，利尿通淋，止血。用于肺热咳嗽，感冒发热。根，祛风除湿，活血止痛，止血止带，清热解毒。用于感冒发热，风湿痹痛，跌打损伤，鼻衄，赤白带。花，清热止血，润肺止咳。用于便血，肺热咳嗽。

| 用法用量 | 内服煎汤，9～15 g，鲜品 30～60 g；或代茶饮。

| 附　　注 | 本种耐旱、耐瘠薄、耐酸、耐盐碱、耐刈割。对土壤适应性强，可以在瘠薄的新开垦地上生长，但最适于壤土和腐殖土，耐寒性强。

豆科 Fabaceae 胡枝子属 Lespedeza 凭证标本号 321183150924824LY

绿叶胡枝子
Lespedeza buergeri Miq.

| 药 材 名 | 女金丹（药用部位：根）、三叶青（药用部位：叶）。

| 形态特征 | 灌木，高达 3 m。小枝疏被柔毛，常呈"之"字形弯曲。羽状复叶具 3 小叶；叶柄长 2 ~ 5 cm，被毛；托叶 2，窄披针形；小叶片卵状椭圆形或卵状披针形，长 3 ~ 7 cm，宽 1 ~ 3 cm，先端急尖或渐尖，基部圆钝，叶面近无毛，叶背有浅棕色毛。总状花序，长于叶或与叶近等长，上部的呈圆锥花序状；花萼钟状，5 裂至中部，裂片卵状披针形，密被长柔毛；花冠淡黄绿色，长约 1 cm，旗瓣与翼瓣基部常带紫色，旗瓣倒卵形，翼瓣较旗瓣短，基部有爪，龙骨瓣长于旗瓣。荚果长圆状卵形，长约 15 mm，有网脉和长柔毛。花果期 6 ~ 10 月。

| 生境分布 | 生于山坡丛林、林缘、旷野或路旁杂草中。江苏各地均有分布。

| 资源情况 | 野生资源较丰富。

| 采收加工 | **女金丹：**夏、秋季采挖，洗净，去掉粗皮，鲜用或晒干。
三叶青：夏、秋季采收，鲜用。

| 药材性状 | **女金丹：**本品头部大而不规则，下部较细长。表面粗糙，有细微的纵皱纹，全体具皮孔，外表灰棕色，去皮后显灰紫色。质坚硬，断面淡黄色，纤维性，稍有香气。

| 功效物质 | 含有淀粉、还原糖、黄酮类、甾体类及氨基酸类等成分。

| 功能主治 | **女金丹：**微辛、微苦，平。清热解表，化痰利湿，活血止痛。用于感冒发热，咳嗽，肺痈，小儿哮喘，淋证，黄疸，胃痛，胸痛，瘀血腹痛，风湿痹痛，崩漏，疔疮痈疽，丹毒。
三叶青：清热解毒。用于痈疽发背。

| 用法用量 | **女金丹：**内服煎汤，9 ~ 15 g，鲜品 30 ~ 60 g；或炖肉。外用适量，捣敷。
三叶青：外用适量，捣敷。

豆科 Fabaceae 胡枝子属 *Lespedeza* 凭证标本号 320111150919017LY

截叶铁扫帚

Lespedeza cuneata (Dum.-Cours.) G. Don

| 药 材 名 | 夜关门（药用部位：全草或根）。

| 形态特征 | 多年生草本或直立亚灌木，高 30 ～ 100 cm。茎直立或斜升，分枝有白色短柔毛。羽状复叶具 3 小叶，密集；叶柄短；小叶片楔形或线状楔形，长 10 ～ 35 mm，宽 2 ～ 5 mm，先端截形或微凹，有短尖，基部狭楔形，叶面有少数短毛，叶背密生白色柔毛。总状花序腋生，较叶短，具 2 ～ 4 花；花序梗短；花萼长不及花冠之半，5深裂，萼裂片披针形，有白色柔毛；花冠白色或淡黄色，旗瓣基部有紫斑，翼瓣、旗瓣近等长，密被毛，龙骨瓣稍长，先端带紫色。闭锁花簇生于叶腋。荚果细小，斜卵形或近圆形，长约 2 mm，稍有毛。花果期 6 ～ 10 月。

| 生境分布 | 生于山坡、路旁空旷杂草间。江苏各地均有分布。

| 资源情况 | 野生资源较丰富。

| 采收加工 | 9 ~ 10 月采收，鲜用或晒干。

| 药材性状 | 本品根细长，条状，多分枝。茎枝细长，被微柔毛。三出复叶互生，密集，多卷曲皱缩，完整小叶线状楔形，长 1 ~ 2.5 cm；叶端钝或截形，有小锐尖，在中部以下渐狭；上面无毛，下面被灰色丝毛。短总状花序腋生，花萼钟形，蝶形花冠淡黄白色至黄棕色，心部带红紫色。荚果卵形，稍斜，长约 2 mm，棕色，先端有喙。气微，味苦。

| 功效物质 | 根含有黄酮类及三萜类、甾醇类成分，其中，黄酮类成分的基本母核为异黄烷酮和异黄酮，三萜类成分的母核为白桦脂酸。茎含有酚酸类及鞣质。叶富含黄酮类、苯丙素类、多元醇类及甾体类成分，其中，黄酮类成分如新西兰牡荆苷 -2、光牡荆素 -2、胡桃宁、车轴草苷等；苯丙素类成分如顺式 - 胡枝子酸钾和反式 - 胡枝子酸钾；多元醇类成分如 *D*- 松醇。

| 功能主治 | 苦、涩，凉。归肾、肝经。补肾涩精，健脾利湿，祛痰止咳，清热解毒。用于肾虚，遗精，遗尿，尿频，白浊，带下。

| 用法用量 | 内服煎汤，15 ~ 30 g，鲜品 30 ~ 60 g；或炖肉。外用适量，煎汤熏洗；或捣敷。

| 附　注 | 本种耐干旱，也耐瘠薄。对土壤要求不严，在红壤、黄棕壤、黏土上均可生长，也耐含铝量高、酸性的（pH < 5）土壤，但最适于生长在肥沃的壤土上。

豆科 Fabaceae 胡枝子属 Lespedeza 凭证标本号 NAS00577379

大叶胡枝子

Lespedeza davidii Franch.

| 药 材 名 | 和血丹（药用部位：带根全株）。

| 形 态 特 征 | 灌木，高 1 ~ 3 m。小枝有棱，密被长柔毛，老枝常有窄翅状棱。羽状复叶具 3 小叶；叶柄长 1 ~ 4 cm，密被短硬毛；小叶宽卵形或宽倒卵形，长 3 ~ 9 cm，宽 2 ~ 7 cm，先端圆或微凹，基部圆形，两面密被黄白色绢状柔毛。总状花序比叶长，或于枝端组成圆锥花序；花序梗长 4 ~ 7 cm，密被毛；花萼钟状，5 深裂，裂片披针形，较萼筒长，被长柔毛；花冠红紫色，长 1 ~ 1.1 cm，旗瓣倒卵状长圆形，瓣片基部具耳和柄；子房密被毛。无闭锁花。荚果卵形，长约 1 cm，稍歪斜，先端具短尖，密被绢毛和网纹。花期 7 ~ 8 月，果期 9 ~ 11 月。

| 生境分布 | 生于干旱山坡灌丛中或林缘路边。分布于江苏东南部等。

| 资源情况 | 野生资源较丰富。

| 采收加工 | 夏、秋季采收，切段，晒干。

| 药材性状 | 本品茎枝具棱及翅，密被白色绒毛。三出复叶，多皱缩；完整小叶广倒卵形、卵圆形，长 3.5 ~ 9 cm，宽 2.5 ~ 6.5 cm，侧生小叶较小；叶端圆或微缺，叶基圆形，全缘，上面黄绿色，下面灰绿色，两面及叶柄均密被黄白色绢状毛。总状花序腋生，花枝密被柔毛，花萼阔钟状，花冠暗紫色。荚果倒卵形，长 8 mm，密生绢毛。气微，味淡。

| 功效物质 | 根皮含有胡枝子黄烷酮 A、胡枝子黄烷酮 B、胡枝子黄烷酮 C、胡枝子黄烷酮 D 等黄酮类成分。茎皮含有黄酮类、三萜类、脂肪酸类、鞣质等成分，其中三萜类成分的基本母核为白桦脂酸型和齐墩果烷型。

| 功能主治 | 甘，平。清热解表，止咳止血，舒筋活络。用于外感头痛发热。

| 用法用量 | 内服煎汤，15 ~ 30 g。

| 附　注 | 本种耐干旱，可作水土保持植物。

豆科 Fabaceae 胡枝子属 *Lespedeza* 凭证标本号 320721180713251LY

兴安胡枝子
Lespedeza davurica (Laxm.) Schindl.

| **药 材 名** | 枝儿条（药用部位：全株或根）。

| **形态特征** | 小灌木，高达 1 m。枝有短柔毛。羽状复叶具 3 小叶；叶柄长 1 ~ 2 cm；顶生小叶片长椭圆形，长 1 ~ 3.5 cm，宽 0.3 ~ 1 cm，先端圆形或微凹，有短尖，基部圆形，叶面无毛，叶背密生短柔毛；侧生小叶较小。总状花序腋生，短于叶或与叶等长；花萼 5 深裂，裂片披针形，先端长渐尖，刺芒状，与花冠近等长，有白色柔毛；花冠黄白色，旗瓣长圆形，长约 1 cm，中部稍带紫色，翼瓣较短，龙骨瓣短于旗瓣或等长。闭锁花簇生于下部枝条的叶腋，结果。荚果倒卵形，长约 4 mm，宽约 2.5 mm，先端有刺尖，凸镜状，有白色柔毛。花期 7 ~ 8 月，果期 9 ~ 10 月。

| **生境分布** | 生于山坡、草地、路旁及沙地上。分布于江苏南京等。

| **资源情况** | 野生资源较少。

| **采收加工** | 夏、秋季采挖，切段，晒干。

| **功效物质** | 叶含有荭草素、异荭草素、牡荆素、异牡荆素及糖苷等黄酮类成分。地上部分除含有上述成分外，尚含有异夏弗塔雪轮苷、柽柳素等黄酮类成分，以及有机酸类和甾醇类成分。

| **功能主治** | 辛，温。解表散寒。用于感冒发热，咳嗽。

| **用法用量** | 内服煎汤，9 ~ 15 g。

豆科 Fabaceae 胡枝子属 Lespedeza 凭证标本号 320111150919025LY

多花胡枝子

Lespedeza floribunda Bunge

| 药 材 名 | 铁马鞭（药用部位：全株或根）。

| 形态特征 | 小灌木，高 60 ～ 100 cm。茎自基部多分枝，有白色柔毛。羽状复叶具 3 小叶；叶柄长约 1.5 cm；托叶线形，先端刺芒状；小叶片倒卵形或倒长卵形，长 0.6 ～ 2.5 cm，宽 0.3 ～ 1 cm，先端钝圆、微凹或截形，有短尖，叶面无毛，叶背密被白色贴伏毛；侧生小叶较小。总状花序腋生，长于叶，花多数；花序梗纤细而长；花梗短或几无；花萼钟状，萼齿 5，上方 2 裂片上部分离，披针形，较萼筒长，密生白色柔毛；花冠紫色，旗瓣短于龙骨瓣。闭锁花簇生于叶腋。荚果卵状菱形，长约 5 mm，宽约 3 mm，超出宿存萼，有网纹，被柔毛。花期 8 ～ 9 月，果期 9 ～ 10 月。

| 生境分布 | 生于干旱山坡或山坡丛林中。江苏各地均有分布。

| 资源情况 | 野生资源较丰富。

| 采收加工 | 6 ～ 10 月采收，全株切段，晒干；根洗净，切片，晒干。

| 药材性状 | 本品茎枝细长，分枝少，被棕黄色长粗毛。三出复叶，总叶柄长约 1.5 cm，完整小叶片广椭圆形至圆卵形，长 6 ～ 25 mm，宽 3 ～ 10 mm，叶端圆或截形，微凹，具短尖，叶基近圆形，全缘。总状花序腋生，总花轴及小花轴极短，蝶形花冠黄白色，旗瓣有紫斑。荚果长圆状卵形，先端有长喙，直径约 3 mm，表面密被白色粗毛。气微，味微苦。

| 功效物质 | 根含有黄酮类和香豆素类等资源性成分，其中，黄酮类成分主要为多花胡枝子素、补骨脂辛、山豆根酮等；香豆素类成分主要为多花胡枝子素 I_1、多花胡枝子素 I_2、多花胡枝子素 I_3。从干燥叶中分离得到的生物碱对大鼠离体子宫有强收缩作用。

| 功能主治 | 苦、辛，平。消积，截疟。用于疳积，疟疾。

| 用法用量 | 内服煎汤，15 ～ 30 g；或炖肉。外用适量，捣敷。

豆科 Fabaceae 胡枝子属 *Lespedeza* 凭证标本号 321112180530006LY

美丽胡枝子
Lespedeza formosa (Vog.) Koehne

| 药 材 名 | 马扫帚（药用部位：茎叶）、马扫帚花（药用部位：花）、马扫帚根（药用部位：根）。

| 形态特征 | 直立灌木。枝被疏柔毛，多分枝。托叶披针形至线状披针形，褐色，被疏柔毛；叶柄被短柔毛；小叶椭圆形、长圆状椭圆形或卵形，两端稍尖或稍钝，上面绿色，稍被短柔毛，下面淡绿色，贴生短柔毛。总状花序单一，腋生，比叶长，或构成顶生的圆锥花序；花冠红紫色，旗瓣近圆形或稍长，先端圆，基部具明显的耳和瓣柄，翼瓣倒卵状长圆形，短于旗瓣和龙骨瓣，基部有耳和细长瓣柄。荚果倒卵形或倒卵状长圆形，表面具网纹且被疏柔毛。花期 7 ~ 9 月，果期 9 ~ 10 月。

| **生境分布** | 生于山坡林缘或灌丛中。江苏各地均有分布。

| **资源情况** | 野生资源较丰富。

| **采收加工** | **马扫帚**：夏季花开前采收，鲜用，或切段，晒干。
马扫帚花：夏季花盛开时采摘，鲜用或晒干。
马扫帚根：春季至秋季采挖，趁鲜抽出木心，鲜用或晒干。

| **药材性状** | **马扫帚**：本品茎呈圆柱形，棕色至棕褐色，小枝常有纵沟，幼枝密被短柔毛。复叶具 3 小叶，多皱缩，小叶展平后呈卵形、卵状椭圆形或椭圆状披针形，长 1.5 ～ 9 cm，宽 1 ～ 5 cm；叶端急尖、圆钝或微凹，有小尖，叶基楔形；上面绿色至棕绿色，下面灰绿色，密生短柔毛。气微清香，味淡。

| **功效物质** | 根皮、叶及花均含有黄酮类成分，其中，根皮的黄酮类成分主要为胡枝子黄烷酮 F、胡枝子黄烷酮 G；叶的黄酮类成分主要为漆叶苷；花的黄酮类成分主要为锦葵素 -3,5- 二吡喃葡萄糖苷。

| **功能主治** | **马扫帚**：苦，平。清热利尿通淋。用于热淋，小便不利。
马扫帚花：甘，平。清热凉血。用于肺热咳嗽，便血，尿血。
马扫帚根：苦、微辛，平。清热解毒，祛风除湿，活血止痛。用于肺痈，乳痈。

| **用法用量** | **马扫帚**：内服煎汤，30 ～ 60 g。
马扫帚花：内服煎汤，30 ～ 60 g。
马扫帚根：内服煎汤，15 ～ 30 g。外用适量，鲜品捣敷。

| **附　　注** | 本种适应性较强，耐旱，耐高温，耐酸性土，耐瘠薄，也较耐阴。在土层薄而贫瘠的山坡、砾石缝隙中能正常生长发育。

豆科 Fabaceae 胡枝子属 *Lespedeza* 凭证标本号 320124170821053LY

绒毛胡枝子
Lespedeza tomentosa (Thunb.) Sieb.

| 药 材 名 | 小雪人参（药用部位：根）。

| 形态特征 | 灌木，高约1m。全株密被锈黄色绒毛。羽状复叶具3小叶；叶柄长2～3cm；托叶线形；小叶片质厚，长圆形或卵状长圆形，长3～6cm，宽1.4～2.5cm，先端圆形，有短尖，基部近圆形，叶面被短伏毛，叶背密生黄褐色绒毛或柔毛，背面叶脉明显凸起；侧生小叶较小。总状花序，顶生或于茎先端腋生，显著较叶长；花序梗粗壮，长4～8cm；小苞片线状披针形；花萼5深裂，长于花冠一半以上，裂片披针形，密生柔毛；花冠黄色或黄白色，旗瓣长约1cm，翼瓣较短，龙骨瓣与翼瓣近等长。闭锁花簇生于茎上部叶腋，无梗，结实。荚果倒卵状椭圆形，密被贴伏柔毛。花期7～9月，果期9～11月。

| **生境分布** | 生于海拔 1 000 m 以下的干山坡、草地或灌丛间。江苏各地均有分布。 |

| **资源情况** | 野生资源较丰富。 |

| **采收加工** | 秋季采挖，洗净，切片，晒干。 |

| **功效物质** | 根皮及地上部分均含有黄酮类成分，其中，根皮黄酮类成分的母核为异戊烯基取代黄烷酮；地上部分黄酮类的成分多为车轴草苷、异鼠李素 -3-*O*- 新橙皮糖苷、胡枝子素 E、三叶豆苷等。 |

| **功能主治** | 甘、微淡，平。健脾补虚，清热利湿，活血调经。用于虚劳，血虚头晕。 |

| **用法用量** | 内服煎汤，15 ～ 30 g。 |

豆科 Fabaceae 胡枝子属 *Lespedeza* 凭证标本号 320115150727008LY

细梗胡枝子

Lespedeza virgata (Thunb.) DC.

| **药 材 名** | 掐不齐（药用部位：全株）。

| **形态特征** | 小灌木，高 50 ~ 100 cm。小枝纤弱，有条纹，疏生柔毛。羽状复叶具 3 小叶；叶柄长 0.3 ~ 1.5 cm；顶生小叶椭圆形或卵状长椭圆形，长 10 ~ 25 mm，宽 5 ~ 10 mm，先端圆，有短尖，基部圆形，叶面光滑，叶背贴生柔毛；侧生小叶较小。总状花序，花疏生，通常 3，花序梗细长，长于叶，被伏柔毛；花梗极短；花萼钟状，萼齿 5，深裂达中部以下，裂片狭披针形，有白色柔毛；花冠白色或黄白色，旗瓣长约 6 mm，基部有紫斑，翼瓣较短，龙骨瓣长于或近等长于旗瓣。闭锁花簇生于叶腋，无梗，结实。荚果斜卵形，通常包藏于宿存萼内，近无毛，有网脉。花果期 7 ~ 10 月。

| **生境分布** | 生于海拔 800 m 以下的石山山坡、路旁或山坡丛林中。江苏各地均有分布。

| **资源情况** | 野生资源较丰富。

| **采收加工** | 夏季采收，洗净，切碎，晒干。

| **药材性状** | 本品根呈长圆柱形，具分枝，长 10 ~ 30 cm；表面淡黄棕色，具细纵皱纹，皮孔呈点状或横向延长疤状。茎呈圆柱形，较细，长约 50 cm，多分枝或丛生；表面灰黄色至灰褐色，木质。叶为三出复叶，小叶片狭卵形、倒卵形或椭圆形，长 1 ~ 2.5 cm，宽 0.5 ~ 1 cm，先端圆钝，稍具短尖，全缘，绿色或绿褐色，上面近无毛或被平伏短毛，背面毛较密集。有时可见腋生的总状花序，总花梗长 4 ~ 15 cm，花梗无关节，花萼杯状，长约 4.5 mm，被疏毛，花冠蝶形。荚果斜倒卵形。气微，味淡，具豆腥气。

| **功效物质** | 全株含有黄酮类、香豆素类、苯并呋喃类、三萜类、蒽醌类、脂肪烃类、甾体类等资源性成分，其中，黄酮类成分种类较丰富，如细梗胡枝子黄烷酮、小麦黄酮、桑黄素等；香豆素类成分如胡枝子香豆雌烷；苯并呋喃类成分如细梗胡枝子酚、细梗胡枝子醛；三萜类成分基本母核为熊果酸、羽扇豆醇、白桦脂酸、齐墩果酸、香树脂醇等。

| **功能主治** | 甘、微苦，平。清暑利尿，截疟。用于中暑，小便不利。

| **用法用量** | 内服煎汤，15 ~ 30 g。

豆科 Fabaceae　马鞍树属　*Maackia*　凭证标本号 320115151004005LY

光叶马鞍树
Maackia tenuifolia (Hemsl.) Hand.-Mazz.

| 药 材 名 |　铜身铁骨（药用部位：根）。

| 形态特征 |　灌木或小乔木，高 2 ~ 8 m。树皮灰色；芽密被褐色柔毛；小枝幼时绿色，有紫褐色斑点，被浅褐黄色绒毛，后变棕紫色，无毛或有疏毛。复叶长 12 ~ 16 cm；小叶 5，稀 7；顶生小叶片倒卵形、菱形或椭圆形，长达 10 cm，近邻两侧小叶片椭圆形或长椭圆形，长 4 ~ 10 cm，先端尖或钝，基部楔形，有时近圆形，两面近无毛，有光泽，略带革质，侧生小叶对生，几无柄，小叶片椭圆形，中脉两面隆起，网状脉明显。总状花序顶生，长达 10 cm；花梗细长；花萼筒状，长约 9 mm，萼齿短，被灰色短毛；花冠白色，长 18 ~ 20 mm；子房密生短柔毛。荚果线形，扁平，微呈镰状弯曲，

长 5 ~ 10 cm，密被长柔毛；种子肾形，淡红色。花期 4 ~ 5 月，果期 8 ~ 9 月。

| **生境分布** | 生于山坡溪边林内。分布于江苏南京、镇江（句容）等。

| **资源情况** | 野生资源一般。

| **采收加工** | 夏季采挖，洗净，切碎，晒干。

| **功效物质** | 根富含黄酮类、芪类、甾醇类等资源性成分，其中，黄酮类成分种类丰富，其成分为异黄烷类、双异黄烷类、双黄酮类等；芪类成分如马鞍树苯酮、云杉酚。茎富含生物碱类成分，如光叶马鞍树碱、金雀儿碱及其二聚体、表羽扇豆宁等。

| **功能主治** | 辛，温。温经回阳，活血通络。用于寒厥，跌打损伤。

| **用法用量** | 内服煎汤，9 ~ 12 g。外用适量，沸水浸擦。

豆科 Fabaceae 苜蓿属 Medicago 凭证标本号 320922180713021LY

南苜蓿
Medicago polymorpha L.

| **药 材 名** | 苜蓿（药用部位：全草）。

| **形态特征** | 一年生或二年生草本，植株高约 30 cm。茎匍匐或稍直立，有纵棱，基部多分枝，无毛或稍有毛。小叶片阔倒卵形或倒心形，长 1 ~ 1.5 cm，宽 0.7 ~ 1 cm，先端钝圆或微凹，有细锯齿，基部楔形，叶面无毛，叶背有疏柔毛，两侧小叶略小；托叶卵状长圆形，基部耳状，边缘具不整齐条裂，成丝状细条或深齿状缺刻。总状花序有花 2 ~ 10，总花梗纤细，挺直，通常比叶长；花萼钟状，萼齿披针形，与萼筒近等长，无毛或被疏毛；花冠黄色。荚果盘状，旋转 1.5 ~ 2.5 圈，直径约 0.6 cm，边缘有具钩的刺；种子长肾形，棕色，平滑。花果期 3 ~ 5 月。

生境分布	生于田野、路边、山边。分布于江苏南京、南通等。
资源情况	野生资源较丰富。
采收加工	夏、秋季采收，鲜用，或切段，晒干。

药材性状 本品缠绕成团。茎多分枝。三出复叶，多皱缩，完整小叶宽倒卵形，长 1 ~ 1.5 cm，宽 0.7 ~ 1 cm，两侧小叶较小；叶端钝圆或凹入，上部有锯齿，下部楔形；上面无毛，下面具疏柔毛，小叶柄长约 5 mm，有柔毛；托叶大，卵形，边缘具细锯齿。总状花序腋生；花 2 ~ 10，花萼钟状，萼齿披针形，尖锐，花冠皱缩，棕黄色，略伸出花萼外。荚果螺旋形，边缘具疏刺。种子 3 ~ 7，肾形，黄褐色。气微。

功效物质 富含三萜皂苷类、黄酮类、甾体皂苷类、香豆素类、生物碱类、核苷类、甾醇类及烷烃醇类等资源性成分，其中，三萜皂苷类成分含量及种类丰富，其苷元如常春藤皂苷元、刺囊酸、大豆皂醇等；黄酮类成分如芹菜苷元、异甘草苷元等及其苷类；甾体皂苷类成分如去半乳糖替告皂苷；香豆素类成分如香豆雌酚；生物碱类成分如橙黄胡椒酰胺乙酸酯等；核苷类成分如腺嘌呤、黄嘌呤等；甾醇类成分如胡萝卜苷、β-谷甾醇等。营养丰富，生物活性广泛。

功能主治 苦、涩、微甘，平。清热凉血，利湿退黄，通淋排石。用于热病烦满，黄疸，肠炎。

用法用量 内服煎汤，15 ~ 30 g；或捣汁，鲜品 90 ~ 150 g；或研末，3 ~ 9 g。

附　注 本种适于在肥沃的旱地或排水良好的地区生长。生长适宜温度为 12 ~ 17 ℃，在亚热带地区生长较好；耐寒性较强；对土壤适应性较广，在 pH 为 5.0 ~ 8.6 的土壤中均能生长正常。

豆科 Fabaceae 苜蓿属 Medicago 凭证标本号 320831180613132LY

天蓝苜蓿 *Medicago lupulina* L.

| 药 材 名 | 老蜗生（药用部位：全草）。

| 形态特征 | 一年生或多年生草本，高 20 ～ 60 cm。全体有疏柔毛或腺毛。茎匍匐或稍直立，多分枝。小叶片宽倒卵形至卵形，长 0.5 ～ 2 cm，宽 0.4 ～ 1.6 cm，先端钝圆，微缺，基部宽楔形，上半部有锯齿；托叶斜卵状披针形，长 0.5 ～ 1.2 cm，宽 0.2 ～ 0.7 cm，先端渐尖，边缘近基部有疏齿。总状花序缩短成头状，具花 10 ～ 25，总花梗比叶长，密被毛；花长约 2 mm；花萼筒状，密被毛，萼齿线状披针形；花冠黄色，花瓣稍长于花萼。荚果肾形，表面具弧状脉纹，被疏毛，无刺，成熟时黑色，具种子 1；种子卵形，平滑。花果期 4 ～ 7 月。

| 生境分布 | 生于旷野、河岸、路旁。江苏各地均有分布。

| **资源情况** | 野生资源较丰富。

| **采收加工** | 夏季采收，鲜用，或切碎，晒干。

| **药材性状** | 本品长 20 ～ 60 cm，被疏毛。三出复叶互生，具长柄；完整小叶宽倒卵形或菱形，长 0.5 ～ 2 cm，宽 0.4 ～ 1.6 cm，叶端钝圆，微凹，叶基宽楔形，边缘上部具锯齿，两面均具白色柔毛，小叶柄短；托叶斜卵形，有柔毛。10 ～ 15 花密集成头状花序；花萼钟状，花冠蝶形，黄棕色。荚果先端内曲稍呈肾形，黑色，具网纹，有疏柔毛。种子1，黄褐色。气微。

| **功效物质** | 全草富含三萜皂苷类、黄酮类等成分。根和花中三萜皂苷类成分基本母核为大豆皂醇、苜蓿酸、常春藤皂苷元；花中黄酮类成分基本母核为落叶松素、山柰酚、杨梅素等；地上部分三萜皂苷类成分如天蓝苜蓿苷 A、天蓝苜蓿苷 B、天蓝苜蓿苷 C 等。

| **功能主治** | 甘、苦、微涩，凉；有小毒。清热利湿，舒筋活络，止咳平喘，凉血解毒。用于湿热黄疸，热淋，石淋。

| **用法用量** | 内服煎汤，9 ～ 30 g。外用适量，捣敷。

| **附　注** | 本种耐潮湿，耐热，耐旱，抗寒性强，但不耐水淹。微碱地亦可生长。

豆科 Fabaceae 苜蓿属 Medicago 凭证标本号 321324170712160LY

紫苜蓿 *Medicago sativa* L.

| 药 材 名 | 苜蓿（药用部位：全草）。

| 形态特征 | 多年生草本，植株高 30 ~ 100 cm。主根长，多分枝。茎通常直立，四棱形，丛生以至平卧，近无毛。羽状复叶有 3 小叶；小叶片倒卵形或倒披针形，长 1 ~ 2 cm，宽约 0.5 cm，先端圆，中脉稍凸出，上半部具锯齿，基部狭楔形；托叶卵状披针形，全缘或 1 ~ 2 齿裂，脉纹明显。总状或头状花序腋生，长 1 ~ 2.5 cm，具花 8 ~ 25；花萼钟状，萼齿线状锥形，比萼筒长，被贴伏柔毛；花冠淡黄色、深蓝色至暗紫色，花瓣均具长瓣柄；子房线形，被毛。荚果螺旋状紧卷 2 ~ 4 圈，中央近无孔，直径 5 ~ 9 mm，无刺，先端有尖喙，具种子 10 ~ 20；种子卵圆形，黄褐色。花果期 5 ~ 8 月。

| 生境分布 | 江苏各地均有栽培。分布于江苏北部等。

| 资源情况 | 野生资源一般。

| 采收加工 | 夏、秋季采收，鲜用或晒干。

| 药材性状 | 本品茎长 30 ~ 100 cm，有蔓生茎，多分枝，光滑。三出复叶，多皱缩卷曲，完整小叶倒卵形或倒披针形，长 1 ~ 2 cm，宽约 0.5 cm，仅上部叶缘有锯齿，两面均有白色长柔毛；小叶柄长约 1 mm；托叶披针形，长约 5 mm。总状花序腋生；花萼有柔毛，萼齿狭披针形，急尖；花冠暗紫色，长于花萼。荚果螺旋形，黑褐色，稍有毛。种子 1 ~ 20，肾形，小，黄褐色。气微，味淡。

| 功效物质 | 全草含有挥发油类成分，以醇、酮、醛、酯类成分为主。地上部分富含黄酮类成分，如紫苜蓿烷、草木犀紫檀烷、小麦黄素等及其苷类，还含有香豆雌酚、东莨菪内酯、七叶树内酯等香豆素类成分，大豆皂醇、赤豆皂苷等三萜皂苷类成分，以及果胶酸。果实含有香豆素类、三萜类、甾醇类等成分。种子含有常春藤皂苷元、栗豆树苷元、大豆皂苷等三萜类成分，以及高水苏碱、水苏碱等生物碱类成分。

| 功能主治 | 苦、涩、微甘，平。清热凉血，利湿退黄，通淋排石。用于热病烦满，黄疸，肠炎。

| 用法用量 | 内服煎汤，15 ~ 30 g；或捣汁，鲜品 90 ~ 150 g；或研末，3 ~ 9 g。

| 附　注 | 本种喜温暖、半湿润至半干旱的气候，多分布于长江以北地区，适应性广。耐干旱；抗寒性较强。

豆科 Fabaceae 苜蓿属 Medicago 凭证标本号 321322180721140LY

小苜蓿 *Medicago minima* (L.) Grufb.

| **药 材 名** | 小苜蓿（药用部位：根）。

| **形态特征** | 一年生草本，高 5 ～ 30 cm，全体被伸展柔毛，偶杂有腺毛。主根粗壮，深入土中。茎铺散，平卧并上升，基部多分枝。羽状三出复叶；托叶卵形，先端锐尖，基部圆形，全缘或具不明显浅齿；叶柄细柔，长 5 ～ 10（～ 20）mm；小叶倒卵形，几等大，长 5 ～ 8（～ 12）mm，宽 3 ～ 7 mm，纸质，先端圆或凹缺，具细尖，基部楔形，边缘 1/3 以上具锯齿，两面均被毛。花序头状，具花 3 ～ 6（～ 8），疏松；总花梗细，挺直，腋生，通常比叶长，有时甚短；苞片细小，刺毛状；花长 3 ～ 4 mm；花梗甚短或无；花萼钟形，密被柔毛，萼齿披针形，不等长，与萼筒等长或稍长；花冠淡黄色，旗瓣阔卵形，显著比翼瓣和龙骨瓣长。荚果球形，旋转 3 ～ 5 圈，

直径 2.5 ～ 4.5 mm，边缝具 3 棱，被长棘刺，通常长等于半径，水平伸展，尖端钩状；种子每圈有 1 ～ 2，长肾形，长 1.5 ～ 2 mm，棕色，平滑。花期 3 ～ 4 月，果期 4 ～ 5 月。

| **生境分布** | 生于荒坡、草地或路旁。江苏各地均有分布。

| **资源情况** | 野生资源丰富。

| **采收加工** | 现蕾末期至初花期（1/10 的苜蓿开花时）采收，晾晒至草中含水量降至 18% 以下时，机械打捆。

| **功效物质** | 粗蛋白质含量高，消化率可达 70% ～ 80%。氨基酸种类齐全、含量丰富，其中赖氨酸的含量是玉米籽实的 5 ～ 7 倍，色氨酸和甲硫氨酸的含量也显著高于玉米。此外，尚含多种维生素、微量元素及未知促生长因子。

| **功能主治** | 清热利湿，止咳。

| **附　　注** | 本种性喜温暖、半湿润气候，抗旱，不耐水渍，抗寒性强，对土壤要求不严。

豆科 Fabaceae 草木樨属 *Melilotus* 凭证标本号 320803180722183LY

白花草木樨 *Melilotus alba* Medic. ex Desr.

| 药 材 名 |

白花辟汗草（药用部位：全草）。

| 形态特征 |

二年生草本，高 1 ~ 2 m，有香气。茎直立，多分枝，近无毛。羽状 3 小叶；小叶片椭圆形或披针状椭圆形，长 2 ~ 3.5 cm，宽 0.5 ~ 1.2 cm，先端圆形，基部楔形，顶生小叶较大，小叶柄较长，侧生小叶较小，小叶柄亦较短，边缘有细齿；托叶锥形，长 6 ~ 10 mm，全缘。总状花序，长 8 ~ 20 cm，具花 40 ~ 100，排列疏松；花长约 5 mm；花萼钟状，被微柔毛，萼齿三角形，短于萼管；花冠白色，较花萼长，旗瓣比翼瓣稍长，与龙骨瓣等长。荚果卵球形，灰棕色，有凸起网脉，无毛；种子 1 ~ 2，黄褐色，卵形。花果期 5 ~ 8 月。

| 生境分布 |

生于田边、路旁荒地及湿润的沙地。分布于江苏北部。

| 资源情况 |

野生资源一般。

| 采收加工 | 5～8 月采收，阴干。

| 功效物质 | 根含有草木犀苷、大豆皂醇等三萜类成分。叶含有黄酮类、酚酸类及挥发油类成分，其中，黄酮类成分结构母核为美迪紫檀素、紫檀烷、5′- 异戊烯基黄烷酮等；挥发油类成分主要为苄醇。花除了含有黄酮类成分外，也含三萜皂苷类成分，以及甘氨酸、丝氨酸、丙氨酸、缬氨酸、亮氨酸、异亮氨酸等氨基酸类成分。

| 功能主治 | 苦、辛，凉。清热解毒，和胃化湿。用于暑热胸闷。

| 用法用量 | 内服煎汤，9～15 g。外用适量，捣敷；或煎汤洗。

豆科 Fabaceae 草木樨属 Melilotus 凭证标本号 320703160905581LY

印度草木樨 *Melilotus indicus* (L.) All.

| 药 材 名 | 印度草木樨（药用部位：全草）。

| 形态特征 | 一年生草本，高 10 ~ 50 cm。茎直立，常作"之"字形弯曲，自基部多分枝，初被细柔毛，后脱落而无毛。羽状复叶有 3 小叶；小叶片倒披针状长圆形至倒宽卵形，长 1 ~ 3 cm，宽约 1 cm，先端截形或微凹，中脉凸出，中部以上有疏锯齿；托叶披针形，边缘膜质，基部具 2 ~ 3 齿，并扩大成耳状。总状花序长 1.5 ~ 4 cm，总花序梗被毛，具花 15 ~ 25；花小，长约 2.5 mm；花萼杯状，具 5 明显隆起的脉纹，萼齿三角状披针形，与萼筒等长或稍长；花冠黄色，旗瓣宽卵形，先端微凹，与翼瓣、龙骨瓣近等长。荚果圆形，直径 2 ~ 3 mm，表面网脉凸出，多脉纹；种子 1。花果期 3 ~ 6 月。

生境分布	生于旷地、路旁及盐碱土中。分布于江苏扬州（宝应、仪征）、镇江（丹阳）。
资源情况	野生资源一般。
采收加工	花期采收，阴干。
药材性状	本品茎直立，多分枝，外表有纵棱，绿色或黄绿色。三出复叶，互生，有柄，小叶片多皱缩，展平后长椭圆形或倒披针形，长 1 ~ 3 cm，宽 0.5 ~ 1 cm，先端钝圆或近平截，有纤柔小齿，基部楔形，边缘有细齿；托叶线形，长约 5 mm。总状花序纤细，腋生或顶生，花多数，小形，长约 2.5 mm；花萼钟形，花冠蝶形，黄色，二体雄蕊。质轻脆或稍韧，气芳香。
功效物质	全草含黄酮类、香豆素类等资源性成分。茎和种子含有牡荆素、异牡荆素、荭草素、紫檀素等黄酮类成分，此外，种子还含有香豆雌酚等香豆素类成分。叶同样含有香豆素类成分，具有改善外伤及术后肢体水肿的作用。
功能主治	辛、甘、微苦，凉；有小毒。清暑化湿，健胃和中。用于暑热胸闷，头胀头痛。
用法用量	内服煎汤，9 ~ 15 g；或浸酒。外用适量，捣敷；或煎汤洗；或烧烟熏。

豆科 Fabaceae 草木樨属 *Melilotus* 凭证标本号 320924160825084LY

草木樨
Melilotus officinalis (L.) Pall.

| 药 材 名 |

草木樨（药用部位：全草）。

| 形态特征 |

一年生或二年生草本，高达 3 m。茎直立，粗壮，多分枝，具棱，被微柔毛。羽状 3 小叶，互生；小叶片椭圆形至倒窄披针形，长 1.5 ~ 2.5 cm，宽 0.3 ~ 0.6 cm，先端圆，有短尖头，边缘有锯齿；托叶镰状线形，中央有 1 脉纹，全缘或有 1 齿。总状花序腋生，长 6 ~ 15 cm，具花 30 ~ 70；花较大，长 3.5 ~ 7 mm；花萼钟状，具 5 明显脉纹，萼齿三角状披针形；花冠黄色，旗瓣和翼瓣近等长；雄蕊筒在花后常宿存于果外。荚果卵圆形，长 3 ~ 5 mm，稍有柔毛，网脉明显；种子 1 ~ 2，卵形，黄褐色，平滑。花期 5 ~ 9 月，果期 6 ~ 10 月。

| 生境分布 |

生于山坡、河岸、路旁、砂质草地及林缘。分布于江苏扬州（宝应、仪征）、镇江（句容）等。

| 资源情况 |

野生及栽培资源较少。

| 采收加工 | 夏、秋季采收，洗净，切碎，晒干。

| 功效物质 | 全草含有三萜类、黄酮类、酚酸类、香豆素类、挥发油类等资源性成分，根中所含三萜类成分丰富，如草木犀皂苷、草木犀苷、白桦脂酸、齐墩果酸等，叶和花中所含三萜类成分与根中略有区别；黄酮类成分如刺槐苷、牡荆素、金丝桃苷等；酚酸类成分如草木犀酸、龙胆酸、香荚兰酸等；香豆素类成分如治疝草素、伞形酮、东莨菪内酯等；挥发油类成分如姜黄烯、没药烯等。

| 功能主治 | 苦，凉。清暑化湿，健胃和中。用于暑热胸闷，头胀头痛。

| 用法用量 | 内服煮散剂，3 ~ 5 g；或入丸剂。

| 附　注 | 本种宜种于半干燥或湿润地区，对土壤要求不严，抗碱性及抗旱性均较强。

豆科 Fabaceae 含羞草属 Mimosa 凭证标本号 320482180909612LY

含羞草 *Mimosa pudica* L.

| 药 材 名 | 含羞草（药用部位：全草）、含羞草根（药用部位：根）。

| 形态特征 | 多年生草本，高约40 cm，植株分枝多，遍体散生倒刺毛和锐刺。二回羽状复叶；羽片2 ~ 4，掌状排列于总叶柄先端，长3 ~ 8 cm；小叶14 ~ 48；小叶片线状长圆形，长0.6 ~ 1.1 cm，宽1.5 ~ 2 mm，两侧稍不对称，边缘及叶脉有刺毛。头状花序圆球形，具长花序梗，单生或2 ~ 3生于叶腋；花4基数；花萼钟状，有8微小萼齿；花瓣4，淡红色；雄蕊4，花丝长，丝状，伸出花冠外；花瓣和花丝均基部合生；子房无毛，花柱丝状。荚果扁平，长1.2 ~ 2 cm，宽约0.4 cm，边缘有刺毛，有3或4荚节，每荚节有1种子，成熟时节间脱落，荚缘宿存，有长刺毛；种子卵圆形，长3.5 mm。花期4 ~ 10月，果期6 ~ 11月。

| 生境分布 | 生于旷野荒地、灌木丛中。分布于江苏南京等。

| 资源情况 | 栽培资源丰富。

| 采收加工 | **含羞草**：夏季采收，除去泥沙，洗净，鲜用或扎把晒干。
含羞草根：夏、秋季采挖，洗净，晒干。

| 功效物质 | 根含有三萜类、甾体类成分，三萜类成分如白桦脂酸，甾体类成分的基本母核为胆甾烯；此外，尚含有生物碱类、内酯类和黄酮类成分。茎皮含有荭草素、异荭草素及其苷类成分。叶除含有种类丰富的黄酮类成分外，还含有含羞草碱等生物碱类成分。种子所含强心苷类成分的基本母核为毒毛花苷元。

| 功能主治 | **含羞草**：甘、涩、微苦，微寒；有小毒。凉血解毒，清热利湿，镇静安神。用于感冒，小儿发热。
含羞草根：微苦、涩，温；有毒。止咳化痰，利湿通络，和胃消积，明目镇静。用于慢性支气管炎，风湿疼痛。

| 用法用量 | **含羞草**：内服煎汤，15 ～ 30 g，鲜品 30 ～ 60 g；或炖肉。外用适量，捣敷。
含羞草根：内服煎汤，9 ～ 15 g，鲜品 30 ～ 60 g；或浸酒。外用适量，捣敷。

| 附　　注 | （1）本种药材有麻醉作用，内服不宜过量；孕妇忌服；具有毒性，不可单独服用，需配合其他药物一并使用。
（2）本种喜温暖湿润、阳光充足的环境，适生于排水良好、富含有机质的砂壤土，株体健壮，生长迅速，适应性较强。

豆科 Fabaceae 菜豆属 *Phaseolus* 凭证标本号 321284190703002LY

菜豆
Phaseolus vulgaris L.

| 药 材 名 | 菜豆（药用部位：种子）。

| 形态特征 | 一年生缠绕藤本。茎有短柔毛。羽状复叶具 3 小叶；顶生小叶片宽卵形或菱状圆形，长 4 ～ 16 cm，宽 3 ～ 11 cm，先端急尖，基部圆形或阔楔形，两面沿叶脉有疏柔毛；侧生小叶偏斜。总状花序较短；花生于花序梗的先端；小苞片卵形，有数条隆起的脉，与花萼等长或稍长，宿存；花萼钟形，萼齿 5，有疏短毛；花冠白色或黄色，后变为淡紫色，旗瓣近方形，长约 1 cm，翼瓣倒卵形，龙骨瓣长约 1 cm，先端旋卷。荚果线形，略肿胀，长 10 ～ 15 cm，宽约 1 cm，无毛；种子球形或长圆形，白色、褐色、蓝黑色或绛红色，光亮，有花斑，长约 1.5 cm。花果期 6 ～ 9 月。

| 生境分布 | 江苏各地均有栽培。

| 资源情况 | 栽培资源丰富。

| 采收加工 | 夏、秋季采摘荚果，鲜用。

| 功效物质 | 含有多糖类、氨基酸类、核苷酸类、维生素类等丰富的营养物质。此外，种子含有菜豆素、菜豆定、菜豆异黄烷等黄酮类成分，大豆皂苷、菜豆苷等三萜类成分，菜豆酚酸、乙醇酸等有机酸类成分，以及菜豆白细胞凝集素、尿毒酶和多种球蛋白等活性蛋白。其中，白细胞凝集素有终止妊娠作用；菜豆皂苷类成分具有抑菌作用，以及黏膜刺激和溶血活性。

| 功能主治 | 甘、淡，平。滋养解热，利尿消肿。用于暑热烦渴，水肿，脚气。

| 用法用量 | 内服煎汤，60 ~ 120 g。

| 附　　注 | （1）消化功能不良、有慢性消化道疾病的人应尽量少食本种。
（2）本种喜温暖，不耐霜冻，生长适温为 15 ~ 25 ℃；喜光，对光照强度要求较高。

豆科 Fabaceae 豌豆属 Pisum 凭证标本号 320681160423008LY

豌豆
Pisum sativum L.

| 药 材 名 | 豌豆（药用部位：种子）。

| 形态特征 | 一年生缠绕草本，高 90 ~ 180 cm。全体无毛，被白色粉霜。羽状复叶互生，小叶 4 ~ 6；小叶片长圆形至卵圆形，长 3 ~ 5 cm，宽 1 ~ 2 cm，全缘；托叶叶状，比小叶大，卵形，基部耳状包围叶柄。花单生，或 2 ~ 3 排列成腋生总状花序，花序轴先端有时具刺尖；花萼钟状，萼齿 5 深裂，裂片披针形；花冠白色或紫红色；子房无毛，肿胀；花柱扁，内侧有须毛。荚果下垂，长椭圆形，长 5 ~ 10 cm，光滑，内有坚纸质内皮；种子圆形，2 ~ 10，青绿色，干后变为淡黄色。花果期 4 ~ 5 月。

| 生境分布 | 江苏各地均有栽培。

| 资源情况 | 栽培资源丰富。

| 采收加工 | 夏、秋季采收成熟果实，晒干，打出种子。

| 药材性状 | 本品呈球形，直径约 5 mm。表面青绿色至黄绿色、淡黄白色，有皱纹，可见点状种脐。种皮薄而韧，有 2 黄白色肥厚的子叶。气微，味淡。

| 功效物质 | 种子除含有丰富的糖类、脂肪类、氨基酸类、维生素类、蛋白质类等营养性成分外，尚含有胺类、植物凝集素类等成分，其中，糖类除了常见的葡萄糖、果糖、蔗糖等单（寡）糖外，尚含有毛蕊花糖、羽扇豆糖；蛋白质类成分如抗真菌活性蛋白、豆球蛋白、豌豆球蛋白等；胺类成分如氨丙基刀豆四胺、刀豆胺、热精胺、氨丙基高精脒等。

| 功能主治 | 甘，平。归脾、胃经。和中下气，利小便，解疮毒。用于霍乱转筋，脚气，痈肿。

| 用法用量 | 内服煎汤，60 ～ 125 g；或煮食。外用适量，煎汤洗；或研末调涂。

| 附　　注 | 本种为半耐寒性作物，喜温暖湿润的气候，不耐燥热；亦为长日照作物，喜温，抗旱性差。对土壤的适应性较广，对土质要求不高，以保水力强、通气性好并富含腐殖质的砂壤土和壤土最适宜。

豆科 Fabaceae 长柄山蚂蝗属 *Podocarpium* 凭证标本号 321183151104969LY

羽叶长柄山蚂蝗
Podocarpium oldhamii (Oliv.) Yang et Huang

| **药 材 名** | 羽叶山蚂蝗（药用部位：全草）。

| **形态特征** | 多年生草本。茎直立，高 0.6 ~ 1.2 m。根茎木质，较粗壮。羽状复叶，长 12 ~ 20 cm；叶柄长 4 ~ 8 cm；小叶 5 ~ 7，小叶片披针形或椭圆状披针形，长 4 ~ 10 cm，先端渐尖，基部楔形，两面疏生短柔毛，全缘。总状花序顶生，疏松，长达 40 cm；花序轴密生黄色短柔毛；花单生或 2 ~ 3 丛生；花梗细弱；苞片线形；花萼钟状，有较少柔毛，萼齿三角形；花冠紫红色，长约 7 mm，旗瓣宽椭圆形，翼瓣、龙骨瓣窄椭圆形，均具爪；子房有柄。荚果扁平，长 2 ~ 3 cm，自背缝线深凹入至腹缝线，有 2 荚节，荚节斜三角形，长 1 ~ 1.5 cm，宽约 5 mm；果柄长 8 ~ 11 mm。花期 8 ~ 9 月，果期 9 ~ 10 月。

| **生境分布** | 生于山谷、沟边、林中或林缘。分布于江苏南京、常州（溧阳）等。 |

| **资源情况** | 野生资源较丰富。 |

| **采收加工** | 春季采收，切段，晒干。 |

| **药材性状** | 本品小枝呈圆柱形，直径约 3 mm，微具棱角，光滑。小叶 5 ~ 7，披针形或矩形，先端渐尖，基部楔形，全缘，长 4 ~ 10 cm，宽 1.3 ~ 4 cm，表面枯绿色；叶柄长 6 cm。有时可见荚果，长约 3 cm，背缝线裂至腹缝线，荚节 2，半菱形。气微。 |

| **功效物质** | 地上部分含有缅茄苷、紫云英苷、染料木苷、芦丁等黄酮类成分。 |

| **功能主治** | 微苦、辛，凉。疏风清热，解毒。用于温病发热，风湿骨痛，咳嗽，咯血，疮毒痈肿。 |

| **用法用量** | 内服煎汤，9 ~ 15 g。外用适量，鲜品捣敷。 |

豆科 Fabaceae 长柄山蚂蝗属 Podocarpium 凭证标本号 320115151004013LY

长柄山蚂蝗
Podocarpium podocarpum (DC.) Yang et Huang

| 药 材 名 | 菱叶山蚂蝗（药用部位：根、叶）。

| 形态特征 | 直立草本，植株高 0.5 ~ 1 m。茎有棱，被开展短柔毛。羽状小叶 3；顶生小叶片宽倒卵形，长 4 ~ 7 cm，宽 3.6 ~ 6 cm，最宽处在叶片的中上部，先端突尖，基部宽楔形，两面有疏短柔毛或几无毛，侧生小叶较小，斜卵形；上部叶柄长约 2 cm，下部叶柄长可达 13 cm。总状花序腋生或圆锥花序顶生，长 20 ~ 30 cm，果时延长至 40 cm，花序梗被柔软的钩状毛；花梗长 2 ~ 2.5 mm，果时增长至 5 mm；花长约 4 mm；花萼钟状，长 2 mm，有疏柔毛，萼齿短；单体雄蕊；子房具柄，无毛。荚果扁平，长约 1.6 cm，通常 2 节，很少 1 ~ 3 节，背缝线弯曲，节间深凹至腹缝线，荚节略呈半倒卵形，被钩状毛和小直毛，长约 6 mm，宽约 3.5 mm；果柄长约 5 mm。花期 7 ~ 9 月，

果期 8 ～ 10 月。

| 生境分布 | 生于海拔 120 ～ 2 100 m 的山坡路旁、草坡、次生阔叶林下或高山草甸处。分布于江苏南京、无锡（宜兴）、苏州（昆山）等。

| 资源情况 | 野生资源较丰富。

| 采收加工 | 夏、秋季采收，鲜用，或切段，晒干。

| 药材性状 | 本品小叶多脱落，皱缩，完整的叶为三出复叶，先端小叶大，圆状菱形，先端急尖或钝，基部阔楔形，全缘，长 4 ～ 7 cm，宽 3.5 ～ 6 cm，表面枯绿色，几无毛。两侧小叶较小，斜卵形。质脆，易碎。气微。

| 功效物质 | 含有黄酮类、苯丙素类、木脂素类、三萜类、甾醇类等资源性成分，黄酮类成分如长柄山蚂蝗酮、紫云英苷、红车轴草素等；苯丙素类成分如长柄山蚂蝗苷；木脂素类成分如五味子素、去氢二松柏醇等；三萜类成分如无羁萜、齐墩果酸等。

| 功能主治 | 苦，温。散寒解表，止咳，止血。用于风寒感冒，咳嗽，刀伤出血。

| 用法用量 | 内服煎汤，9 ～ 15 g。外用适量，捣敷。

豆科 Fabaceae 葛属 Pueraria 凭证标本号 320506150821066LY

葛
Pueraria lobata (Willd.) Ohwi

| 药 材 名 |

葛根（药用部位：根）。

| 形态特征 |

粗壮藤本，长达 10 m。全体被黄褐色长硬毛。块根肥厚。羽状复叶具 3 小叶；顶生小叶片菱状卵形，长 5.5 ~ 19 cm，宽 4.5 ~ 18 cm，先端渐尖，边缘 3 浅裂，稀全缘，两面被毛，叶背有粉霜；侧生小叶偏斜，边缘深裂；托叶卵状长圆形。总状花序，长 15 ~ 30 cm，中上部有密集的花；苞片线状披针形，小苞片卵形，早落；花 2 ~ 3 簇生于节上；花萼钟形，长约 1 cm，萼齿披针形，比萼筒稍长，上面 2 齿合生，下面 1 齿较长，内、外面均有黄褐色柔毛；花冠紫红色，长约 1.5 cm，翼瓣的耳线形、向下，龙骨瓣较翼瓣宽，基部具急尖的耳。荚果长椭圆形，长 5 ~ 10 cm，宽 0.8 ~ 1 cm，扁平，密生黄褐色长硬毛。花期 8 ~ 9 月，果期 9 ~ 10 月。

| 生境分布 |

生于海拔 1 700 m 以下的较温暖潮湿的坡地、沟谷、向阳矮小灌丛中。分布于江苏南京、无锡（宜兴）、苏州（昆山）。

| **资源情况** | 野生资源丰富。

| **采收加工** | 秋、冬季采挖，除去杂质，洗净，润透，切厚片，晒干。

| **药材性状** | 本品多呈圆柱形。商品常为斜切、纵切、横切的片块，大小不等。表面褐色，具纵皱纹，可见横向皮孔和不规则的须根痕。质坚实，断面粗糙，黄白色，隐约可见 1 ～ 3 层同心环层，纤维性强，略具粉性。气微，味微甜。

| **功效物质** | 根富含大豆苷元、大豆苷、葛根素、葛根苷等黄酮类成分，以葛根皂醇 A、葛根皂醇 C 和葛根皂醇 B 甲酯为苷元的三萜皂苷类成分，以及二十二烷酸、二十四烷酸、1-二十四烷酸甘油酯等脂肪酸及其酯类成分。

| **功能主治** | 甘、辛，平。归脾、胃经。解肌退热，生津止渴，透疹，升阳止泻，通经活络，解酒毒。用于外感发热头痛，项背强痛，消渴，麻疹不透，热痢，泄泻，眩晕头痛，中风偏瘫，胸痹心痛，酒毒伤中。

| **用法用量** | 内服煎汤，10 ～ 15 g；或捣汁。外用适量，捣敷。

| **附　　注** | 本种野生者对气候要求不严，适应性较强，以土层深厚、疏松、富含腐殖质的砂壤土为佳。

豆科 Fabaceae 鹿藿属 Rhynchosia 凭证标本号 320124151017009LY

渐尖叶鹿藿

Rhynchosia acuminatifolia Makino

| **药 材 名** | 黑药豆（药用部位：种子）。 |

| **形态特征** | 多年生缠绕藤本。茎纤细，被疏柔毛。羽状复叶具3小叶；顶生小叶片卵形或宽椭圆形，长4～10 cm，宽2～5.5 cm，先端渐尖或长渐尖，基部圆形，两面均被疏柔毛，叶背具树脂状腺点；侧生小叶较小，斜卵形。总状花序腋生，与叶近等长，长1～3 cm，具多而密的花；花萼钟状，被微柔毛，裂片三角形，短于萼筒；花冠黄色，长8～10 mm，凸出于花萼外，花瓣近等长，旗瓣近圆形，翼瓣窄椭圆形，龙骨瓣先端具长喙；子房线形，具短柄，胚珠2，疏被毛。荚果长圆形，扁平，红褐色，近无毛，种子间略缢缩；种子2，肾状圆形，黑色，有光泽。花期7～9月，果期8～10月。 |

| 生境分布 | 生于路边林下草丛中。分布于江苏南京、无锡（宜兴）等。

| 资源情况 | 野生资源较丰富。

| 采收加工 | 秋季采收，除去杂质，晒干。

| 功效物质 | 含有糖类、蛋白质类、脂肪类、氨基酸类等营养性成分。

| 功能主治 | 甘，平。明目。用于目暗不明。

| 用法用量 | 内服煎汤，5 ~ 10 g；或嚼服，每日 2 粒。

豆科 Fabaceae 鹿藿属 Rhynchosia 凭证标本号 320115170714046LY

鹿藿
Rhynchosia volubilis Lour.

| 药 材 名 | 鹿藿（药用部位：茎叶）。

| 形态特征 | 缠绕草质藤本。茎疏被黄色或灰色柔毛。羽状或近掌状复叶，具3
小叶；顶生小叶片倒卵状菱形或菱形，长2.5～6 cm，宽2～5.5 cm，
先端钝，基部圆或宽楔形，两面密生灰白色长柔毛，叶背有红褐色
腺点；侧生小叶偏斜而较小。总状花序长1.5～4 cm，常1，稀2～3
簇生于叶腋；花萼钟状，5裂，裂片披针形，短于萼筒，最下的萼
裂片比萼管长，外面有毛及腺点；花冠黄色；子房有毛和腺点，胚
珠2。荚果长椭圆形，红褐色，长约1.5 cm，宽约8 mm，扁平，先
端有小喙，被毛，种子间略缢缩；种子通常2，椭圆形，黑色，光亮。
花期7～10月，果期8～11月。

| 生境分布 | 生于海拔 400 ~ 1 200 m 的山坡杂草中或攀附于树上。江苏各地均有分布。

| 资源情况 | 野生资源较丰富。

| 采收加工 | 5 ~ 6 月采收，鲜用或晒干，贮于干燥处。

| 功效物质 | 根主要含有黄酮类成分，如小麦黄素、木豆酮、鹰嘴豆芽素等，此外，还含有谷甾醇、豆甾醇等甾体类成分，以及没食子酸等酚酸类成分。种子除含有糖类、蛋白质类、脂肪类等营养性成分外，主要含有没食子酸类成分，如没食子酸、没食子酸甲酯等。

| 功能主治 | 苦、酸，平。祛风除湿，活血解毒。用于风湿痹痛，头痛，牙痛。

| 用法用量 | 内服煎汤，9 ~ 30 g。外用适量，捣敷。

豆科 Fabaceae 刺槐属 Robinia 凭证标本号 320584200505004LY

刺槐

Robinia pseudoacacia L.

药材名

刺槐花（药用部位：花）、刺槐根（药用部位：根）。

形态特征

落叶乔木，高 10 ～ 25 m。树皮褐色，有纵裂纹。羽状复叶长 10 ～ 25 cm，互生；小叶 7 ～ 25，常对生；叶轴上方具沟槽；具托叶刺；小叶片椭圆形或卵形，长 2 ～ 5.5 cm，宽 1 ～ 2 cm，先端圆或微凹，有小尖头，基部圆形。总状花序腋生，长 10 ～ 20 cm，下垂，花多数；花序轴和花梗被细柔毛；花萼斜钟状，萼齿三角形或卵状三角形，被密柔毛；花冠白色，芳香，旗瓣近圆形，反折，翼瓣斜倒卵形，龙骨瓣镰状三角形；子房线形，无毛。荚果线状长圆形，具短果颈，扁平，无毛，花萼宿存，有 2 ～ 15 种子；种子近肾形，种脐圆形，偏于一侧。花期 4 ～ 6 月，果期 8 ～ 9 月。

生境分布

江苏各地均有栽培。

资源情况

栽培资源丰富。

| 采收加工 | **刺槐花**：4～6月花盛开时采收花序，摘下花，晾干。
刺槐根：秋季采挖，洗净，切片，晒干。

| 药材性状 | **刺槐花**：本品略呈飞鸟状，未开放者呈钩镰状，长1.3～1.6 cm。下部为钟状花萼，棕色，被亮白色短柔毛，先端5齿裂，基部有花梗，其近上端有1关节，节上略粗，节下狭细。上部为花冠，花瓣5，皱缩，有时残破或脱落，其中旗瓣1，宽大，常反折，翼瓣2，两侧生，较狭，龙骨瓣2，上部合生，近镰状，雄蕊10，9花丝合生，1花丝下部参与联合，子房线形，棕色，花柱弯生，先端有短柔毛。质软，体轻。气微，味微甘。

| 功效物质 | 全株主要含有刺槐素、尖叶军刀豆酚等黄酮类成分，此外还含有刺槐林素等单萜类成分。花含有刺槐苷、山柰酚苷等黄酮苷类，大豆皂苷、大豆皂醇等三萜皂苷类，以及甾醇类、有机酸类、挥发油类等资源性成分。叶含有刺槐定、桑酮、柳穿鱼苷等黄酮类成分，以及香豆素、东莨菪内酯等香豆素类成分。木材中黄酮类成分主要为刺槐亭醇、刺槐因、漆黄素等。根中黄酮类成分主要为鹰嘴豆芽素、美迪紫檀素异甘草苷元等，此外根还含有羽扇豆烯酮、羽扇豆烯醇等三萜类成分。

| 功能主治 | **刺槐花**：甘，平。止血。用于大肠下血，咯血，吐血。
刺槐根：苦，微寒。凉血止血，舒筋活络。用于吐血，咯血，崩漏。

| 用法用量 | **刺槐花**：内服煎汤，9～15 g；或代茶饮。
刺槐根：内服煎汤，9～30 g。

| 附　注 | 本种在年平均气温8～14℃、年降水量500～900 mm的地方生长良好。抗风性差。对水分条件很敏感，有一定的抗旱能力。喜土层深厚、肥沃、疏松、湿润的壤土、砂壤土、砂土或黏壤土。喜光，不耐庇荫。

豆科 Fabaceae 田菁属 Sesbania 凭证标本号 320703141016004LY

田菁

Sesbania cannabina (Retz.) Poir.

| 药 材 名 | 向天蜈蚣（药用部位：叶）、向天蜈蚣根（药用部位：根）。

| 形态特征 | 一年生亚灌木状草本，高 1 ～ 3 m。茎绿色，微被白粉，折断后有白色黏液，茎髓白色，充实。羽状复叶互生，小叶 20 ～ 30 对；小叶片线状短圆形或长椭圆形，两端者较小，长 12 ～ 14 mm，宽 2.5 ～ 3 mm，先端钝至平截，有细尖，基部圆形，两侧不对称，两面密生褐色小腺点，幼时有毛，老时仅背面多少有毛。总状花序长 3 ～ 10 cm，花 2 ～ 6 疏生；花序梗、花梗纤细，下垂；花萼斜钟形，萼齿三角形，齿间常有附属物；花冠黄色，长约 15 mm，旗瓣扁圆形，长稍短于宽，翼瓣有紫斑或无。荚果长圆柱形，长 15 ～ 18 cm，直径 2 ～ 3 mm；种子多数（20 ～ 35），圆柱形，直径约 1.5 mm，黑褐色。花果期 8 ～ 10 月。

| 生境分布 | 生于田间、路旁、海边或较湿润处。分布于江苏南京、无锡、徐州。

| 资源情况 | 野生及栽培资源丰富。

| 采收加工 | **向天蜈蚣**：夏季采收，鲜用或晒干。
向天蜈蚣根：秋季采挖，洗净，鲜用或晒干。

| 功效物质 | 种子含有蛋白胨类、有机酸类、维生素类成分，其中，蛋白胨类成分主要为田菁蛋白胨二肽、田菁蛋白胨三肽，有机酸类成分主要为烟酸。

| 功能主治 | **向天蜈蚣**：甘、微苦，平。清热凉血，解毒利尿。用于发热，目赤肿痛。
向天蜈蚣根：涩精缩尿，止带。用于下消。

| 用法用量 | **向天蜈蚣**：内服煎汤，15 ~ 60 g；或捣汁。外用适量，捣敷。
向天蜈蚣根：内服煎汤，15 ~ 30 g；或捣汁。

| 附　　注 | 本种适应性强，耐盐、耐涝、耐瘠薄、耐旱，抵抗病虫及风的能力强。性喜温暖、湿润。

豆科 Fabaceae 槐属 Sophora 凭证标本号 320323170510821LY

苦参
Sophora flavescens Al.

| 药 材 名 | 苦参（药用部位：根）。

| 形态特征 | 多年生草本或亚灌木，高 1 ~ 2 m。主根圆柱形，长可达 1 m，外皮黄色。复叶长 20 ~ 25 cm；托叶披针形，长 6 ~ 8 mm；小叶 15 ~ 29，互生或近对生，披针形、线状披针形、椭圆形或圆形，长 3 ~ 4（~ 6）cm，宽 1.2 ~ 2 cm，先端渐尖，基部圆形，叶背有平贴柔毛。总状花序顶生，长 15 ~ 25 cm，花多数；花萼钟状，明显歪斜，具不明显的波状齿；花冠白色或淡黄色，旗瓣倒卵状匙形，翼瓣强烈折皱、无耳；雄蕊 10，分离或近基部稍联合；子房被黄白色柔毛。荚果长 5 ~ 8 cm，种子间微缢缩，呈不明显的串珠状，稍四棱形，疏生短柔毛，有种子 1 ~ 5；种子长卵形，稍压扁，深红色。花果期 6 ~ 9 月。

| **生境分布** | 生于向阳山坡、山麓、郊野、路边或溪沟边。江苏各地均有分布。

| **资源情况** | 野生及栽培资源较丰富。

| **采收加工** | 春、秋季采挖，除去根头和小支根，洗净，干燥，或趁鲜切片，干燥。

| **药材性状** | 本品呈长圆柱形，下部常分枝，长 10 ~ 30 cm，直径 1 ~ 2.5 cm。表面棕黄色至灰棕色，具纵皱纹及横生皮孔。栓皮薄，常破裂反卷，易剥落，露出黄色内皮。质硬，不易折断，折断面纤维性。切片厚 3 ~ 6 mm，切面黄白色，具放射状纹理。气微，味苦。以条匀、断面色黄白、味极苦者为佳。

| **功效物质** | 根富含黄酮类、生物碱类、苯并呋喃类、三萜类、醌类、酚类等资源性成分，尤以黄酮类和生物碱类成分种类丰富，含量高。黄酮类成分结构主要为黄酮、黄烷酮、查尔酮类成分，如高丽槐素、苦参酮、苦参酚、苦参紫檀素等；生物碱类成分如苦参碱、氧化苦参碱、槐果碱、槐醇等；三萜类成分如苦参皂苷、羽扇豆烯酮、大豆皂醇等。此外，花及种子同样富含生物碱类成分，可作为医药、生物农药、兽药原料开发。

| **功能主治** | 苦，寒。归心、肺、肾、大肠经。清热燥湿，杀虫，利尿。用于热痢，便血，黄疸尿闭，赤白带下，阴肿，阴痒，湿疹，湿疮，皮肤瘙痒，疥癣麻风；外用于滴虫性阴道炎。

| **用法用量** | 内服煎汤，3 ~ 10 g；或入丸、散剂。外用适量，煎汤熏洗；或研末敷；或浸酒搽。

豆科 Fabaceae 槐属 Sophora 凭证标本号 320830151026008LY

槐
Sophora japonica L.

| 药材名 | 槐花（药用部位：花及花蕾）、槐角（药用部位：果实）。

| 形态特征 | 落叶乔木，高 15 ~ 25 m。树皮灰褐色，纵裂。当年生枝绿色；芽包裹于膨大的叶柄内。复叶互生，长 15 ~ 25 cm，有小叶 9 ~ 15；叶轴有毛，基部膨大；小叶片卵状长圆形或卵状披针形，长 2.5 ~ 7.5 cm，先端渐尖而有细突尖，基部阔楔形，叶背灰白色，疏生短柔毛；托叶多变，早落。圆锥花序顶生，常呈金字塔形，长达 30 cm；花萼钟状，有 5 浅齿，近等大，被毛；花冠乳白色，芳香，旗瓣阔心形，有短爪，并有紫色脉纹，翼瓣、龙骨瓣边缘稍带紫色；雄蕊 10，不等长；子房近无毛。荚果肉质，串珠状，长 2.5 ~ 5 cm，无毛，不裂；种子 1 ~ 6，卵圆形，浅黄绿色。花期 7 ~ 8 月，果期 9 ~ 10 月。

| 生境分布 | 江苏各地均有栽培。

| **资源情况** | 栽培资源丰富。

| **采收加工** | **槐花**：夏季花开放或花蕾形成时采收，及时干燥，除去枝、梗及杂质。

槐角：冬季采收，除去杂质，干燥。

| **药材性状** | **槐花**：本品花多皱缩而卷曲，花瓣多散落。完整者花萼钟状，黄绿色，先端5浅裂；花瓣5，黄色或黄白色，1较大，近圆形，先端微凹，其余4长圆形；雄蕊10，其中9基部联合，花丝细长；雌蕊圆柱形，弯曲。以个大、紧缩、色黄绿、无梗叶者为佳。花蕾呈卵形或椭圆形，长2～6 mm，直径2～3 mm。花萼下部有数条纵纹。花萼的上方为黄白色未开放的花瓣。花梗细小。体轻。气微，味微苦、涩。

槐角：本品呈圆柱形，有时弯曲，在种子间缢缩而呈念珠状，长2.5～5 cm，直径0.6～1 cm；表面黄绿色或黄褐色，皱缩而粗糙，稍有光泽。背缝线一侧有黄色带，先端有凸起的残留柱基，基部常有果柄残留。质柔润，易在缢缩处折断，断面果肉黄绿色，有黏性，呈半透明角质状。种子1～6，肾形或长圆形，长8～10 mm，宽5～8 mm，棕黑色；表面平滑，有光泽，一侧有下凹的灰白色圆形种脐。质坚硬，子叶2，黄绿色。气微，味微苦，嚼之有豆腥味。以饱满、色黄绿、质柔润者为佳。

| **功效物质** | 花主要含有黄酮类、三萜皂苷类、醇类等资源性成分，其中，黄酮类成分如芦丁、槲皮素、异鼠李素、染料木素等；三萜皂苷类成分如赤豆皂苷Ⅰ、赤豆皂苷Ⅱ、赤豆皂苷Ⅴ、大豆皂苷Ⅰ、大豆皂苷Ⅲ，槐花皂苷Ⅰ、槐花皂苷Ⅱ、槐花皂苷Ⅲ等；醇类成分如槐花二醇、槐花米乙素、槐花米丙素等。黄酮及异黄酮类成分是果实的主要活性成分之一。种子含有多种生物碱类成分，如金雀花碱、槐根碱、苦参碱、黎豆胺等，此外，尚含有三萜皂苷类成分及氨基酸类成分。

| **功能主治** | **槐花**：苦，微寒。归肝、大肠经。凉血止血，清肝泻火。用于便血，痔血，血痢，崩漏，吐血，衄血，肝热目赤，头痛眩晕。

槐角：苦，寒。归肝、大肠经。清热泻火，凉血止血。用于肠热便血，痔疮出血，肝热目赤，头痛眩晕。

| **用法用量** | **槐花**：内服煎汤，5～10 g；或入丸、散剂。外用适量，煎汤熏洗；或研末撒。止血宜炒用，清热降火宜生用。

槐角：内服煎汤，5～15 g；或入丸、散剂；或嫩角捣汁。外用适量，煎汤洗；或研末掺；或研末油调敷。

豆科 Fabaceae 车轴草属 *Trifolium* 凭证标本号 320681160423060LY

绛车轴草 *Trifolium incarnatum* L.

| **药 材 名** | 绛车轴草（药用部位：花序）。

| **形态特征** | 一年生草本，高 30 ~ 100 cm。主根深入土层达 50 cm。茎直立或上升，粗壮，被长柔毛，具纵棱。掌状三出复叶；托叶椭圆形，膜质，大部分与叶柄合生，每侧具脉纹 3 ~ 5，先端离生部分卵状三角形或圆形，被毛；茎下部叶柄甚长，上部的较短，被长柔毛；小叶阔倒卵形至近圆形，长 1.5 ~ 3.5 cm，纸质，先端钝，有时微凹，基部阔楔形，渐窄至小叶柄，边缘具波状钝齿，两面疏生长柔毛，侧脉 5 ~ 10 对，与中脉成 40° ~ 50° 角展开，中部分叉，纤细，不明显。花序圆筒状顶生，花期继续伸长，长 3 ~ 5 cm，宽 1 ~ 1.5 cm；总花梗比叶长，长 2.5 ~ 7 cm，粗壮；无总苞；具花 50 ~ 80（~ 120），甚密集；花长 10 ~ 15 mm；几无花梗；花萼筒形，

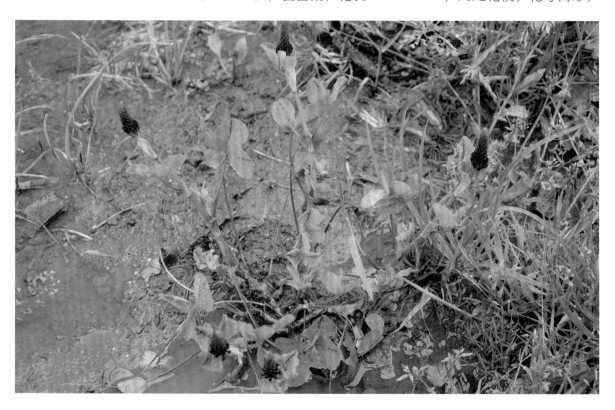

密被长硬毛，具脉纹 10，萼齿狭三角状锥形，近等长，萼筒较短，萼喉具一多毛的加厚环，果期缢缩闭合；花冠深红色、朱红色至橙色，旗瓣狭椭圆形，具锐尖头，明显比翼瓣和龙骨瓣长；子房阔卵形，花柱细长，胚珠 1。荚果卵形；有 1 褐色种子。花果期 5 ~ 7 月。

| 生境分布 | 江苏部分公园、植园、植物园有引种栽培。

| 资源情况 | 栽培资源丰富。

| 采收加工 | 开花前后采收，晒干。

| 功效物质 | 叶含有松醇、红杉醇、肌醇等多元醇类成分。花含有芍药素、矢车菊素等黄酮类成分。种子含有黄酮类、三萜类等成分，黄酮类如槲皮素，三萜类如大豆皂苷、大豆皂醇等。开花期的干草含粗蛋白质 16.55%、粗脂肪 3.62%、无氮浸出物 41.43%，此外其消化率也较高。

| 功能主治 | 消炎利尿，祛痰。

| 附　　注 | 本种喜温暖湿润的气候，适宜生长在不冷不热、水分充足的地方。不抗寒，不耐水淹，能忍受轻度干旱。喜排水良好、土层深厚、富含腐殖质的中性土壤。

豆科 Fabaceae 车轴草属 Trifolium 凭证标本号 320831180426142LY

红车轴草 *Trifolium pratense* L.

| **药 材 名** | 红车轴草（药用部位：花序或带花枝叶）。

| **形态特征** | 多年生草本（生长周期2～9年）。茎粗壮，直立或平卧上升，疏生柔毛或无毛。掌状三出复叶，小叶片卵状椭圆形或倒卵形，长1.5～5 cm，宽1～2 cm，先端钝，基部宽楔形，两面有褐色长柔毛，叶面常有"V"形白斑；托叶近卵形，每侧具脉纹，膜质，基部抱茎，先端离生部分渐尖。花序球状或卵状，顶生，长1.5～2.5 cm，具花30～70，几无总梗，包于顶生叶的托叶内，托叶扩展成佛焰苞状；花萼钟状，被长柔毛，具10脉纹，萼齿丝状，花萼喉部具一多毛的加厚环；花冠紫红色至深红色。荚果卵形，通常有1种子。花果期5～9月。

| 生境分布 | 逸生于林缘、路边、草地等湿润处。江苏各地均有栽培或逸为野生。 |

| 资源情况 | 野生及栽培资源较丰富。 |

| 采收加工 | 夏季采摘，阴干。 |

| 药材性状 | 本品头状花序呈扁球形或不规则球形，近无总花梗。有大型总苞，总苞卵圆形，有纵脉。花萼钟状，萼齿线状披针形，有长毛。花瓣暗紫红色，具爪。有时花序带有枝叶，三出复叶；托叶卵形，基部抱茎；小叶3，多卷缩或脱落，完整者展平后呈卵形或长椭圆形，长2.5～4 cm，宽1～2 cm，叶面有浅色斑纹。气微，味淡。 |

| 功效物质 | 全草含有黄酮类、三萜类、甾体类、酰胺类、酚酸类等资源性成分，其中，尤以黄酮类成分种类及含量最为丰富，如红车轴草根苷、红车轴草素、鸢尾异黄酮、高丽槐素等；三萜类成分结构母核为熊果酸、齐墩果酸等；甾体类成分如豆甾烯酮、谷甾醇等；酰胺类成分如顺式-红车轴草酰胺、反式-红车轴草酰胺；酚酸类成分如菜豆酚酸、绿原酸、对香豆酰奎宁酸等。 |

| 功能主治 | 甘、苦，微寒。清热止咳，散结消肿。用于感冒，咳喘。 |

| 用法用量 | 内服煎汤，15～30 g。外用适量，捣敷；或制成软膏涂敷。 |

| 附　　注 | 本种喜凉爽湿润气候，夏季不过于炎热、冬季不十分寒冷的地区最适宜生长。耐湿性良好，但耐旱能力差。在pH为6～7、排水良好、土质肥沃的黏壤土中生长最佳。 |

豆科 Fabaceae 车轴草属 *Trifolium* 凭证标本号 320381180525023LY

白车轴草 *Trifolium repens* L.

| 药 材 名 | 三消草（药用部位：全草）。

| 形态特征 | 多年生草本，高 10 ~ 30 cm。全株无毛。茎匍匐蔓生，上部稍上升，节上生根。掌状三出复叶，叶柄长 10 ~ 30 cm；小叶片倒卵形或倒心形，长 1.2 ~ 2.5 cm，宽 1 ~ 2 cm，栽培的叶片长达 5 cm，宽达 3.8 cm，先端圆或微凹，基部宽楔形，边缘有细齿，叶面无毛，有白色 "V" 形斑块，叶背微有毛；托叶卵状披针形，先端尖，基部抱茎成鞘状。花序头状，球形，顶生，具 20 ~ 50 小花，有长总花梗，高于叶；花长 0.7 ~ 1.2 cm；花萼筒状，具 10 脉纹，萼齿 5，披针形，较萼筒短；花冠白色或淡红色。荚果长圆形，有 3 ~ 4 种子；种子细小，近圆形，黄褐色。花果期 5 ~ 10 月。

| **生境分布** | 生于湿润草地、河岸、路边，呈半自生状态。江苏各地有栽培或逸为野生。

| **资源情况** | 野生及栽培资源丰富。

| **采收加工** | 夏、秋季花盛期采收，晒干。

| **药材性状** | 本品皱缩卷曲。茎呈圆柱形，多扭曲，直径 5 ～ 8 mm；表面有细皱纹，节间长 7 ～ 9 cm，节上有膜质托叶鞘。三出复叶，叶柄长达 10 cm；托叶椭圆形，抱茎；小叶 3，多卷折或脱落，完整者展平后呈倒卵形或倒心形，长 1.5 ～ 2 cm，宽 1 ～ 1.5 cm，边缘具细齿，近无柄。花序头状，直径 1.5 ～ 2 cm，类白色，有总花梗，长可达 20 cm。气微，味淡。

| **功效物质** | 全草含有三萜类、香豆素类、黄酮类、氰苷类等资源性成分，其中，三萜类成分主要为白车轴草皂苷、大豆皂醇、大豆皂苷、赤豆皂苷等；香豆素类成分包括白车轴草素 A、白车轴草素 B；黄酮类成分主要为芒柄花素、染料木素等及其苷类，其中染料木素有激素样作用；氰苷类成分包括百脉根苷、亚麻苦苷等。

| **功能主治** | 微甘，平。清热凉血，宁心。用于癫痫，痔疮出血。

| **用法用量** | 内服煎汤，15 ～ 30 g。外用适量，捣敷。

| **附　　注** | 本种适应性广，抗热、抗寒性强，可在酸性土壤中旺盛生长，也可在砂壤土中生长。

豆科 Fabaceae 野豌豆属 *Vicia* 凭证标本号 320323150417147LY

大花野豌豆 *Vicia bungei* Ohwi

| 药 材 名 | 三齿萼野豌豆（药用部位：全草）。

| 形态特征 | 一年生、二年生缠绕或匍匐伏草本，高 15 ~ 40（~ 50）cm。茎有棱，多分枝，近无毛。偶数羽状复叶先端卷须有分枝；托叶半箭头形，长 0.3 ~ 0.7 cm，有锯齿；小叶 3 ~ 5 对，长圆形或狭倒卵状长圆形，长 1 ~ 2.5 cm，宽 0.2 ~ 0.8 cm，先端平截、微凹，稀齿状，上面叶脉不甚清晰，下面叶脉明显被疏柔毛。总状花序长于叶或与叶轴近等长；花 2 ~ 4（~ 5），着生于花序轴先端，长 2 ~ 2.5 cm；花萼钟形，被疏柔毛，萼齿披针形；花冠红紫色或金蓝紫色，旗瓣倒卵状披针形，先端微缺，翼瓣短于旗瓣，长于龙骨瓣；子房柄细长，沿腹缝线被金色绢毛，花柱上部被长柔毛。荚果扁长圆形，长 2.5 ~ 3.5 cm，宽约 0.7 cm；种子 2 ~ 8，球形，直径约 0.3 cm。花期 4 ~ 5月，果期 6 ~ 7月。

| 生境分布 | 生于高山河岸阶地、河谷、山坡林缘、阳坡草甸、阳坡疏林中或阴坡草丛中。分布于江苏北部、中部及南京等。 |

| 资源情况 | 野生资源较丰富。 |

| 采收加工 | 夏、秋季采收，洗净，鲜用或晒干。 |

| 功效物质 | 种子含有糖蛋白类成分，如凝集素。 |

| 功能主治 | 用于乳蛾，咽喉痛。 |

豆科 Fabaceae 野豌豆属 Vicia 凭证标本号 320829170420032LY

广布野豌豆 *Vicia cracca* L.

| 药 材 名 | 落豆秧（药用部位：全草）。

| 形态特征 | 多年生蔓生草本，长达 1.5 m。茎多分枝，有棱，被短柔毛。羽状
复叶，叶轴先端卷须有 2 ~ 3 分枝；小叶 4 ~ 12 对；小叶片长圆形
或狭披针形，长 1.5 ~ 2.7 cm，宽 0.2 ~ 0.5 cm，先端突尖，基部圆
形，叶面无毛，叶背有短柔毛；托叶半箭头形或戟形，上部 2 深裂。
总状花序腋生，稍长于叶或与叶等长，有花 10 ~ 40，密集，着生
于花序轴上部的一侧；花萼斜钟形，有 5 齿；花冠紫色或蓝色，长
0.8 ~ 1.5 cm，旗瓣长圆形，中部两侧缢缩，与翼瓣等长；子房无毛，
有长柄，花柱先端周围被毛。荚果长圆形，褐色，长 1.5 ~ 2.5 cm，
肿胀，两端急尖，有柄；种子 3 ~ 5，扁球形，种皮黑色。花果期 5 ~
9 月。

| 生境分布 | 生于草甸、林缘、山坡、河滩草地或灌丛。分布于江苏南部及沿海地区等。

| 资源情况 | 野生资源丰富。

| 采收加工 | 春、夏季采收，鲜用或晒干。

| 功效物质 | 叶含有吡喃酮类成分。花含有黄酮类成分。种子含有凝集素，且粗蛋白含量高达 22.82%，粗脂肪含量达 3.48%。

| 功能主治 | 辛、苦，温。祛风除湿，活血消肿，解毒止痛。用于风湿疼痛，筋骨拘挛，跌打肿痛。

| 用法用量 | 内服煎汤，15～25 g。外用适量，煎汤熏洗。

豆科 Fabaceae 野豌豆属 Vicia 凭证标本号 321324160509025LY

蚕豆
Vicia faba L.

| 药 材 名 | 蚕豆（药用部位：种子）。

| 形态特征 | 一年生草本，高 30 ~ 130 cm。茎直立，具 4 棱，中空，无毛。羽状复叶有小叶 2 ~ 8 对，除先端 1 对对生外，下部小叶互生；叶轴先端卷须不发达而为针状；托叶大，戟头形或近三角形，长 1 ~ 2.5 cm，边缘有不整齐锯齿，具深紫色腺点；小叶片宽卵形至近椭圆形，长 4 ~ 8 cm，宽 2 ~ 4 cm，先端圆钝，基部楔形，无毛。总状花序腋生，具花 1 ~ 6；花序梗和花梗极短；花长 2 ~ 2.5 cm；花萼斜钟形，萼齿披针形，下面 3 萼齿较上面 2 萼齿长；花瓣白色带红色，有紫色的脉纹和黑色斑晕；子房线形，无毛，花柱密被白色柔毛，先端背面有一丛髯毛。荚果大而肥厚，内有白色海绵状横隔膜，长 5 ~ 8 cm，绿色，成熟后变黑色；种子卵圆形，略扁，种脐横生一

端，成熟时黑色。花果期 4 ~ 5 月。

| 生境分布 | 栽培于田中或田岸旁。江苏各地均有栽培。

| 资源情况 | 野生资源丰富。

| 采收加工 | 夏季豆荚成熟呈黑褐色时拔取全株，晒干，打下种子，扬净后再晒干。

| 药材性状 | 本品呈扁矩圆形，长 1.2 ~ 1.5 cm，直径约 1 cm，厚 7 mm。种皮表面浅棕褐色，光滑，有光泽，两面凹陷；种脐位于较大端，褐色或黑褐色。质坚硬，内有子叶 2，肥厚，黄色。气微，味淡，嚼之有豆腥味。

| 功效物质 | 种子含有卵磷脂、磷脂酰乙醇胺、磷脂酰肌醇、磷脂等脂肪类成分，糖类、蛋白质类等丰富的营养性成分，以及黄酮类、鞣质类、生物碱类等资源性成分，其中，黄酮类成分如飞燕草素、矢车菊素、新西兰牡荆苷等；鞣质类成分如没食子酸、柔花酸等；生物碱类成分如野豌豆碱。根和茎所含生物碱类成分与种子相似。叶富含黄酮类成分。花富含生物碱类成分。

| 功能主治 | 甘、微辛，平。归脾、胃经。健脾利水，解毒消肿。用于水肿，疮毒，膈食。

| 用法用量 | 内服煎汤，30 ~ 60 g；或研末。外用适量，捣敷；或烧灰敷。

| 附　　注 | 本种生于北纬 63° 的温暖湿地，耐 −4 ℃的低温，但畏暑。

豆科 Fabaceae 野豌豆属 Vicia 凭证标本号 320830150426001LY

小巢菜
Vicia hirsuta (L.) S. F. Gray

| 药 材 名 |

小巢菜（药用部位：全草）。

| 形态特征 |

一年生草本，高 15 ～ 90 cm。茎细柔，攀缘或蔓生，无毛。羽状复叶，叶轴末端卷须分枝，小叶 4 ～ 8 对；小叶片线状披针形，长 0.5 ～ 1.5 cm，宽 0.1 ～ 0.3 cm，先端微凹，有短尖，基部楔形，两面无毛；托叶线形，基部有 2 或 3 裂齿。总状花序腋生，明显短于叶，花序梗及花梗均有短柔毛；花 2 ～ 5，生于花序轴先端；花萼钟形，萼齿 5，近等长，披针形，有短柔毛；花冠白色或淡紫色，长 0.3 ～ 0.6 cm，旗瓣椭圆形，先端平截，与翼瓣近等长；子房密生长硬毛，无柄，花柱先端周围有短柔毛。荚果长圆形，扁平，长 7 ～ 10 mm，有棕褐色硬毛；种子 1 或 2，扁圆形，两面凸起。花期 4 ～ 5 月。

| 生境分布 |

生于海拔 200 ～ 1 900 m 的山沟、田边、河滩或路旁草丛。江苏各地均有分布。

| 资源情况 |

野生资源较丰富。

| 采收加工 | 春、夏季采收，鲜用或晒干。

| 功效物质 | 叶含有芹菜苷、槲皮素等黄酮类成分。种子含有萜类、糖蛋白类等成分，其中，萜类成分结构母核为异戊烯基糖苷，如 2- 甲基 -2- 丁烯 -1,4- 二醇 -4-O-β-D- 吡喃葡萄糖苷；糖蛋白类成分，如凝集素。

| 功能主治 | 辛、甘，平。清热利湿，调经止血。用于黄疸，疟疾，月经不调，带下，鼻衄。

| 用法用量 | 内服煎汤，18 ~ 60 g。外用适量，捣敷。

豆科 Fabaceae 野豌豆属 *Vicia* 凭证标本号 320323150418148LY

确山野豌豆 *Vicia kioshanica* Bailey

| **药材名** | 确山野豌豆（药用部位：全草）。

| **形态特征** | 多年生草本，高可达 80 cm。茎无毛，有棱，基部多分枝。偶数羽状复叶，叶轴先端卷须单一或有分枝；小叶 3 ~ 7 对，互生；小叶片革质，长圆形或椭圆形，长 1.5 ~ 4 cm，宽 0.5 ~ 1.5 cm，先端圆形，微凹，有短尖头，基部圆形，叶脉密集而清晰，侧脉 10 对，全缘，叶背具极细微而可见的白边，幼时密被柔毛；托叶半箭头形，2 裂。总状花序腋生，超出叶长，长可达 20 cm，具花 6 ~ 16，疏散排列在花序轴上部；花萼钟状，萼齿 5，披针形；花冠紫色或紫红色，长 0.7 ~ 1.4 cm，旗瓣长圆形，翼瓣与旗瓣近等长，龙骨瓣最短；子房线形，无毛，有短柄，花柱先端四周被毛。荚果长圆形或菱形，深褐色，长 2 ~ 3 cm，无毛，种子 1 ~ 4，扁圆形，表皮

黑褐色。花期 4 ~ 6 月，果期 6 ~ 9 月。

| **生境分布** | 生于海拔 100 ~ 1 000 m 的山坡、谷地、田边、路旁灌丛或湿草地。分布于江苏徐州等。

| **资源情况** | 野生资源一般。

| **采收加工** | 春、夏季采收，鲜用或晒干。

| **功效物质** | 种子可提取植物凝血素应用于免疫学、肿瘤生物学、细胞生物学及发育生物学研究。

| **功能主治** | 利肝明目，活血平胃。

豆科 Fabaceae ｜ 野豌豆属 *Vicia* ｜ 凭证标本号 320829150507017LY

救荒野豌豆 *Vicia sativa* L.

| 药 材 名 | 大巢菜（药用部位：全草或种子）。

| 形 态 特 征 | 一年生或二年生草本。全体被毛。茎斜升或攀缘，具棱。羽状复叶长 2 ~ 10 cm，叶轴先端卷须有 2 或 3 分枝；小叶 4 ~ 8 对，长椭圆形或倒卵形，长 0.8 ~ 2 cm，宽 0.3 ~ 0.7 cm，先端截形，微凹，有小针尖，基部楔形，两面疏生黄色柔毛；托叶戟形，边缘有 2 ~ 4 裂齿。花 1 或 2 生于叶腋，近无柄；花萼钟状，萼齿 5，披针形，渐尖，有白色疏短毛；花冠紫色或红色，长 1.8 ~ 3 cm，旗瓣长倒卵圆形，先端微凹，中部两侧缢缩，龙骨瓣最短；子房无毛，近无柄，花柱先端背部有淡黄色须毛。荚果线状长圆形，成熟后呈黄色，扁平，长 2.5 ~ 4.5 cm，种子间稍缢缩，近无毛；种子圆球形，成熟时黑褐色。花期 1 ~ 5 月。

| 生境分布 | 生于山坡杂草丛或麦田中。江苏各地均有分布。

| 资源情况 | 野生资源丰富。

| 采收加工 | 春、夏季采收，鲜用或晒干。

| 药材性状 | 本品种子呈略扁的圆球形，直径3～4 mm。表面黑棕色或黑色，种脐白色。质坚硬，破开后可见子叶2，大形，黄色。气微，味淡，具豆腥气。

| 功效物质 | 根含有聚β-羟基丁酸等有机酸类，大豆皂醇等三萜类，以及反-22-去氢菜油甾醇等甾体类成分。全草含有黄酮类、香豆素类、生物碱类、磷脂类、类胡萝卜素类、挥发油类等资源性成分，黄酮类成分如原矢车菊素多聚物、解毒萝摩苷、大波斯菊苷等；香豆素类成分如花椒毒素、伞形酮、七叶树内酯、东莨菪内酯等；生物碱类成分如野豌豆碱、野豌豆宁、热精胺、高精胺、精胺等；类胡萝卜素成分如胡萝卜素、叶黄素、玉米黄质、新黄质等。

| 功能主治 | 甘、辛，寒。益肾利水，止血止咳。用于肾虚腰痛，遗精，黄疸，水肿，疟疾，鼻衄，心悸，月经不调。

| 用法用量 | 内服煎汤，15～30 g。外用适量，捣敷；或煎汤洗。

| 附　注 | 本种种子有毒，国外曾有用其提取物抗肿瘤的报道。

豆科 Fabaceae 野豌豆属 Vicia 凭证标本号 320830160409015LY

四籽野豌豆 *Vicia tetrasperma* (L.) Schreber

| 药 材 名 | 四子野豌豆（药用部位：全草）。

| 形态特征 | 一年生缠绕草本。茎纤细，有棱，多分枝，稍有柔毛或无毛。羽状复叶长 2 ~ 4 cm，卷须通常单一，稀二叉；小叶 3 ~ 6 对，线形或长圆形，长 0.6 ~ 0.7 cm，宽 0.2 ~ 0.4 cm，先端钝或锐尖，基部楔形；托叶半三角形或箭头形。总状花序腋生，有花 1 ~ 2，花着生于先端；总梗细长；花小，长约 6 mm；花萼斜钟状，萼齿三角形；花冠紫蓝色，旗瓣长圆状倒卵形，翼瓣和龙骨瓣近等长；子房无毛，有短柄，花柱上部周围有柔毛。荚果长圆形，扁平，长约 1 cm，宽约 0.4 cm，具网纹，无毛；种子通常为 4，圆形，种脐白色。花期 3 ~ 5 月，果期 5 ~ 8 月。

| 生境分布 | 生于海拔 50 ～ 1 950 m 的山谷、阳坡、草地田边、荒地上。江苏各地均有分布。

| 资源情况 | 野生资源丰富。

| 采收加工 | 春、夏季采收，鲜用或晒干。

| 功效物质 | 种子含有糖蛋白类成分，如凝集素、VTL-Ⅱ等。

| 功能主治 | 甘、辛，平。解毒疗疮，活血调经，明目定眩。用于疔疮，痈疽，发背，月经不调，耳鸣。

| 用法用量 | 内服煎汤，15 ～ 60 g。外用适量，捣敷。

豆科 Fabaceae 野豌豆属 Vicia 凭证标本号 320830160712008LY

歪头菜
Vicia unijuga A. Br.

| 药 材 名 | 歪头菜（药用部位：全草）。

| 形态特征 | 多年生直立草本，高可达 1 m。根茎粗壮，近木质。茎四棱状，近茎部表皮红褐色。羽状复叶有 1 对小叶；叶轴先端具细针刺，偶见卷须；小叶片卵状披针形至菱状椭圆形，长 3 ~ 9 cm，先端急尖，基部楔形；托叶戟形，长 1 ~ 2 cm，边缘具不规则细齿。总状花序腋生，长 4.5 ~ 7 cm，明显长于叶，具花 8 ~ 20，密集着生于花序轴上部一侧；花长 1 ~ 1.5 cm；花萼紫色，斜钟形，裂齿浅，波状，先端急尖；花蓝色或紫色，或介于二者之间，旗瓣中部两侧缢缩成倒提琴形，龙骨瓣短于翼瓣；子房有柄，无毛，花柱上半部四周有白色短柔毛。荚果长椭圆形，扁平，长 3 ~ 4 cm，褐黄色；种子 3 ~ 7，扁圆形，棕褐色。花期 7 ~ 8 月，果期 8 ~ 9 月。

| 生境分布 | 生于低海拔至海拔 4 000 m 的山地、林缘、草地、沟边及灌丛。江苏各地均有分布。 |

| 资源情况 | 野生资源较少。 |

| 采收加工 | 夏、秋季采收，洗净，切段，晒干。 |

| 功效物质 | 含有芹菜素、大波斯菊苷等黄酮类成分，此外尚含丰富的维生素类、胡萝卜素、氨基酸衍生物类、糖蛋白类等成分，其中氨基酸衍生物类成分如赤式 -γ- 羟基精氨酸等。 |

| 功能主治 | 甘，平。补虚，调肝，利尿，解毒。用于虚劳，头晕，胃痛，疔疮，浮肿。 |

| 用法用量 | 内服煎汤，9 ~ 30 g。外用适量，捣敷。 |

豆科 Fabaceae 野豌豆属 Vicia 凭证标本号 320721180413039LY

长柔毛野豌豆
Vicia villosa Roth

| 药 材 名 | 毛野豌豆（药用部位：种子）。

| 形态特征 | 一年生草本，攀缘或蔓生，长 0.3 ~ 1.5 m。全体有长柔毛。羽状复叶，叶轴先端卷须有 2 或 3 分枝，小叶 5 ~ 8 对；小叶片长圆形或披针形，长 1 ~ 3 cm，宽 0.3 ~ 0.6 cm，先端钝，有细尖，基部圆形；托叶披针形或 2 深裂成半边箭头形。总状花序腋生，有多数小花，小花密生于花序轴上部一侧；花萼斜钟状，萼齿狭披针形，下面 3 齿较长；花冠紫蓝色、紫色或紫红色，很少白色，旗瓣长圆形，中部缢缩，先端微凹，长约 5 mm，龙骨瓣最短；子房无毛，有柄，花柱上部周围有短柔毛。荚果长圆形，长约 3 cm，宽约 1 cm；种子 2 ~ 8，球形，黑褐色。花果期 5 ~ 9 月。

| 生境分布 | 生于海拔 900 ～ 2 100 m 的山谷、固定沙丘、石质黏土荒漠冲沟、草原、荒漠、石质黏土凹地、山脚平原、低湿地、草甸和石质黏土坡。江苏各地均有栽培。 |

| 资源情况 | 野生及栽培资源一般。 |

| 采收加工 | 夏季采摘成熟果实，除去果壳等杂质，取出种子，晒干。 |

| 功效物质 | 全草含有类胡萝卜素成分，如胡萝卜素、叶黄素、玉米黄质、新黄质等。种子可提取植物凝血素应用于免疫学、肿瘤生物学、细胞生物学及发育生物学研究。 |

| 功能主治 | 调经通乳，消肿止痛。用于月经不调，闭经水肿，产后乳少。 |

| 用法用量 | 内服煎汤，9 ～ 15 g。 |

豆科 Fabaceae 豇豆属 *Vigna* 凭证标本号 320922180914040LY

赤豆
Vigna angularis (Willd.) Ohwi et Ohashi

| 药 材 名 | 赤小豆（药用部位：种子）。

| 形态特征 | 一年生直立草本，高 30 ~ 90 cm。茎、叶柄和花序多少有长硬毛。羽状复叶具 3 小叶；托叶盾状着生，箭头形，长 0.9 ~ 1.7 cm；顶生小叶片卵形至菱状卵形，长 4 ~ 10 cm，先端渐尖，基部圆形或阔楔形；侧生小叶偏斜，全缘或 3 浅裂，两面有白色柔毛。总状花序腋生，具花 2 ~ 12，生于总花梗先端；小苞片线状披针形，较花萼长；花萼斜钟形，萼齿卵形，钝，有缘毛；花冠黄色，旗瓣近圆形，有短爪，翼瓣宽长圆形，龙骨瓣上部卷曲近半圆，其中 1 中下部具 1 角状突起；子房无毛，花柱线形卷曲，近先端有毛。荚果圆柱形，长 5 ~ 8 cm，无毛；种子 6 ~ 10，长圆形，两端平截或近圆形，赤红色，有光泽，种脐白色。花果期 6 ~ 10 月。

| **生境分布** | 江苏各地均有栽培。

| **资源情况** | 栽培资源丰富。

| **采收加工** | 秋季果实成熟而未开裂时拔取全株，晒干，打下种子，除去杂质，再晒干。

| **药材性状** | 本品呈圆柱形而略扁，两端稍平截或圆钝，长 5 ~ 7 mm，直径 3 ~ 5 mm。表面紫红色或暗红棕色，平滑，稍具光泽或无光泽；一侧有线形凸起的种脐，偏向一端，白色，约为种子长度的 2/3，中央凹陷成纵沟；另一侧有一不明显的种脊。质坚硬，不易破碎；剖开后种皮薄而脆，子叶 2，乳白色，肥厚，胚根细长，弯向一端。气微，味微甘，嚼之有豆腥味。

| **功效物质** | 种子主要含有蛋白质、糖类等营养性成分，干品含有糖类 65%、蛋白质类 21% ~ 23%、脂肪类 0.3%。此外，还含有三萜皂苷类、黄酮类、糖苷类、甘油糖脂类、甾体类、维生素类等成分，三萜皂苷类成分如赤豆皂苷 I、赤豆皂苷 II、赤豆皂苷 III 等，黄酮类成分如牡荆素、异牡荆素、豇豆矢车菊素等，糖苷类成分如半乳糖基 -4-O- 甲基肌醇、3- 呋喃甲醇 -β-D- 葡萄糖苷等，维生素类成分如生育酚。

| **功能主治** | 甘、酸，微寒。归心、小肠、脾经。解毒排脓，利水消肿。用于水肿胀满，脚气浮肿，黄疸尿赤，风湿热痹，痈肿疮毒，肠痈腹痛。

| **用法用量** | 内服煎汤，10 ~ 30 g；或入散剂。外用适量，生研调敷；或煎汤洗。

| **附　　注** | 本种喜温、喜光，抗涝。全生育期温度需要在 10 ℃以上，有效积温 20 ~ 25 ℃，一般在 8 ~ 12 ℃开始发芽出苗。

豆科 Fabaceae 豇豆属 *Vigna* 凭证标本号 320703160906509LY

贼小豆
Vigna minima (Roxb.) Ohwi et Ohashi

| 药 材 名 | 山绿豆（药用部位：种子）。

| 形态特征 | 一年生缠绕草本。茎纤细，无毛或被疏毛。羽状复叶具 3 小叶；托叶披针形，长约 4 mm，盾状着生，被疏硬毛；小叶的形状和大小变化颇大，卵形、卵状披针形、披针形或线形，长 2.5 ~ 7 cm，宽 0.8 ~ 3 cm，先端急尖或钝，基部圆形或宽楔形，两面近无毛或被极稀疏的糙伏毛。总状花序柔弱；总花梗远长于叶柄，通常有花 3 ~ 4；小苞片线形或线状披针形；花萼钟状，长约 3 mm，具不等大的 5 齿，裂齿被硬缘毛；花冠黄色，旗瓣极外弯，近圆形，长约 1 cm，宽约 8 mm；龙骨瓣具长而尖的耳。荚果圆柱形，长 3.5 ~ 6.5 cm，宽 4 mm，无毛，开裂后旋卷；种子 4 ~ 8，长圆形，

长约 4 mm，宽约 2 mm，深灰色，种脐线形，凸起，长 3 mm。花果期 8 ~ 10 月。

| 生境分布 | 生于丘陵山区的密林下阴湿处。分布于江苏沿海地区等。

| 资源情况 | 野生资源一般。

| 采收加工 | 果实成熟而未开裂时拔取全株，晒干，打下种子，除去杂质，再晒干。

| 功效物质 | 含有丰富的蛋白质类、脂肪类、B 族维生素类、有机酸类，以及钙、镁、钾、铁、硒等营养元素类成分，其中，有机酸类成分如丁烯二酸、抗坏血酸、乙酸、酒石酸等。

| 功能主治 | 清热，利尿，消肿，行气，止痛。

豆科 Fabaceae 豇豆属 Vigna 凭证标本号 320830160712022LY

绿豆
Vigna radiata (L.) Wilczek

| **药 材 名** | 绿豆（药用部位：种子）。

| **形态特征** | 一年生直立草本，高达 60 cm。茎有淡褐色长硬毛。羽状复叶具 3 小叶，叶柄长 5 ~ 20 cm；托叶大，阔卵形，盾状着生，长约 1 cm，具缘毛；小托叶显著，披针形；顶生小叶片卵形，长 6 ~ 12 cm，先端渐尖；侧生小叶偏斜，两面疏被长毛。总状花序腋生，有花数朵，着生于花序梗先端，着生处多膨胀；总花梗短于叶柄或近等长；花萼斜钟状，近无毛，萼裂片窄三角形，具缘毛；花冠黄绿色，旗瓣近方形，先端微缺，翼瓣卵形，龙骨瓣镰状，绿色而有粉红色晕，右侧有囊。荚果圆柱形，长 6 ~ 8 cm，直径约 6 mm，散生淡褐色的长硬毛，种子间多少收缩；种子短圆柱形，绿色，有时黄褐色，种脐白色。花期 6 ~ 7 月，果期 8 月。

| 生境分布 | 江苏各地均有栽培。

| 资源情况 | 栽培资源丰富。

| 采收加工 | 豆荚成熟 80% 后即可全部采收。由于成熟期不一致，一般分 2 ～ 3 批采收，晒干。

| 药材性状 | 本品呈短矩圆形，长 4 ～ 6 mm。表面绿黄色、暗绿色、绿棕色，光滑而有光泽。种脐位于种子的一侧，白色，条形，长约为种子的 1/2。种皮薄而坚韧，剥离后露出 2 淡黄绿色或黄白色、肥厚的子叶。气微，嚼之有豆腥味。以粒大、饱满、色绿者为佳。

| 功效物质 | 种子含有磷脂类、蛋白质类、氨基酸类、黄酮类等资源性成分，磷脂类成分如磷脂酸、磷脂酰丝氨酸、磷脂酰肌醇等；蛋白质类成分主要为球蛋白；黄酮类成分如牡荆素、异牡荆素、黄檀素等。此外，地上部分及嫩芽尚含皂苷类成分，如大豆皂苷 I、大豆苷、大豆苷元等。

| 功能主治 | 甘，寒。归心、肝、胃经。清热消暑，利水解毒。用于暑热烦渴，感冒发热。

| 用法用量 | 内服煎汤，15 ～ 30 g，大剂量可用至 120 g；或研末；或生研绞汁。外用适量，研末调敷。

| 附　　注 | 本种喜温，适宜的出苗和生长温度为 15 ～ 18 ℃，生育期间需要较高的温度。在 8 ～ 12 ℃时开始发芽。开花结荚期间温度以 18 ～ 20 ℃最为适宜，若温度过高，茎叶生长过旺，会影响开花结荚。在生育后期不耐霜冻，气温降至 0 ℃以下时植株会冻死，种子的发芽率也降低。

豆科 Fabaceae 豇豆属 *Vigna* 凭证标本号 320830161011036LY

赤小豆
Vigna umbellata (Thunb.) Ohwi et Ohashi

| 药 材 名 |

赤小豆（药用部位：种子）。

| 形态特征 |

一年生直立草本。高（长）可达 1 m。茎纤细，幼时密被黄色长柔毛，老时脱落，近无毛。羽状复叶具 3 小叶；托叶披针形或卵状披针形，盾状着生；小叶披针形或卵状披针形，长 8 ～ 12 cm，宽 5 ～ 7 cm，先端渐尖或急尖，基部宽楔形；侧生小叶稍偏斜、全缘，两面被疏毛。总状花序少花（2 ～ 3），腋生；花梗短，着生处有腺体；花萼钟形，萼齿 5；花冠黄色，长约 1.2 cm，旗瓣圆肾形，龙骨瓣一侧具长角状附属体；子房被短硬毛。荚果线状圆柱形，长 6 ～ 12 cm，直径约 5 mm，下垂，具种子 6 ～ 10；种子长椭圆形，长 5 ～ 8 mm，直径约 3.6 mm，常为暗红色，少为褐色，种脐线形，白色，凸起，中间凹下成 1 纵沟，偏向一侧。花期 5 ～ 8月，果期 7 ～ 9 月。

| 生境分布 |

江苏南部等有栽培。

| **资源情况** | 栽培资源丰富。

| **采收加工** | 7 ～ 9 月荚果成熟而未开裂时拔取全草，晒干并打下种子，再晒干。

| **药材性状** | 本品呈圆柱形而略扁，两端稍平截或圆钝，长 5 ～ 8 mm，直径约 3.6 mm。表面紫红色或暗红棕色，平滑，稍具光泽或无；一侧有线形凸起的种脐，偏向一端，白色，长约为种子的 2/3，中央凹陷成纵沟；另一侧有一不明显的种脊。质坚硬，不易破碎；剖开后种皮薄而脆，子叶 2，乳白色，肥厚，胚根细长，弯向一端。气微，味微甘，嚼之有豆腥味。以颗粒饱满、色紫红发暗者为佳。

| **功效物质** | 种子含有糖类、蛋白质类、脂肪类、氨基酸类、维生素类、矿物元素、三萜皂苷类等资源性成分，蛋白质类成分如球蛋白；氨基酸类成分如色氨酸、甲硫氨酸等。

| **功能主治** | 甘、酸，微寒。归心、小肠、脾经。解毒排脓，利水消肿。用于水肿胀满，脚气浮肿，黄疸尿赤，风湿热痹，痈肿疮毒，肠痈腹痛。

| **用法用量** | 内服煎汤，10 ～ 30 g；或入散剂。外用适量，生研调敷；或煎汤洗。

| **附　　注** | 本种有较强的适应能力。对土壤要求不严，耐瘠薄，黏土、沙土均可生长，川道、山地均可种植。既耐涝，又耐旱，晚种早熟，生育期短，栽培技术简单，可作补种作物。

豆科 Fabaceae 豇豆属 Vigna 凭证标本号 320803180703097LY

豇豆
Vigna unguiculata (L.) Walp.

| 药 材 名 | 豇豆种子（药用部位：种子）、豇豆荚壳（药用部位：荚壳）、豇豆叶（药用部位：叶）、豇豆根（药用部位：根）。

| 形态特征 | 一年生缠绕草本。茎近无毛。羽状复叶具 3 小叶，托叶卵形，长约 1 cm，着生处下延成 1 短距；顶生小叶片菱状卵形，长 5 ~ 13 cm，宽 4 ~ 7 cm，先端急尖，基部近圆形或宽楔形，两面无毛，边缘浅波状；侧生小叶斜卵形。总状花序腋生，花 2 ~ 6 聚生于花序轴先端；花梗间常有肉质蜜腺；花萼钟状，萼齿披针形，无毛；花冠黄白色而带青紫色，长约 2 cm；花柱上部内侧有淡黄色须毛。荚果线形，下垂，长可达 40 cm，宽达 1 cm，稍肉质而膨胀或坚实，具多个种子；种子长椭圆形、圆柱形或稍肾形。花果期 6 ~ 9 月。

| 生境分布 | 江苏各地均有栽培。

| 资源情况 | 栽培资源丰富。

| 采收加工 | 豇豆种子：秋季果实成熟后采收，晒干，打下种子。

豇豆荚壳：秋季采收果实，除去种子，晒干。

豇豆叶：夏、秋季采收，鲜用或晒干。

豇豆根：秋季采挖，除去泥土，洗净，鲜用或晒干。

| 功效物质 | 种子含有大量糖类、脂肪类、蛋白质类、维生素类、黄酮类、花青素类、生物碱类等资源性成分，其中，糖类成分如毛蕊花糖、水苏糖、棉子糖等；维生素类成分以 B 族维生素和维生素 C 含量丰富；黄酮类成分如槲皮素、山柰酚、杨梅素及其苷类；花青素类成分主要为矢车菊素、飞燕草素、锦葵素、芍药素糖苷类；生物碱类成分主要为葫芦巴碱。

| 功能主治 | 豇豆种子：甘、咸，平。归脾、肾经。健脾利湿，补肾涩精。用于脾胃虚弱，泄泻痢疾。

豇豆荚壳：甘，平。补肾健脾，利水消肿，解毒，镇痛。用于腰痛，肾炎，胆囊炎。

豇豆叶：甘、淡，平。利小便，解毒。用于淋证，小便不利，蛇咬伤。

豇豆根：甘，平。健脾益气，消积，解毒。用于脾胃虚弱，食积，带下。

| 用法用量 | 豇豆种子：内服煎汤，30 ~ 60 g；或煮食；或研末，6 ~ 9 g。外用适量，捣敷。

豇豆荚壳：内服煎汤，30 ~ 60 g，鲜品 90 ~ 150 g。外用适量，烧存性，研末调敷。

豇豆叶：内服煎汤，鲜品 60 ~ 90 g。外用适量，捣敷。

豇豆根：内服煎汤，鲜品 60 ~ 90 g。外用适量，捣敷；或烧存性，研末调敷。

| 附　注 | 本种生长要求高温，耐热性强，生长适温为 20 ~ 25 ℃，夏季 35 ℃以上高温仍能正常结荚，也不落花，但不耐霜冻，在 10 ℃以下较长时间生长受抑制。

豆科 Fabaceae 豇豆属 Vigna 凭证标本号 320111150919010LY

野豇豆
Vigna vexillata (L.) Rich.

| 药 材 名 | 野豇豆（药用部位：根）。

| 形态特征 | 多年生缠绕草本。主根圆柱形或圆锥形，外皮橙黄色。茎有棕色粗毛，成熟后几无毛。羽状复叶具 3 小叶，叶柄长 2.5 ~ 5 cm；托叶基生，卵形或卵状披针形，基部呈心形或耳状；小叶片膜质，卵形或菱状卵形，长 4 ~ 8 cm，宽 2.5 ~ 4.5 cm，先端渐尖，基部宽楔形或近圆形，两面有淡黄白色贴生柔毛；小叶柄极短，有棕褐色粗毛。总状花序腋生，有花 2 ~ 4，着生于花序梗上端；花梗短，有棕褐色粗毛；花萼钟形，被棕色或白色刚毛，萼齿与萼筒几等长；花冠淡红紫色，长约 2 cm，旗瓣近圆形，先端凹缺，龙骨瓣镰状，先端喙呈 180° 弯曲，一侧有明显的袋状附属物。荚果圆柱形，长

9 ~ 11 cm，直径约 5 mm，先端有喙，有棕褐色粗毛；种子椭圆形，黑色，有光泽。花果期 8 ~ 10 月。

| 生境分布 | 生于山坡、林缘和山麓草丛中。分布于江苏南部等。

| 资源情况 | 野生资源一般。

| 采收加工 | 秋季采挖，除去茎基、须根和泥土，晒干。

| 功效物质 | 种子含有氨基酸及其衍生物、蛋白质类、黄酮类、酚及酚酸类、生物碱类、倍半萜类、三萜类等资源性成分，其中，黄酮类成分如大豆苷元、牡荆素、异牡荆素等；酚及酚酸类成分如异直蒴苔苷、香荚兰酸等；生物碱类成分结构母核为吲哚；倍半萜类成分如二氢菜豆酸；三萜类成分如羽扇豆醇。

| 功能主治 | 苦，寒。清热解毒，消肿止痛，利咽喉。用于风火牙痛，咽喉肿痛，腮腺炎，疮疖，小儿麻疹余毒不尽，胃痛，腹胀，便秘，跌打肿痛，骨折。

| 用法用量 | 内服煎汤，9 ~ 15 g。外用适量，鲜品捣敷。

豆科 Fabaceae 紫藤属 Wisteria 凭证标本号 320282170426415LY

紫藤 *Wisteria sinensis* Sweet

| 药材名 |

紫藤（药用部位：茎或茎皮）。

| 形态特征 |

藤本。茎左旋；嫩枝被白色柔毛。羽状复叶互生，长 15 ～ 25 cm；小叶 7 ～ 13，常为 11，纸质，卵状长圆形至卵状披针形，上部小叶较大，基部 1 对最小，长 5 ～ 8 cm，宽 2 ～ 4 cm，先端渐尖，基部宽楔形，幼时密生平贴白色细毛，成熟时无毛。总状花序出自上年生短枝的腋芽或顶芽，腋生或顶生，下垂，长 15 ～ 30 cm，先叶开花；花梗长 1 ～ 2 cm；花萼杯状，密被细毛；花冠蓝紫色，长约 2.5 cm，芳香，旗瓣卵圆形，反曲，基部有 2 胼胝体，翼瓣长圆形，龙骨瓣较翼瓣短，阔镰形。荚果倒披针形，长 10 ～ 15 cm，下垂，密生黄色绒毛，有 1 ～ 3 种子；种子扁圆形，褐色，有光泽。花期 3 ～ 4 月，果期 5 ～ 8 月。

| 生境分布 |

江苏各地均有栽培。

| 资源情况 |

栽培资源丰富。

| 采收加工 | 全年均可采收，切段，晒干。

| 功效物质 | 茎含有多糖类成分。种子含有糖蛋白类、糖类、蛋白质类等成分。花含有挥发油类、黄酮类、苯丙素类等成分，其中，挥发油类特征性成分包括苯甲酰-2-苯乙酸酯、苯并噻唑等；黄酮类成分如芹菜苷元、木犀草素等；苯丙素类成分如对香豆酸。果皮含有黄酮类、木脂素类、三萜类、酚类、甾体类等成分，其中，黄酮类成分主要为缅茄儿茶素、儿茶素、表缅茄儿茶素及其苷类；木脂素类成分如鹅掌楸树脂酚、松脂酚等；三萜类成分如蒲公英赛醇、蒲公英赛酮、羽扇豆醇等。

| 功能主治 | 甘、苦，微温；有小毒。止痛，杀虫。用于腹痛，蛲虫病。

| 用法用量 | 内服煎汤，9 ~ 15 g。

| 附 注 | 本种对气候和土壤的适应性强，较耐寒，能耐水湿及瘠薄土壤，喜光，较耐阴。以土层深厚、排水良好、向阳避风的地方栽培最适宜。

豆科 Fabaceae 紫藤属 Wisteria 凭证标本号 320115150727006LY

藤萝
Wisteria villosa Rehder

药材名

藤萝（药用部位：茎皮）。

形态特征

落叶藤本。当年生枝粗壮，密被灰色柔毛，翌年秃净；冬芽灰黄色，卵形，长约1 cm，密被灰色柔毛。羽状复叶长15～32 cm；叶柄长2～5 cm；托叶早落；小叶4～5对，纸质，卵状长圆形或椭圆状长圆形，自下而上逐渐缩小，但最下1对并非最大，长5～10 cm，宽2.3～3.5 cm，先端短渐尖至尾尖，基部阔楔形或圆形，上面疏被白色柔毛，下面毛较密，不脱落；小叶柄长3～4 mm；小托叶刺毛状，长5～6 mm，易落，与小叶柄均被伸展长毛。总状花序生于枝端，下垂，盛花时叶半展开，花序长30～35 cm，直径8～10 cm，自下而上逐次开放；苞片卵状椭圆形，长约10 mm，宽5 mm；花长2.2～2.5 cm，芳香；花梗直，长1.5～2.5 cm，和苞片均被灰白色长柔毛；花萼浅杯状，长约8 mm，宽约10 mm，堇青色，内外均被绒毛，上方2齿几全联合成阔三角形，两侧萼齿三角形，下方1齿最长，三角形，具尖头；花冠堇青色，旗瓣圆形，先端圆钝，基部心形，具瓣柄，翼瓣和龙骨瓣阔长圆形，龙骨瓣先端具 1 齿状缺刻；子房密被绒毛，花柱短，直角上指，胚珠 5。荚果倒披针形，长 18 ~ 24 cm，宽 2.5 cm，密被褐色绒毛，有种子 3；种子褐色，圆形，宽约 1.5 cm，扁平。花期 5 月上旬，果期 6 ~ 7 月。

| 生境分布 | 江苏各地均有栽培。

| 资源情况 | 栽培资源丰富。

| 采收加工 | 果实，冬季果实成熟时采收，除去果壳，晒干。根，全年均可采挖，除去泥土，洗净，切片，晒干。

| 功效物质 | 花含有挥发油类成分，如苯并吡喃醇、苯甲醛、芳樟醇、龙涎香内酯、龙蒿脑等。种子含有凝集素。叶含有黄酮类、三萜类等成分，黄酮类成分如牡荆素、异牡荆素、荭草素、木犀草素等；三萜类成分如常春藤皂苷元、齐墩果酸等。茎含有三萜类、黄酮类、甾体类等成分，三萜类成分结构母核包括蒲公英赛醇、羽扇豆醇、白桦脂酸、齐墩果烯、无羁萜等。

| 功能主治 | 解毒，止泻，消肿。

| 附　　注 | 本种具有较强的气候适应能力，较耐寒，喜光，略耐阴。主根深，侧根少，不耐移栽。喜深厚肥沃的砂壤土，有一定耐干旱、瘠薄和水湿的能力。

酢浆草科 Oxalidaceae 酢浆草属 Oxalis 凭证标本号 320621181125059LY

大花酢浆草
Oxalis bowiei Lindl.

| 药 材 名 | 大花酢浆草（药用部位：全草）。

| 形态特征 | 多年生草本，高 10 ～ 15 cm。具肉质半透明的纺锤形根状茎，匍匐状。茎短缩不明显或无，基部围以膜质鳞片。叶多数，基生；叶柄细弱，长 7 ～ 10 cm，被柔毛，基部具关节；小叶 3，宽倒卵形或倒卵圆形，长 1.5 ～ 2 cm，宽 2.5 ～ 3 cm，先端钝圆形、微凹，基部宽楔形，表面无毛，背面被疏柔毛。伞形花序基生或近基生，明显长于叶，具花 4 ～ 10，总花梗被柔毛；苞片披针形，被柔毛；花梗不等长，长为苞片的 3 ～ 4 倍；花萼披针形，长 10 ～ 12 mm，宽 4 ～ 5 mm，边缘具睫毛；花瓣紫红色，宽倒卵形，长为萼片的 2.5 ～ 3 倍，先端钝圆，基部具爪；雄蕊 10，2 轮，内轮长为外轮的 2 倍，花丝基部合生；子房被柔毛。花期 5 ～ 8 月，果期 6 ～ 10 月。

| **生境分布** | 江苏各地均有栽培。

| **资源情况** | 栽培资源丰富。

| **采收加工** | 3 ~ 6 月采收，洗净，鲜用或晒干。

| **功能主治** | 清热利湿，止咳祛痰，解毒消肿。用于泄泻，痢疾，黄疸，淋证，带下，吐血，衄血，咽喉痛，疔疮，疥癣，痔疮，脱肛，跌打损伤，烫火伤。

| **附　　注** | 本种喜疏松、肥沃及排水良好的砂壤土。

酢浆草科 Oxalidaceae 酢浆草属 *Oxalis* 凭证标本号 320321180519010LY

酢浆草
Oxalis corniculata L.

| **药 材 名** | 酢浆草（药用部位：全草）。

| **形态特征** | 多年生草本，植株高 10 ~ 35 cm。全体有疏柔毛。茎细弱，多分枝，匍匐或斜升，节上生根。叶基生或茎上互生；托叶小，基部与叶柄合生；掌状复叶有 3 小叶，小叶倒心形，长 4 ~ 16 mm，宽 4 ~ 22 mm，先端微凹，基部宽楔形，无柄；叶柄长 1 ~ 13 cm，基部具关节。花 1 至数朵组成腋生的伞形花序；萼片长圆形，先端急尖，有柔毛，宿存；花瓣黄色，倒卵形，微向外反卷；雄蕊 10，花丝白色，半透明，基部合生成筒状。蒴果近圆柱状，具 5 棱，有短柔毛，成熟开裂时将种子弹出；种子小，扁卵形，红褐色，有横沟槽。花果期 4 ~ 8 月。

| 生境分布 | 生于山坡、林缘、路边草丛。江苏各地均有分布。

| 资源情况 | 野生资源较丰富。

| 采收加工 | 全年均可采收，尤以夏、秋季为宜，洗净，鲜用或晒干。

| 药材性状 | 本品为段片状。茎、枝被疏长毛。叶纸质，皱缩或破碎，棕绿色。花黄色，萼片、花瓣均5。蒴果近圆柱形，有5棱，被柔毛。种子小，扁卵形，褐色。具酸气，味咸而酸、涩。

| 功效物质 | 全草含有黄酮类、有机酸类、三萜类、鞣质类等资源性成分，其中，黄酮类成分种类丰富，主要包括异牡荆素、异荭草素、獐牙菜素、肥皂草素、氯化矢车菊苷等；有机酸类成分如4-羟基苯甲酸、柠檬酸、苹果酸、酒石酸、草酸盐等；三萜类成分如白桦脂醇。

| 功能主治 | 酸，寒。归肝、肺、膀胱经。清热利湿，凉血散瘀，解毒消肿。用于湿热泄泻，痢疾、黄疸、淋证、带下、吐血、衄血、尿血、月经不调、跌打损伤、咽喉肿痛、痈肿疔疮、丹毒、湿疹、疥癣、痔疮、麻疹、烫火伤、蛇虫咬伤。

| 用法用量 | 内服煎汤，9 ~ 15 g，鲜品30 ~ 60 g；或研末；或鲜品绞汁。外用适量，煎汤洗；或捣敷；或捣汁涂；或煎汤漱口。

酢浆草科 Oxalidaceae 酢浆草属 *Oxalis* 凭证标本号 321324170408055LY

红花酢浆草 *Oxalis corymbosa* DC.

药材名

铜锤草（药用部位：全草）、铜锤草根（药用部位：根）。

形态特征

多年生草本，植株高约35 cm。地上无茎，地下有多数小鳞茎，鳞片褐色，有纵棱。叶基生，叶柄长5～30 cm，被毛，掌状复叶；小叶3，倒心形，长1～4 cm，宽1.8～3.5 cm，先端凹缺，基部宽楔形，有毛，有橙黄色泡状斑点。二歧聚伞花序排列成伞形花序，有花6～10；总花梗长10～40 cm，被毛，基生；花常为淡红色，有深色条纹；萼片先端有2橙黄色斑纹；花瓣狭长，先端钝或截形。蒴果角果状，有毛。花果期5～9月。

生境分布

江苏各地均有栽培。

资源情况

栽培资源丰富。

采收加工

铜锤草：3～6月采收，洗净，鲜用或晒干。

铜锤草根：秋季采挖，洗净泥土，鲜用或晒干。

| 功效物质 | 全草含有草酸、酒石酸、苹果酸、柠檬酸等有机酸类成分，谷甾醇、胡萝卜苷等甾体类成分，以及色素等成分。

| 功能主治 | **铜锤草：**酸，寒。归肝、小肠经。散瘀消肿，清热利湿，解毒。用于跌打损伤，月经不调，咽喉肿痛，水泻，痢疾，水肿，带下，淋浊，痔疮，痈肿疮疖，烫火伤。

铜锤草根：酸，寒。清热，平肝，定惊。用于小儿肝热，惊风。

| 用法用量 | **铜锤草：**内服煎汤，15～30 g；或浸酒；或炖肉。外用适量，捣敷。

铜锤草根：内服煎汤，9～15 g。

| 附　　注 | 本种喜温暖湿润气候，喜生于阴湿地。以疏松肥沃、富含腐殖质的砂壤土或壤土栽培为宜。

牻牛儿苗科 Geraniaceae 牻牛儿苗属 *Erodium* 凭证标本号 320323170510813LY

牻牛儿苗 *Erodium stephanianum* Willd.

| 药 材 名 |

老鹳草（药用部位：地上部分）。

| 形态特征 |

多年生草本，植株高 15 ~ 50（~ 120）cm。茎多数，分枝平铺地面或稍斜升，具节，有柔毛或近无毛。叶对生；基生叶和茎下部叶具长柄；叶片 2 回羽状深裂至全裂，裂片狭线形或卵状条形，全缘或具疏齿，先端尖，基部下延，两面有细柔毛；托叶三角状披针形，分离，被疏柔毛，边缘具缘毛。伞形花序腋生，长于叶，花序梗长 5 ~ 15 cm；有 2 ~ 5 花；苞片狭披针形，分离；花梗纤细，长约 2 cm；萼片椭圆形，先端有长芒，背面被长毛；花瓣蓝紫色，倒卵形，等长或稍长于萼片；子房被银白色长毛。蒴果长约 4 cm，先端具长喙，密被短糙毛；种子褐色，具斑点。花期 4 ~ 8 月，果期 5 ~ 9 月。

| 生境分布 |

生于山坡、草地、田埂、路边及村庄住宅附近。江苏各地均有分布。

| 资源情况 |

野生资源较少。

| 采收加工 | 夏、秋季果实近成熟时采割，捆成把，晒干。

| 药材性状 | 本品被白色柔毛。茎类圆形，长 30 ~ 50 cm 或更长，直径 1 ~ 7 mm；表面灰绿色带紫色，有分枝，节明显而稍膨大，具纵沟及稀疏茸毛；质脆，折断后纤维性。叶片卷曲皱缩，质脆，易碎，完整者为 2 回羽状深裂，裂片狭线形，全缘或具 1 ~ 3 粗齿。蒴果长椭圆形，长约 4 cm，宿存花柱长 2.5 ~ 3 cm，形似鹳喙，成熟时 5 裂，向上卷曲成螺旋状。气微，味淡。

| 功效物质 | 全草含有黄酮类、香豆素类、酚酸及鞣质类、挥发油类等资源性成分，黄酮类成分如山柰酚、槲皮素及其苷类；酚酸及鞣质类成分如老鹳草鞣质、没食子酰基莽草酸等；挥发油类成分主要为牻牛儿醇。

| 功能主治 | 苦、微辛，平。归肝、大肠经。祛风湿，通经络，止泻痢。用于风湿痹痛，麻木拘挛，筋骨酸痛，泄泻痢疾。

| 用法用量 | 内服煎汤，9 ~ 15 g；或浸酒；或熬膏。外用适量，捣烂加酒炒热敷；或制成软膏涂敷。

| 附　　注 | 本种习称"长嘴老鹳草"。

牻牛儿苗科 Geraniaceae 老鹳草属 Geranium 凭证标本号 321023170218081LY

野老鹳草
Geranium carolinianum L.

| 药 材 名 | 老鹳草（药用部位：地上部分）。

| 形态特征 | 一年生草本，植株高 10 ～ 70 cm。茎直立或仰卧，具棱槽，密被倒向短柔毛。基生叶早枯；茎生叶互生或最上部叶对生，下部叶具长柄，被倒向短柔毛；叶片圆肾形，长 2 ～ 3 cm，宽 4 ～ 6 cm，基部心形，掌状 5 ～ 7 裂至近基部，裂片楔状倒卵形或菱形，下部楔形、全缘，上部 3 ～ 5 裂，小裂片条状矩圆形，先端急尖，表面被短伏毛，背面沿脉被短伏毛。花序长于叶，每花序梗具 2 花，顶生花序梗常数个集生；苞片钻状，被短柔毛；萼片长卵形或近椭圆形，先端急尖，外面被短柔毛或沿脉被开展的糙柔毛和腺毛，果期宿存；花瓣淡紫红色或白色，稍长于花萼，先端圆形，基部宽楔形。蒴果长约 2 cm，被毛。花期 4 ～ 7 月，果期 5 ～ 9 月。

| 生境分布 | 生于低山坡、旷野、山麓、田园或水沟边。江苏各地均有分布。

| 资源情况 | 野生资源丰富。

| 采收加工 | 夏、秋季果实近成熟时采割，捆成把，晒干。

| 药材性状 | 本品茎较细，直径 1 ~ 3 mm，具纵沟；表面微紫色或灰褐色，有倒伏毛。叶肾状三角形，裂片近菱形，边缘具锯齿，两面具伏毛。蒴果长约 2 cm，宿存花柱长 1 ~ 2 cm，成熟时 5 裂，向上卷曲成伞形。

| 功效物质 | 全草含有黄酮类、鞣质类、有机酸类、脂肪烃苷类等资源性成分，黄酮类成分主要包括槲皮素、陆地棉苷、金丝桃苷等；鞣质类成分如鞣花酸、老鹳草鞣质、没食子酸乙酯等；脂肪烃苷类成分如野老鹳草苷 A、野老鹳草苷 B、野老鹳草苷 C 等。

| 功能主治 | 苦、微辛，平。归肝、大肠经。祛风湿，通经络，止泻痢。用于风湿痹痛，麻木拘挛，筋骨酸痛，泄泻痢疾。

| 用法用量 | 内服煎汤，9 ~ 15 g；或浸酒；或熬膏。外用适量，捣烂加酒炒热敷；或制成软膏涂敷。

| 附　　注 | 本种江苏南京民间用来治疗细菌性痢疾、腹泻，效果较好。本种与老鹳草均习称"短嘴老鹳草"。

牻牛儿苗科 Geraniaceae 老鹳草属 *Geranium* 凭证标本号 320124151017010LY

老鹳草 *Geranium wilfordii* Maxim.

| 药 材 名 | 老鹳草（药用部位：地上部分）。

| 形态特征 | 多年生草本，植株高 30 ~ 70 cm。茎、花序梗和花萼的柔毛中混生开展腺毛。茎直立，单生，具棱槽，下部稍匍匐，假二叉状分枝，密生倒向细柔毛。叶对生；基生叶片圆肾形，5 深裂，裂片倒卵状楔形，下部全缘，上部不规则齿裂；茎生叶常 3 裂，中央裂片稍大，倒卵形，有缺刻或浅裂，先端尖，两面有毛；下部叶的叶柄较长，向上渐短。花序腋生及顶生，花序梗被倒向细柔毛，具 2 花；萼片卵形或卵状披针形，先端有芒，背面密生柔毛；花瓣淡红色或白色，内面基部被疏柔毛；花丝下部被缘毛。蒴果长约 2 cm，被毛；种子长圆形，有网纹或近平滑。花期 6 ~ 8 月，果期 8 ~ 10 月。

| 生境分布 | 生于山坡草地、平原路边和树林下。江苏各地均有分布。

| 资源情况 | 野生资源较少。

| 采收加工 | 夏、秋季果实近成熟时采割，捆成把，晒干。

| 药材性状 | 本品茎较细，直径 1 ～ 3 mm，具纵沟；表面微紫色或灰褐色，有倒伏毛。叶肾状三角形，3 ～ 5 深裂，裂片近菱形，边缘具锯齿，两面具伏毛。蒴果长约 2 cm，宿存花柱长 1 ～ 2 cm，成熟时 5 裂，向上卷曲成伞形。

| 功效物质 | 含有鞣质类、黄酮类、有机酸类成分。其中，鞣质类成分如老鹳草鞣质、没食子酸、没食子酰基葡萄糖苷等，具有抑菌、止泻等作用。老鹳草素为主要鞣质类成分，具有较强的抗氧化和抗脂质过氧化作用。

| 功能主治 | 苦、微辛，平。归肝、大肠经。祛风湿，通经络，止泻痢。用于风湿痹痛，麻木拘挛，筋骨酸痛，泄泻痢疾。

| 用法用量 | 内服煎汤，9 ～ 15 g；或浸酒；或熬膏。外用适量，捣烂加酒炒热敷；或制成软膏涂敷。

| 附　　注 | 本种和野老鹳草均习称"短嘴老鹳草"。

牻牛儿苗科 Geraniaceae 天竺葵属 Pelargonium 凭证标本号 321182201110049LY

天竺葵
Pelargonium hortorum Bailey

| 药 材 名 |

石蜡红（药用部位：花）。

| 形态特征 |

多年生直立草本，高20～60 cm，具毛，有强烈鱼腥味。茎肉质，基部木质化，多分枝或不分枝，具节。叶常互生；托叶阔三角形或阔卵形；叶片圆肾形，基部心形，掌状脉5～7，边缘波状浅裂，表面有时有暗红色或紫红色马蹄形环纹。伞形花序着生于茎上部，与叶对生；具数枚总苞片；花序梗长6～12 cm；花多数，未开放的花下弯；萼片5，披针形，基部合生，外面被柔毛和腺毛；花瓣倒卵形，先端阔，基部狭，有时下面3瓣较大或相等，花瓣深红色、大红色、桃红色、玫红色、洋红色、橙红色、粉红色、白色等，或具不同颜色斑纹；子房密被短柔毛。蒴果长约3 cm，具喙，被毛。花期4～7月，果期6～9月。

| 生境分布 |

江苏各地均有栽培。

| 资源情况 |

栽培资源丰富。

| 采收加工 | 春、夏季采摘，鲜用。

| 功效物质 | 全草含有甾体类、三萜类、挥发油类、有机酸类等资源性成分，其中，甾体类成分如环桉烯醇、菜油甾醇、豆甾醇等；三萜类成分如钝叶决明醇、环木菠萝烯醇；挥发油类成分主要包括烃类、酯类、醚类、杂环类、萜类、醇类、芳环类等。

| 功能主治 | 苦、涩，凉。清热解毒。用于中耳炎。

| 用法用量 | 外用适量，榨汁滴耳。

| 附　　注 | 本种喜冬暖夏凉，冬季室内温度保持在 10 ~ 15 ℃，夜间温度 8 ℃以上，即可正常开花，最适温度为 15 ~ 20 ℃。喜燥恶湿，土湿则茎质柔嫩，不利花枝的萌生和开放；长期过湿会引起植株徒长，花枝着生部位上移，叶渐黄而脱落。

旱金莲科 Tropaeolaceae   旱金莲属 *Tropaeolum*   凭证标本号 NAS00583186

旱金莲 *Tropaeolum majus* L.

| **药 材 名** | 旱金莲（药用部位：全草）。

| **形态特征** | 一年生蔓生肉质草本。叶片圆盾形，直径 3 ~ 10 cm，有主脉 9，向四面放射，全缘，有波浪形的浅缺刻，叶背粉绿色，常疏生短柔毛或有乳凸点，叶脉两面凸起；叶柄长 5 ~ 25 cm，向上扭曲，盾状着生于叶片的近中心处。单花，腋生；花梗长 6 ~ 10 cm；花黄色、紫色、橘红色或杂色，直径 2.5 ~ 6 cm；花托杯状；萼片黄绿色，长椭圆状披针形，长 1.5 ~ 2 cm，基部合生，其中 1 萼片的距长 2.5 ~ 3.5 cm，渐尖，内有紫色纵条纹；花瓣橙红色或橙黄色，常圆形，边缘有缺刻，上部 2 常全缘，长 2.5 ~ 5 cm，着生于距的开口处，下部 3 基部狭窄成爪，近爪处边缘具睫毛；雄蕊 8，长短互间。果实扁球形。花期 6 ~ 10 月，果期 7 ~ 11 月。

| 生境分布 | 江苏各地均有栽培。

| 资源情况 | 栽培资源丰富。

| 采收加工 | 秋、冬季采收，多鲜用。

| 功效物质 | 花和叶含有类胡萝卜素、黄酮类、有机酸类等资源性成分，类胡萝卜素成分如叶黄素、玉米黄质、胡萝卜素等；黄酮类成分以异槲皮苷为主。种子和花瓣含有脂肪酸类成分，如亚油酸、亚麻酸、芝麻菜酸等。地上部分含有有机酸类及黄酮类成分。全草含有挥发油类、生物碱类等成分。

| 功能主治 | 辛，凉。清热解毒，凉血止血。用于目赤肿痛，疮疖，吐血，咯血。

| 用法用量 | 内服煎汤，鲜品 15 ~ 30 g。外用适量，捣敷；或煎汤洗。

| 附　注 | 本种喜温和气候，不耐严寒酷暑。夏季高温时不易开花。冬、春、秋季需要充足光照，夏季盆栽忌烈日暴晒。

蒺藜科 Zygophyllaceae 白刺属 Nitraria 凭证标本号 320921190508013LY

小果白刺

Nitraria sibirica Pall.

| 药 材 名 | 卡密（药用部位：果实）。

| 形态特征 | 灌木，高 0.5 ~ 1.5 m，弯，多分枝。枝铺散，少直立；小枝灰白色，不孕枝先端针刺状。叶近无柄，在嫩枝上 4 ~ 6 簇生，倒披针形，长 6 ~ 15 mm，宽 2 ~ 5 mm，先端锐尖或钝，基部渐窄成楔形，无毛或幼时被柔毛。聚伞花序长 1 ~ 3 cm，被疏柔毛；萼片 5，绿色，花瓣黄绿色或近白色，矩圆形，长 2 ~ 3 mm。果实椭圆形或近球形，两端钝圆，长 6 ~ 8 mm，成熟时暗红色，果汁暗蓝色，带紫色，味甜而微咸；果核卵形，先端尖，长 4 ~ 5 mm。花期 5 ~ 6 月，果期 7 ~ 8 月。

| 生境分布 | 生于盐渍化的低沙地、湖盆边缘的沙地，常在沙碱地、轻度盐渍化

低地、干河床边形成群落。分布于江苏盐城（响水）等。

| **资源情况** | 野生资源较少。

| **采收加工** | 秋季果实成熟时采收，晒干。

| **功效物质** | 叶含有大柱香波龙烷类成分。果实含有脂肪酸类、甾体类、维生素类、长链烷烃类等资源性成分，其提取物对革兰氏阴性菌及革兰氏阳性菌均有一定的抑制作用，但对真菌的抑制作用不明显。地上部分含有生物碱类成分，如小果白刺碱、白刺胺等。全草所含的酚类成分具有抗氧化、抗衰老生物活性。此外，全草还含有生物碱类成分，如白刺喹嗪胺、*L*-鸭嘴花酮碱、白刺喹啉胺等。

| **功能主治** | 甘、酸、微咸，温。归脾、胃经。健脾胃，益气血，调月经。用于脾虚食少，消化不良，气血两亏，身体瘦弱，月经不调。

| **用法用量** | 内服煎汤，9 ~ 15 g；或入丸、散剂。

蒺藜科 Zygophyllaceae 蒺藜属 *Tribulus* 凭证标本号 320381180817004LY

蒺藜 *Tribulus terrestris* L.

| 药 材 名 | 蒺藜（药用部位：果实）。

| 形态特征 | 一年生草本。茎平卧。全体被丝状毛。枝长 20 ~ 60 cm。偶数羽状复叶对生；小叶片 3 ~ 8 对，矩圆形或斜短圆形，先端锐尖或钝，基部稍偏斜，被柔毛，全缘；托叶披针形。花单生于叶腋，花梗短于叶；萼片 5，宿存；花瓣 5，黄色；雄蕊 10，2 轮，着生于环状花盘基部，基部有鳞片状腺体，与花瓣对生的 5 雄蕊较长；子房具 5 棱，有毛，柱头 5 裂。果实球形，果瓣 5，成熟时分离，每瓣具多刺。花期 5 ~ 8 月，果期 6 ~ 9 月。

| 生境分布 | 生于沙地、荒地、山坡草地或路旁。江苏各地均有分布。

| 资源情况 | 野生资源较丰富。

| 采收加工 | 秋季果实成熟时采割植株，晒干，打下果实，除去杂质。

| 药材性状 | 本品完整者由 5 分果瓣组成，放射状排列成五棱状，直径 0.7 ~ 1.2 cm，常分裂为单一的分果瓣。小分果呈斧状或橘瓣状，长 0.3 ~ 0.6 cm，宽 0.4 ~ 0.5 cm，厚约 0.3 cm，黄白色或淡黄绿色；背部弓形隆起，中间有纵棱及多数小刺，上部两侧各有 1 粗硬刺，长 0.4 ~ 0.6 cm，基部有 2 稍短的粗硬刺，两侧面较薄，有网状花纹或数条斜向棱线。果皮极坚硬。分果 1 室，内有 3 ~ 4 种子，种子长卵圆形，稍扁，有油性。味微苦、辛。以饱满、坚实、背面淡黄绿色者为佳。

| 功效物质 | 茎含有黄酮类成分。叶含有蒺藜新苷等呋甾烷类成分。花含有甾体类、黄酮类及糖类成分，其中甾体类成分主要为螺甾烷型、豆甾醇型甾体皂苷元。果实富含甾体类成分，主要为蒺藜甾苷、大叶吊兰苷等甾体皂苷类成分及甾醇类成分，此外尚含有蒽醌类、生物碱类、核苷类、酰胺类、酚类、有机酸及其酯类等资源性成分。种子富含脂肪酸类成分。全草富含骆驼蓬碱等生物碱类、甾体类、糖类等资源性成分，可作为提取甾体类资源性成分的原料。

| 功能主治 | 甘、微苦，温。平肝解郁，活血祛风，明目，止痒。用于头痛眩晕，胸胁胀痛，乳闭，乳痈，目赤翳障，风疹瘙痒。

| 用法用量 | 内服煮散剂，3 ~ 5 g；或入丸、散剂。

| 附　注 | 本种喜温暖湿润气候。耐干旱，怕涝。

亚麻科 Linaceae 亚麻属 Linum 凭证标本号 320323170512881LY

亚麻 *Linum usitatissimum* L.

| 药 材 名 | 亚麻子（药用部位：种子）。

| 形态特征 | 一年生草本，高 30 ～ 120 cm。茎直立，上部多分枝，有时基部亦分枝，基部木质化，无毛，韧皮部纤维强韧。叶片线形、线状披针形或披针形，长 2 ～ 4 cm，宽 1 ～ 5 mm，先端锐尖，基部渐狭，内卷，有三或五出脉；无柄。花单生于枝顶或枝的上部叶腋，组成疏散的聚伞花序；萼片卵形或卵状披针形，长 5 ～ 8 mm，先端凸尖或长尖，有 3 或 5 脉，边缘膜质，有时上部有锯齿，边缘有纤毛，无腺点，宿存；花瓣倒卵形，长 8 ～ 12 mm，蓝色或紫蓝色，稀白色或红色，先端啮蚀状；柱头棒状，比花柱微粗。蒴果球形，干后棕黄色，直径 6 ～ 9 mm，室间开裂成 5 瓣。花期 5 ～ 6 月，果期 7 ～ 10 月。

| 生境分布 | 生于干燥山坡、草地或路旁。江苏各地有少量栽培。

| 资源情况 | 野生及栽培资源较少。

| 采收加工 | 秋季果实成熟时采收茎枝，晒干，打下种子，再晒干。

| 药材性状 | 本品呈卵圆形，扁平，长 4 ~ 7 mm，宽 2 ~ 3 mm。表面棕色或棕红色，平滑，有光泽，一端尖而略偏斜，种脐位于下方的凹陷处，另一端圆钝，种脊位于一侧边缘。种皮薄，胚乳棕色，菲薄，子叶 2，黄白色，富油性。气微，嚼之有豆腥味。种子用水浸泡后，外有透明黏液膜包围。以饱满、光滑、色棕红者为佳。

| 功效物质 | 根含有生物碱类、黄酮类、木脂素类、二萜类、甾体类、氨基酸类等资源性成分。茎富含纤维素、木脂素类成分，茎和叶中尚含香豆素类、黄酮类及酚酸类等资源性成分。花含有七叶树内酯、七叶树苷等香豆素类成分，以及酚酸类成分。种子含脂肪油 30% ~ 40%，油中主要成分为亚油酸、亚麻酸、油酸、肉豆蔻酸、棕榈酸等，此外，还含有松脂酚、落叶松脂醇等木脂素类成分，亚麻抑素、新亚麻抑素等氰苷类成分，环亚油肽类环肽成分，以及香豆素类、黄酮类等多种活性成分。

| 功能主治 | 甘，平。归肝、肺、大肠经。润燥通便，养血祛风。用于肠燥便秘，皮肤干燥，瘙痒，脱发。

| 用法用量 | 内服煎汤，5 ~ 10 g；或入丸、散剂。外用适量，榨油涂。

| 附　注 | （1）本种的种子可榨油，可作润滑剂；亚麻油内服可作润滑剂、缓泻剂，并可作软膏基质。
（2）本种喜凉爽湿润气候。耐寒，怕高温。

大戟科 Euphorbiaceae 铁苋菜属 Acalypha 凭证标本号 320703160909574LY

铁苋菜 Acalypha australis L.

| 药 材 名 | 铁苋（药用部位：全草）。

| 形态特征 | 一年生草本，高 20 ~ 50 cm。叶膜质，长卵形、近菱状卵形或阔披针形，长 3 ~ 9 cm，宽 1 ~ 5 cm，先端短渐尖，基部楔形，稀圆钝，边缘具圆锯齿，上面无毛，下面沿中脉具柔毛；基出脉 3，侧脉 3 对；叶柄具短柔毛；托叶披针形。雌雄花同序，花序腋生，稀顶生。雌花苞片 1 ~ 2（~ 4），卵状心形，花后增大，边缘具三角形齿，外面沿脉具疏柔毛，苞腋具雌花 1 ~ 3；花梗无；雌花萼片 3，长卵形；子房具疏毛，花柱 3，撕裂为 5 ~ 7。雄花生于花序上部，排列成穗状或头状；雄花苞片卵形，苞腋具雄花 5 ~ 7，簇生；雄花在花蕾时近球形，无毛，花萼裂片 4，卵形；雄蕊 7 ~ 8。蒴果直径 4 mm，具 3 分果爿，果皮具疏生毛和毛基变厚的小瘤体；种子近

卵形，种皮平滑，假种阜细长。花果期4 ~ 12 月。

| 生境分布 | 生于平原或山坡较湿润的耕地和空旷草地，有时生于石灰岩山疏林下。江苏各地均有分布。

| 资源情况 | 野生资源丰富。

| 采收加工 | 5 ~ 7 月间采收，除去泥土，鲜用或晒干。

| 功效物质 | 全草含有铁苋菜素、生物碱、没食子酸、鞣质、胡萝卜苷等。

| 功能主治 | 苦、涩，凉。归心、肺经。清热利湿，凉血解毒，消积。用于痢疾，泄泻，吐血，衄血，尿血，便血，崩漏，疳积，痈疖疮疡，皮肤湿疹。

| 用法用量 | 内服煎汤，10 ~ 30 g。外用适量，鲜品捣敷。

大戟科 Euphorbiaceae 山麻杆属 *Alchornea* 凭证标本号 320681160423006LY

山麻杆
Alchornea davidii Franch.

| 药 材 名 | 山麻杆（药用部位：茎皮、叶）。

| 形态特征 | 落叶灌木，高 1 ~ 4（~ 5）m。嫩枝被灰白色短绒毛。叶薄纸质，阔卵形或近圆形，长 8 ~ 15 cm，宽 7 ~ 14 cm，先端渐尖，基部心形、浅心形或近平截，边缘具粗锯齿或细齿，齿端具腺体，基部具斑状腺体 2 或 4；基出脉 3；小托叶线状；托叶披针形，早落。雌雄异株；雄花序穗状，1 ~ 3 生于一年生枝已落叶腋部，苞片卵形，雄花 5 ~ 6 簇生于苞腋，无毛，基部具关节；雌花序总状，顶生，具花 4 ~ 7，各部均被短柔毛，苞片三角形，小苞片披针形。雄花萼片 3（~ 4）；雄蕊 6 ~ 8。雌花萼片 5，长三角形；子房球形，被绒毛，花柱 3，线状，长 10 ~ 12 mm，合生部分长 1.5 ~ 2 mm。

蒴果近球形，具 3 圆棱，直径 1 ~ 1.2 cm，密生柔毛；种子卵状三角形，淡褐色或灰色，具小瘤。花期 3 ~ 5 月，果期 6 ~ 7 月。

| **生境分布** | 生于沟谷或溪畔、河畔边的坡地灌丛中。分布于江苏南京、镇江、苏州、无锡等。

| **资源情况** | 野生及栽培资源较丰富。

| **采收加工** | 春、夏季采收，洗净，鲜用或晒干。

| **功效物质** | 含有木脂素类、鞣质类、黄酮类和香豆素类等多种活性成分。

| **功能主治** | 淡，平。归大肠经。驱虫，解毒，定痛。用于蛔虫病，狂犬病，毒蛇咬伤，腰痛。

| **用法用量** | 内服煎汤，3 ~ 6 g。外用适量，鲜品捣敷。

| **附　　注** | 本种耐阴，但抗寒能力较弱，对土壤要求不严，在疏松肥沃、富含有机质的砂壤土中生长最好。

大戟科 Euphorbiaceae 秋枫属 Bischofia 凭证标本号 320621181124117LY

重阳木

Bischofia polycarpa (Lévl.) Airy Shaw

药材名

重阳木（药用部位：根、树皮）、重阳木叶（药用部位：叶）。

形态特征

落叶乔木，高达 15 m。树皮褐色，纵裂；当年生枝绿色，皮孔明显，灰白色，老枝变褐色，皮孔变锈褐色；芽小，先端稍尖或钝，具少数芽鳞。全株均无毛。三出复叶；总叶柄长 9 ~ 13.5 cm；顶生小叶通常较两侧的大，小叶片纸质，卵形、椭圆状卵形或长圆状卵形，长 5 ~ 9（~ 14）cm，宽 3 ~ 6（~ 9）cm，先端突尖或短渐尖，基部圆形或浅心形，边缘具钝细锯齿，每厘米具 4 ~ 5；顶生小叶柄长 1.5 ~ 4（~ 6）cm，侧生小叶柄长 3 ~ 14 mm；托叶小，早落。花雌雄异株，春季与叶同时开放，组成总状花序；花序通常着生于新枝的下部，花序轴纤细而下垂；雄花序长 8 ~ 13 cm；雌花序长 3 ~ 12 cm。雄花萼片膜质，半圆形；花丝短；有明显的退化雌蕊。雌花萼片与雄花的相同，边缘膜质，白色；子房 3 ~ 4 室，每室具 2 胚珠，花柱 2 ~ 3，先端不分裂。果实浆果状，球形，直径 5 ~ 7 mm，成熟时褐红色。花期 4 ~ 5 月，果期 10 ~ 11 月。

生境分布	生于山林地中。江苏南京有栽培。

资源情况	栽培资源一般。

采收加工	重阳木：全年均可采收，浸酒或晒干。 重阳木叶：春、夏季采摘，洗净，鲜用。

功效物质	主要含有酚类、醛类、酯类、醇类、酸类及少量醚类成分。树皮和叶均含有糠醛、葵醛、十五酸和十七酸乙酯。

功能主治	重阳木：微辛、涩，凉。理气活血，解毒消肿。用于风湿痹痛，痢疾。 重阳木叶：宽中消积，清热解毒。用于噎膈，反胃，病毒性肝炎，疳积，肺热咳嗽，咽痛，疮疡。

用法用量	重阳木：内服煎汤，9～15 g，鲜品62～93 g。外用适量，捣敷。 重阳木叶：内服煎汤，9～15 g；或浸酒。外用适量，捣敷；或浸酒擦。

附　　注	本种喜光，也略耐阴，耐干旱瘠薄，也耐水湿。

大戟科 Euphorbiaceae 变叶木属 Codiaeum 凭证标本号 NAS00586619

变叶木 *Codiaeum variegatum* (L.) A. Juss.

| 药 材 名 | 洒金榕（药用部位：叶、根）。

| 形态特征 | 灌木或小乔木，高可达 2 m。枝条无毛，有明显叶痕。叶薄革质，形状、大小变异很大，线形、线状披针形、长圆形、椭圆形、披针形、卵形、匙形、提琴形至倒卵形，有时长的中脉把叶片间断成上下 2 片，长 5 ~ 30 cm，宽（0.3 ~）0.5 ~ 8 cm，先端短尖、渐尖至圆钝，基部楔形、短尖至钝，全缘、浅裂至深裂，两面无毛，绿色、淡绿色、紫红色、紫红色与黄色相间或黄色与绿色相间，或有时在绿色叶片上散生黄色或金黄色斑点或斑纹；叶柄长 0.2 ~ 2.5 cm。总状花序腋生，雌雄同株异序，长 8 ~ 30 cm。雄花白色，萼片 5；花瓣 5，远较萼片小；腺体 5；雄蕊 20 ~ 30；花梗纤细。雌花淡黄色，萼片卵状三角形；无花瓣；花盘环状；子房 3 室，花

柱外弯，不分裂；花梗稍粗。蒴果近球形，稍扁，无毛，直径约 9 mm；种子长约 6 mm。花期 9 ~ 10 月。

| **生境分布** | 江苏各地均有栽培。

| **资源情况** | 栽培资源一般。

| **采收加工** | 全年均可采收，鲜用或晒干。

| **功效物质** | 新鲜叶含有乙酰胆碱、胆碱、乙酰胆碱酯酶、丙酰基胆碱、香豆酸、香草酸、阿魏酸、绿原酸等。

| **功能主治** | 散瘀消肿，清热理肺。用于跌打肿痛，肺热咳嗽。

| **附　注** | 本种喜高温、湿润和阳光充足的环境，不耐寒。喜湿怕干。

大戟科 Euphorbiaceae 大戟属 *Euphorbia* 凭证标本号 320482180317352LY

甘肃大戟 *Euphorbia kansuensis* Prokh.

| 药 材 名 |　白狼毒（药用部位：根）。

| 形态特征 |　多年生草本，高 30 ~ 60 cm。根肥厚，肉质，纺锤形至圆锥形，外皮黄褐色，有黄色乳汁。茎绿色，基部带紫色。叶互生；叶片长圆状披针形，长 4 ~ 11 cm，宽 1 ~ 2.5 cm，全缘。总花序多歧聚伞状，顶生，5 伞梗呈伞状，每伞梗又生出 3 小伞梗或再抽第 3 回小伞梗；杯状聚伞花序宽钟形，总杯裂片先端不规则浅裂；腺体半月形。蒴果三角状扁球形，无毛；种子圆卵形，棕褐色。花期 4 ~ 6 月，果期 5 ~ 7 月。

| 生境分布 |　生于山坡、草丛、沟谷、灌丛或林缘等。江苏各地均有分布。

| 资源情况 | 野生资源较丰富。

| 采收加工 | 春、秋季采挖，除去茎叶、泥沙，切片，晒干。

| 功效物质 | 主要含有二萜类和乙酰间苯三酚类衍生物，具有体外抗菌、细胞毒作用。

| 功能主治 | 辛，平；有大毒。散结，杀虫。外用于淋巴结结核，皮癣。

| 用法用量 | 内服煎汤，1～2.4 g，炮制后用；或入丸、散剂。外用适量，研末或制成软膏搽敷。

| 附　注 | 本种民间用于治疗结核和恶性肿瘤。

大戟科 Euphorbiaceae 大戟属 *Euphorbia* 凭证标本号 320506150705276LY

乳浆大戟 *Euphorbia esula* L.

| 药 材 名 |

乳浆大戟（药用部位：全草）。

| 形态特征 |

多年生草本。根圆柱状，长 20 cm 以上。茎单生或丛生，高 30 ～ 60 cm。不育枝常发自基部，长 2 ～ 3 cm，无柄。叶线形至卵形，长 2 ～ 7 cm，宽 4 ～ 7 mm，先端尖或钝尖，基部楔形至平截；总苞叶 3 ～ 5，与茎生叶同形；苞叶 2，肾形、卵形或三角状卵形，先端渐尖或近圆形，基部近平截。花序单生于二歧分枝的先端；总苞钟状，边缘 5 裂，裂片半圆形至三角形；腺体 4，新月形，两端具角，角长而尖或短而钝，褐色；雄花多枚，苞片宽线形，无毛；雌花 1，子房柄明显伸出总苞之外，花柱 3，分离，柱头 2 裂。蒴果三棱状球形，长与直径均为 5 ～ 6 mm，无毛，具 3 纵沟，花柱宿存，成熟时分裂为 3 分果爿；种子卵球形，长 2.5 ～ 3 mm，直径 2 ～ 2.5 mm，成熟时黄褐色；种阜盾状，无柄。花果期 4 ～ 10 月。

| 生境分布 |

生于路旁、山坡、林下、河沟边、荒地、沙丘。江苏各地均有分布。

| **资源情况** | 野生资源较丰富。

| **采收加工** | 春、夏季采收，鲜用或晒干。

| **功效物质** | 主要含有二萜类、三萜类、甾体类、香豆素类、黄酮类和酚类等化学成分，代表性成分有大戟醇、24- 亚甲基环木菠萝烷醇、β- 香树脂醇、粘霉烯醇、巨大戟二萜醇 -13,20- 二苯甲酸酯等，具有利尿消肿、拔毒止痒、镇咳祛痰、平喘、抗菌等作用。地上部分含有 β- 谷甾醇、24- 亚甲基环木菠萝烷醇、二十六醇 -1、二十九烷、三十一烷等。

| **功能主治** | 利尿消肿，散结，杀虫。用于水肿，臌胀，瘰疬，皮肤瘙痒。

大戟科 Euphorbiaceae 大戟属 *Euphorbia* 凭证标本号 320481170402299LY

泽漆 *Euphorbia helioscopia* L.

| 药 材 名 | 泽漆（药用部位：全草）。

| 形态特征 | 一年生草本。根纤细，长 7 ~ 10 cm，下部分枝。茎直立，单一或自基部多分枝，高 10 ~ 30（~ 50）cm。叶互生，倒卵形或匙形，长 1 ~ 3.5 cm，宽 5 ~ 15 mm，先端具齿，中部以下渐狭或呈楔形；总苞叶 5，倒卵状长圆形；苞叶 2，卵圆形。花序单生，有梗或近无梗；总苞钟状，边缘 5 裂，裂片半圆形，边缘和内侧具柔毛；腺体 4，盘状，中部内凹，基部具短柄，淡褐色；雄花数枚，明显伸出总苞外；雌花 1，子房柄略伸出总苞边缘。蒴果三棱状阔圆形，光滑，无毛；具明显的 3 纵沟，长 2.5 ~ 3 mm，直径 3 ~ 4.5 mm，成熟时分裂为 3 分果爿；种子卵形，长约 2 mm，直径约 1.5 mm，暗褐色，具明显的脊网；种阜扁平，无柄。花果期 4 ~ 10 月。

| 生境分布 | 生于山沟、路旁、荒野和山坡。江苏各地均有分布。

| 资源情况 | 野生资源较丰富。

| 采收加工 | 4～5月花开时采收，除去根及泥沙，晒干。

| 药材性状 | 本品长约30 cm。茎光滑无毛，多分枝；表面黄绿色，基部呈紫红色，具纵纹；质脆。叶互生，无柄，倒卵形或匙形，长1～3 cm，宽0.5～1.5 cm，先端钝圆或微凹，基部广楔形或突然狭窄，边缘在中部以上具锯齿；茎顶部具5轮生叶状苞，与下部叶相似。多歧聚伞花序顶生，有伞梗；杯状花序钟形，黄绿色。蒴果无毛。种子卵形，表面有凸起的网纹。气酸而特异，味淡。以茎粗壮、色黄绿者为佳。

| 功效物质 | 主要含有二萜酯类、黄酮类、三萜类、甾醇类、多酚类、氨基酸及天然油脂类化合物。

| 功能主治 | 辛、苦，微寒；有毒。归大肠、小肠、脾、肺经。行水消肿，化痰止咳，解毒杀虫。用于水气肿满，痰饮喘咳，疟疾，细菌性痢疾，瘰疬，结核性瘘管，骨髓炎。

| 用法用量 | 内服煎汤，3～9 g；或熬膏，入丸、散剂。外用适量，煎汤洗；或熬膏涂；或研末调敷。

| 大戟科 | Euphorbiaceae | 大戟属 | *Euphorbia* | 凭证标本号 | 320830150607010LY |

地锦草
Euphorbia humifusa Willd. ex Schlecht.

| 药材名 | 地锦草（药用部位：全草）。

| 形态特征 | 一年生草本。根纤细，长 10 ~ 18 cm，常不分枝。茎匍匐，自基部以上多分枝，基部常红色或淡红色，长达 20（~ 30）cm。叶对生，矩圆形或椭圆形，长 5 ~ 10 mm，宽 3 ~ 6 mm，先端钝圆，基部偏斜，略渐狭，边缘常于中部以上具细锯齿；叶面绿色，叶背淡绿色，有时淡红色；叶柄极短。花序单生于叶腋，具短梗；总苞陀螺状，高、直径均约 1 mm，边缘 4 裂，裂片三角形；腺体 4，矩圆形，边缘具白色或淡红色附属物；雄花数枚，近与总苞边缘等长；雌花 1，子房柄伸出至总苞边缘，子房三棱状卵形，花柱 3，分离，柱头 2 裂。蒴果三棱状卵球形，长约 2 mm，直径约 2.2 mm，成熟时分裂为 3 分果爿，花柱宿存；种子三棱状卵球形，长约 1.3 mm，

直径约 0.9 mm，灰色，每个棱面无横沟，无种阜。花果期 5 ~ 10 月。

| 生境分布 | 生于原野、路旁、田间、沙丘、海滩、山坡等。江苏各地均有分布。

| 资源情况 | 野生资源较丰富。

| 采收加工 | 10 月采收，洗净，鲜用或晒干。

| 药材性状 | 本品常皱缩卷曲。根细小。茎细，呈叉状分枝；表面带紫红色，光滑无毛或疏生白色细柔毛；质脆，易折断，断面黄白色，中空。叶对生，具淡红色短柄或几无柄；叶片多皱缩或已脱落，平展后呈长椭圆形，长 5 ~ 10 mm，宽 4 ~ 6 mm，绿色或带紫红色，通常无毛或疏生细柔毛，先端钝圆，基部偏斜，边缘具小锯齿或呈微波状。杯状聚伞花序腋生，细小。蒴果三棱状球形，表面光滑。种子细小，卵形，褐色。无臭，味微涩。

| 功效物质 | 主要含有黄酮类、甾体类、三萜类、鞣质类及酚酸类等多种生物活性成分，具有抗真菌、抗细菌、抗病毒、抗氧化、保肝、止血等生物活性。

| 功能主治 | 辛，平。归肺、肝、胃、大肠、膀胱经。清热解毒，凉血止血，利湿退黄。用于痢疾，泄泻，咯血，尿血，便血，崩漏，疮疖痈肿，湿热黄疸。

| 用法用量 | 内服煎汤，10 ~ 15 g，鲜品 15 ~ 30 g；或入散剂。外用适量，鲜品捣敷；或研末撒。

大戟科 Euphorbiaceae 大戟属 Euphorbia 凭证标本号 320323170511871LY

湖北大戟 *Euphorbia hylonoma* Hand.-Mazz.

| 药 材 名 | 九牛造（药用部位：根）、九牛造茎叶（药用部位：叶）。

| 形态特征 | 多年生草本，全体光滑无毛。根粗线形，长超过 10 cm。茎直立，上部多分枝，高 50 ~ 100 cm。叶互生，长圆形至椭圆形，长 4 ~ 10 cm，宽 1 ~ 2 cm，先端圆，基部渐狭，叶面绿色，叶背有时淡紫色或紫色，侧脉 6 ~ 10 对；叶柄长 3 ~ 6 mm；总苞叶 3 ~ 5，同茎生叶；苞叶 2 ~ 3，常为卵形。花序单生于二歧分枝先端；总苞钟状，边缘 4 裂，裂片三角状卵形，全缘，被毛；腺体 4，圆肾形，淡黑褐色；雄花多枚，明显伸出总苞外；雌花 1，子房柄长 3 ~ 5 mm，花柱 3，分离，柱头 2 裂。蒴果球形，长 3.5 ~ 4 mm，直径约 4 mm，光滑，成熟时分裂为 3 分果爿；种子卵圆形，灰色或淡褐色，长约 2.5 mm，直径约 2 mm，光滑，腹面具沟纹；种阜具

极短的柄。花期 4 ~ 7 月，果期 6 ~ 9 月。

| **生境分布** | 生于山沟、山坡、灌丛、疏林等。江苏各地均有分布。

| **资源情况** | 野生资源较丰富。

| **采收加工** | 九牛造：秋季采挖，洗净，晒干。

九牛造茎叶：春、夏季采收，鲜用或晒干。

| **药材性状** | 九牛造：本品呈圆锥形，中段以下略有分枝，直径 1.5 ~ 2 cm。表面黄褐色。断面黄色，有白色乳汁外流。气微，味苦。

| **功效物质** | 根含有大戟甾醇、糠醛、甾醇、胡萝卜苷、鞣花酸、没食子酸等。

| **功能主治** | 九牛造：甘、苦，凉；有毒。归肝、脾经。消积除胀，泻下逐水，破瘀定痛。用于食积，臌胀，二便不通，跌打损伤。

九牛造茎叶：止血，定痛，生肌。用于外伤出血，无名肿毒。

| **用法用量** | 九牛造：内服煎汤，1.5 ~ 3 g。外用适量，捣敷。

九牛造茎叶：外用适量，研末撒敷；或鲜品捣敷。

大戟科 Euphorbiaceae 大戟属 *Euphorbia* 凭证标本号 320115170710006LY

通奶草 *Euphorbia hypericifolia* L.

| **药 材 名** | 大地锦（药用部位：全草）。

| **形态特征** | 一年生草本。根纤细，长 10 ~ 15 cm，常不分枝，被短柔毛或无毛。叶对生，狭长圆形或倒卵形，长 1 ~ 2.5 cm，宽 4 ~ 8 mm，先端钝或圆，基部圆形，通常偏斜，不对称，全缘或基部以上具细锯齿，上面深绿色，下面淡绿色，有时略带紫红色，被疏柔毛；叶柄极短；托叶三角形，分离或合生；苞叶 2，与茎生叶同形。花序数个簇生于叶腋或枝顶；总苞陀螺状，高与直径均约 1 mm 或稍大，边缘 5 裂，裂片卵状三角形；腺体 4，边缘具白色或淡粉色附属物；雄花数枚，微伸出总苞外；雌花 1，子房柄长于总苞，子房三棱状，无毛，花柱 3，分离，柱头 2 浅裂。蒴果三棱状，长约 1.5 mm，直径约 2 mm，无毛，成熟时分裂为 3 分果爿；种子卵棱状，每个棱面具

数个皱纹，无种阜。花果期 8 ~ 12 月。

| **生境分布** | 生于旷野荒地、路旁、灌丛及田间。分布于江苏南京、苏州等。

| **资源情况** | 野生资源较丰富。

| **采收加工** | 秋季采收，洗净，晒干。

| **功效物质** | 含有三萜类化合物和类固醇等。

| **功能主治** | 微酸、涩，微凉。通乳，利尿，清热解毒。用于乳汁不通，水肿，泄泻，痢疾，皮炎，湿疹，烫火伤。

| **用法用量** | 内服煎汤，15.5 ~ 31 g；外用适量，鲜品煎汤熏洗。

| **附　　注** | 本种可用于制备茶酒和足浴粉，以清热利湿。

大戟科 Euphorbiaceae 大戟属 *Euphorbia* 凭证标本号 320621180414016LY

续随子 *Euphorbia lathyris* L.

| 药材名 | 千金子（药用部位：种子）、续随子叶（药用部位：叶）、续随子茎中白汁（药用部位：茎中白色乳汁）。

| 形态特征 | 二年生草本，全体无毛。根柱状，长超过 20 cm，侧根多而细。茎直立，基部单一，略带紫红色，顶部二歧分枝，高可达 1 m。叶交互对生，在茎下部密集，茎上部稀疏，线状披针形，长 6 ~ 10 cm，宽 4 ~ 7 mm，先端渐尖或尖，基部半抱茎，全缘；总苞叶和茎生叶均为 2，卵状长三角形，先端渐尖或急尖，基部近平截或半抱茎，全缘。花序单生，总苞近钟状，边缘 5 裂，裂片三角状长圆形，边缘浅波状；腺体 4，新月形，两端具短角，暗褐色；雄花多数，伸出总苞边缘；雌花 1，子房柄与总苞近等长，花柱 3，分离，柱头 2 裂。蒴果三棱状球形，长与直径均约 1 cm，无毛，成熟时不

开裂；种子圆柱形至卵球形，长 6 ~ 8 mm，直径 4.5 ~ 6 mm，褐色或灰褐色，具黑褐色斑点；种阜无柄，易脱落。花期 4 ~ 7 月，果期 6 ~ 9 月。

| 生境分布 | 生于水田、低湿旱田及田地边。江苏各地均有分布，栽培或逸为野生。

| 资源情况 | 野生及栽培资源一般。

| 采收加工 | **千金子：** 南方 7 月中、下旬，北方 8 ~ 9 月上旬，待果实变黑褐色时采收，晒干，脱粒，扬净，再晒至全干。
续随子叶： 随采随用。
续随子茎中白汁： 夏、秋季折断茎部，取液汁，随采随用。

| 药材性状 | **千金子：** 本品呈椭圆形或倒卵形，长约 5 mm，直径约 4 mm。表面灰棕色或灰褐色，具不规则网状皱纹，网孔凹陷处灰黑色，形成细斑点。一侧有纵沟状种脊，先端为凸起的合点，下端为线形种脐，基部有类白色凸起的种阜或脱落后的疤痕。种皮薄脆，种仁白色或黄白色，富油质。气微，味辛。
续随子叶： 本品单叶交互对生，平展，有短柄；叶片披针形或卵状披针形，由下而上渐大，长 6 ~ 10 cm，宽 0.4 ~ 0.7 cm，先端锐尖，基部心形而多少抱茎，全缘。

| 功效物质 | 主要含有脂肪酸类、二萜类、黄酮类、香豆素类、挥发油类、甾醇类等成分。临床上对白血病、食管癌、皮肤癌等疾病疗效佳，极具药用开发价值。

| 功能主治 | **千金子：** 辛，温。归肝、肾、大肠经。逐水退肿，破血消癥，解毒杀虫。用于水肿，腹水，二便不利，癥瘕瘀滞，闭经，疥癣癫疮，痈肿，毒蛇咬伤，疣赘。
续随子叶： 苦，微温。归肝经。祛斑，解毒。用于白癜风、面皯、蝎蜇伤。
续随子茎中白汁： 辛，温；有毒。归肺经。泻下逐水，破血消癥，疗癣蚀疣。用于二便不通，水肿，痰饮，积滞胀满，血瘀闭经；外用于顽癣，赘疣。

| 用法用量 | **千金子：** 内服，1 ~ 2 g，去壳去油用，多入丸、散剂。外用适量，捣敷。
续随子叶： 外用适量，捣敷。
续随子茎中白汁： 外用适量，涂搽。

| 附　注 | 本种喜温暖、光照及中生环境，抗逆性较强，易栽培，宜湿润，怕水涝，对土壤要求不严，但以砂壤腐殖土最佳。

| 大戟科 Euphorbiaceae | 大戟属 Euphorbia | 凭证标本号 320581180829205LY

斑地锦

Euphorbia maculata L.

| 药 材 名 | 地锦草（药用部位：全草）。

| 形态特征 | 一年生草本。根纤细。茎匍匐，长 10 ~ 17 cm，被白色疏柔毛。叶对生，长椭圆形至肾状长圆形，长 6 ~ 12 mm，宽 2 ~ 4 mm，先端钝，基部偏斜，中部以下全缘，中部以上常具细小疏锯齿，叶面绿色，中部常具 1 长圆形的紫色斑点，叶背淡绿色或灰绿色，新鲜时可见紫色斑；叶柄极短；托叶钻状，不分裂。花序单生于叶腋；总苞狭杯状，高 0.7 ~ 1 mm，直径约 0.5 mm，边缘 5 裂，裂片三角状圆形；腺体 4，黄绿色，横椭圆形，边缘具白色附属物；雄花 4 ~ 5，微伸出总苞外；雌花 1，子房柄伸出总苞外，花柱短，近基部合生，柱头 2 裂。蒴果三角状卵形，长和直径均约 2 mm，被稀疏柔毛，成熟时分裂为 3 分果爿；种子卵状四棱形，长约 1 mm，直径

约 0.7 mm，灰色或灰棕色，无种阜。花果期 4 ～ 9 月。

| 生境分布 | 生于平原或低山坡的路旁。江苏各地均有分布。

| 资源情况 | 野生资源较丰富。

| 采收加工 | 10 月采收，洗净，鲜用或晒干。

| 药材性状 | 本品叶上表面具 1 紫斑，下表面有毛。蒴果被稀疏柔毛。种子卵形，有棱。以叶绿色、茎绿褐色或带紫红色、具花果者为佳。

| 功效物质 | 主要含有槲皮素、山柰酚等黄酮类，以及甾醇类、三萜类及鞣质类成分。

| 功能主治 | 辛，平。归肺、肝、胃、大肠、膀胱经。清热解毒，凉血止血，利湿退黄。用于痢疾，泄泻，咯血，尿血，便血，崩漏，疮疖痈肿，湿热黄疸。

| 用法用量 | 内服煎汤，10 ～ 15 g，鲜品 15 ～ 30 g；或入散剂。外用适量，鲜品捣敷；或研末撒。

大戟科 Euphorbiaceae 大戟属 *Euphorbia* 凭证标本号 320111150614003LY

大戟 *Euphorbia pekinensis* Rupr.

| 药 材 名 | 京大戟（药用部位：根）。

| 形态特征 | 多年生草本。根圆柱状，长 10 ~ 20 cm，分枝或不分枝。茎单生或自基部多分枝，每个分枝上部又 4 ~ 5 分枝，高 40 ~ 80（~ 90）cm。叶互生，椭圆形至披针形，先端尖或渐尖，基部渐狭、楔形、近圆形或近平截，全缘；总苞叶 4 ~ 7，长椭圆形，先端尖，基部近平截；苞叶 2，近圆形，先端具短尖头，基部平截或近平截。花序单生于二歧分枝先端；总苞杯状，边缘 4 裂，裂片半圆形；腺体 4，半圆形或肾状圆形，淡褐色；雄花多数，伸出总苞之外；雌花 1，花柱 3，分离，柱头 2 裂。蒴果球形，长约 4.5 mm，直径 4 ~ 4.5 mm，被瘤状突起，成熟时分裂为 3 分果爿，花柱宿存；种子长球形，长约 2.5 mm，直径 1.5 ~ 2 mm，暗褐色，腹面具浅色条纹；种阜近

盾状，无柄。花期 5 ～ 8 月，果期 6 ～ 9 月。

| 生境分布 | 生于山坡、路旁、荒地、草丛、林缘。江苏各地均有分布。

| 资源情况 | 野生资源较丰富。

| 采收加工 | 秋、冬季采挖，干燥。

| 药材性状 | 本品呈不规则长圆锥形，略弯曲，常有分枝，长 10 ～ 20 cm，直径 0.5 ～ 2 cm，近根头部偶有膨大至 4 cm；根头常见茎的残基及芽痕。表面灰棕色或棕褐色，粗糙，具纵直沟纹及横向皮孔，支根少而扭曲。质坚硬，不易折断，断面类棕黄色或类白色，纤维性。气微，味微苦、涩。以条粗、断面色白者为佳。

| 功效物质 | 主要含有萜类、鞣质类、酚酸类、黄酮类等功效成分，具有抗肿瘤、泻下、抗炎等生物活性。

| 功能主治 | 苦、辛，寒；有毒。归肺、脾、肝、肾、膀胱经。泻水逐饮，消肿散结。用于水肿胀满，胸腹积水，痰饮积聚，气逆咳喘，二便不利，痈肿疮毒，瘰疬痰核。

大戟科 Euphorbiaceae 大戟属 Euphorbia 凭证标本号 320803180702062LY

匍匐大戟 *Euphorbia prostrata* Ait.

| 药 材 名 | 铺地草（药用部位：全草）。

| 形态特征 | 一年生草本。根纤细。茎匍匐，自基部多分枝，长 15 ~ 19 cm，常呈淡红色或红色。叶对生；叶片椭圆形至倒卵圆形，长 3 ~ 7（~ 8）mm，宽 2 ~ 4（~ 5）mm，先端圆，基部偏斜，全缘或具不规则的细锯齿，叶面绿色，叶背有时略呈淡红色或红色；叶柄极短或近无；托叶长三角形，易脱落。花序常单生于叶腋，少为数个簇生于小枝先端，具长 2 ~ 3 mm 的梗；总苞陀螺状，高、直径均约 1 mm，边缘 5 裂，裂片三角形或半圆形；腺体 4，具白色附属物；雄花数枚，常不伸出总苞外；雌花 1，子房柄常伸出总苞外，花柱 3，近基部合生，柱头 2 裂。蒴果三棱状，长、直径均约 1.5 mm，果棱上被白色疏柔毛；种子四棱卵球状，长约 0.9 mm，

直径约 0.5 mm，黄色，每个棱面上有 6 或 7 横沟，无种阜。花果期 4 ~ 10 月。

| 生境分布 |　生于路旁、屋旁或荒地灌丛。江苏各地均有分布。

| 资源情况 |　野生资源较丰富。

| 功效物质 |　主要含有蒽醌类、黄酮类、酚类、多糖类、皂苷类、鞣质类及萜类化合物。

| 功能主治 |　淡，凉。归肝经。清热利湿，凉血解毒，催乳。用于痢疾，泄泻，白喉，乳汁稀少，齿衄，便血，白浊，尿血，蛇串疮，痈疖，湿疹。

| 用法用量 |　内服煎汤，鲜品 30 ~ 60 g；或捣汁。外用适量，鲜品捣敷。

一品红

Euphorbia pulcherrima Willd. ex Klotzsch

| 药 材 名 | 一品红（药用部位：全株）。

| 形态特征 | 灌木。根圆柱状，极多分枝。茎直立，高 1 ~ 3（~ 4）m。叶互生，卵状椭圆形、长椭圆形或披针形，长 6 ~ 25 cm，宽 4 ~ 10 cm，先端渐尖或急尖，基部楔形或渐狭，绿色，全缘、浅裂或波状浅裂；无托叶；苞叶 5 ~ 7，狭椭圆形，长 3 ~ 7 cm，宽 1 ~ 2 cm，通常全缘，朱红色。花序数个聚伞状排列于枝顶；总苞坛状，淡绿色，高 7 ~ 9 mm，直径 6 ~ 8 mm，边缘齿状 5 裂，裂片三角形；腺体常 1，极少 2，黄色，常压扁，呈二唇形；雄花多数，常伸出总苞外，苞片丝状，具柔毛；雌花 1，子房柄明显伸出总苞外，花柱 3，中部以下合生，柱头 2 深裂。蒴果三棱状圆形，长 1.5 ~ 2 cm，直径约1.5 cm，平滑无毛；种子卵形，长约 1 cm，直径 8 ~ 9 mm，灰色或

淡灰色，近平滑，无种阜。花果期 10 月至翌年 4 月。

| **生境分布** | 江苏各地均有栽培。

| **资源情况** | 栽培资源丰富。

| **采收加工** | 夏、秋季采收，鲜用或晒干。

| **功效物质** | 主要含有植物甾醇、β- 香树脂、β- 香树脂醇乙酸酯、环木菠萝甾醇、豆甾醇、吉玛醇乙酸酯。

| **功能主治** | 调经止血，活血止痛。用于月经过多，跌打肿痛，骨折，外伤出血。

| **附　　注** | 本种喜温暖、湿润，喜光，茎叶生长期需光照充足。喜疏松、排水良好的土壤。

大戟科 Euphorbiaceae 大戟属 *Euphorbia* 凭证标本号 320323170510788LY

钩腺大戟

Euphorbia sieboldiana Morr. et Decne.

| 药 材 名 | 钩腺大戟（药用部位：根或根皮）。

| 形态特征 | 多年生草本。根茎较粗壮，基部具不定根，长 10 ~ 20 cm。茎单生
或多分枝，高 40 ~ 70 cm。叶互生，椭圆形至倒卵状披针形，
长 2 ~ 5（~ 6）cm，宽 5 ~ 15 mm，先端钝、尖或渐尖，基部渐狭，
全缘；总苞叶 3 ~ 5，椭圆形或卵状椭圆形；苞叶 2，肾状圆形、卵
状三角形或半圆形。花序单生于二歧分枝的先端；总苞杯状，边缘
4 裂，裂片三角形或卵状三角形；腺体 4，新月形，两端具角，角尖
钝或刺芒状，绿色、黄褐色至褐色；雄花多数，伸出总苞之外；雌
花 1，子房柄伸出总苞边缘，花柱 3，分离，柱头 2 裂。蒴果三棱状
球形，长 3.5 ~ 4 mm，直径 4 ~ 5 mm，光滑无毛，成熟时分裂为
3 分果爿，花柱宿存；种子近长球形，长约 2.5 mm，直径约 1.5 mm，

灰褐色，具不明显的纹饰；种阜无柄。花果期 4 ~ 9 月。

| **生境分布** | 生于田间、林缘、灌丛、林下、山坡、草地。江苏各地均有分布。

| **资源情况** | 野生资源较丰富。

| **功效物质** | 主要含有 β- 香树脂醇乙酸酯、苯乙酮、苯丙烯酸正十八醇酯、β- 谷甾醇、二十八烷醇。

| **功能主治** | 散结杀虫，利尿泻下。用于腹水。

| **附　　注** | 本种煎汤外洗用于治疗疥疮；有毒，宜慎用。

大戟科 Euphorbiaceae 大戟属 Euphorbia 凭证标本号 320381180816007LY

千根草
Euphorbia thymifolia L.

| 药 材 名 | 小飞羊草（药用部位：全草）。

| 形 态 特 征 | 一年生草本。根纤细，长约 10 cm，具多数不定根。茎纤细，常呈匍匐状，自基部极多分枝，长 10 ~ 20 cm。叶对生，椭圆形、长圆形或倒卵形，长 4 ~ 8 mm，宽 2 ~ 5 mm，先端圆，基部偏斜，不对称，呈圆形或近心形，边缘有细锯齿，稀全缘；叶柄极短，托叶披针形或线形，易脱落。花序单生或数个簇生于叶腋；总苞狭钟状至陀螺状，高约 1 mm，直径约 1 mm，边缘 5 裂，裂片卵形；腺体 4，被白色附属物；雄花少数，微伸出总苞边缘；雌花 1，子房柄极短，花柱 3，分离，柱头 2 裂。蒴果卵状三棱形，长约 1.5 mm，直径 1.3 ~ 1.5 mm，被贴伏的短柔毛，成熟时分裂为 3 分果爿；种子卵状四棱形，长约 0.7 mm，直径约 0.5 mm，暗红色，每棱面具 4 ~

5 横沟，无种阜。花果期 6 ~ 11 月。

| 生境分布 | 生于路旁、屋旁、草丛、稀疏灌丛等，常见于砂壤土中。江苏各地均有分布。

| 资源情况 | 野生资源较丰富。

| 采收加工 | 夏、秋季间采收，鲜用或晒干。

| 药材性状 | 本品干燥者长约 13 cm。根小。茎细长，直径约 1 mm，红棕色，稍被毛；质稍韧，中空。叶对生，多皱缩，灰绿色或稍带紫色。花序生于叶腋，花小，干缩。有的带有三角形的蒴果。

| 功效物质 | 主要含有木犀草素、芹菜素、槲皮素、山柰酚、没食子酸乙酯、对香豆酸、原儿茶酸、没食子酸等。

| 功能主治 | 酸、涩，凉。清热祛湿，收敛止痒。用于痢疾，泄泻，疟疾，痈疮，湿疹。

| 用法用量 | 内服煎汤，15.5 ~ 31 g，鲜品 31 ~ 62 g；或捣汁煎。外用适量，捣敷；或煎汤洗。

大戟科 Euphorbiaceae 算盘子属 Glochidion 凭证标本号 321183150923803LY

革叶算盘子
Glochidion daltonii (Müell. Arg.) Kurz

| **药 材 名** | 蚂蚁上树（药用部位：果实）。

| **形态特征** | 灌木或乔木，高 3 ～ 10 m。枝条具棱，干后褐色。除幼嫩叶柄和子房外，全株均无毛。叶片纸质或近革质，披针形或椭圆形，有时呈镰形，长 3 ～ 12 cm，宽 1.5 ～ 3 cm，先端渐尖或短渐尖，基部宽楔形，上面灰绿色，下面灰白色，侧脉每边 5 ～ 9，在下面凸起；叶柄长 2 ～ 4 mm，初时被微毛；托叶三角形，长约 1 mm。花簇生于叶腋内，基部有 2 苞片；雌花生于小枝上部，雄花生于小枝下部；雄花梗长 5 ～ 8 mm，萼片 6，长圆形或卵状长圆形，先端钝，雄蕊 3；雌花几无花梗，萼片 6，与雄花的相同，子房扁球形，4 ～ 6 室，花柱合生成明显的棍棒状，先端 3 ～ 6 裂。蒴果扁球形，直径 1 ～ 1.5 cm，干后褐色，具 4 ～ 6 纵沟，基部有宿存的萼片，果柄长约 2 mm。花

期 3 ～ 5 月，果期 4 ～ 10 月。

| **生境分布** | 生于山地疏林中。江苏各地均有分布。

| **资源情况** | 野生资源一般。

| **采收加工** | 夏、秋季果实成熟时采摘，除尽果柄及杂质，晒干。

| **功能主治** | 涩，平。归肺经。止咳。用于咳嗽。

| **用法用量** | 内服煎汤，6 ～ 9 g。

| 大戟科 | Euphorbiaceae | 算盘子属 | Glochidion | 凭证标本号 | 320115150723024LY |

算盘子

Glochidion puberum (L.) Hutch.

| 药 材 名 | 算盘子（药用部位：果实）、算盘子根（药用部位：根）、算盘子叶（药用部位：叶）。

| 形态特征 | 直立灌木，高 1 ~ 5 m，多分枝。小枝灰褐色。小枝、叶片下面、萼片外面、子房和果实均密被短柔毛。叶片纸质或近革质，长圆形、长卵形或倒卵状长圆形，长 3 ~ 8 cm，宽 1 ~ 2.5 cm，先端钝、急尖、短渐尖或圆，基部楔形至钝，上面仅中脉被疏短柔毛或几无毛，侧脉每边 5 ~ 9；叶柄长 1 ~ 3 mm；托叶三角形。花小，雌雄同株或异株，2 ~ 5 簇生于叶腋内，雄花束常着生于小枝下部，雌花束着生于小枝上部，或有时二者生于同一叶腋内；雄花萼片 6，狭长圆形或长圆状倒卵形，雄蕊 3，合生成圆柱状；雌花萼片 6，子房球形，5 ~ 10 室，每室具 2 胚珠，花柱合生成环状。蒴果扁球形，直

径 8 ~ 15 mm，边缘有 8 ~ 10 纵沟，成熟时带红色，先端具环状的宿存花柱；种子近肾形，具 3 棱，红色。花期 4 ~ 8 月，果期 7 ~ 11 月。

| 生境分布 | 生于山坡灌丛中或林缘。江苏各地均有分布。

| 资源情况 | 野生资源较丰富。

| 采收加工 | 算盘子：秋季采摘，除净杂质，晒干。
算盘子根：全年均可采挖，切片，晒干。
算盘子叶：夏、秋季采收，晒干。

| 药材性状 | 算盘子：本品呈扁球形，形如算盘珠，常具 8 ~ 10 纵沟，红色或红棕色，被短绒毛，先端具环状稍伸长的宿存花柱。内有数颗种子。种子近肾形，具纵棱；表面红褐色。气微，味苦、涩。
算盘子叶：本品具短柄，叶片长圆形、长圆状卵形或披针形，长 3 ~ 8 cm，宽 1 ~ 2.5 cm，先端尖或钝，基部宽楔形，全缘。上面仅脉上被疏短柔毛或几无毛；下面粉绿色，密被短柔毛。叶片较厚，纸质或革质。气微，味苦、涩。

| 功效物质 | 全草含有酚类、氨基酸类、糖类。茎含有鞣质。种子含有脂肪油。

| 功能主治 | 算盘子：苦，凉；有小毒。归肾经。清热除湿，解毒利咽，行气活血。用于痢疾，泄泻，黄疸，疟疾，淋浊，带下，咽喉肿痛，牙痛，疝痛，产后腹痛。
算盘子根：清热利湿，行气，活血，解毒消肿。用于感冒发热，咽喉肿痛，咳嗽，牙痛，湿热泻痢，黄疸，淋浊，带下，风湿痹痛，腰痛，疝气，痛经，闭经，跌打损伤，痈肿，瘰疬，蛇虫咬伤。
算盘子叶：苦、涩，凉；有小毒。归大肠经。清热利湿，解毒消肿。用于湿热泻痢，黄疸，淋浊，带下，发热，咽喉肿痛，痈疮疖肿，漆疮，湿疹，蛇虫咬伤。

| 用法用量 | 算盘子：内服煎汤，9 ~ 15 g。
算盘子根：内服煎汤，15 ~ 30 g。外用适量，煎汤熏洗。
算盘子叶：内服煎汤，6 ~ 9 g，鲜品 30 ~ 60 g；或焙干研末；或绞汁。外用适量，煎汤熏洗；或捣敷。

大戟科 Euphorbiaceae 野桐属 Mallotus 凭证标本号 321112180511005LY

白背叶

Mallotus apelta (Lour.) Müell.-Arg.

| 药 材 名 | 白背叶（药用部位：叶）、白背叶根（药用部位：根）。

| 形态特征 | 灌木或小乔木，高 1～3（～4）m。小枝、叶柄和花序均密被淡黄色星状柔毛，散生橙黄色颗粒状腺体。叶互生，卵形或阔卵形，稀心形，长、宽均为 6～16（～25）cm，先端急尖或渐尖，基部平截或稍心形，边缘具疏齿，上面无毛或被疏毛，下面被灰白色星状绒毛，基出脉 5，侧脉 6～7 对；基部近叶柄处有褐色斑状腺体 2。花雌雄异株；雄花序为圆锥花序或穗状，苞片卵形，雄花萼裂片 4，卵形或卵状三角形，雄蕊 50～75；雌花序穗状，苞片近三角形，雌花萼裂片 3～5，卵形或近三角形，外面被灰白色星状毛和颗粒状腺体，花柱 3～4，基部合生，柱头密生羽毛状突起。蒴果近球形，密生长 5～10 mm 的线形软刺；种子近球形，褐色或黑色，具皱纹。

花期 6 ~ 9 月，果期 8 ~ 11 月。

| **生境分布** | 生于山坡或山谷灌丛中。分布于江苏南京、镇江、苏州、无锡等。

| **资源情况** | 野生资源较丰富。

| **采收加工** | 白背叶：多鲜用；或夏、秋季采集，晒干，研末。
白背叶根：全年均可采挖，洗净，切片，晒干。

| **药材性状** | 白背叶：本品皱缩，边缘多内卷，完整叶片展平后呈卵圆形，长 7 ~ 14 cm，宽 4 ~ 14 cm。上表面绿色或黄绿色，下表面灰白色或白色，先端渐尖，基部略呈心形或近平截，具 2 腺点，全缘或顶部微 3 裂，有钝齿，上表面无毛，下表面被星状毛；基出脉 5，叶脉于下表面隆起。叶基具 2 斑状腺体。叶柄长 5 ~ 15 cm。质脆。气微香。

| **功效物质** | 主要含有苯并吡喃类及其衍生物、萜类、黄酮类、甾醇类、有机酸类和含氮有机物。

| **功能主治** | 白背叶：微苦、涩，平。归肝、脾经。清热解毒，祛湿，止血。用于蜂窝织炎，化脓性中耳炎，鹅口疮，湿疹，跌打损伤，外伤出血。
白背叶根：微苦、涩，平。归脾、肾、膀胱经。清热祛湿，收涩，消瘀。用于肝炎，肠炎，淋浊，带下，脱肛，子宫脱垂，肝脾肿大，跌打损伤。

| **用法用量** | 白背叶：外用适量，鲜品捣敷；或干品研末敷。
白背叶根：内服煎汤，15 ~ 30 g。外用适量，研末撒；或浸酒搽；或煎汤洗。

大戟科 Euphorbiaceae 野桐属 *Mallotus* 凭证标本号 NAS00581447

野梧桐
Mallotus japonicus (Thunb.) Müell.-Arg.

| 药 材 名 | 野梧桐（药用部位：树皮、根、叶）。

| 形态特征 | 小乔木或灌木，高 2 ~ 4 m。树皮褐色，嫩枝具纵棱，枝、叶柄和花序轴均密被褐色星状毛。叶互生，小枝上部稀近对生，纸质，形状多变，卵形、卵圆形至横长圆形，长 5 ~ 17 cm，宽 3 ~ 11 cm，先端急尖或急渐尖，基部圆形或楔形，全缘，不分裂或上部每侧具 1 裂片或粗齿，下面疏生橙红色腺点，基出脉 3，侧脉 5 ~ 7 对；近叶柄处具黑色圆形腺体 2。花雌雄异株；雄花序总状或具分枝，苞片钻形，雄花萼裂片 3 ~ 4，卵形，雄蕊 25 ~ 75；雌花序长 8 ~ 15 cm，苞片披针形，雌花萼裂片 4 ~ 5，披针形，子房近球形，三棱状，花柱 3 ~ 4，中部以下合生，柱头具疣状突起。蒴果近扁球形或钝

三棱形，直径 8 ～ 10 mm，密被有星状毛的软刺和红色腺点；种子近球形，褐色或暗褐色。花期 4 ～ 6 月，果期 7 ～ 8 月。

| 生境分布 | 生于山坡林中。分布于江苏无锡等。

| 资源情况 | 野生资源一般。

| 采收加工 | 全年均可采收，鲜用或晒干。

| 功效物质 | 树皮含有岩白菜素。叶含有芸香苷、野梧桐烯醇和亚麻酸酯。

| 功能主治 | 微苦、涩，平。归胃、肝经。清热解毒，收敛止血。用于胃、十二指肠溃疡，肝炎，尿血，带下，疮疡，外伤出血。

| 用法用量 | 内服煎汤，9 ～ 15 g；或研末。外用适量，捣敷；或熬膏涂；或煎汤洗。

大戟科 Euphorbiaceae 叶下珠属 *Phyllanthus* 凭证标本号 320703160909578LY

青灰叶下珠
Phyllanthus glaucus Wall. ex Müell. Arg.

| 药 材 名 | 青灰叶下珠（药用部位：根）。

| 形态特征 | 灌木，高达4m。枝条圆柱形，小枝细柔。全株无毛。叶片膜质，椭圆形或长圆形，长2.5～5cm，宽1.5～2.5cm，先端急尖，有小尖头，基部钝至圆，下面稍苍白色，侧脉每边8～10；叶柄长2～4mm；托叶卵状披针形，膜质。花直径约3mm，数花簇生于叶腋；花梗丝状，先端稍粗；雄花梗长约8mm；萼片6，卵形；花盘腺体6；雄蕊5，花丝分离，药室纵裂；雌花通常1朵与数朵雄花同生于叶腋；花梗长约9mm；萼片6，卵形；花盘环状；子房卵圆形，3室，每室具2胚珠，花柱3，基部合生。蒴果浆果状，直径约1cm，紫黑色，基部有宿存的萼片；种子黄褐色。花期4～7月，果期7～10月。

| **生境分布** | 生于山地灌丛中或疏林下。分布于江苏南京、镇江（句容）、无锡（宜兴）等。 |

| **资源情况** | 野生资源较丰富。 |

| **采收加工** | 夏、秋季采挖，切片，晒干。 |

| **功效物质** | 主要含有木脂素类、苯丙素类、酚苷类、单萜类、脂肪醛醇类化合物。 |

| **功能主治** | 辛、甘，温。归肝、脾经。祛风除湿，健脾消积。用于风湿痹痛，疳积。 |

| **用法用量** | 内服煎汤，5 ~ 15 g。 |

大戟科 Euphorbiaceae 叶下珠属 Phyllanthus 凭证标本号 320124151031012LY

蜜甘草
Phyllanthus ussuriensis Rupr. et Maxim.

| 药 材 名 | 蜜柑草（药用部位：全草）。

| 形态特征 | 一年生草本，高达 60 cm。茎直立，常基部分枝，枝条细长。小枝具棱。全株无毛。叶片纸质，椭圆形至长圆形，长 5 ~ 15 mm，宽 3 ~ 6 mm，先端急尖至钝，基部近圆形，下面白绿色，侧脉每边 5 ~ 6；叶柄极短或几无；托叶卵状披针形。花雌雄同株，单生或数朵簇生于叶腋；花梗长约 2 mm，丝状，基部有数枚苞片，雄花萼片 4，宽卵形，花盘腺体 4，分离，与萼片互生，雄蕊 2，花丝分离，药室纵裂；雌花萼片 6，长椭圆形，果时反折，花盘腺体 6，长圆形，子房卵圆形，3 室，花柱 3，先端 2 裂。蒴果扁球形，直径约 2.5 mm，平滑，果柄短；种子长约 1.2 mm，黄褐色，具有褐色疣点。花期 4 ~ 6 月，果期 7 ~ 10 月。

| 生境分布 | 生于山坡或路旁草地。江苏各地均有零星分布。

| 资源情况 | 野生资源一般。

| 采收加工 | 夏、秋季采收，鲜用或晒干。

| 药材性状 | 本品全长 15 ～ 60 cm。茎无毛，分枝细长。叶 2 列，互生，条形或披针形，长 5 ～ 15 mm，宽 2 ～ 5 mm，先端尖，基部近圆形，具短柄，托叶小。花小，单性，雌雄同株；无花瓣，腋生。蒴果圆形，具细柄，下垂，直径约 2 mm，表面平滑。气微，味苦、涩。

| 功效物质 | 主要含有黄酮类、多酚类成分。

| 功能主治 | 苦，寒。归肝、胃经。清热利湿，清肝明目。用于黄疸，痢疾，泄泻，水肿，淋病，疳积，目赤肿痛，痔疮，毒蛇咬伤。

| 用法用量 | 内服煎汤，15 ～ 30 g。外用适量，煎汤洗；或鲜品捣敷。

大戟科 Euphorbiaceae 叶下珠属 Phyllanthus 凭证标本号 320722181016307LY

叶下珠
Phyllanthus urinaria L.

| 药 材 名 | 叶下珠（药用部位：带根全草）。

| 形态特征 | 一年生草本，高 10 ～ 60 cm。茎基部多分枝，具翅状纵棱，上部被 1 纵列疏短柔毛。叶片纸质，呈羽状排列，长圆形或倒卵形，长 4 ～ 10 mm，宽 2 ～ 5 mm，先端圆、钝或急尖而有小尖头，下面灰绿色，近边缘或边缘有 1 ～ 3 列短粗毛，侧脉每边 4 ～ 5；托叶卵状披针形。花雌雄同株，直径约 4 mm；雄花 2 ～ 4 簇生于叶腋，通常仅上面 1 朵开花，花梗基部有苞片 1 ～ 2，萼片 6，倒卵形，雄蕊 3，花丝全部合生成柱状，花盘腺体 6，分离，与萼片互生；雌花单生于小枝中下部的叶腋内，萼片 6，卵状披针形，花盘圆盘状，全缘，子房卵形，花柱分离，先端 2 裂，裂片弯卷。蒴果球形，直径 1 ～ 2 mm，红色，表面具小凸刺，有宿存的花柱和萼片，开裂后轴柱

宿存；种子长 1.2 mm，橙黄色。花期 4 ~ 6 月，果期 7 ~ 11 月。

| **生境分布** | 生于海拔 500 m 以下的旷野平地、旱田、山地路旁或林缘。江苏各地均有分布。

| **资源情况** | 野生资源较丰富。

| **采收加工** | 夏、秋季采收，除去杂质，晒干。

| **功效物质** | 主要含有黄酮类、鞣质类、香豆素类、木脂素类等多种功效成分，具有抗乙型肝炎病毒、保肝、抗肿瘤等作用。

| **功能主治** | 微苦、甘，凉。清热解毒，利水消肿，明目，消积。用于痢疾，泄泻，黄疸，水肿，石淋，目赤，夜盲，疳积，痈肿，毒蛇咬伤。

| **用法用量** | 内服煎汤，15.5 ~ 31 g。外用适量，鲜品捣敷。

大戟科 Euphorbiaceae 叶下珠属 Phyllanthus 凭证标本号 320831181013163LY

黄珠子草 *Phyllanthus virgatus* Forst. f.

| 药 材 名 | 黄珠子草（药用部位：全草）。

| 形态特征 | 一年生草本，通常直立，高达 60 cm。茎基部具窄棱。枝条通常自茎基部发出，上部扁平而具棱。全株无毛。叶片近革质，线状披针形、长圆形或狭椭圆形，长 5 ~ 25 mm，宽 2 ~ 7 mm，先端钝或急尖，有小尖头，基部圆而稍偏斜；几无叶柄；托叶膜质，卵状三角形，褐红色。通常 2 ~ 4 雄花和 1 雌花同簇生于叶腋；雄花直径约 1 mm，萼片 6，宽卵形或近圆形，雄蕊 3，花丝分离，花药近球形，花盘腺体 6，长圆形；雌花花梗长约 5 mm，花萼 6 深裂，裂片卵状长圆形，紫红色，外折，边缘稍膜质，花盘不分裂，子房圆球形，3 室，花柱分离，2 深裂几达基部，反卷。蒴果扁球形，直径 2 ~ 3 mm，紫红色，有鳞片状突起，果柄长 5 ~ 12 mm，萼片宿存；

种子长 0.5 mm，具细疣点。花期 4 ~ 5 月，果期 6 ~ 11 月。

| 生境分布 | 生于平原、山地的草坡、沟边草丛或路边灌丛。江苏各地均有零星分布。

| 资源情况 | 野生资源一般。

| 采收加工 | 夏、秋季采收，鲜用或晒干。

| 功效物质 | 主要含有以槲皮素为苷元的黄酮及其苷类成分，以及香草醛、β-胡萝卜苷、β-谷甾醇等。

| 功能主治 | 甘、苦，平。归脾经。健脾消积，利尿通淋，清热解毒。用于疳积，痢疾，淋病，乳痈，牙疳，毒蛇咬伤。

| 用法用量 | 内服煎汤，9 ~ 15 g。外用适量，捣敷；或煎汤洗；或煎汤含漱。

大戟科 Euphorbiaceae　蓖麻属 *Ricinus*　凭证标本号 321322180819251LY

蓖麻
Ricinus communis L.

| 药 材 名 |

蓖麻子（药用部位：种子）、蓖麻油（药材来源：脂肪油）、蓖麻叶（药用部位：叶）、蓖麻根（药用部位：根）。

| 形态特征 |

一年生粗壮草本或草质灌木，高达 5 m。小枝、叶和花序通常被白霜，茎多液汁。叶近圆形，长、宽均达 40 cm 或更大，掌状 7 ～ 11 裂，裂缺几达中部，裂片卵状长圆形或披针形，先端急尖或渐尖，边缘具锯齿，掌状脉 7 ～ 11，网脉明显；叶柄粗壮，中空，长可达 40 cm，先端具 2 盘状腺体，基部具盘状腺体；托叶长三角形，早落。总状花序或圆锥花序长 15 ～ 30 cm 或更长；苞片阔三角形，膜质，早落；雄花萼裂片卵状三角形，雄蕊束众多；雌花萼片卵状披针形，凋落，子房卵形，密生软刺或无刺，花柱红色，长约 4 mm，顶部 2 裂，密生乳头状突起。蒴果卵球形或近球形，长 1.5 ～ 2.5 cm，果皮具软刺或平滑；种子椭圆形，微扁平，平滑；斑纹淡褐色或灰白色；种阜大。花期近全年或 6 ～ 9 月（栽培）。

| 生境分布 |

江苏有栽培，有时逸为野生。

| **资源情况** | 野生及栽培资源较丰富。

| **采收加工** | **蓖麻子**：当年 8 ~ 11 月蒴果呈棕色、未开裂时，选晴天，分批剪下果序，摊晒，脱粒，扬净。

蓖麻油：成熟种子经榨取并精制得到的脂肪油。

蓖麻叶：夏、秋季采摘，鲜用或晒干。

蓖麻根：春、秋季采挖，鲜用或晒干。

| **药材性状** | **蓖麻子**：本品呈椭圆形或卵形，稍扁，长 0.9 ~ 1.8 cm，宽 0.5 ~ 1 cm。表面光滑，有灰白色与黑褐色相间或黄棕色与红棕色相间的花斑纹。一面较平，另一面较隆起，较平的一面有一隆起的种脊；一端有灰白色或浅棕色凸起的种阜。种皮薄而脆，胚乳肥厚，白色，富油性。子叶 2，菲薄。无臭，味微苦、辛。以个大、饱满者为佳。

蓖麻油：本品为几乎无色或微带黄色的澄清黏稠液体。气微，味淡而后微辛。

蓖麻叶：本品多皱缩破碎，完整的叶展平后呈盾状圆形，掌状分裂，深达叶片的一半以上，裂片一般 7 ~ 9，先端长尖，边缘有不规则的锯齿，齿端具腺体，下面被白粉。气微，味甘、辛。

| **功效物质** | 主要活性成分为蓖麻毒蛋白、蓖麻油和蓖麻碱等。

| **功能主治** | **蓖麻子**：甘、辛，平；有小毒。归大肠、肺、脾、肝经。消肿拔毒，泻下导滞，通络利窍。用于痈疽肿毒，瘰疬，乳痈，喉痹，疥癞癣疮，烫火伤，水肿胀满，大便燥结，口眼㖞斜，跌打损伤。

蓖麻油：甘、辛，平；有毒。归肺、大肠经。润肠，滑肤。用于肠内积滞，便秘，腹胀，疥癞癣疮，烫火伤。

蓖麻叶：苦、辛，平；有小毒。祛风除湿，拔毒消肿。用于脚气，风湿痹痛，痈疮肿毒，疥癣瘙痒，子宫脱垂，脱肛，咳嗽痰喘。

蓖麻根：辛，平；有小毒。归心、肝经。祛风解痉，活血消肿。用于破伤风，癫痫，风湿痹痛，痈肿瘰疬，跌打损伤，脱肛，子宫脱垂。

| **用法用量** | **蓖麻子**：内服入丸剂，1 ~ 5 g；或生研；或炒食。外用适量，捣敷；或调敷。

蓖麻油：内服，10 ~ 20 ml。外用适量，涂敷。

蓖麻叶：内服煎汤，5 ~ 10 g；或入丸、散剂。外用适量，捣敷；或煎汤洗；或热熨。

蓖麻根：内服煎汤，15 ~ 30 g。外用适量，捣敷。

| **附　　注** | 本种喜温暖、湿润气候，耐干旱，耐盐碱及弱酸土壤。以阳光充足、土层深厚、疏松肥沃、排水良好的土壤栽培为宜。

大戟科 Euphorbiaceae 乌桕属 Sapium 凭证标本号 320703160908519LY

白木乌桕

Sapium japonicum (Sieb. et Zucc.) Pax. et Hoffm.

| 药 材 名 | 白木乌桕（药用部位：根皮、叶）。

| 形态特征 | 灌木或乔木，高 1 ~ 8 m。叶互生，纸质；叶片卵形、卵状长圆形或椭圆形，长 7 ~ 16 cm，宽 4 ~ 8 cm，先端短尖，基部钝、平截或微心形，两侧常不等，全缘，背面中上部近边缘的脉上有散生的腺体，基部中脉两侧具 2 腺体；叶柄两侧呈狭翅状；托叶线状披针形。花单性，雌雄同株，常同序，聚集成顶生总状花序，雌花生于花序轴基部，雄花生于花序轴上部或花序全为雄花；雄花苞片卵形至卵状披针形，基部两侧各具一近长圆形的腺体，花萼杯状，3 裂，雄蕊 3，稀 2；雌花苞片 3 深裂近达基部，裂片披针形，两侧裂片边缘各具 1 腺体，萼片 3，三角形，子房卵球形，3 室，柱头 3。蒴果三棱状球形，直径 10 ~ 15 mm，无宿存中轴；种子扁球形，无蜡质

的假种皮，有棕褐色斑纹。花期 5 ~ 6 月。

| **生境分布** | 生于林间湿润处或溪涧边。分布于江苏连云港等。

| **资源情况** | 野生资源一般。

| **采收加工** | 根皮，春、秋季采挖根，剥取根皮，晒干；叶，夏、秋季采摘，晒干。

| **功效物质** | 含有大戟二萜醇酯类成分。

| **功能主治** | 散瘀血，强腰膝。用于劳伤腰膝酸痛。

| **用法用量** | 内服煎汤，15 ~ 30 g。外用适量，鲜品捣汁搽。

大戟科 Euphorbiaceae 乌桕属 Sapium 凭证标本号 321023150811041LY

乌桕
Sapium sebiferum (L.) Roxb.

| 药 材 名 | 乌桕木根皮（药用部位：根皮、树皮）、乌桕叶（药用部位：叶）、乌桕子（药用部位：种子）、桕油（药材来源：种子油）。

| 形态特征 | 乔木，高可达 15 m，具乳状液汁。叶互生，纸质；叶片菱形或菱状卵形，稀菱状倒卵形，长 3 ~ 8 cm，宽 3 ~ 9 cm，先端具长短不等的尖头，基部阔楔形或钝，全缘；叶柄先端具 2 腺体。花单性，雌雄同株，聚集成顶生总状花序，雌花通常生于花序轴下部，雄花生于花序轴上部或有时花序全为雄花；雄花苞片宽卵形，基部两侧各具一近肾形的腺体，每苞片内具 10 ~ 15 花，小苞片 3，花萼杯状，3 浅裂，雄蕊 2，稀 3；雌花苞片 3 深裂，基部两侧的腺体与雄花的相同，每苞片内仅具 1 雌花，或 1 雌花和数枚雄花同聚生于苞腋内，花萼 3 深裂，裂片卵形至卵状披针形，子房卵球形，3 室，花柱 3。蒴果梨状球形，成熟时黑色，直径 1 ~ 1.5 cm，中轴宿存；种子扁球形，黑色，外面被白色蜡质假种皮。花期 4 ~ 8 月。

| 生境分布 | 生于旷野、村旁、路边、堤岸或疏林中。江苏各地均有分布。江苏各地均有栽培。

| 资源情况 | 野生及栽培资源丰富。

| 采收加工 | 乌桕木根皮：10 月至翌年 2 月采挖根，取根皮，洗净，晒干。
乌桕叶：全年均可采收，鲜用或晒干。
乌桕子：采摘成熟果实，取出种子，鲜用或晒干。
桕油：采收成熟种子榨油。

| 药材性状 | 乌桕木根皮：本品呈不规则块片状或卷成半筒状。外表面土黄色，有纵横纹理及横长皮孔；内表面较平滑，淡黄色，微有纵纹。折断面粗糙。气微，味微苦、涩。
乌桕叶：本品多破碎，呈茶褐色，具长柄。完整的叶片呈卵状菱形，长 3 ～ 8 cm，宽 3 ～ 7 cm，先端长渐尖，基部阔楔形，基部与叶柄相连处常有干缩的小腺体 2，全缘。纸质，易碎。气微，味微苦。

| 功效物质 | 主要含有黄酮类、香豆素类、三萜类和二萜类等化合物。种皮含有脂肪油。成熟的种子含有脂类。

| 功能主治 | 乌桕木根皮：苦，微温；有小毒。泻下逐水，消肿散结，解蛇虫毒。用于水肿，癥瘕积聚，臌胀，二便不利，疔毒痈肿，湿疹，疥癣，毒蛇咬伤。
乌桕叶：苦，微温；有毒。归心经。泻下逐水，消肿散结，解蛇虫毒。用于水肿，二便不利，腹水，湿疹，疥癣，痈疮肿毒，跌打损伤，毒蛇咬伤。
乌桕子：甘，凉；有毒。归肾、肺经。拔毒消肿，杀虫止痒。用于湿疹，疮癣，皮肤皲裂，水肿，便秘。
桕油：杀虫，拔毒，利尿，通便。用于疥疮，脓疱疮，水肿，便秘。

| 用法用量 | 乌桕木根皮：内服煎汤，9 ～ 12 g；或入丸、散剂。外用适量，煎汤洗；或研末调敷。
乌桕叶：内服煎汤，6 ～ 12 g。外用适量，鲜品捣敷；或煎汤洗。
乌桕子：内服煎汤，3 ～ 6 g。外用适量，煎汤洗；或捣敷。
桕油：外用适量，涂敷。

| 附　　注 | 本种喜光，适生于年平均温度 15 ℃以上的环境。

大戟科 Euphorbiaceae 白饭树属 Fluggea 凭证标本号 321102200701003LY

一叶萩
Flueggea suffruticosa (Pall.) Baill.

药材名

一叶萩（药用部位：枝叶、根）。

形态特征

灌木，高 1 ～ 3 m，多分枝。小枝浅绿色。叶片纸质，椭圆形或长椭圆形，稀倒卵形，长 1.5 ～ 8 cm，宽 1 ～ 3 cm，先端急尖至钝，基部钝至楔形，全缘或有不整齐的波状齿或细锯齿，侧脉每边 5 ～ 8；叶柄长 2 ～ 8 mm；托叶卵状披针形，宿存。花腋生，雌雄异株；雄花 3 ～ 18 簇生，花梗长 2.5 ～ 5.5 mm，萼片通常 5，椭圆形、卵形或近圆形，雄蕊 5，花药卵圆形，花盘腺体 5，退化雌蕊圆柱形，先端 2 ～ 3 裂；雌花萼片 5，椭圆形至卵形，近全缘，背部呈龙骨状凸起，花盘盘状，全缘或近全缘，子房卵圆形，（2 ～）3 室，花柱 3，分离或基部合生。蒴果三棱状扁球形，直径约 5 mm，3 片裂，果柄长 2 ～ 15 mm，基部常有宿存的萼片；种子卵形而一侧压扁，褐色，有小疣状突起。花期 3 ～ 8 月，果期 6 ～ 11 月。

生境分布

生于山坡灌丛中或山沟、路边。分布于江苏山地丘陵地区等。

| 资源情况 | 野生资源较丰富。

| 采收加工 | 枝叶，春末至秋末均可割取连叶的绿色嫩枝，扎成小把，阴干；根，全年均可采挖，除去泥沙，洗净，切片，晒干。

| 药材性状 | 本品嫩枝条呈圆柱形，略具棱角，长 30 ~ 40 cm，粗端直径约 2 mm；表面暗绿黄色，有时略带红色，具纵向细微纹理；质脆，断面四周纤维状，中央白色。叶多皱缩、破碎，有时尚有黄色的花朵或灰黑色的果实。气微，味微辛而苦。根不规则分枝，圆柱形；表面红棕色，有细纵皱纹，疏生凸起的小点或横向皮孔；质脆，断面不整齐，木部淡黄白色。气微，味淡转涩。

| 功效物质 | 叶含有生物碱类、黄酮类化合物。种子含有烃类、三酰甘油类、游离脂肪酸、甾醇、羟基脂肪酸等。根皮含有一叶萩新碱。

| 功能主治 | 辛、苦，微温；有小毒。归肝、肾、脾经。祛风活血，益肾强筋。用于风湿腰痛，四肢麻木，阳痿，疳积，面神经麻痹，小儿麻痹后遗症。

| 用法用量 | 内服煎汤，6 ~ 9 g。

大戟科 Euphorbiaceae 地构叶属 Speranskia 凭证标本号 320382180726014LY

地构叶

Speranskia tuberculata (Bge.) Baill.

| 药 材 名 | 地构叶（药用部位：全草）。

| 形态特征 | 多年生草本。茎直立，高 25 ～ 50 cm；分枝较多，被贴伏短柔毛。叶纸质，披针形或卵状披针形，长 1.8 ～ 5.5 cm，宽 0.5 ～ 2.5 cm，先端渐尖，稀急尖，具钝尖头，基部阔楔形或圆形，边缘具疏离圆齿或有时深裂，齿端具腺体；叶柄短；托叶卵状披针形。总状花序长 6 ～ 15 cm，上部有雄花 20 ～ 30，下部有雌花 6 ～ 10，位于花序中部的雌花两侧有时具雄花 1 ～ 2；苞片卵状披针形或卵形；雄花 2 ～ 4 生于苞腋，花萼裂片卵形，花瓣倒心形，具爪，雄蕊 8 ～ 12（～ 15）；雌花 1 ～ 2 生于苞腋，花萼裂片卵状披针形，先端渐尖，疏被长柔毛，花瓣与雄花相似，但较短，疏被柔毛和缘毛，具脉纹，花柱 3，各 2 深裂，裂片呈羽状撕裂。蒴果扁球形，直径约 6 mm，

具瘤状突起，被柔毛；种子卵形，灰褐色。花果期5～9月。

| **生境分布** | 生于山坡草丛或灌丛中。分布于江苏徐州、连云港（东海）等。

| **资源情况** | 野生资源较丰富。

| **采收加工** | 全年均可采收，洗净，鲜用或晒干。

| **药材性状** | 本品茎多分枝，呈圆柱形或微有棱，通常长10～30 cm，直径1～4 mm，基部有时连有部分根茎；表面浅绿色或灰绿色，近基部淡紫色，被灰白色柔毛，具互生叶或叶痕；质脆，易折断，断面黄白色。根茎长短不一；表面土棕色或黄棕色，略粗糙；质稍坚硬，断面黄白色。叶多卷曲而皱缩或破碎，呈灰绿色，两面均被白色细柔毛，下表面近叶脉处较显著。枝梢有时可见总状花序和果序；花型小；蒴果三角状扁圆形。气微，味淡而后微苦。以色绿、枝嫩、带"珍珠"果者为佳。

| **功效物质** | 主要含有软脂酸、β-谷甾醇、三十烷醇、香草酸、阿魏酸、对香豆酸等。

| **功能主治** | 辛，温。归肺、肝经。祛风除湿，舒筋活血，散瘀消肿，解毒止痛。用于风湿痹痛，筋骨挛缩，寒湿脚气，腰部损伤，瘫痪，闭经，阴囊湿疹，疮疖肿毒。

| **用法用量** | 内服煎汤，9～15 g。外用适量，煎汤熏洗；或捣敷。

大戟科 Euphorbiaceae 油桐属 Vernicia 凭证标本号 320581180515023LY

油桐
Vernicia fordii (Hemsl.) Airy Shaw

| 药 材 名 | 油桐子（药用部位：种子）、桐油（药材来源：种子油）、桐子花（药用部位：花）、油桐叶（药用部位：叶）、油桐根（药用部位：根）、气桐子（药用部位：未成熟的果实）。

| 形态特征 | 落叶乔木，高达 10 m。树皮灰色，近光滑。枝条粗壮，无毛，具明显皮孔。叶卵圆形，长 8 ~ 18 cm，宽 6 ~ 15 cm，先端短尖，基部平截至浅心形，全缘，稀 1 ~ 3 浅裂，掌状脉 5（~ 7）；叶柄与叶片近等长，几无毛，先端有 2 扁平、无柄腺体。花雌雄同株，先叶或与叶同时开放；花萼长约 1 cm，2（~ 3）裂，外面密被棕褐色微柔毛；花瓣白色，有淡红色脉纹，倒卵形，先端圆形，基部爪状；雄花的雄蕊 8 ~ 12，2 轮，外轮离生，内轮花丝中部以下合生；雌花的子房密被柔毛，3 ~ 5（~ 8）室，每室有 1 胚珠，花柱与子房

室同数，2裂。核果近球形，直径4～6（～8）cm，果皮光滑；种子3～4（～8），种皮木质。花期3～4月，果期8～9月。

| 生境分布 | 生于丘陵山地。江苏各地均有栽培。

| 资源情况 | 栽培资源一般。

| 采收加工 | 油桐子：秋季采收成熟果实，堆积于潮湿处，泼水，覆以干草，经约10天，外壳腐烂，除去外皮，收集种子，晒干。

桐油：8～9月采收成熟果实，取出种子，榨油。

桐子花：4～5月收集凋落的花，晒干。

油桐叶：秋季采集，鲜用或晒干。

油桐根：全年均可采挖，洗净，鲜用或晒干。

气桐子：收集未熟而早落的果实，除净杂质，鲜用或晒干。

| 药材性状 | 桐子花：本品白色略带红色，聚伞花序。花单性，雌雄同株。花萼不规则2～3裂，裂片镊合状。花瓣5。雄花有雄蕊8～12，花丝基部合生，上端分离，且在花芽中弯曲。雌花子房3～5（～8）室，每室具1胚珠，花柱2。气微香，味涩。

油桐叶：本品单叶互生，具长柄，初被毛，后渐脱落；叶片卵形至心形，长8～18 cm，宽6～15 cm，先端尖，基部心形或楔形，不裂或有时3浅裂，全缘，上面深绿色，有光泽，初时疏生微毛，沿脉较密，后渐脱落，下面有紧贴密生的细毛。气微。

油桐根：本品粗实。表面褐黑色，根皮厚。断面内心白色，较泡松，有绵性。气微，微苦、涩。

| 功效物质 | 种子含有脂肪油（桐油）46%，主要成分为桐酸、异桐酸及油酸的甘油酯。

| 功能主治 | 油桐子：甘、微辛，寒。有小毒。吐风痰，消肿毒，利二便。用于风痰喉痹，痰火瘰疬，食积腹胀，二便不利，丹毒，疥癣，烫火伤，急性软组织炎症，寻常疣。

桐油：涌吐痰涎，清热解毒，收湿杀虫，润肤生肌。用于喉痹，痈疡，疥癣，烫火伤，冻疮，皮肤皲裂。

桐子花：苦、微辛，寒；有毒。归肺、心经。清热解毒，生肌。用于新生儿湿疹，白秃疮，热毒疮，天疱疮，烫火伤。

油桐叶：苦、微辛，寒；有毒。归肝、大肠经。清热消肿，解毒杀虫。用于肠炎，痢疾，痈肿，臁疮，疥癣，漆疮，烫火伤。

油桐根：苦、微辛，寒；有毒。下气消积，利水化痰，驱虫。用于食积痞满，水肿，哮喘，瘰疬，蛔虫病。

气桐子：苦，平。归胃经。行气消食，清热解毒。用于疝气，食积，月经不调，疔疮疖肿。

| **用法用量** | 油桐子：内服煎汤，1 ~ 2 枚；或磨水；或捣烂冲水。外用适量，研末吹喉；或捣敷；或磨水涂。

桐油：外用适量，调敷；或涂擦。

桐子花：外用适量，煎汤洗；或浸植物油涂搽。

油桐叶：内服煎汤，15 ~ 30 g。外用适量，捣敷；或烧灰研末撒。

油桐根：内服煎汤，12 ~ 18 g，鲜品 30 ~ 60 g；或研末；或炖肉；或浸酒。外用适量，捣敷。

气桐子：内服煎汤，1 ~ 3 个。外用适量，捣敷；或取汁搽。

| **附　注** | 本种喜温暖、湿润气候，怕严寒，栽培区域年平均温度 16 ~ 18 ℃，10 ℃以上的活动积温在 4 500 ~ 5 000 ℃，全年无霜期 240 ~ 270 天，能耐冬季短暂低温（−10 ~ −8 ℃），长期处于 −10 ℃以下可引起冻害，遇春季晚霜及花期低温受害极大；年降水量 900 ~ 1 300 mm。以阳光充足、土层深厚、疏松肥沃、富含腐殖质、排水良好的微酸性砂壤土栽培为宜。

芸香科 Rutaceae 柑橘属 Citrus 凭证标本号 320621181110002LY

酸橙
Citrus aurantium L.

| 药 材 名 |

枳壳（药用部位：果实）、枳实（药用部位：幼果）。

| 形态特征 |

常绿灌木或小乔木，分枝多。枝具棱和长、短刺，徒长枝的刺长可达 8 cm。单身复叶，互生；叶片宽椭圆形或宽卵形，长 7 ~ 12 cm，宽 4 ~ 7 cm，先端短而锐或急尖，基部圆形或宽楔形，叶面深绿色；翼叶倒卵形，较短。花集成总状花序，有时兼有腋生单花；花萼杯状，4 ~ 5 浅裂；花瓣 5，白色，长圆形，芳香，有脉纹；雄蕊约25，花丝基部联合成多束；雌蕊有时退化。果实近球形，直径 5 ~ 8 cm，橙黄色至朱红色，果皮厚而粗糙，难剥离，油胞大小不均，凹凸不平；瓢囊 10 ~ 13，果肉酸，带苦味，果心有时中空；种子多数，卵形；子叶乳白色，单胚。

| 生境分布 |

江苏南部常见栽培，有时逸为野生。

| 资源情况 |

野生及栽培资源较丰富。

| 采收加工 | **枳壳**：7 月果皮尚绿时采收，自中部横切为两半，晒干或低温干燥。
| | **枳实**：5 ～ 6 月收集自落的果实，除去杂质，自中部横切为两半，晒干或低温干燥，较小者直接晒干或低温干燥。

| 药材性状 | **枳壳**：本品呈半球形，直径 3 ～ 5.5 cm。外皮绿褐色或棕褐色，略粗糙，散有众多小油点，中央有明显的花柱基痕或圆形果柄痕。切面中果皮厚 0.6 ～ 1.2 cm，黄白色，较光滑，略向外翻，有维管束散布，边缘有棕黄色油点 1 ～ 2 列。质坚硬，不易折断，瓢囊 10 ～ 13，少数至 15，囊内汁胞干缩，棕黄色或暗棕色，质软，内藏种子。中轴坚实，宽 5 ～ 9 mm，黄白色，有一圈断续环列的维管束点。气香，味苦、微酸。以外果皮绿褐色、果肉厚、质坚硬、香气浓者为佳。
| | **枳实**：本品呈半球形、球形或卵圆形，直径 0.5 ～ 2.5 cm。外表面黑绿色或暗棕绿色，具颗粒状突起和皱纹。顶部有明显的花柱基痕，基部有花盘残留或果柄脱落痕。切面光滑而稍隆起，灰白色，厚 3 ～ 7 mm，边缘散有 1 ～ 2 列凹陷油点，瓢囊 10 ～ 13，中心有棕褐色的囊，呈车轮纹。质坚硬。气清香。

| 功效物质 | 主要含有黄酮类、挥发油类及生物碱类成分。幼果的特征成分是生物碱辛弗林。果实的特征成分是黄酮类成分，以二氢黄酮为主，并大多以糖苷形式存在，如柚皮苷、新橙皮苷等，此外还有香豆素类及柠檬苦素类等化合物。

| 功能主治 | **枳壳**：苦、酸，微寒。归肺、脾、肝、胃、大肠经。理气宽胸，行滞消积。用于胸膈痞满，胁肋胀痛，食积不化，脘腹胀满，下痢后重，脱肛，子宫脱垂。
| | **枳实**：苦、辛，寒。归脾、胃、肝、心经。破气消积，化痰除痞。用于积滞内停，痞满胀痛，大便秘结，泻痢后重，结胸，胸痹，胃下垂，子宫脱垂，脱肛。

| 用法用量 | **枳壳**：内服煎汤，3 ～ 9 g；或入丸、散剂。外用适量，煎汤洗；或炒热熨。
| | **枳实**：内服煎汤，3 ～ 10 g；或入丸、散剂。外用适量，研末调涂；或炒热熨。

| 附 注 | 本种喜温暖、湿润气候。耐阴性强。年平均气温要求在 15 ℃以上，发芽有效温度为 10 ℃以上，生长适温为 20 ～ 25 ℃，在 -5 ℃以上能安全生长，最低生长温度为 -9 ℃，最高温度为 40 ℃。年降水量 1 000 ～ 2 000 mm，相对湿度 75%。以阳光充足、土层深厚、疏松肥沃、富含腐殖质、排水良好的微酸性冲积土或酸性黄壤、红壤栽培为宜。

芸香科 Rutaceae 柑橘属 Citrus 凭证标本号 320508200417013LY

金柑
Citrus japonica (Thunb.) Swingle

| 药 材 名 |

金橘（药用部位：果实）。

| 形态特征 |

常绿灌木。枝无刺或有短刺，嫩枝有棱。单身复叶，互生，有较密的油点，芳香，侧脉常不明显；叶片与叶柄连接处具关节；叶柄有狭翅或几无；叶片卵状披针形或长椭圆形，长4~8 cm，宽2.5~3.5 cm，先端渐尖，基部钝，边缘中部以上有不明显的锯齿，无毛，密生细小油点。花单生或数朵聚生于叶腋，芳香；萼片5，细小，合生至中部；花瓣5，白色，覆瓦状排列；雄蕊通常为花瓣的3~4倍或更多，不等长，花丝不同程度合生成4~5束，间有个别离生；雌蕊生于隆起的花盘上，子房近圆球形，3~6室。果实倒卵圆形，直径9~10 mm，橙黄色至红色，油胞细小而凸起；瓣囊3~6，偶有7，每瓣内有种子3~4。花期6月，果熟期11月。

| 生境分布 |

栽培于低海拔疏林中。江苏沿江各地均有零星栽培。

| **资源情况** | 栽培资源一般。

| **采收加工** | 果实成熟时分批采摘，鲜用或晒干。

| **药材性状** | 本品呈圆形，果皮薄，瓤囊 5 ～ 6。

| **功效物质** | 富含黄酮类成分，主要有金橘苷、柚皮素、根皮苷、烟花苷、野漆树苷、4′-甲氧基 - 牡荆素 -2″-*O*-*α*-*L*- 鼠李糖苷、4′- 甲氧基 - 异牡荆素 -2″-*O*-*α*-*L*- 鼠李糖苷、芦丁、根皮素 -3′,5′- 二 -*C*-*β*- 葡萄糖苷等，以及 5- 羟甲基糠醛和 *β*- 谷甾醇。

| **功能主治** | 辛、甘，温。归肺经。理气解郁，消食化痰，醒酒。用于胸闷郁结，脘腹痞胀，咳嗽痰多。

| **用法用量** | 内服煎汤，3 ～ 9 g，鲜品 15 ～ 30 g；或捣汁；或泡茶；或嚼服。

| **附　　注** | 本种喜温暖、湿润气候，抗寒性强，耐旱、耐瘠薄。年平均气温在 15 ℃以上适宜生长，可耐 −12 ℃的低温。年降水量在 1 300 ～ 1 700 mm 的地区适宜栽培。以土层深厚、疏松肥沃、排水良好的微酸性砂壤土或壤土栽培为宜。

芸香科 Rutaceae 柑橘属 Citrus 凭证标本号 320508200417013LY

佛手
Citrus medica L.var. *sarcodactylis* (Noot.) Swingle

| 药材名 |

佛手（药用部位：果实）。

| 形态特征 |

灌木或小乔木。嫩枝、芽及花苞均呈暗紫红色，叶腋有粗硬的棘刺。单叶；叶片革质，长圆形、卵状长圆形或倒卵状长圆形，长5～12 cm，宽3～6 cm，先端钝或有凹缺，稀具短尖，基部宽楔形，边缘有波状齿；叶柄短，无翼叶，与叶片连接处无隔痕。花簇生或集成总状花序；花萼杯状，5裂，裂片三角形；花瓣5，内面白色，外面淡紫色；雄蕊30～50，花丝结合或离生；子房圆筒状，柱头头状。柑果大，椭圆形或卵形，橙黄色，果皮甚厚，极芳香，成熟时先端各心皮分离，闭合如拳或张开如指，偶有果实外轮张开，内轮拳卷；种子数粒或无。花期5月，果熟期11～12月。

| 生境分布 |

生于海拔578～1 500 m的丘陵坡地。江苏各地均有栽培。

| 资源情况 |

栽培资源较丰富。

| 采收加工 | 果实尚未变黄或变黄时采收，纵切成薄片，晒干或低温干燥。

| 药材性状 | 本品呈类椭圆形或卵圆形的薄片，常皱缩或卷曲。长 6 ～ 10 cm，宽 3 ～ 7 cm，厚 0.2 ～ 0.4 cm。先端稍宽，常有 3 ～ 5 手指状的裂瓣，基部略窄，有的可见果柄痕。外皮黄绿色或橙黄色，有皱纹及油点。果肉浅黄白色，散有凹凸不平的线状或点状维管束。质硬而脆，受潮后柔韧。气香。

| 功效物质 | 含有柠檬油素、5- 异戊烯氧基 -7- 甲氧基香豆素、6,7- 二甲氧基香豆素、7- 羟基 -6- 甲氧基香豆素、4- 甲氧基联苄、单棕榈酸甘油酯。

| 功能主治 | 辛、苦、酸，温。归肝、脾、肺经。疏肝理气，和胃止痛，燥湿化痰。用于肝胃气滞，胸胁胀痛，胃脘痞满，食少呕吐，咳嗽痰多。

| 用法用量 | 内服煎汤，3 ～ 9 g。

| 附　注 | 本种喜温暖、湿润气候，怕严霜、干旱，耐阴、耐瘠薄、耐涝。最适生长温度 22 ～ 24 ℃，越冬温度 5 ℃以上，能忍受极端最低温度 −7 ～ 8 ℃。年降水量以 1 000 ～ 1 200 mm 最适宜。喜光，年日照时数 1 200 ～ 1 800 小时为宜，以土层深厚、疏松肥沃、富含腐殖质、排水良好的微酸性砂壤土栽培为宜。

芸香科 Rutaceae 柑橘属 Citrus 凭证标本号 320684160528041LY

柑橘
Citrus reticulata Blanco

| 药 材 名 |

陈皮（药用部位：成熟果实的果皮）、青皮（药用部位：幼果或未成熟果实的果皮）、橘红（药用部位：果实的外层果皮）、橘络（药用部位：果皮内的筋络）、橘核（药用部位：种子）、橘叶（药用部位：叶）。

| 形态特征 |

小乔木，高达 5 m。枝条细而柔软，密生。叶片菱状长椭圆形，长 6 ~ 9 cm，宽 3 ~ 4 cm，先端渐尖，基部楔形，两侧稍不对称；叶柄长 0.5 ~ 1 cm，翼叶不明显或无。花单生或簇生；萼片 5，淡黄绿色；花瓣 5，白色，长圆形，长约 1.2 cm；雄蕊 15 ~ 18，常 3 ~ 5 结合，等长或略长于花柱。果实扁圆球形，橙红色，横径 5 ~ 6 cm，油胞密，平生或凹入，凹点大而明显；瓤囊 9 ~ 12，味甜而带酸；种子多，通常 20 ~ 30，多胚，子叶淡绿色。花期 5 月。

| 生境分布 |

江苏各地均有栽培。

| 资源情况 |

栽培资源较丰富。

| **采收加工** | **陈皮：** 10 ～ 12 月果实成熟时采摘果实，剥取果皮，晒干或低温干燥。

青皮： 5 ～ 6 月收集自落的幼果，剥取果皮，晒干，习称"个青皮"；7 ～ 8 月采收未成熟的果实，在果皮上纵剖成 4 瓣至基部，除尽瓤瓣，晒干，习称"四花青皮"。

橘红： 秋末冬初采收成熟果实，用刀削下外果皮，晒干或阴干。

橘络： 12 月至翌年 1 月间采集果实，将橘皮剥下，自皮内或橘瓤外表撕下白色筋络，晒干或微火烘干。

橘核： 果实成熟后收集，洗净，晒干。

橘叶： 全年均可采收，以 12 月至翌年 2 月间采摘为最佳，阴干或晒干，亦可鲜用。

| **药材性状** | **陈皮：** 本品常剥成数瓣，基部相连，有的呈不规则的片状，厚 1 ～ 4 mm。外表面橙红色或红棕色，有细皱纹及凹下的点状油室；内表面浅黄白色，粗糙，附黄白色或黄棕色筋络状维管束。质稍硬而脆。气香，味辛、苦。

青皮： 本品幼果呈类球形，直径 0.5 ～ 2 cm。表面灰绿色或黑绿色，微粗糙，有细密凹下的油点，先端有稍凸起的柱基，基部有圆形果柄痕。质硬，断面果皮黄白色或淡黄棕色，厚 1 ～ 2 mm，外缘有油点 1 ～ 2 列。瓤囊 8 ～ 10 瓣，淡棕色。气清香。以个匀、质硬、体重、肉厚、瓤小、香气浓者为佳。

橘红：本品呈长条形或不规则薄片状，边缘皱缩卷曲，厚约 0.2 mm。外表面黄棕色或橙红色，具光泽，密布点状凹下或凸起的油点，俗称"棕眼"；内表面黄白色，亦有明显的油点，对光照视透明。质脆，易碎。气芳香，味微苦、辛。以皮薄、片大、色红、油润者为佳。

橘络：本品呈长条而松散的网络状，上端与蒂相连，下端筋络交叉而顺直。蒂呈圆形帽状，多为淡黄白色，陈久则变成棕黄色。每束长 6 ~ 10 cm，宽 0.5 ~ 1 cm。10 余束或更多压紧为长方形块状。质轻而软，干后质脆，易断。气香。以整齐、均匀、络长不碎断、色黄者为佳。

橘核：本品略呈卵形，长 0.8 ~ 1.2 cm，直径 0.4 ~ 0.6 cm。表面淡黄白色或淡灰白色，光滑，一侧有种脊棱线，一端钝圆，另一端渐尖成小柄状。外种皮薄而韧，内种皮菲薄，淡棕色，子叶 2，黄绿色，有油性。气微，味苦。以色黄白、籽粒饱满、大小均匀者为佳。

橘叶：本品多卷缩或破碎，展平后呈菱状长椭圆形或椭圆形，长 6 ~ 9 cm，宽 3 ~ 4 cm，先端渐尖，基部楔形、全缘或微波状，表面灰绿色或黄绿色，光滑，对光可见众多的透明小油点；叶柄常缺，偶有狭翅也不明显者。质脆，易碎裂。气香，味苦。

| **功效物质** | 成熟果实的果皮含有挥发油 1.198% ~ 3.187%，其中主要成分为柠檬烯。幼果或未成熟果实的果皮含有升压有效成分左旋辛弗林乙酸盐，还含有天冬氨酸、谷氨酸等。叶含有维生素 C。此外，叶中还含有多种碳水化合物，如葡萄糖、果糖、蔗糖、淀粉和纤维素等，其含量在开花时较高，果实成熟时渐减少，采摘后又增多。各种橘叶均含挥发油。

| **功能主治** | **陈皮**：苦、辛，温。归肺、脾经。理气降逆，调中开胃，燥湿化痰。用于脾胃气滞湿阻，胸膈满闷，脘腹胀痛，不思饮食，呕吐，哕逆，二便不利，肺气阻滞，咳嗽痰多，乳痈初起。

青皮：苦、辛，温。归肝、胆、脾、肺、心经。疏肝破气，消积化滞。用于肝郁气滞所致的胁肋胀痛，乳房胀痛，乳核，乳痈，疝气疼痛，食积气滞所致的胃脘胀痛，气滞血瘀所致的癥瘕积聚，久疟癖块。

橘红：辛、苦，温。归膀胱、小肠、肺、脾、大肠、胃经。散寒燥湿，理气化痰，宽中健胃。用于风寒咳嗽，痰多气逆，恶心呕吐，胸脘痞胀。

橘络：甘、苦，平。归肝、脾经。通络，理气，化痰。用于经络气滞，久咳胸痛，痰中带血，伤酒口渴。

橘核：苦，平。归肝、肾、膀胱经。理气，散结，止痛。用于疝气，睾丸肿痛，乳痈，腰痛。

橘叶：疏肝行气，化痰散结。用于乳痈，乳房结块，胸胁胀痛，疝气。

| 用法用量 | 陈皮：内服煎汤，3 ~ 9 g。

青皮：内服煎汤，3 ~ 10 g；或入丸、散剂。

橘红：内服煎汤，3 ~ 9 g；或入丸、散剂。

橘络：内服煎汤，2.5 ~ 4.5 g。

橘核：内服煎汤，3 ~ 9 g；或入丸、散剂。

橘叶：内服煎汤，6 ~ 15 g，鲜品 60 ~ 120 g；或捣汁服。外用适量，捣敷。

| 附　注 | 本种生于气候温暖、潮湿的地方，宜肥沃土壤。以土质松软、深厚的砂壤土为宜，除陡坡地外，其他地皆能栽培；需通风透光及蓄水、排水条件好。过黏、砂粒大及石块多者不宜栽培。

芸香科 Rutaceae 柑橘属 Citrus 凭证标本号 320621181124030LY

香圆
Citrus wilsonii Tanaka

| **药 材 名** | 香橼（药用部位：果实）。

| **形态特征** | 常绿乔木，高 5 ~ 7 m。小枝密生，具棱，枝条细而柔软，无毛而有棘刺。单身复叶，互生；叶片长椭圆形，先端渐尖，基部宽楔形或钝圆，全缘或有浅波状齿；叶柄长 2 ~ 3 cm，翼叶倒心形，上部宽 1 ~ 3 cm。花单生或簇生；花萼浅杯状，5 裂；花瓣 5，白色，长圆形或倒心形，表面有明显的脉纹；雄蕊 24 ~ 38，常数枚结合，高于柱头；子房 10 ~ 11 室。柑果圆球形或卵圆球形，柠檬黄色，味酸，芳香，先端微具乳头状突起；果皮厚超过 0.8 cm，表面粗糙，与瓤囊不易分离；种子极多，多胚，子叶白色。花期 6 ~ 7 月，果期 11 ~ 12 月。

| 生境分布 | 生于山坡或山谷的常绿阔叶林中。江苏南部有栽培。

| 资源情况 | 栽培资源较丰富。

| 采收加工 | 定植后 4 ~ 5 年结果，8 ~ 10 月果实青熟或黄熟时采摘，趁鲜切 1 cm 厚片，摊开暴晒或低温烘干。

| 药材性状 | 本品呈类球形或圆形片状，直径 4 ~ 7 cm。表面灰绿色或黄棕色，较粗糙，密布凹陷小油点，先端有花柱残痕及圆圈状环纹，习称"金钱环"，基部有果柄痕。质坚硬，横切面边缘油点明显，中果皮厚约 0.5 cm，瓤囊 9 ~ 12，棕色或淡棕色，间有黄白色种子。气香。以个大、皮粗、色黑绿、香气浓者为佳。

| 功效物质 | 果皮含有挥发油成分，如 α- 蒎烯，β- 蒎烯、香叶烯、柠檬烯、松油烯、对伞花烃、芳樟醇、松油醇。此外，还含有类胡萝卜素六氢番茄烃、η- 胡萝卜素、β- 胡萝卜素氧化物、β- 阿朴 -8′- 胡萝卜醛、堇黄质、隐黄素，以及大量的维生素 A 活性成分等。

| 功能主治 | 辛、苦、酸，温。归肝、肺、脾经。理气降逆，宽胸化痰。用于胸腹满闷，胁肋胀痛，咳嗽痰多。

| 用法用量 | 内服煎汤，3 ~ 6 g；或入丸、散剂。

| 附　注 | 本种喜温暖、湿润气候，怕严霜，不耐严寒。以土层深厚、疏松肥沃、富含腐殖质、排水良好的砂壤土栽培为宜。

芸香科 Rutaceae 白鲜属 Dictamnus 凭证标本号 320111170509026LY

白鲜
Dictamnus dasycarpus Turcz.

| 药 材 名 |

白鲜皮（药用部位：根皮）。

| 形态特征 |

多年生宿根草本，高可达 1 m。根茎斜出，肉质部分粗长，淡黄白色，密生长柔毛和泡状油点。茎基部木质化。奇数羽状复叶，互生，叶轴有窄翅；小叶 7 ~ 13，在叶轴上对生，无柄，小叶片卵形至卵状披针形，边缘有细锯齿，无毛或沿中脉有柔毛，两面密生油点，上部小叶较大，基部小叶较小，叶脉不甚明显，中脉被毛。总状花序顶生；花梗具腺毛；花大，萼片及花瓣均密被透明油点；萼片 5，披针形；花瓣 5，白色或淡红色，倒披针形，下面的 1 花瓣下倾而稍大，长约 30 cm；雄蕊 10，伸出花冠外。蒴果 5 裂，裂瓣先端有喙状尖，表面密生棕褐色油点和腺毛。花期 4 ~ 5 月，果期 8 ~ 9 月。

| 生境分布 |

生于山坡丛林中。分布于江苏连云港、南京、淮安（盱眙）等。

| 资源情况 |

野生资源一般。

| 采收加工 | 大部分地区在春、秋季采挖，南方于立夏后采挖，洗净泥土，除去须根及粗皮，趁鲜纵向剖开，抽去木心，晒干。

| 药材性状 | 本品呈卷筒状，长 5 ~ 15 cm，直径 1 ~ 2 cm，厚 2 ~ 5 mm。外表面灰白色或淡灰黄色，具细纵皱纹及细根痕，常有凸起的颗粒状小点；内表面类白色，有细纵纹。质脆，折断时有粉尘飞扬，断面不平坦，略呈层片状，剥去外层，对光可见闪烁的小亮点。有羊膻气，味微苦。以条大、肉厚、色灰白、断面分层者为佳。

| 功效物质 | 根皮含有秦皮酮、黄柏酮、柠檬苦素、地奥酚及白鲜二醇。

| 功能主治 | 苦、咸，寒。归脾、肺、小肠、胃、膀胱经。清热燥湿，祛风解毒。用于湿热疮毒，黄水淋漓，湿疹，风疹，疥癣疮癞，风湿热痹，黄疸尿赤。

| 用法用量 | 内服煎汤，6 ~ 15 g；或入丸、散剂。外用适量，煎汤洗；或研末敷。

芸香科 Rutaceae　吴茱萸属 Evodia　凭证标本号 320115151022014LY

吴茱萸
Evodia rutaecarpa (Juss.) Benth.

| 药 材 名 | 吴茱萸（药用部位：果实）。

| 形态特征 | 落叶灌木，很少为小乔木。小枝紫褐色，初被毛，后渐脱落。羽状复叶，小叶 5 ~ 13；小叶片长椭圆形或卵状椭圆形，长 5 ~ 14 cm，宽 2 ~ 6 cm，先端渐尖或急尖，基部楔形或钝圆，两面均被柔毛，叶背有粗大油点，全缘，很少有不明显的圆锯齿。雄花序的花较疏离，雌花序的花多密集；萼片及花瓣均为 5，偶为 4，镊合排列；雄花花瓣腹面疏被长毛，花丝及退化雌蕊下部均被白色长柔毛；雌花花瓣腹面被长毛，退化雄蕊短线状，花柱下部及子房疏被长毛。蒴果暗紫红色，表面有粗大油点，通常有 2 ~ 4 分果瓣，每分果瓣有 1 种子。花期 7 ~ 8 月，果期 9 ~ 10 月。

| 生境分布 | 生于疏林中或林间旷地。分布于江苏苏州、南京、无锡（宜兴）、镇江、扬州（仪征）、泰州（兴化）等。 |

| 资源情况 | 野生及栽培资源较丰富。 |

| 采收加工 | 栽培后 3 年，早熟品种 7 月上旬、晚熟品种 8 月上旬，待果实呈茶绿色而心皮未分离时采收，在露水未干前采摘整串果穗，切勿摘断果枝，晒干，用手揉搓，使果柄脱落，扬净。如遇雨天，用微火炕干。 |

| 药材性状 | 本品呈类球形或略呈五角状扁球形，直径 2 ~ 5 mm。表面暗绿黄色至褐色，粗糙，有多数点状突起或凹下油点。先端有五角星状裂隙，基部有花萼及果柄，被黄色茸毛。质硬而脆。气芳香浓郁，味辛辣而苦。以饱满、色绿、香气浓郁者为佳。 |

| 功效物质 | 含有吴茱萸碱、吴茱萸次碱、吴茱萸卡品碱、羟基吴茱萸碱、吴茱萸因碱、罗勒烯、吴茱萸啶酮等。 |

| 功能主治 | 辛、苦，热；有小毒。归肝、胃、脾、大肠、肾经。散寒止痛，降逆止呕，助阳止泻。用于厥阴头痛，寒疝腹痛，寒湿脚气，经行腹痛，脘腹胀痛，呕吐吞酸，五更泄泻。 |

| 用法用量 | 内服煎汤，1.5 ~ 5 g；或入丸、散剂。外用适量，研末调敷；或煎汤洗。 |

| 附 注 | 本种喜温暖、湿润气候，不耐寒冷、干燥。以阳光充足、土层深厚、疏松肥沃、排水良好的砂壤土和腐殖质壤土栽培为宜。低洼积水地不宜栽培。 |

芸香科 Rutaceae 枳属 Poncirus 凭证标本号 320722180411038LY

枳
Poncirus trifoliata (L.) Raf.

| **药 材 名** | 枸橘（药用部位：果实）。

| **形态特征** | 落叶灌木或小乔木。分枝多且常曲折，有长、短枝之分，短枝上生叶，小枝扁，棱角状，绿色，腋生枝刺多而尖锐，基部扁平。三出复叶，指状，偶有单叶或 2 小叶；总柄有翅，小叶无柄；小叶片常倒卵形或椭圆形，先端钝圆或稍凹，基部楔形，边缘有钝齿，嫩时下面中脉有毛。花单生或成对生于叶腋，先叶开放；花芳香，花梗短；萼片和花瓣均 5 基数；萼片下部合生，卵形；花瓣白色，匙形，覆瓦状排列，先端钝圆，基部有爪；花丝分离，长短不等，花药卵形；子房 6 ~ 8 室，近球形，有短柔毛，具香气，有油腺点。柑果圆球形，成熟时橙黄色，密被细柔毛；种子多数，白色，卵状长圆形。花期 4 ~ 5 月，果熟期 10 月。

| 生境分布 | 分布于江苏连云港、南京、镇江、扬州、苏州、无锡等。

| 资源情况 | 野生及栽培资源较丰富。

| 采收加工 | 5～6月拾取自然脱落在地上的幼小果实，晒干；略大者自中部横切为两半，晒干者称"绿衣枳实"；未成熟果实横切为两半，晒干者称"绿衣枳壳"。

| 药材性状 | 本品绿衣枳实呈圆球形或剖成两半，直径0.8～1.2 cm；外表面绿褐色，密被棕绿色毛茸，基部具圆盘状果柄痕；横剖面类白色，边缘绿褐色，可见凹陷的小点，瓤囊黄白色。味苦、涩。绿衣枳壳多呈半球形，直径2.5～3 cm；外皮灰绿色或黄绿色，有微隆起的皱纹，被细柔毛；横剖面果皮厚3～5 mm，边缘有油点1～2列，瓤囊5～7，中轴宽2～5 mm。气香，味微苦。

| 功效物质 | 含有枳属苷、橙皮苷、野漆树苷、柚皮苷、新橙皮苷等黄酮类化合物。

| 功能主治 | 辛、苦，温。归肝、胃经。疏肝和胃，理气化滞，消积止痛。用于胸胁胀满，脘腹胀痛，乳房结块，疝气疼痛。

| 用法用量 | 内服煎汤，9～15 g；或煅存性，研末。外用适量，煎汤洗；或熬膏涂。

| 附　　注 | 本种适宜温暖环境，喜光，耐寒。宜栽培于湿润和排水良好的砂壤土。

芸香科 Rutaceae 花椒属 Zanthoxylum 凭证标本号 321084180810148LY

竹叶花椒
Zanthoxylum armatum DC.

| 药 材 名 | 竹叶花椒（药用部位：果实）。

| 形态特征 | 灌木或乔木。枝条攀缘状，枝光滑；皮刺对生，基部扁宽。小叶 3 ~
7（~ 11），对生，披针形或椭圆状披针形，两端尖，先端小叶较
大，边缘有细小圆锯齿，叶轴背面及总柄有宽翅和皮刺，小叶仅基
部中脉两侧具丛状褐色短柔毛。花序近腋生或同时生于侧枝之顶，
长 2 ~ 5 cm，有花约 30；花黄绿色，花被片 6 ~ 8，形状与大小几
相同，长约 1.5 mm；雄花雄蕊 6 ~ 8，药隔先端有一干后变褐黑色
的油点，不育雌蕊垫状凸起，先端 2 ~ 3 浅裂；雌花心皮 2 ~ 3，
背部近顶侧各有 1 油点，花柱斜向背弯，不育雄蕊短线状。蓇葖果
紫红色，有微凸起的少数油点，单个分果瓣直径 4 ~ 5 mm；种子卵
圆形，褐黑色，直径 3 ~ 4 mm。花期 5 ~ 6 月。

| **生境分布** | 生于山坡、丘陵的丛林或荒草中。分布于江苏南京、无锡（宜兴）、苏州、镇江、扬州等。

| **资源情况** | 野生资源较丰富。

| **采收加工** | 6 ~ 8 月果实成熟时采收，将果皮晒干，除去种子。

| **药材性状** | 本品球形小分果 1 ~ 2，直径 4 ~ 5 mm，先端具细小喙尖，基部无未发育离生心皮，距基部约 0.7 mm 处小果柄顶部具节，稍膨大；外果皮红棕色至褐红色，稀疏散布明显瘤状凸起的油腺点；内果皮光滑，淡黄色，薄革质。果柄疏被短毛。种子圆珠形，直径约 3 mm；表面深黑色，光亮，密布小疣点，种脐圆形，种脊明显。果实成熟时珠柄与内果皮基部相连，果皮质较脆。气香。以色红棕、味麻有凉感者为佳。

| **功效物质** | 含有降白屈菜红碱、得卡瑞花椒碱、6- 丙酮基 -*N*- 甲基 - 二氢得卡瑞花椒碱、阿尔洛花椒酰胺、platydesmine、4- 甲氧基 -1- 甲基 -2- 喹诺酮、β-［（3- 甲氧基 - 1,3- 二氧正丙基）胺基］苯丙酸甲酯、3-*O*- 阿魏酰基奎尼酸甲酯、去 -4′,4″-*O*- 二甲基表望春花素、柄果花椒素 A、竹叶椒素 B。

| **功能主治** | 辛、微苦，温；有小毒。归肺、大肠经。温中散寒，燥湿止痛，驱虫止痒。用于脘腹冷痛，寒湿吐泻，湿疹。

| **用法用量** | 内服煎汤，6 ~ 9 g；或研末，1 ~ 3 g。外用适量，煎汤洗；或煎汤含漱；或浸酒搽；或研末塞入龋齿洞中；或鲜品捣敷。

芸香科 Rutaceae 花椒属 Zanthoxylum 凭证标本号 320621180723001LY

花椒
Zanthoxylum bungeanum Maxim.

| 药 材 名 | 花椒（药用部位：果皮）。

| 形态特征 | 灌木或小乔木，高 3 ~ 7 m，有浓郁的香气。枝干被短柔毛并密生基部膨大的皮刺。小叶片 5 ~ 13，对生，无柄，卵形至椭圆形，先端渐尖或钝而微凹，基部钝圆，边缘有锯齿，齿缝间有粗大透明的油点，背面中脉基部有褐色柔毛，干后常有红褐色斑纹，长 2 ~ 7 cm，宽 1 ~ 3.5 cm；总叶柄及叶轴有狭翅。聚伞状圆锥花序顶生或生于侧枝之顶，花序轴及花梗密被短柔毛或无毛；雄花花被片 5 ~ 8，1 轮，雄蕊 5 ~ 8，退化雌蕊先端叉状浅裂；雌花很少有发育雄蕊，有心皮 2 ~ 3（~ 4），花柱斜向背弯。蓇葖果紫红色，单个分果瓣直径 4 ~ 5 mm，散生微凸起的油点，先端有甚短的芒尖或无；种子黑色，直径 3.5 ~ 4.5 mm。花期 4 ~ 5 月，果期 8 ~ 10 月。

| 生境分布 | 江苏各地均有栽培。

| 资源情况 | 栽培资源丰富。

| 采收加工 | 栽培后 2 ~ 3 年，9 ~ 10 月果实成熟时选晴天剪下果穗，摊开晾晒，待果实开裂，果皮与种子分开后，晒干。

| 药材性状 | 本品由 1 ~ 2、偶由 3 ~ 4 球形分果瓣组成，每分果瓣直径 4.5 ~ 5 mm，自先端沿腹缝线或腹背缝线开裂，常呈基部相连的两瓣状。分果瓣先端具微细小喙，基部大多具 1 ~ 2 颗粒状、未发育的离生心皮，直径 1 ~ 2 mm。外果皮深红色、紫红色或棕红色，皱缩，有众多点状凸起的油点；内果皮光滑，淡黄色，薄革质，与中果皮部分分离而卷曲。果柄直径约 0.8 mm，被稀疏短毛。果皮革质，稍韧，有特异香气，味麻、辣，持久。

| 功效物质 | 果实挥发油含量最多的是 4- 松油烯醇，占 13.46%，还有辣薄荷酮 10.64%、芳樟醇 9.1%、香桧烯 9.7%、柠檬烯 7.3%、月桂烯 3.0%，以及 α- 蒎烯、β- 蒎烯、α- 松油醇等。

| 功能主治 | 辛，温；有小毒。归脾、肺、肝、肾、心、心包经。温中止痛，杀虫止痒。用于脘腹冷痛，呕吐泄泻，虫积腹痛；外用于湿疹，阴痒。

| 用法用量 | 内服煎汤，3 ~ 6 g；或入丸、散剂。外用适量，煎汤洗；或煎汤含漱；或研末调敷。

| 附　注 | 本种喜温暖、湿润气候。喜光，不耐严寒，−18 ℃幼苗枝条即受冻，成年树在 −25 ℃低温可冻死。耐旱，较耐阴，不耐水湿，不抗风。对土壤适应性较强，在土层深厚、疏松肥沃的砂壤土或壤土中生长良好，但在石灰岩发育的碱性土壤中生长最好，故多用钙质土山地造林。

芸香科 Rutaceae 花椒属 Zanthoxylum 凭证标本号 320581180515159LY

青花椒
Zanthoxylum schinifolium Sieb. et Zucc.

| 药 材 名 | 花椒（药用部位：果皮）。

| 形态特征 | 灌木，高 1 ~ 3 m。枝灰褐色，无毛，有短小皮刺。奇数羽状复叶，互生，叶轴具窄翅，有稀疏向上的短刺；小叶 13 ~ 21，偶为 9 或多于 21，椭圆形或椭圆状披针形，长 1 ~ 4 cm，宽 0.2 ~ 1.2 cm，先端钝尖而微凹，基部楔形，边缘有细锯齿，或全缘，齿缝间有腺点，叶面绿色，有细毛，叶背苍绿色，纸质，疏生油点。伞房状圆锥花序顶生；花单性；花被片 5 基数，有萼片和花瓣的分化，淡黄白色；雄花雄蕊 5，药隔先端有色泽较深的油点 1；雌花心皮 3，几无花柱，成熟心皮 3 ~ 5。蓇果绿色或褐色，分果瓣先端有短小喙状尖；种子黑色，有光泽，直径 3 ~ 4 mm。花期 6 ~ 7 月，果熟期 9 ~ 10 月。

| **生境分布** | 生于山坡岩缝、杂木林下、林边或灌丛中。分布于江苏淮安（盱眙）、连云港（灌云）、镇江（句容）、南京（溧水）、常州（溧阳）等。 |

| **资源情况** | 野生资源较少。 |

| **采收加工** | 9～10月果实成熟时选晴天剪下果穗，摊开晾晒，待果实开裂，果皮与种子分开后，晒干。 |

| **药材性状** | 本品由1～3球形分果瓣组成，每分果瓣直径3～4mm，先端具短小喙尖。外果皮草绿色、黄绿色或棕绿色，有网纹及多数凹下的油点；内果皮灰白色。果柄无毛茸。果皮质薄脆。气清香，味辛、微甜。以粒大、色紫红、香气浓烈者为佳。 |

| **功效物质** | 果皮中挥发油的主要成分为爱草脑，占75.73%，还含有月桂烯、柠檬烯、α-水芹烯、β-水芹烯、α-蒎烯、β-蒎烯、香桧烯、β-罗勒烯-X、β-罗勒烯-Y、1,8-桉叶素、α-松油烯、邻甲基苯乙酮、α-壬酮、芳樟醇、4-松油烯醇、α-松油醇、β-榄香烯、γ-榄香烯、反式丁香烯、2-十一酮、乙酸松油醇酯、荜草烯、1-甲氧基-4-（1-丙烯基）苯、β-荜澄茄烯、δ-荜澄茄烯、丁香油酚、甲基丁香油酚、橙花叔醇异构体。此外，果皮还含有香柑内酯、伞形花内酯、茵芋碱、青椒碱。 |

| **功能主治** | 辛，温；有小毒。归脾、肺、肝、肾、心、心包经。温中止痛，杀虫止痒。用于脘腹冷痛，呕吐泄泻，虫积腹痛；外用于湿疹，阴痒。 |

| **用法用量** | 内服煎汤，3～6g；或入丸、散剂。外用适量，煎汤洗；或煎汤含漱；或研末调敷。 |

芸香科 Rutaceae 花椒属 Zanthoxylum 凭证标本号 320482180521494LY

野花椒
Zanthoxylum simulans Hance

| 药材名 |

野花椒（药用部位：果实）、花椒叶（药用部位：叶）。

| 形态特征 |

灌木或小乔木。枝干具白色皮孔，散生基部宽而扁的锐刺，嫩枝及小叶背面沿中脉被短柔毛，或各部均无毛。叶轴有狭窄的叶质边缘；小叶 5 ~ 9 或 11，对生，无柄或位于叶轴基部的有短的小叶柄，卵圆形或椭圆形，长 2.5 ~ 7 cm，宽 1.5 ~ 4 cm，两侧略不对称，顶部急尖或短尖，基部楔形或钝圆，边缘有细钝齿，叶两面油点多，叶面常有刚毛状细刺，中脉凹陷。花序顶生，长 1 ~ 5 cm；花被片 5 ~ 8，狭披针形或宽卵形，长约 2 mm，淡黄绿色；雄花雄蕊 5 ~ 8（~ 10），药隔先端有一干后暗褐黑色的油点；雌花花被片呈狭长披针形，心皮 2 ~ 3，花柱斜向背弯。蓇葖果红褐色，油点多，微凸起，单个分果瓣直径约 5 mm；种子长 4 ~ 4.5 mm。花期 5 ~ 6 月，果熟期 8 月。

| 生境分布 |

生于山坡树林或灌丛中。分布于江苏苏州、无锡（宜兴）、镇江（句容）、常州（溧阳）、

连云港等。

| 资源情况 | 野生资源较少。

| 采收加工 | **野花椒**：7 ~ 8 月采收成熟的果实，晒干。

花椒叶：7 ~ 8 月采收带有叶片的小枝，晒干。

| 药材性状 | **野花椒**：本品分果瓣呈球形，常 1 ~ 2 集生，每分果瓣沿腹背缝线开裂达基部，直径 6 ~ 7 mm。表面褐红色，具密集凸起的小油腺点，基部延长为子房柄，长约 2.5 mm，中部直径约 1 mm，具纵皱纹。种子卵球形，长 4 ~ 4.5 mm，直径 3.5 ~ 4 mm，黑色，光亮，基部种阜嵌入状。果皮质韧。气淡，味苦、凉、微麻而辣。

| 功效物质 | 含有挥发油类成分，主要有柠檬烯、芳樟醇、芳樟醇乙酸酯。根皮含有二氢白屈菜红碱、氧化白屈菜红碱、*N*- 乙酰番荔枝碱、茵芋碱、*γ*- 崖椒碱、谷甾醇、芝麻脂素、8- 甲氧基 -*N*- 甲基佛林辛、白屈菜红碱、*N*- 甲基大麦芽碱、木兰花碱、蔗糖。

| 功能主治 | **野花椒**：温中止痛，杀虫止痒。用于脾胃虚寒，脘腹冷痛，呕吐，泄泻，蛔虫腹痛，湿疹，皮肤瘙痒，阴痒，龋齿疼痛。

花椒叶：祛风除湿，活血通经。用于风寒湿痹，闭经，跌打损伤，阴疽，皮肤瘙痒。

| 用法用量 | **野花椒**：内服煎汤，3 ~ 6 g；或研末，1 ~ 2 g。外用适量，煎汤洗；或含漱；或研末调敷。

花椒叶：内服煎汤，9 ~ 15 g；或浸酒。外用适量，鲜品捣敷。

| 附 注 | 江苏传统以本种及青花椒 *Zanthoxylum schinifolium* Sieb. et Zucc.、竹 叶 椒 *Zanthoxylum armatum* DC. 三种植物的果实作"花椒"用，目前已较少使用，市场上花椒药材商品以栽培的花椒 *Zanthoxylum bungeanum* Maxim. 果实为主。

苦木科 Simaroubaceae 臭椿属 Ailanthus 凭证标本号 320481141004376LY

臭椿
Ailanthus altissima (Mill.) Swingle

药材名

樗白皮（药用部位：根皮、树干皮）、凤眼草（药用部位：果实）、樗叶（药用部位：叶）。

形态特征

落叶乔木，高可达 20 m。新枝赤褐色，被黄色或黄褐色柔毛，后脱落，有髓心。奇数羽状复叶，长 30～50 cm；小叶 13～25，对生或近对生，长椭圆状卵形或披针状卵形，先端渐尖，基部偏斜，边缘近基部具 1～3 对粗齿，齿端有腺体。花小，集成圆锥花序。翅果长椭圆形，成熟时黄褐色，内有种子 1，位于翅果的近中部。花期 4～5 月，果熟期 8～9 月。

生境分布

生于向阳山坡或灌丛中。江苏各地均有分布。

资源情况

野生资源丰富。

采收加工

樗白皮： 春、夏季剥取，刮去或不刮去粗皮，切块、切片或切丝，晒干。

凤眼草：8～9月果实熟时采收，除去果柄，晒干。

樗叶：春、夏季采收，鲜用或晒干。

| 药材性状 | 樗白皮：本品呈不整齐的片状或卷片状，长宽不一，厚0.3～1 cm。外表面灰黄色或黄褐色，粗糙，有多数凸起的纵向皮孔及不规则纵、横裂纹，除去粗皮者显黄白色；内表面淡黄色，较平坦，密布梭形小孔或小点。质硬而脆，断面外层颗粒性，内层纤维性。气微，味苦。干皮呈不规则板片状，大小不一，厚0.5～2 cm。外表面灰黑色，极粗糙，有深裂。

凤眼草：本品呈矩圆形，扁平，两端稍卷曲，长3.5～4 cm，宽1～1.2 cm，黄褐色，微具光泽；表面有细密的脉纹，膜质，中部具一横向的凸纹，中央凸起成扁球形，内含种子1，少数翅果有残存的果柄。种子扁圆形，种皮黄褐色，内有2黄绿色、肥厚、富油的子叶。气微，味苦，种子尤苦。

| 功效物质 | 主要含有臭椿内酯、臭椿醇，以及生物碱、脂类、脂肪酸、挥发性成分，其中苦木苦味素类成分有抗疟和抗病毒作用。

| 功能主治 | 樗白皮：苦、涩，寒。归大肠、胃、肝经。清热燥湿，收涩止带，止泻，止血。用于赤白带下，湿热泻痢，久泻久痢，便血，崩漏。

凤眼草：清热燥湿，止痢，止血。用于痢疾，白浊，带下，便血，尿血，崩漏。

樗叶：清热燥湿，杀虫。用于湿热带下，泄泻，痢疾，湿疹，疥疮，疖肿。

| 用法用量 | 樗白皮：内服煎汤，6～9 g。

凤眼草：内服煎汤，3～9 g；或研末。

樗叶：内服煎汤，6～15 g，鲜品30～60 g；或绞汁。外用适量，煎汤洗。

苦木科 Simaroubaceae 苦树属 Picrasma 凭证标本号 320703170418745LY

苦树 *Picrasma quassioides* (D. Don) Benn.

| **药 材 名** | 苦木（药用部位：木材）。

| **形态特征** | 落叶乔木，高达 10 m。树皮紫褐色，平滑。羽状复叶长 15 ~ 30 cm；小叶 9 ~ 15，卵状披针形或广卵形，长 4 ~ 10 cm，宽 2 ~ 4 cm，先端渐尖，基部楔形或稍圆，边缘有不整齐的钝锯齿；叶面无毛，叶背仅幼时沿中脉和侧脉有柔毛，后变无毛；落叶后留有明显的半圆形或圆形叶痕；托叶披针形，早落。花绿色，雌雄异株，成腋生的复聚伞花序；花序轴密被黄褐色微柔毛；萼片小，通常 5，偶 4，卵形或长卵形，外面被黄褐色微柔毛，覆瓦状排列；花瓣与萼片同数，卵形或阔卵形；雄花雄蕊长为花瓣的 2 倍，与萼片对生，雌花雄蕊短于花瓣；花盘 4 ~ 5 裂；心皮 2 ~ 5，分离，每心皮有 1 胚珠。核果卵圆形，1 ~ 5 并生，成熟后蓝绿色，长 6 ~ 8 mm，萼片宿存。

花期 4 ~ 5 月，果期 6 ~ 9 月。

| 生境分布 | 生于山坡林中。分布于江苏连云港等。

| 资源情况 | 野生资源一般。

| 采收加工 | 夏、秋季采收，干燥。

| 药材性状 | 本品茎呈类圆形，直径达 30 cm，或切片厚 1 cm。表面灰绿色或淡棕色，散布不规则灰白色斑纹。树心处的块片呈深黄色。横切片年轮明显，射线放射状排列。质坚硬，折断面纤维状。气微，味苦。

| 功效物质 | 主要含有苦木碱、苦木素等化合物。苦木碱具有抗菌作用，苦木素具有抗肿瘤、抗辐射作用。

| 功能主治 | 苦，寒；有小毒。清热解毒，祛湿。用于风热感冒，咽喉肿痛，湿热泻痢，湿疹，疮疖，蛇虫咬伤。

| 用法用量 | 内服煎汤，6 ~ 15 g，大剂量可用至 30 g；或入丸、散剂。外用适量，煎汤洗；或研末撒；或研末调敷；或浸酒搽。

| 附　注 | 本种的树皮及根皮极苦，入药能泻湿热、杀虫治疥。

楝科 Meliaceae　楝属 Melia　凭证标本号 321023160511056LY

楝
Melia azedarach L.

| 药 材 名 | 苦楝皮（药用部位：树皮、根皮）。

| 形态特征 | 落叶乔木，高可达 30 m。树皮暗褐色，浅纵裂。幼枝有星状毛，后脱落；叶痕和皮孔明显。叶 2 ~ 3 回奇数羽状复叶，长 20 ~ 50 cm，幼时有星状毛；小叶对生，卵形至椭圆形，长 3 ~ 7 cm，宽 2 ~ 3.5 cm，边缘有钝尖锯齿，深浅不一，有时微裂。圆锥花序与叶近等长或较短；花萼 5 裂，裂片披针形，有短柔毛和星状毛；花瓣 5，淡紫色，倒披针形，有短柔毛；雄蕊 10，花丝合成雄蕊筒，紫色。核果黄绿色或淡黄色，近球形，直径 1.5 ~ 2 cm，外果皮薄革质，中果皮肉质，内果皮木质；种子椭圆形，红褐色。花期 4 ~ 5 月，果期 10 月。

| 生境分布 | 生于向阳旷地、路边。江苏各地均有分布。江苏各地均有栽培。

| 资源情况 | 栽培资源丰富。

| 采收加工 | 春、秋季剥取，晒干，或除去粗皮，晒干。

| 药材性状 | 本品干树皮呈不规则块片状、槽状或半卷筒状，长宽不一，厚 3 ~ 7 mm；外表面粗糙，灰棕色或灰褐色，有交织的纵皱纹及点状灰棕色皮孔，除去粗皮者淡黄色；内表面类白色或淡黄色。质韧，不易折断，断面纤维性，呈层片状，易剥离成薄片，层层黄白相间，每层薄片均可见极细的网纹。无臭，味苦。根皮呈不规则片状或卷曲，厚 1 ~ 5 mm；外表面灰棕色或棕紫色，微有光泽，粗糙，多裂纹。

| 功效物质 | 主要活性成分为三萜类化合物川楝素，具有抗肉毒中毒、驱虫、抗凝血、抗肿瘤作用。苦楝皮含有香豆素类、酚酸类及甾体类化学成分。

| 功能主治 | 苦，寒；有毒。归脾、胃、肝经。杀虫，疗癣。用于蛔虫病，蛲虫病，虫积腹痛；外用于疥癣瘙痒。

| 用法用量 | 内服煎汤，6 ~ 15 g，鲜品 15 ~ 30 g；或入丸、散剂。外用适量，煎汤洗；或研末调敷。

棟科 Meliaceae 棟属 *Melia* 凭证标本号 320505201010609LY

川楝
Melia toosendan Sieb. et Zucc.

| 药 材 名 |

川楝子（药用部位：果实）、苦楝皮（药用部位：树皮、根皮）。

| 形态特征 |

乔木，高达 10 m。树皮灰褐色。幼枝密被星状鳞片。叶互生，二回羽状复叶，长约 35 cm；羽片 4 ~ 5 对；小叶膜质，卵形或窄卵形，长 4 ~ 10 cm，宽 2 ~ 4 cm，先端渐尖，基部楔形或近圆形，两面无毛，全缘或有不明显疏齿；侧脉 12 ~ 14 对。圆锥花序腋生，长约为叶的一半，密被灰褐色星状鳞片；萼片 5 ~ 6，灰绿色，长椭圆形或披针形；花瓣 5 ~ 6，淡紫色，匙形；雄蕊 10 或 12，花丝合生成筒，紫色。核果大，椭圆形或近球形，长约 3 cm，黄色或栗棕色，内果皮为坚硬木质，有棱，6 ~ 8 室；种子长椭圆形，扁平。花期 4 ~ 5 月，果期 9 ~ 10 月。

| 生境分布 |

生于海拔 500 ~ 2 100 m 的杂木林和疏林内或平坝、丘陵地带湿润处。江苏淮安（金湖）、南京等曾有栽培。

资源情况	栽培资源一般。

采收加工	川楝子：冬季果实成熟时采收，除去杂质，干燥。 苦楝皮：春、秋季剥取，晒干，或除去粗皮，晒干。

药材性状	川楝子：本品呈类圆形，直径 2 ~ 3.2 cm。表面金黄色至棕黄色，微有光泽，皱缩，或略有凹陷，具深棕色小点，先端有花柱残痕，基部凹陷，有果柄痕。外果皮革质，与果肉间常有空隙；果肉松软，淡黄色，遇水润湿显黏性。果核球形或卵圆形，质坚硬，两端平截，有 6 ~ 8 纵棱，内分 6 ~ 8 室，每室含黑棕色长圆形的种子 1。气特异，味酸、苦。 苦楝皮：本品干树皮呈不规则块片状、槽状或半卷筒状，长宽不一，厚 3 ~ 7 mm；外表面粗糙，灰棕色或灰褐色，有交织的纵皱纹及点状灰棕色皮孔，除去粗皮者淡黄色；内表面类白色或淡黄色。质韧，不易折断，断面纤维性，呈层片状，易剥离成薄片，层层黄白相间，每层薄片均可见极细的网纹。无臭，味苦。根皮呈不规则片状或卷曲，厚 1 ~ 5 mm；外表面灰棕色或棕紫色，微有光泽，粗糙，多裂纹。

功效物质	果实主要含有挥发油类、酚酸类和楝烷型三萜类化合物。果实、树皮、根皮的主要活性成分均为川楝素，具有抗肉毒中毒、驱虫、抗病毒、抗肿瘤等作用。

功能主治	川楝子：苦，寒；有小毒。归肝、胃、小肠经。疏肝泻热，行气止痛，杀虫。用于肝郁化火，胸胁、脘腹胀痛，疝气疼痛，虫积腹痛。 苦楝皮：苦，寒；有毒。归脾、胃、肝经。杀虫，疗癣。用于蛔虫病，蛲虫病，虫积腹痛；外用于疥癣瘙痒。

用法用量	川楝子：内服煎汤，3 ~ 10 g；或入丸、散剂。外用适量，研末调涂。行气止痛炒用，杀虫生用。 苦楝皮：内服煎汤，6 ~ 15 g，鲜品 15 ~ 30 g；或入丸、散剂。外用适量，煎汤洗；或研末调敷。

附　　注	本种的根、叶和果实入药，具有去湿止痛和杀虫的功效。花味苦，性寒，具有清热祛湿、杀虫、止痒的功效。

楝科 Meliaceae 香椿属 *Toona* 凭证标本号 320584200626300LY

香椿
Toona sinensis (A. Juss.) M. Roem.

药 材 名	椿白皮（药用部位：树皮、根皮）、春尖油（药用部位：液汁）、椿叶（药用部位：叶）、香椿子（药用部位：果实）、椿树花（药用部位：花）。
形态特征	落叶乔木，高达15 m。树皮暗褐色，呈片状剥落。幼枝有柔毛。叶互生，偶数羽状复叶，长25～50 cm，有特殊香气；小叶10～22，对生，长圆形或长圆状披针形，长8～15 cm，无毛或下面脉腋有长束毛；幼叶紫红色，成年叶绿色，叶背红棕色；叶柄红色，叶痕大。圆锥花序顶生；花小，两性，有香味；花萼短小；花瓣白色，卵状长圆形；退化雄蕊5，与发育雄蕊互生。蒴果卵圆形，长1.5～2.5 cm；种子椭圆形，一端有膜质长翅。花期5～6月，果期8月。
生境分布	常栽培于海拔2 700 m以下的房前屋后、村边、路旁。江苏各地均有栽培，多栽培于村边路旁。

| **资源情况** | 栽培资源丰富。

| **采收加工** | **椿白皮：** 全年均可采剥，干皮可从树上剥下，鲜用或晒干；根皮须先将树根挖出，刮去外面黑皮，以木槌轻捶之，使皮部与木部分离，再剥取，并宜仰面晒干，以免发霉发黑，亦可鲜用。

春尖油： 春、夏季切割树干，收集流出的液汁，晒干。

椿叶： 春季采收，多鲜用。

香椿子： 秋季采收，晒干。

椿树花： 5 ~ 6 月采摘，晒干。

| **药材性状** | **椿白皮：** 本品呈半卷筒状或片状，厚 0.2 ~ 11.6 cm。外表面红棕色或棕褐色，有纵纹及裂隙，有的可见圆形细小皮孔；内表面棕色，有细纵纹。质坚硬，断面纤维性，呈层状。有香气，味淡。

| **功效物质** | 全株以黄酮类和三萜类化合物为主。茎皮提取物具有驱虫和镇痛活性。叶提取物具有缓解脂质代谢、缓解高血糖、体外抗氧化、抗菌、抗炎、镇痛、抑制SARS 病毒复制的作用等。果实含有萜烯类化合物，具有抗肿瘤、抗生育、平喘、抗真菌作用。其正丁醇提取物具有抗凝血活性。多酚类具有保护心脏、降血糖、抗氧化作用。花含有萜烯类化合物，具有抗肿瘤、抗生育、平喘、抗真菌作用。

| **功能主治** | **椿白皮：** 苦、涩，微寒。归大肠、胃经。清热燥湿，涩肠，止血，止带，杀虫。用于泄泻，痢疾，肠风便血，崩漏，带下，蛔虫病，丝虫病，疮癣。

春尖油： 辛、苦，温。润燥解毒，通窍。用于齁病，手足皲裂，疔疮。

椿叶： 辛、苦，平。归脾、胃经。祛暑化湿，解毒，杀虫。用于暑湿伤中，恶心呕吐，食欲不振，泄泻，痢疾，痈疽肿毒，疥疮，白秃疮。

香椿子： 辛、苦，温。归肺、肝、大肠经。祛风，散寒，止痛。用于外感风寒，风湿痹痛，胃痛，疝气痛，痢疾。

椿树花： 辛、苦，温。祛风除湿，行气止痛。用于风湿痹痛，久咳，痔疮。

| **用法用量** | **椿白皮：** 内服煎汤，6 ~ 15 g；或入丸、散剂。外用适量，煎汤洗；或熬膏涂；或研末调敷。

春尖油： 内服烊化，6 ~ 9 g。外用适量，溶化捣敷。

椿叶： 内服煎汤，鲜品 30 ~ 60 g。外用适量，煎汤洗；或捣敷。

香椿子： 内服煎汤，6 ~ 15 g；或研末。

椿树花： 内服煎汤，6 ~ 15 g。外用适量，煎汤洗。

远志科 Polygalaceae 远志属 *Polygala* 凭证标本号 320282170426439LY

狭叶香港远志
Polygala hongkongensis Hemsl. var. *stenophylla* (Hayata) Migo

| 药 材 名 | 狭叶香港远志（药用部位：全草）。

| 形 态 特 征 | 直立草本或亚灌木，高 20 ~ 40 cm。根皮瘦薄。茎枝纤细，被卷曲柔毛。单叶互生；叶片纸质或膜质，窄披针形或线状披针形，长 1 ~ 3 cm，宽 3 ~ 4 mm，先端渐尖，基部渐楔形，全缘，稍反卷，无毛，侧脉 3 对，叶背通常紫红色。总状花序顶生，长 3 ~ 7 cm，被短柔毛；萼片宿存，内萼片椭圆形，长约 7 mm；花瓣紫红色或白色，2/5 以下合生，侧瓣内侧被柔毛，龙骨瓣盘状，具流苏状附属物；花丝 4/5 以下合生成鞘。蒴果近圆球形，直径约 4 mm，具较宽的翅，先端微凹；种子 2，卵形，被柔毛；种阜 3 裂，长达种子的 1/2。花期 4 ~ 6 月，果期 6 ~ 8 月。

| 生境分布 | 生于山坡灌丛中或竹林下。分布于江苏无锡（宜兴）、常州（溧阳）山区等。

| 资源情况 | 野生资源稀少。

| 采收加工 | 全年均可采收，洗净，晒干。

| 功效物质 | 含有 1,7- 二羟基𠮟酮、1,3,6- 三羟基𠮟酮、1,4,7- 三羟基 -3- 甲氧基酮、对羟基苯甲酸、3,4- 二羟基苯甲酸、2,5- 二羟基苯甲酸甲酯。

| 功能主治 | 益智安神，散瘀，化痰，退肿。用于失眠，跌打损伤，咳喘，附骨疽，痈肿，毒蛇咬伤。

远志科 Polygalaceae | 远志属 *Polygala* | 凭证标本号 320111150416006LY

瓜子金 *Polygala japonica* Houtt.

| **药 材 名** | 瓜子金（药用部位：全草）。

| **形态特征** | 多年生草本，高 15 ～ 30 cm。茎丛生，有灰褐色细毛。单叶互生；叶片卵状披针形或长椭圆形，长 1 ～ 3 cm，宽 0.5 ～ 1 cm，先端钝，基部宽楔形或钝圆，无毛或脉上被柔毛，侧脉明显，3 ～ 4 对。总状花序与叶对生或腋生，最上的花序低于茎顶；萼片 5，宿存，外 3 披针形，被毛，内 2 卵形或长圆形，花瓣状；花瓣 3，紫色或白色，基部合生，侧瓣长圆形，龙骨瓣舟状，具流苏状附属物；雄蕊 8，花丝全部合生成鞘，1/2 与花瓣贴生。蒴果广卵圆形，先端凹，边缘有宽翅；种子 2，卵形，黑色，密生灰白色细毛；种阜 2 裂。花期 4 ～ 5 月，果期 5 ～ 7 月。

| 生境分布 | 生于山坡草丛、路边。江苏各地均有分布。

| 资源情况 | 野生资源一般。

| 采收加工 | 秋季采收，洗净，晒干。

| 药材性状 | 本品根呈圆柱形，稍弯曲，直径可达 4 mm；表面黄褐色，有纵皱纹；质硬，断面黄白色。茎少分枝，长 10 ～ 30 cm，灰绿色或灰棕色，被细柔毛。叶皱缩，展平后呈卵形或卵状披针形，长 1 ～ 3 cm，宽 0.5 ～ 1 cm，侧脉明显，先端短尖，基部圆形或楔形，全缘，灰绿色；叶柄短，有柔毛。总状花序腋生，最上的花序低于茎的先端；花多皱缩。蒴果圆而扁，长约 7 mm，具较宽翅，边缘无缘毛，萼片宿存；种子扁卵形，褐色，密被柔毛。气微，味微辛、苦。以叶多、有根者为佳。

| 功效物质 | 根含有三萜皂苷类、树脂类、脂肪油类，以及远志醇、四乙酸酯等化学成分。地上部分含有瓜子金皂苷甲、瓜子金皂苷乙、瓜子金皂苷丙、瓜子金皂苷丁。

| 功能主治 | 苦、微辛，平。归肺、胃、心经。祛痰止咳，活血消肿，解毒止痛。用于咳嗽痰多，咽喉肿痛；外用于跌打损伤，疔疮疖肿，蛇虫咬伤。

| 用法用量 | 内服煎汤，6 ～ 15 g，鲜品 30 ～ 60 g；或研末；或浸酒。外用适量，捣敷；或研末调敷。

| 附　注 | 本种为江苏南京地区民间草药，其根曾代远志入药，用于破血止痛；或制成瓜子金酒治疗骨髓炎、骨结核。

远志科 Polygalaceae　远志属 Polygala　凭证标本号 320323150418154LY

西伯利亚远志 Polygala sibirica L.

| 药 材 名 | 远志（药用部位：根）。

| 形态特征 | 多年生草本，高 10 ~ 30 cm。根木质。茎直立，丛生，被柔毛。单叶互生；下部叶片卵形，上部叶片披针形或椭圆状披针形，长 1 ~ 2 cm，宽 3 ~ 8 mm，先端钝圆，具骨质短尖头，基部楔形，两面被柔毛。总状花序腋外生或假顶生，通常高出茎顶，少花，被毛；小苞片 3，短小；萼片 5，被毛，宿存，外面 3 披针形，里面 2 近镰形，花瓣状；花瓣 3，蓝紫色，2/5 以下合生，侧瓣倒卵形，龙骨瓣较侧瓣长，具流苏状附属物；雄蕊 8，花丝 2/3 以下合生成鞘，并具缘毛；子房倒卵形。蒴果倒心形，具狭翅及缘毛，先端微凹，具 2 种子；种子长圆形，黑色，密被灰白色柔毛；种阜白色。花期 4 ~ 7 月，果期 5 ~ 8 月。

| 生境分布 | 生于山坡林缘或草丛中。分布于江苏南京、无锡（宜兴）等。 |

| 资源情况 | 野生资源一般。 |

| 采收加工 | 秋、冬季采挖，除去泥土和杂质，用木棒敲打，使其松软，抽出木心，晒干即可。 |

| 功效物质 | 主要活性成分有三萜皂苷类、黄酮类、寡糖酯类化合物，具有抗痴呆、脑保护、抗炎、镇静和抗焦虑作用。 |

| 功能主治 | 益智安神，散瘀，化痰，退肿。用于失眠，跌打损伤，咳喘，附骨疽，痈肿，毒蛇咬伤。 |

| 用法用量 | 内服煎汤，3～10 g；或浸酒；或入丸、散剂。外用适量，研末酒调敷。 |

| 附　　注 | 本种即为卵叶远志。1963 年版《中国药典》首次收载了远志 *Polygala tenuifolia* Willd.，1977 年版《中国药典》首次将卵叶远志 *Polygala sibirica* L. 作为远志的基原收载，其后历版《中国药典》均有收载。然而一直以来，市场上远志药材以远志为主流，卵叶远志商品极为一般。 |

远志科 Polygalaceae 远志属 Polygala 凭证标本号 320830160711005LY

远志
Polygala tenuifolia Willd.

| 药 材 名 | 远志（药用部位：根）。

| 形态特征 | 多年生草本，高达 40 cm。主根肥厚，韧皮部肉质，浅黄色，长超过 10 cm。茎细弱，多分枝，被柔毛。单叶互生；叶片线形或线状披针形，长 1.3 ~ 3 cm，宽 2 ~ 3 mm，先端渐尖，基部楔形，几无毛，全缘，稍反卷，侧脉不明显；近无柄。总状花序顶生，长 5 ~ 7 cm；苞片 3，早落；花梗纤细，稍下垂；萼片 5，宿存，无毛，外面 3 线状披针形，内面 2 花瓣状，倒卵形或长圆形，常呈紫堇色；花瓣 3，紫色，基部合生，侧瓣斜长圆形，基部内侧被柔毛，龙骨瓣稍长，具流苏状附属物；雄蕊的花丝 3/4 以下合生成鞘；子房扁圆形，先端微凹，花柱弯曲，线形，扁平，柱头不等长浅裂。蒴果扁平，倒卵圆形，先端微凹，有狭翅，无毛；种子卵形，黑色，密

生白色茸毛。花期 5 ~ 7 月，果期 6 ~ 8 月。

| 生境分布 | 生于山坡荒草丛中。分布于江苏徐州、连云港等。

| 资源情况 | 野生资源较丰富。

| 采收加工 | 栽培后第 3 ~ 4 年秋季返苗后或春季出苗前采挖，除去泥土和杂质，用木棒敲打，使其松软，抽出木心，晒干。除去木心的远志称"远志肉""远志筒"。如采收后不去木心，直接晒干者，称"远志棍"。

| 药材性状 | 本品呈圆柱形，略弯曲，长 3 ~ 15 cm，直径 0.3 ~ 0.8 cm。表面灰黄色至灰棕色，有较密并深陷的横皱纹、纵皱纹及裂纹，老根的横皱纹较密且更深陷，略呈结节状。质硬而脆，易折断，断面皮部棕黄色，木部黄白色，皮部易与木部剥离。气微，味苦、微辛，嚼之有刺喉感。

| 功效物质 | 根皮含有酸性皂苷远志皂苷约 0.7%，水解生成远志皂苷元 A、远志皂苷元 B 及糖。此外，尚含结晶性的远志素、脂肪油、树脂等。根尚含有远志碱、远志糖醇及 *N*- 乙酰基 -*D*- 葡糖胺、3,4,5- 三甲氧基肉桂酸、6- 羟基 -1,2,3,7- 四甲氧基𠮷酮、1,2,3,6,7- 五甲氧基𠮷酮。

| 功能主治 | 苦、辛，温。归心、肾、肺经。安神益智，交通心肾，祛痰，消肿。用于心肾不交引起的失眠多梦，健忘惊悸，神志恍惚，咯痰不爽，疮疡肿毒，乳房肿痛。

| 用法用量 | 内服煎汤，3 ~ 9 g。

| 附　注 | （1）19 世纪 50—60 年代，本种在徐州（铜山、邳州）、淮安（淮阴、盱眙）等地曾有少量野生分布，后遭到过度采挖，野生资源几无所见，此后徐州和连云港等地有少量栽培。

（2）本种喜冷凉气候，忌高温，耐干旱。宜选向阳、排水良好的砂壤土栽培，其次是黏壤土及石灰质壤土，而黏土和低湿地不宜栽培。

漆树科 Anacardiaceae 黄连木属 Pistacia 凭证标本号 320621181125045LY

黄连木 *Pistacia chinensis* Bunge

| 药 材 名 |

黄楝树（药用部位：叶芽、叶、根、树皮）。

| 形态特征 |

落叶乔木，高达 25 m。树皮暗褐色，呈鳞片状剥落。冬芽红色，有香气；小枝有柔毛。偶数羽状复叶互生；小叶 10 ~ 14，近对生，披针形或卵状披针形，长 5 ~ 8 cm，宽约 2 cm，先端渐尖，基部斜楔形，全缘，两面主脉上有微柔毛。花先于叶开放，小，雌雄异株，雄花为圆锥花序，腋生，密集，长 6 ~ 7 cm，雌花为疏松的圆锥花序，长 18 ~ 24 cm；雄花花被片 2 ~ 4，披针形，不等大，雄蕊 3 ~ 5，花丝极短；雌花花被片 7 ~ 9，不等大，外面 2 ~ 4 披针形，内面的卵形，无退化雄蕊，子房圆球形，无毛，花柱短，肉质，红色。核果倒卵圆形，直径约 6 mm，先端有小尖头，初为黄白色，成熟时变红色（多为空粒）、紫蓝色（成熟种子），可育苗。花期 4 月，果期 10 ~ 11 月。

| 生境分布 |

生于低山、丘陵、石山林或平原。江苏各地均有分布。江苏宿迁（沭阳）、南京（浦口）等有栽培。

| **资源情况** | 栽培资源丰富。

| **采收加工** | 叶芽，春季采集，鲜用；叶，夏、秋季采收，鲜用或晒干；根、树皮，全年均可采收，洗净，切片，晒干。

| **功能主治** | 苦、涩，寒。消暑生津，解毒利湿。用于暑热口渴，咽喉肿痛，口舌糜烂，吐泻，痢疾，淋证，无名肿毒，疮疡。

| **用法用量** | 内服煎汤，15 ~ 30 g；或腌食，叶芽适量。外用适量，捣汁涂；或煎汤洗。

| **附　　注** | 黄连木属植物在我国有 3 种，本种在江苏常见。本种的叶和芽可清热解毒、止渴。

漆树科 Anacardiaceae 盐肤木属 *Rhus* 凭证标本号 321112180720013LY

盐肤木 *Rhus chinensis* Mill.

| 药 材 名 |

五倍子（药用部位：叶上的虫瘿）、盐肤木根（药用部位：根）、盐肤木根皮（药用部位：去掉栓皮的根皮）、盐肤木皮（药用部位：去掉栓皮的树皮）、盐肤子（药用部位：果实）。

| 形态特征 |

落叶小乔木或灌木，高 5 ~ 6 m。枝开展，被灰褐色柔毛，密布皮孔和残留的三角形叶痕。奇数羽状复叶互生；小叶 7 ~ 13，在叶轴上自基部向顶部逐渐增大；叶轴常有狭翅，叶轴和叶柄密被锈色柔毛；小叶片卵形至卵状椭圆形，长 6 ~ 12 cm，宽 4 ~ 6 cm，先端急尖，基部圆形至楔形，边缘有粗锯齿，叶背灰白色，有棕褐色柔毛，脉上尤密，小叶无柄。圆锥花序顶生，宽大，多分枝；雄花序长达 40 cm，雌花序较短；花序梗密生棕褐色柔毛；花萼被微柔毛，裂片卵形，边缘具细睫毛；花瓣乳白色，倒卵状长圆形，外卷，边缘具细睫毛。核果扁圆形，红色，有细柔毛及腺毛。花期 8 ~ 9 月，果期 10 月。

| 生境分布 | 生于山坡林中。江苏各地均有分布。

| 资源情况 | 野生资源丰富。

| 采收加工 | **五倍子**：角倍于 9 ~ 10 月采摘，肚倍于 6 月间采摘，如过期则虫瘿开裂。采摘后，用沸水煮 3 ~ 5 分钟，杀死内部仔虫，晒干或阴干。
盐肤木根：全年均可采挖，鲜用，或切片，晒干。
盐肤木根皮：全年均可采挖，洗净，剥取根皮，鲜用或晒干。
盐肤木皮：夏、秋季剥取，去掉栓皮层，留取韧皮部，鲜用或晒干。
盐肤子：10 月果实成熟时采收，鲜用或晒干。

| 药材性状 | **五倍子**：本品肚倍呈长圆形或纺锤形囊状，长 2.5 ~ 9 cm，直径 1.5 ~ 4 cm；表面灰褐色或灰棕色，微有柔毛。质硬而脆，易破碎，断面角质样，有光泽，壁厚 0.2 ~ 0.3 cm，内壁平滑，有黑褐色死蚜虫及灰色粉状排泄物。气特异，味涩。角倍呈菱形，具不规则的角状分枝，柔毛较明显，壁较薄。

| 功效物质 | 虫瘿主要含有五倍子鞣质，包括 1,2,3,4,6- 五 -O- 没食子酰基 -β-D- 葡萄糖、3-O- 二没食子酰基 -1,2,4,6- 四 -O- 没食子酰基 -β-D- 葡萄糖、2-O- 二没食子酰基 -1,3,4,6- 四 -O- 没食子酰基 -β-D- 葡萄糖等。根、茎中含有 3,7,4′- 三羟基黄酮、3,7,3′,4′- 四羟基黄酮 2 种黄酮苷元，以及 7- 羟基 -6- 甲氧基香豆素、没食子酸、没食子酸乙酯、水黄皮黄素、四甲氧基非瑟素、去甲氧基小黄皮精、槲皮素等。果实含有鞣质 50% ~ 70%，有的高达 80%，主要为五 - 间双没食子酰 -β- 葡萄糖，尚含有游离没食子酸及脂肪、树脂、淀粉，以及苹果酸、酒石酸、枸橼酸等有机酸。

| 功能主治 | **五倍子**：酸、涩，寒。归肺、大肠、肾经。敛肺降火，涩肠止泻，敛汗，止血，收湿敛疮。用于肺虚久咳，肺热痰嗽，久泻久痢，自汗盗汗，消渴，便血，痔血，外伤出血，痈肿疮毒，皮肤湿烂。
盐肤木根：酸、咸，平。祛风湿，利水消肿，活血散毒。用于风湿痹痛，水肿，咳嗽，跌打肿痛，乳痈，疮癣。
盐肤木根皮：酸、咸，凉。清热利湿，解毒散瘀。用于黄疸，水肿，风湿痹痛，疳积，疮疡肿毒，跌打损伤，毒蛇咬伤。
盐肤木皮：酸，微寒。清热解毒，活血止痢。用于血痢，痈肿，疥疮，蛇犬咬伤。
盐肤子：生津润肺，降火化痰，敛汗止痢。用于痰嗽，喉痹，黄疸，盗汗，痢疾，顽癣，痈毒，毒蛇咬伤。

| **用法用量** | **五倍子：** 内服煎汤，3 ~ 6 g。外用适量。

盐肤木根： 内服煎汤，9 ~ 15 g，鲜品 30 ~ 60 g。外用适量，研末调敷；或煎汤洗；或鲜品捣敷。

盐肤木根皮： 内服煎汤，15 ~ 60 g。外用适量，捣敷。

盐肤木皮： 内服煎汤，15 ~ 60 g。外用适量，煎汤洗；或捣敷。

盐肤子： 内服煎汤，9 ~ 15 g；或研末。外用适量，煎汤洗；或捣敷；或研末调敷。

| **附　注** | 盐肤木属植物在我国有 6 种，江苏常见的有 2 种，即本种和红果漆，红果漆原产于北美洲，南京有引种。

漆树科 Anacardiaceae 漆属 Toxicodendron 凭证标本号 320481170531365LY

野漆树

Toxicodendron succedaneum (L.) O. Kuntze

| 药 材 名 | 野漆树叶（药用部位：叶）、野漆树根（药用部位：根或根皮）。

| 形态特征 | 落叶小乔木或灌木，高达 10 m。树皮不规则浅裂。小枝粗壮，无毛；顶芽粗大，紫褐色。奇数羽状复叶，长 25 ~ 30 cm，螺旋状互生，密集于枝端；小叶 9 ~ 15，对生；小叶片薄革质，长椭圆状披针形或宽披针形，长 5 ~ 16 cm，宽 2 ~ 5.5 cm，先端长渐尖，基部圆形或宽楔形而偏斜，全缘，两面光滑无毛，叶背灰白色，侧脉 15 ~ 22 对。圆锥花序腋生，长为叶之半，长 5 ~ 11 cm；花序梗光滑；花小；花萼裂片卵形；花瓣黄绿色，长圆形；雄蕊伸出，着生于花盘上；花盘 5 裂；子房圆球形，无毛，花柱 1，短，柱头褐色，3 裂。核果扁平，斜菱状圆形，直径 6 ~ 8 mm；外果皮薄，淡黄色，光滑无毛，干时有皱纹；中果皮蜡质，白色；果核坚硬。花期 5 ~ 6 月，果期 10 月。

| 生境分布 | 生于山坡林中。分布于江苏无锡（宜兴）等。

| 资源情况 | 野生资源较少。

| 采收加工 | **野漆树叶：** 春季采收，鲜用或晒干。
野漆树根： 全年均可采挖根，洗净，或剥取根皮，鲜用，或切片，晒干。

| 功效物质 | 主要含有黄酮类化学成分，此外还含有没食子酸及脂肪酸类化学成分。

| 功能主治 | **野漆树叶：** 散瘀止血，解毒。用于咯血，吐血，外伤出血，毒蛇咬伤。
野漆树根： 散瘀止血，解毒。用于咯血，吐血，尿血，血崩，外伤出血，跌打损伤，疥癣疮毒，毒蛇咬伤。

| 用法用量 | 内服煎汤，6～9 g。外用适量，捣敷。

| 附　　注 | 本种有解痉和抑菌的药理作用。对本种或漆树过敏的人慎用。

漆树科 Anacardiaceae 漆属 Toxicodendron 凭证标本号 320482180618243LY

木蜡树

Toxicodendron sylvestre (Siebold et Zucc.) O. Kuntze

| 药 材 名 |

木蜡树叶（药用部位：叶）、木蜡树根（药用部位：根）。

| 形态特征 |

落叶乔木，高达 10 m。嫩枝及冬芽有棕黄色短绒毛。奇数羽状复叶，叶轴圆柱形，密被棕黄色绒毛；小叶 7 ~ 13，对生；小叶片卵形、卵状椭圆形或长圆形，长 4 ~ 10 cm，宽 2 ~ 3 cm，先端渐尖或急尖，基部偏斜，圆形至阔楔形，全缘，叶面中脉被卷曲微柔毛，其余疏被平伏微柔毛或近无毛，叶背密生黄色短柔毛，侧脉 18 ~ 25 对，显著。腋生圆锥花序长 8 ~ 15 cm，长为叶之半，花序梗密生棕黄色绒毛；花梗被卷曲柔毛；花萼无毛，裂片卵形；花瓣黄色，长圆形，具暗褐色脉纹。核果偏斜扁圆形，宽约 8 mm；外果皮淡棕黄色，光滑无毛，不裂；中果皮蜡质；果核坚硬。花期 5 ~ 6 月，果期 10 月。

| 生境分布 |

生于向阳山坡的疏林及石砾地。分布于江苏连云港、南京（江宁）、镇江（句容）、无锡（宜兴）、苏州等。

| **资源情况** | 野生资源较丰富。

| **采收加工** | 木蜡树叶：夏、秋季采收，鲜用或晒干。
木蜡树根：夏、秋季采挖，洗净，切片，晒干。

| **功效物质** | 主要含有黄酮类化学成分，此外还含有没食子酸及脂肪酸类化学成分。

| **功能主治** | 木蜡树叶：辛，温。归肝、胃经。祛瘀消肿，杀虫，解毒。用于跌打损伤，创伤出血，钩虫病，疥癣，疮毒，毒蛇咬伤。
木蜡树根：祛瘀止痛止血。用于风湿腰痛，跌打损伤，刀伤出血，毒蛇咬伤。

| **用法用量** | 木蜡树叶：内服煎汤，9 ~ 15 g。外用适量，捣敷；或研末撒。
木蜡树根：内服煎汤，9 ~ 15 g。外用适量，捣敷；或浸酒涂。

槭树科 Aceraceae 槭属 *Acer* 凭证标本号 320623190519158LY

三角槭
Acer buergerianum Miq.

| 药 材 名 | 三角槭（药用部位：根或根皮、茎皮）。

| 形态特征 | 落叶乔木，高 5 ~ 10 m，稀达 20 m。树皮褐色或深褐色，粗糙。小枝细瘦；当年生枝紫色或紫绿色，近无毛；多年生枝淡灰色或灰褐色，稀被蜡粉；冬芽小，褐色，长卵圆形，鳞片内侧被长柔毛。叶纸质，椭圆形或倒卵形，基部近圆形或楔形，长 6 ~ 10 cm，通常 3 浅裂，裂片向前延伸，稀全缘，中央裂片三角状卵形，急尖、锐尖或短渐尖，侧裂片短钝尖，或甚小以至于不发育，裂片通常全缘，稀具少数锯齿，裂片间的凹缺钝尖，上面深绿色，下面黄绿色或淡绿色，被白粉，略被毛，在叶脉上较密；初生脉 3，稀基部叶脉也发育良好，成 5，在上面不显著，在下面显著，侧脉通常在两面都不显著；叶柄长 2.5 ~ 5 cm，淡紫绿色，细瘦，无毛。花多数

常成顶生被短柔毛的伞房花序，直径约 3 cm，总花梗长 1.5 ～ 2 cm，叶长大后开花；萼片 5，黄绿色，卵形，无毛，长约 1.5 mm；花瓣 5，淡黄色，狭窄披针形或匙状披针形，先端钝圆，长约 2 mm；雄蕊 8，与萼片等长或微短；花盘无毛，微分裂，位于雄蕊外侧；子房密被淡黄色长柔毛，花柱无毛，很短，2 裂，柱头平展或略反卷；花梗长 5 ～ 10 mm，细瘦，嫩时被长柔毛，渐老近无毛。翅果黄褐色；小坚果特别凸起，直径 6 mm；翅与小坚果共长 2 ～ 2.5 cm，稀达 3 cm，宽 9 ～ 10 mm，中部最宽，基部狭窄，张开成锐角或近直立。花期 4 月，果期 8 月。

| 生境分布 | 生于山坡灌丛中。江苏各地均有分布。

| 资源情况 | 野生资源丰富。

| 采收加工 | 全年均可采收，切段，鲜用或晒干。

| 功效物质 | 主要含有鞣质、挥发油、树脂类化学成分。

| 功能主治 | 祛风除湿，舒筋活血。用于风湿痹痛，跌打骨折，湿疹，疝气。

| 用法用量 | 内服煎汤，9 ～ 15 g。外用适量，煎汤洗。

槭树科 Aceraceae 槭属 Acer 凭证标本号 320115150726016LY

苦茶槭

Acer ginnala Maxim. subsp. *theiferum* (Fang) Fang

| 药 材 名 | 桑芽（药用部位：叶）。

| 形态特征 | 落叶灌木或小乔木。叶片卵形或长圆状卵形，长 5 ~ 8 cm，宽 2.5 ~ 5 cm，薄纸质，叶背具白色稀疏毛，不裂，或不明显 3 或 5 裂，裂片具不规则尖锐重锯齿。伞房花序长约 3 cm，具白色柔毛。翅果大，果核和翅共长 2.5 ~ 3.5 cm，两翅夹角呈锐角或直角，无毛。花期 5 月，果期 9 月。

| 生境分布 | 生于山坡林中或林缘。江苏各地均有分布。

| 资源情况 | 野生资源较丰富。

| 采收加工 | 3 月采收嫩叶，置锅中，微火炒焙数分钟，使幼叶变软，取出用手

揉搓至均匀后，晒干。

| **药材性状** | 本品干燥的幼芽及嫩叶多卷曲皱缩或裂成碎片状，完整的较少，深绿色或黑绿色；表面具短毛。常掺有嫩核。刚萌发的叶芽鳞片上密被银白色长柔毛。气香，味稍苦。

| **功效物质** | 主要含有鞣质类化学成分，如茶条槭素 A、茶条槭素 B 等。

| **功能主治** | 微苦、微甘，寒。归肝经。清肝明目。用于风热头痛，肝热目赤，视物昏花。

| **用法用量** | 内服煎汤，10 ~ 15 g；或开水冲泡代茶饮。

槭树科 Aceraceae 槭属 Acer 凭证标本号 321183150922784LY

建始槭
Acer henryi Pax

| 药 材 名 | 三叶槭根（药用部位：根）。

| 形态特征 | 落叶乔木，高 5 ～ 10 m。幼枝略带紫色，有短柔毛，后渐脱落；冬芽细小，鳞片 2，卵形，被柔毛。复叶具 3 小叶；小叶片纸质，椭圆形或长圆状椭圆形，长 6 ～ 12 cm，宽 3 ～ 5 cm，先端渐尖，基部楔形至近圆形，全缘或近先端有 3 ～ 5 疏锯钝齿，嫩叶两面有毛，后逐渐减少，或仅叶背脉腋间有簇毛；顶生小叶柄长约 1 cm，侧生小叶柄长 3 ～ 5 mm，叶柄和小叶柄有短柔毛。雌雄异株；雌花和雄花均排成下垂的总状花序，有短柔毛，生于无叶小枝侧面，花序下无叶，稀有叶；花梗近无，长 2 ～ 4 mm，有短柔毛；萼片 4，卵形，黄绿色；花瓣 4，短小或不发育；雄蕊（4 ～）5（～ 6）；花盘微发育；柱头反卷。翅果棕黄色，长 2 ～ 2.5 cm，两翅直立或开展

成锐角。花期 4 ~ 5 月，果熟期 9 月。

| **生境分布** | 生于山坡林中，园林和庭园亦有栽培。江苏各地均有分布。

| **资源情况** | 野生及栽培资源一般。

| **采收加工** | 夏、秋季间采挖，洗净，切片，晒干。

| **功效物质** | 主要含有黄酮类化学成分。

| **功能主治** | 辛、微苦，平。活络止痛。用于关节酸痛，跌打骨折。

| **用法用量** | 内服煎汤，10 ~ 30 g。

槭树科 Aceraceae 槭属 Acer 凭证标本号 320482180711099LY

鸡爪槭
Acer palmatum Thunb.

| 药 材 名 | 鸡爪槭（药用部位：枝叶）。

| 形态特征 | 落叶小乔木。幼枝浅紫绿色或紫色，细弱；冬芽紫红色。叶片近圆形，宽 7 ~ 10 cm，基部心形或近心形，稀截形，掌状（5 ~）7（~ 9）裂，裂片卵状长圆形或披针形，先端长渐尖或尾尖，裂片间凹缺钝尖或锐尖，凹缺达叶片中部，边缘有紧贴的尖锐锯齿，嫩叶两面密生柔毛，后叶面无毛，叶背在基部脉腋有簇毛；叶柄长 4 ~ 6 cm，细且无毛。伞房花序顶生，无毛，发叶以后开花；花杂性，同株；萼片 5，卵状披针形，先端锐尖；花瓣 5，紫红色椭圆形或倒卵形，先端钝圆，长约 2 mm；雄蕊 8；花柱长，2 裂，柱头扁平。翅果初为紫红色，成熟后棕黄色，长 2 ~ 2.5 cm，宽 1 cm；果核球状，两翅开展成钝角。花期 5 月，果期 8 ~ 10 月。

| 生境分布 | 生于林边或疏林中。江苏各地均有分布。江苏各地城镇均有栽培。

| 资源情况 | 栽培资源丰富。

| 采收加工 | 夏季采收，晒干，切段。

| 功效物质 | 主要含有黄酮类化学成分，如牡荆素、肥皂草苷等。

| 功能主治 | 辛、微苦，平。行气止痛，解毒消痈。用于气滞腹痛，痈肿发背。

| 用法用量 | 内服煎汤，5 ~ 10 g。外用适量，煎汤洗。

| 附　　注 | 本种喜温暖气候，适生于阴凉疏松、肥沃之地。

槭树科 Aceraceae 槭属 Acer 凭证标本号 320703151016309LY

元宝槭 *Acer truncatum* Bunge

| **药 材 名** | 元宝槭（药用部位：根皮）。

| **形态特征** | 落叶乔木，高达 10 m。小枝绿色，无毛；冬芽卵圆形，鳞片微被短柔毛。叶片纸质，长 5 ~ 10 cm，宽 8 ~ 12 cm，5（~ 7）裂，基部平截，稀近心形，裂片三角状卵形或三角状披针形，先端渐尖或尾尖，全缘，裂片间的凹缺锐尖或钝尖，叶面无毛，叶背仅嫩时脉腋被丛毛，后均无毛，基出脉 5；叶柄长 3 ~ 5（~ 9）cm，无毛。伞房花序常无毛；雄花与两性花同株；萼片 5，长圆形，长 4 ~ 5 mm；花瓣 5，淡黄色或淡白色，长圆状倒卵形，长 5 ~ 7 mm；雄蕊 8；花盘微裂；花柱长 1 mm，2 裂，柱头反卷，微弯曲。翅果成熟时淡黄色或淡褐色，常成下垂的伞房果序；小坚果压扁状，长 1.3 ~ 1.8 cm，翅长圆形，两侧平行，宽 8 mm，常与小坚果等长，

稀稍长，张开成锐角或钝角。花期 4 ~ 5 月，果期 8 ~ 10 月。

| 生境分布 | 生于山坡疏林中。分布于江苏徐州、连云港等北部及无锡（宜兴）等。

| 资源情况 | 野生资源较丰富。

| 采收加工 | 夏季采挖，洗净，切片，晒干。

| 功效物质 | 主要含有黄酮类化学成分。

| 功能主治 | 辛、微苦，微温。祛风除湿，舒筋活络。用于腰背疼痛。

| 用法用量 | 内服煎汤，15 ~ 30 g；或浸酒，9 ~ 15 g。

| 无患子科 | Sapindaceae | 栾树属 | *Koelreuteria* | 凭证标本号 | 320621181124053LY |

复羽叶栾树 *Koelreuteria bipinnata* Franch.

| **药 材 名** | 摇钱树根（药用部位：根或根皮）、摇钱树（药用部位：花、果实）。

| **形态特征** | 落叶乔木，高达20 m。小枝有短柔毛。二回羽状复叶，小叶9～17，小叶片斜卵形，长3.5～7 cm，宽2～3.5 cm，先端短尖或短渐尖，基部宽楔形或近圆形，边缘有锯齿，有时全缘或近全缘。圆锥花序长达70 cm，顶生，与花梗均被柔毛；花黄色；花萼5裂至中部，裂片宽卵状三角形或长圆形，边缘具缘毛及流苏状腺体，呈啮蚀状；花瓣长圆状披针形，长6～9 mm，瓣爪长1.5～3 mm，被长柔毛，花瓣基部鳞片2深裂。蒴果椭圆形或近圆形，3瓣裂，成熟时淡紫红色至褐色，长达7 cm，先端钝圆，有小凸尖，果瓣椭圆形或近圆形；种子近圆形，直径约0.6 cm。花期6～9月，果期8～10月。

| 生境分布 | 生于海拔 400 ～ 2 500 m 的山地疏林中。江苏各地均有栽培，常见有逸生。

| 资源情况 | 栽培资源丰富。

| 采收加工 | **摇钱树根：**全年均可采挖根，剥皮或切片，洗净，晒干。

摇钱树：7 ～ 9 月采摘花，晾干；9 ～ 10 月采摘果实，晒干。

| 功能主治 | **摇钱树根：**祛风清热，止咳，散瘀，杀虫。用于风热咳嗽，风湿热痹，跌打肿痛，蛔虫病。

摇钱树：清肝明目，行气止痛。用于目痛泪出，疝气痛，腰痛。

| 用法用量 | **摇钱树根：**内服煎汤，6 ～ 15 g。

摇钱树：内服煎汤，9 ～ 15 g。

| 附　　注 | 本种喜生于石灰质的土壤，在微酸性及微碱性土壤中都能生长，也能耐盐渍及短期水涝，但以深厚、肥沃、湿润的土壤上生长良好。深根性，主根发达，抗风力强，萌蘖能力强，不耐干旱、瘠薄、修剪，生长速度中等，幼树生长较慢，以后渐快。对二氧化硫和烟尘有较强的抗性。

| 无患子科 | Sapindaceae | 栾树属 | Koelreuteria | 凭证标本号 | 320581180714236LY

栾树
Koelreuteria paniculata Laxm.

| 药 材 名 |　栾华（药用部位：花）。

| 形态特征 |　落叶乔木，高达 15 m。小枝有柔毛。一回、不完全二回或偶为二回羽状复叶，小叶（7 ~）11 ~ 18，小叶片卵形、宽卵形或卵状披针形，长 3 ~ 10 cm，宽 3 ~ 6 cm，先端短尖或短渐尖，基部钝或近平截，边缘有不规则钝锯齿，有时近基部有缺刻，或羽状深裂至中肋成二回羽状复叶，叶面沿脉有柔毛，叶背脉腋具髯毛，有时叶背被茸毛。聚伞圆锥花序长达 40 cm，顶生，与花梗均密被短柔毛；苞片狭披针形，被粗毛；花淡黄色，微芳香；萼片卵形，具腺状缘毛，呈啮蚀状；花瓣线状长圆形，花时反折，基部瓣爪被长柔毛，花瓣基部鳞片初时黄色，后变橙红色，被疣状皱曲毛。蒴果圆锥形，

长达 6 cm，先端渐尖，果瓣卵形；种子近圆形，直径约 0.7 cm。花期 6 ~ 8 月，果期 9 ~ 10 月。

| 生境分布 | 生于海拔 1 500 m 以下的低山及平原。江苏各地均有栽培或逸为野生。

| 资源情况 | 野生及栽培资源丰富。

| 采收加工 | 6 ~ 7 月采收，阴干或晒干。

| 功效物质 | 花含有乙酰基伞形花内酯、6- 苯甲酰基伞形花内酯、β- 谷甾醇等。叶含有没食子酸甲酯，对多种细菌和真菌具有抑制作用。

| 功能主治 | 苦，寒。归肝经。清肝明目。用于目赤肿痛，多泪。

| 用法用量 | 内服煎汤，3 ~ 6 g。

| 附　　注 | 本种喜光，稍耐半阴，耐寒、干旱和瘠薄，对环境的适应性强，喜生于石灰质土壤中，耐盐渍及短期水涝。

无患子科 Sapindaceae 无患子属 *Sapindus* 凭证标本号 321281170807090LY

无患子
Sapindus mukorossi Gaertn.

| 药 材 名 | 无患子（药用部位：种子）、无患子种仁（药用部位：种仁）、无患子皮（药用部位：果皮）、无患子叶（药用部位：叶）、无患子树皮（药用部位：树皮）、无患子蔃（药用部位：根）。

| 形态特征 | 落叶大乔木，高可达 20 m。嫩枝绿色，无毛。偶数羽状复叶，互生，叶连柄长 25 ~ 45 cm 或更长，叶轴上面两侧有直槽，小叶 5 ~ 8 对，通常近对生，小叶柄长约 0.5 cm；叶片薄纸质，长椭圆状披针形或稍呈镰形，长 7 ~ 15 cm 或更长，宽 2 ~ 5 cm，先端短尖，基部楔形，腹面有光泽，两面无毛或背面被微柔毛。花序顶生，圆锥形；花小，辐射对称；萼片卵形或长圆状卵形，大者长约 0.2 cm，外面基部被疏柔毛；花瓣 5，披针形，有长爪，长约 0.25 cm，外面基部

被长柔毛或近无毛，鳞片 2，小耳状；花盘碟状，无毛；雄蕊 8，伸出，花丝中部以下密被长柔毛；子房无毛。核果肉质，果实的发育分果爿近球形，直径 2 ～ 2.5 cm，橙黄色，干时变黑色；种子球形，黑色，坚硬。花期春季，果期夏、秋季。

| **生境分布** | 生于山坡林中。江苏各地均有分布。

| **资源情况** | 野生资源较丰富。

| **采收加工** | 无患子：秋季采摘成熟果实，除去果肉，取种子，晒干。

无患子种仁：秋季采摘成熟果实，剥除外果皮，除去种皮，留取种仁，晒干。

无患子皮：秋季采摘成熟果实，剥取果皮，晒干。

无患子叶：夏、秋季采收，鲜用或晒干。

无患子树皮：全年均可采剥，晒干。

无患子蔃：全年均可采挖，洗净，鲜用，或切片，晒干。

| **药材性状** | 无患子：本品呈球形或椭圆形，直径约 1.5 cm。表面黑色，光滑，种脐线形，附白色绒毛。质坚硬。剖开后，子叶 2，黄色，肥厚，叠生，背面的 1 较大，半抱腹面的具 1；胚粗短，稍弯曲。气微。

无患子皮：本品呈不规则团块状，展开后有不发育果爿脱落的瘢痕。瘢痕近圆形，淡棕色，中央有 1 纵棱，边缘稍突起，纵棱与边缘连接的一端有 1 极短的果柄残基；外果皮黄棕色或淡褐色，具蜡样光泽，皱缩；中果皮肉质柔韧，黏似胶质；内果皮膜质，半透明，内面种子着生处有白色绒毛。质软韧。气微，味苦。

| **功效物质** | 富含三萜皂苷类化合物，具有抗菌、抗肿瘤、保护心脑血管、保护肝脏、抗生育、杀虫等多种生物活性和良好的非离子表面活性作用。三萜皂苷结构母核主要有齐墩果烷型、甘遂烷型和达玛烷型三大类，此外还有羽扇豆烷型。无患子果皮多糖具有较好的体外抗氧化活性。

| **功能主治** | 无患子：苦、辛，寒；有小毒。归心、肺经。清热，祛痰，消积，杀虫。用于喉痹肿痛，肺热咳喘，喑哑，食滞，疳积，蛔虫腹痛，滴虫性阴道炎，癣疾，肿毒。

无患子种仁：辛，平。归脾、胃、大肠经。消积，辟秽，杀虫。用于疳积，腹胀，口臭，蛔虫病。

无患子皮：清热化痰，止痛，消积。用于喉痹肿痛，心胃气痛，疝气疼痛，风湿痛，虫积，食滞，肿毒。

无患子叶：苦，平。归心、肺经。解毒，镇咳。用于毒蛇咬伤，百日咳。

无患子树皮：苦、辛，平。解毒，利咽，祛风杀虫。用于白喉，疥癣，疳疮。

无患子蔃：苦、辛，凉。宣肺止咳，解毒化湿。用于外感发热，咳喘，白浊，带下，咽喉肿痛，毒蛇咬伤。

| 用法用量 |　无患子：内服煎汤，3 ～ 6 g；或研末。外用适量，烧灰或研末吹喉、擦牙；或煎汤洗；或熬膏涂。

无患子种仁：内服煎汤，6 ～ 9 g；或煨熟食，3 ～ 6 枚。

无患子皮：内服煎汤，6 ～ 9 g；或捣汁涂；或研末。外用适量，捣涂；或煎汤洗。

无患子叶：内服煎汤，6 ～ 15 g。外用适量，捣敷。

无患子树皮：外用适量，煎汤洗；或熬膏贴；或研末撒；或煎汤含漱。

无患子蔃：内服煎汤，15.5 ～ 31 g。外用适量，煎汤含漱。

七叶树科 Hippocastanaceae 七叶树属 Aesculus 凭证标本号 320581180526268LY

七叶树
Aesculus chinensis Bunge

| 药 材 名 |

娑罗子（药用部位：种子）。

| 形态特征 |

落叶乔木，高达 25 m。小枝黄褐色或灰褐色；冬芽大形，有树脂。掌状复叶，小叶 5 ~ 7，叶柄长 10 ~ 12 cm；小叶片纸质，长圆状披针形至长圆状倒披针形，先端短锐尖，基部楔形或阔楔形，边缘有钝尖形的细锯齿，长 8 ~ 16 cm；中央小叶的小叶柄长 1 ~ 1.8 cm，两侧的小叶柄长 5 ~ 10 mm，侧脉 13 ~ 17 对。聚伞圆锥花序圆筒状，连同总花梗长 21 ~ 25 cm；小花序常由 5 ~ 10 花组成，平斜向伸展；花杂性，雄花与两性花同株；花萼管状钟形，不等 5 裂，边缘有短纤毛；花瓣 4，白色，长圆状倒卵形至长圆状倒披针形，边缘有纤毛，基部爪状；雄蕊 6。果实球形或倒卵圆形，顶部短尖或钝圆而中部略凹下，直径 3 ~ 4 cm，黄褐色，无刺，具很密的斑点；种子近球形；种脐白色，体积约占种子的 1/2。花期 4 ~ 5 月，果期 10 月。

| 生境分布 |

生于海拔 1 000 ~ 1 800 m 的阔叶林中。江苏南京等南部地区及沿海地区公园、庭院、苗圃有栽培。

| **资源情况** | 栽培资源一般。

| **采收加工** | 秋季采收成熟果实，除去果皮，晒干或低温干燥。

| **药材性状** | 本品呈圆球形或不规则的扁球形，坚硬。表面栗褐色，不甚平坦，上端的种脐黄棕色，体积约占种子的1/2，基部凹陷，有一稍凸起的种脊，沿一边伸至种脐。断面白色或淡黄白色，子叶肥厚，粉质。果皮和种皮气味微弱，而子叶味极苦。以均匀、饱满、断面黄白色者为佳。

| **功效物质** | 种子含有脂肪油31.8%，油中主要成分有油酸及甘油三硬脂酸酯、七叶树皂苷，七叶树皂苷具有抗炎、消肿、促皮质甾酮的作用。

| **功能主治** | 甘，温。归肝、胃经。疏肝理气，和胃止痛。用于肝胃气滞，胸腹胀闷，胃脘疼痛。

| **用法用量** | 内服煎汤，5 ~ 10 g；或烧灰冲酒。

| **附　　注** | 本种为半阴性树种，耐寒。喜湿润、肥沃土壤。

清风藤科 Sabiaceae 泡花树属 Meliosma 凭证标本号 320703151016314LY

多花泡花树

Meliosma myriantha Sieb. et Zucc.

| 药 材 名 | 多花泡花树（药用部位：根皮）。

| 形态特征 | 落叶乔木，高可达 20 m。树皮灰褐色，呈小块状脱落。幼枝及叶柄被褐色平伏柔毛。叶为单叶，膜质或薄纸质，倒卵状椭圆形、倒卵状长圆形或长圆形，长 8 ~ 30 cm，宽 3.5 ~ 12 cm，先端锐渐尖，基部圆钝，基部至先端有侧脉伸出的刺状锯齿，嫩叶叶面被疏短毛，后脱落无毛，叶背被展开疏柔毛，侧脉每边 20 ~ 25（~ 30），直达齿端，脉腋有髯毛；叶柄长 1 ~ 2 cm。圆锥花序顶生，直立，被展开柔毛，分枝细长，主轴具 3 棱，侧枝扁；花直径约 3 mm，具短梗；萼片 4 ~ 5，卵形或宽卵形，长约 1 mm，先端圆，有缘毛；3 外花瓣近圆形，宽约 1.5 mm，2 内花瓣披针形，约与外花瓣等长；发育雄蕊长 1 ~ 1.2 mm；雌蕊长约 2 mm，子房无毛，花柱长约 1 mm。

核果倒卵形或球形，直径 4 ~ 5 mm，核中肋稍钝隆起，从腹孔一边不延至另一边，两侧具细网纹，腹部不凹入也不伸出。花期夏季，果期 5 ~ 9 月。

| **生境分布** | 生于山坡林中。分布于江苏徐州（铜山）、连云港等。

| **资源情况** | 野生资源较少。

| **采收加工** | 全年均可采剥，鲜用或晒干。

| **功能主治** | 利水，解毒。用于水肿，小便淋痛，热毒肿痛。

清风藤科 Sabiaceae 泡花树属 *Meliosma* 凭证标本号 3201111170509004LY

红柴枝 *Meliosma oldhamii* Maxim.

| 药 材 名 | 红柴枝（药用部位：根皮）。

| 形态特征 | 乔木，高可达 20 m。小枝无毛。奇数羽状复叶，小叶 7 ~ 15，对生或近对生；叶片纸质，卵状椭圆形或卵状披针形，长 5 ~ 10 cm，宽 1.5 ~ 3 cm，先端渐尖，基部钝或近圆形，边缘疏生锐齿，两面疏生柔毛，叶背脉腋有髯毛，侧脉 7 ~ 8 对；小叶柄长 2 ~ 4 mm。圆锥花序顶生或着生于枝条上部的叶腋，直立，被褐色短柔毛；花小，白色；花梗极短；萼片 5，卵状椭圆形，边缘具睫毛；花瓣 5，白色，外面 3 较大，近圆形，内面 2 较小，2 裂；雄蕊 5，其中 3 退化；子房被黄色粗毛。核果球形，直径 4 ~ 5 mm，成熟时黑色。花期 6 月，果期 8 ~ 9 月。

| 生境分布 | 生于湿润的山地林中。分布于江苏连云港及南部山区。

| 资源情况 | 野生资源较少。

| 采收加工 | 全年均可采收，鲜用或晒干。

| 功能主治 | 利水解毒。

| 附　　注 | 本种的花泡水代茶饮可清热解毒。

清风藤科 Sabiaceae 清风藤属 Sabia 凭证标本号 320482180317329LY

清风藤
Sabia japonica Maxim.

| 药 材 名 | 清风藤（药用部位：茎叶、根）。

| 形态特征 | 落叶藤本。嫩枝绿色，有短柔毛。叶片纸质，卵状椭圆形，长 3.5 ~ 6.5 cm，宽 2.5 ~ 3.5 cm，先端短钝尖，基部钝圆，具骨质半透明边缘，两面近无毛；叶柄长 2 ~ 5 mm，落叶时其基部常残留枝上而呈针刺状。花单生于叶腋，先叶开放，花梗长 2 ~ 4 mm，果时增长为 2 ~ 2.5 cm；萼片 5，近圆形或宽卵形，具缘毛；花瓣 5，倒卵形，淡黄绿色；雄蕊 5，花药向外开裂；花盘浅杯状，有 5 裂齿。核果近圆形或肾形，基部常偏斜，有中肋，两侧面有蜂窝状凹穴，常仅 1 心皮成熟，有时 2 心皮均成熟而呈双生状。花期 3 ~ 4 月，果期 5 ~ 8 月。

| 生境分布 | 生于山沟、谷坡或林边灌丛中。分布于江苏无锡（宜兴）、徐州（丰县）、镇江（句容）。

| 资源情况 | 野生资源较丰富。

| 采收加工 | 茎叶，春、夏季割取藤茎，切段，晒干；根，秋、冬季挖取，洗净，切片，鲜用或晒干。

| 药材性状 | 本品茎呈圆柱形，灰黑色，光滑。外表有纵皱纹及叶柄残基，呈短刺状。断面皮部较薄，灰黑色，木部黄白色。气微。

| 功效物质 | 主要含有生物碱类成分，包括四氢表小檗碱、紫堇碱、8-氧四氢小檗碱、8-氧四氢巴马丁。

| 功能主治 | 苦、辛，温。归肝经。清热利湿，活血解毒。用于风湿痹痛，鹤膝风，水肿，脚气，跌打肿痛，骨折，深部脓肿，骨髓炎，化脓性关节炎，脊柱炎，疮疡肿毒，皮肤瘙痒。

| 用法用量 | 内服煎汤，9 ~ 15 g，大剂量可用 30 ~ 60 g；或浸酒。外用适量，鲜品捣敷；或煎汤熏洗。

凤仙花科 Balsaminaceae 凤仙花属 Impatiens 凭证标本号 320115150923046LY

凤仙花 *Impatiens balsamina* L.

| 药 材 名 | 急性子（药用部位：种子）。

| 形态特征 | 一年生直立草本，高达 1 m。茎直立，分枝或不分枝，中空或具白色髓部，四棱状，稍有柔毛。叶对生或上部叶互生；茎下部叶的叶片常掌状 3 裂，叶柄长 1.5 ~ 5 cm；茎中部叶的叶片卵形，有锯齿；茎上部叶的叶片常披针形或狭椭圆形，全缘。花单生或 2 ~ 3 于叶腋；花有柄；花萼长约 6 mm，裂片披针形，长 5 ~ 8 mm，宽 1.6 ~ 3.5 mm，被柔毛；花冠白色而常有紫红色或黄色的彩晕，筒状，长约 2.5 cm。蒴果四棱形长椭圆状，长约 2.5 cm，上下几等宽，先端稍尖，有细毛；种子多数，黑色、白色或淡黄色。花期 6 ~ 7 月。

| 生境分布 | 江苏各地均有栽培，主要分布于宿迁（泗阳）、淮安（涟水）等。

| 资源情况 | 栽培资源丰富。

| 采收加工 | 8～9月当蒴果由绿色转黄色时，要及时分批采摘，否则果实过熟就会将种子弹射出去，造成损失。采收后将蒴果脱粒，筛去果皮、杂质。

| 药材性状 | 本品呈扁圆形或扁卵圆形，长2～3.5 mm，宽2～3 mm。表面棕褐色，粗糙，有细密疣状突起及短条纹，一端有凸出的种脐。质坚硬，种皮薄；子叶2，肥厚，半透明，油质。气微，味淡、微苦。以颗粒饱满者为佳。

| 功效物质 | 富含以十八碳四烯酸为主的脂肪油类化学成分，以及凤仙甾醇、黄酮类及二萜类化学成分。

| 功能主治 | 辛、苦，温；有小毒。归肾、肝、肺经。破血，软坚，消积。用于癥瘕痞块，闭经，噎膈。

| 用法用量 | 内服煎汤，3～4.5 g。外用适量，研末敷；或熬膏贴。

| 附　　注 | 本种生长快而强健，喜温暖及光照，耐炎热，忌霜冻，对土壤适应性强，喜肥沃而排水良好的砂壤土，亦耐瘠薄。

冬青科 Aquifoliaceae 冬青属 *Ilex* 凭证标本号 320125141103014LY

枸骨
Ilex cornuta Lindl. ex Paxt.

| 药 材 名 | 功劳叶（药用部位：叶）、枸骨子（药用部位：果实）、枸骨树皮（药用部位：树皮）、功劳根（药用部位：根）。

| 形态特征 | 常绿灌木或小乔木，高约3 m。树皮灰白色，平滑。幼枝具纵脊及沟。叶厚革质，二型，常呈长圆状四边形，长4～9 cm，宽2～4 cm，先端有3尖硬刺齿，中央的刺齿反曲，基部两侧各有1～2刺齿，有时全缘，基部圆形，边缘硬骨质，叶面深绿色，光亮，叶背淡绿色，无光泽。花簇生于二年生枝条上，4基数；花瓣黄绿色；雄花花萼盘状，裂片膜质，宽三角形，具缘毛，花瓣长圆状卵形，反折，基部合生，退化子房近球形；雌花花萼、花瓣与雄花相同，子房长圆状卵球形，柱头盘状，4浅裂。果实圆球形，直径8～10 mm，成熟时鲜红色；分核4，倒卵形，背部遍布皱纹及纹孔，中央有1纵沟。花期4～5月，果熟期9～10月。

| 生境分布 | 生于山坡谷地灌丛中，亦有栽培。分布于江苏南京（江宁）、镇江、无锡（宜兴）、苏州等。江苏各地庭园常有栽培。 |

| 资源情况 | 野生及栽培资源丰富。 |

采收加工	功劳叶：8～10月采收，拣去细枝，晒干。
	枸骨子：冬季采摘成熟果实，拣去果柄及杂质，晒干。
	枸骨树皮：全年均可采剥，晒干。
	功劳根：全年均可采挖，洗净，切片，晒干。

| 药材性状 | 功劳叶：本品呈类长方形或长椭圆状方形，偶有长卵圆形，长3～8cm，宽1～3cm。先端有3较大的硬刺齿，先端1常反曲，基部平截或宽楔形，两侧有时各有刺齿1～2，边缘稍反卷；长卵圆形叶常无刺齿。上表面黄绿色或绿褐色，有光泽，下表面灰黄色或灰绿色。叶脉羽状，叶柄较短。革质，硬而厚。气微，味微苦。以叶大、色绿者为佳。 |
| | 枸骨子：本品呈圆球形或类球形，直径7～8mm。表面浅棕色至暗红色，微有光泽，外果皮多干缩而形成深浅不等的凹陷；先端具宿存柱基，基部有果柄痕及残存花萼，偶有细果柄。外果皮质脆，易碎，内有分果核4，分果核呈球体的四等分状，黄棕色至暗棕色，极坚硬，有隆起的脊纹，内有种子1。气微，味微涩。以果大、饱满、色红、无杂质者为佳。 |

| 功效物质 | 主要含有三萜及其苷类、黄酮及其苷类、苯丙素类等多种化合物。 |

功能主治	功劳叶：苦，凉。归肝、肾经。清热养阴，益肾，平肝。用于肺痨咯血，骨蒸潮热，头晕目眩。
	枸骨子：苦、涩，微温。归肝、肾经。滋阴，益精，活络。用于阴虚身热，淋浊，崩漏，带下，筋骨疼痛。
	枸骨树皮：微苦，凉。归肝、肾经。补肝肾，强腰膝。用于肝血不足，肾脚痿弱。
	功劳根：苦，凉。补肝肾，清风热。用于腰膝痿弱，关节疼痛，头风，赤眼，牙痛。

用法用量	功劳叶：内服煎汤，9～15g。外用适量，捣汁或熬膏涂敷。
	枸骨子：内服煎汤，6～10g；或浸酒。
	枸骨树皮：内服煎汤，15～30g；或浸酒。
	功劳根：内服煎汤，6～15g，鲜品15～60g。外用适量，煎汤洗。

| 附　注 | 本种耐干旱，适宜肥沃的酸性土壤，不耐盐碱。较耐寒，喜光，也耐阴。 |

冬青科 Aquifoliaceae 冬青属 Ilex 凭证标本号 320508200922020LY

大叶冬青
Ilex latifolia Thunb.

| **药 材 名** | 苦丁茶（药用部位：嫩叶）。

| **形态特征** | 常绿乔木，高达 20 m。全体无毛。树皮灰黑色，粗糙。分枝粗壮，幼枝有棱。叶厚革质，长椭圆形、卵状长圆形，长 8 ~ 20 cm，先端锐尖，基部宽楔形，边缘具疏齿，齿尖褐黑色；主脉在表面凹陷，在背面显著隆起。聚伞花序组成假圆锥花序，密集于二年生枝条叶腋内，无总梗，主花序轴长 1 ~ 2 cm，基部有宿存的芽鳞；花 4 基数；花瓣淡黄绿色，基部合生；雄花序每分枝有花 3 ~ 9，花萼近杯状，裂片圆形，花瓣卵状长圆形；雌花序每分枝有花 1 ~ 3，花瓣卵形，子房球形，柱头盘状，4 裂，长约为萼裂片的 2 倍。果实球形，红色或褐色，宿存柱头薄盘状；分核 4，长圆形，有皱纹和小洼点，背部有明显的纵脊。花期 4 ~ 5 月，果熟期 10 月。

| **生境分布** | 生于山坡竹林内及灌丛中。分布于江苏无锡（宜兴）等。 |

| **资源情况** | 野生资源较少。 |

| **采收加工** | 清明前后采摘，头轮多采，次轮少采，长梢多采，短梢少采，采摘后放于竹筛上通风，晾干或晒干。 |

| **药材性状** | 本品呈卵状长椭圆形，革质，不皱缩，有的纵向微卷曲。上面黄绿色或灰绿色，有光泽，下面黄绿色。味微苦。 |

| **功效物质** | 主要含有三萜类、黄酮类、甾体类、氨基酸类、多糖类、核苷类等化学成分。 |

| **功能主治** | 苦、甘，大寒。归肝、肺、胃经。疏散风热，明目生津。用于风热头痛，齿痛，目赤，瘴耳，口疮，热病烦渴，泄泻，痢疾。 |

| **用法用量** | 内服煎汤，3～9g；或入丸剂。外用适量，煎汤熏洗。 |

冬青科 Aquifoliaceae 冬青属 *Ilex* 凭证标本号 320482180406526LY

大果冬青 *Ilex macrocarpa* Oliv.

药材名

大果冬青（药用部位：根、枝叶）。

形态特征

落叶乔木，高达 15 m。树皮青灰色，平滑无毛；有长枝和短枝，长枝皮孔明显，圆形，无毛。叶在花枝上互生，在短枝上 2 ~ 4 簇生，纸质，卵状椭圆形，长 5 ~ 8 cm，宽 3.5 ~ 5 cm，先端短渐尖，基部圆形，边缘有疏细锯齿，两面均无毛。花白色，5 ~ 6 基数；雄花序为单花或为具 2 ~ 5 花的聚伞花序，簇生于二年生长枝及短枝上，或单生于长枝的叶腋或基部鳞片内，花萼盘状，5 ~ 6 浅裂，裂片三角状卵形，具缘毛，花瓣倒卵状长圆形，基部稍联合，退化子房垫状；雌花单生于叶腋，花萼盘状，7 ~ 9 浅裂，子房卵形，柱头圆柱形。果实球形，直径 8 ~ 14 mm，成熟时黑色；宿存柱头圆柱状；果柄长 6 ~ 14 mm；分核 7 ~ 9；果实背部有 3 纵棱和 2 纵沟，木质。花期 5 月，果熟期 7 ~ 8 月。

生境分布

江苏南京等有栽培。

| 资源情况 | 栽培资源较丰富。

| 采收加工 | 根，全年均可采挖，鲜用或晒干；枝叶，秋、冬季采收，鲜用或晒干。

| 功能主治 | 苦，寒。清热解毒，消肿，祛瘀。用于遗精，月经不调，崩漏。

| 附　　注 | 本种喜湿润半阴之地，喜肥沃土壤，在一般土壤中也能生长良好，对环境要求不严格。

冬青科 Aquifoliaceae 冬青属 *Ilex* 凭证标本号 320125161130003LY

冬青 *Ilex chinensis* Sims

药材名

四季青（药用部位：叶）、冬青子（药用部位：果实）、冬青皮（药用部位：树皮、根皮）。

形态特征

常绿乔木，高达 13 m。树皮平滑，灰色或淡灰色。小枝淡绿色，有纵沟，无毛。叶薄革质，狭长椭圆形或披针形，长 6 ~ 10 cm，先端渐尖，基部楔形，边缘有浅圆锯齿，干后呈红褐色，有光泽；叶柄有时呈暗紫色。聚伞花序着生于新枝叶腋内或叶腋外；雄花序具 3 ~ 4 回分枝，有花 10 ~ 30，花萼浅杯状，裂片三角形，具缘毛，花瓣卵形，紫红色或淡紫色，反折，退化子房圆锥形；雌花序具 1 ~ 2 回分枝，有花 3 ~ 7，花萼和花瓣与雄花相同，子房圆球形，柱头厚盘状。果实椭圆状或近球形，成熟时深红色；分核 4 ~ 5，背面有纵沟。花期 5 ~ 6 月，果熟期 9 ~ 10 月。

生境分布

生于山坡杂木林中。分布于江苏宁镇山区、宜溧山区及苏州等。

| 资源情况 | 野生资源较丰富。

| 采收加工 | **四季青**：秋、冬季采摘，鲜用或晒干。

冬青子：冬季果实成熟时采摘，晒干。

冬青皮：全年均可采剥，鲜用或晒干。

| 药材性状 | **四季青**：本品呈长椭圆形或披针形，少卵形，长 5 ~ 10 cm，宽 2 ~ 4 cm，先端短渐尖，基部楔形，边缘有疏生的浅圆锯齿。上表面黄绿色至绿褐色，有光泽，下表面灰绿色至黄绿色，两面均无毛；中脉在叶下面隆起，侧脉每边 8 ~ 9。革质。气微，味苦、涩。以身干、色绿、无枝梗者为佳。

| 功效物质 | 叶含有酚酸类、三萜类、黄酮类、挥发油类等成分。

| 功能主治 | **四季青**：清热解毒，消肿祛瘀。用于肺热咳嗽，咽喉肿痛，痢疾，胁痛，热淋；外用于烫火伤，皮肤溃疡。

冬青子：补肝益肾，祛风除湿，止血敛疮。用于须发早白，风湿痹痛，消化性溃疡出血，痔疮，溃疡不敛。

冬青皮：凉血解毒，止血止带。用于烫伤，月经过多，带下。

| 用法用量 | **四季青**：内服煎汤，15 ~ 30 g。外用适量，鲜品捣敷；或煎汤洗、涂。

冬青子：内服煎汤，4.5 ~ 9 g；或浸酒。

冬青皮：内服煎汤，15 ~ 30 g。外用适量，捣敷。

卫矛科 Celastraceae 南蛇藤属 Celastrus 凭证标本号 320830150714007LY

苦皮藤
Celastrus angulatus Maxim.

| **药 材 名** | 吊干麻（药用部位：根或根皮）。

| **形态特征** | 藤状灌木。小枝有 4 ~ 6 纵棱，皮孔密而明显，髓芯片状，冬芽卵球形，长 2 ~ 5 mm。叶片厚纸质，宽椭圆形、宽卵形或近圆形，长 9 ~ 16 cm，宽 6 ~ 15 cm，先端有短尾尖，基部圆形至近楔形，边缘有圆钝齿；叶柄粗壮，长达 3.5 cm。聚伞状圆锥花序顶生，长 10 ~ 20 cm，略呈锥塔状，至少 2 回分枝，上部分枝较下部分枝短；花梗粗壮，有棱，顶部具关节；花黄绿色，直径约 5 mm；萼片三角形或卵形；花瓣长圆形，边缘具不整齐齿；花盘肉质，盘状；雄蕊着生于花盘之下；子房近球形，柱头反曲。果序长达 20 cm；果柄粗短；蒴果黄色，近球形，直径达 1.2 cm，果皮内面有紫褐色斑点；种子近椭圆形，长 3 ~ 5 mm，外面被红色假种皮。花期 5 ~ 6 月，

果期 8 ～ 10 月。

| **生境分布** | 生于山地丛林及山坡上。分布于江苏南部及淮安（盱眙）等。

| **资源情况** | 野生资源一般。

| **采收加工** | 全年均可采挖根，洗净，剥取根皮，晒干。

| **功效物质** | 苦皮藤浸膏中苦皮藤素的含量最多可达 14.3%，苦皮藤浸膏对蟋蟀等生物害虫有较好的杀虫效果，24 小时内杀虫率可超过 90%。

| **功能主治** | 辛、苦，凉；有小毒。归肺、肝、肾经。祛风除湿，活血通经，解毒杀虫。用于风湿痹痛，骨折伤痛，闭经，疮疡溃烂，头癣，阴痒。

| **用法用量** | 内服煎汤，15 ～ 30 g；或浸酒。外用适量，煎汤洗；或捣敷；或研末敷。

| **附　　注** | 根皮及茎皮为杀虫剂和灭菌剂。

卫矛科 Celastraceae 南蛇藤属 Celastrus 凭证标本号 320111170509009LY

大芽南蛇藤 *Celastrus gemmatus* Loes.

| 药 材 名 | 霜红藤（药用部位：根、茎、叶）。

| 形态特征 | 藤状灌木。根皮有大的横生皮孔。小枝近圆柱形，无毛，皮孔多而散生；冬芽大，圆锥状长卵形，褐色，较硬，长达 12 mm，基部直径达 5 mm。叶片长方形、卵状椭圆形或椭圆形，长 5 ~ 14 cm，宽 4 ~ 8 cm，先端突尖，基部圆形或宽楔形，边缘密生细锯齿或圆齿，背面网脉较显著；叶柄长 1 ~ 2 cm。聚伞花序顶生或腋生，顶生花序长约 3 cm，有花 3 ~ 10，侧生花序短小、少花，花杂性；花梗关节在中下部；萼片卵圆形，边缘啮蚀状；花瓣淡黄色，倒卵形；花盘浅杯状。蒴果球形，直径约 1 cm，有细长宿存花柱，果柄有凸起皮孔；种子近椭圆形，长约 4.5 mm，外面被红色假种皮。花期 5 ~ 6 月，果期 9 ~ 10 月。

| 生境分布 | 生于山坡灌丛及树林内。分布于江苏南部及淮安（盱眙）等。

| 资源情况 | 野生资源一般。

| 采收加工 | 春、秋季采收，切段，晒干。

| 功能主治 | 苦、辛，平。归肝、胃经。祛风除湿，活血止痛，解毒消肿。用于风湿痹痛，跌打损伤，月经不调，闭经，产后腹痛，胃痛，疝痛，疮痈肿痛，骨折，风疹，湿疹，带状疱疹，毒蛇咬伤。

| 用法用量 | 内服煎汤，10～30 g；或浸酒。外用适量，研末调涂；或磨汁涂；或鲜品捣敷。

卫矛科 Celastraceae 南蛇藤属 Celastrus 凭证标本号 320830160517007LY

南蛇藤 *Celastrus orbiculatus* Thunb.

| 药 材 名 | 南蛇藤（药用部位：茎藤）、南蛇藤根（药用部位：根）、南蛇藤叶（药用部位：叶）、南蛇藤果（药用部位：果实）。

| 形态特征 | 藤状灌木。茎长达 12 m。小枝圆柱形，无毛，有多数皮孔，髓坚实，白色；冬芽小，卵圆形，长 1 ～ 3 mm。叶形变化较大，入秋后叶变红色，叶片近圆形至倒卵形或长圆状倒卵形，长 3 ～ 10 cm，宽 3 ～ 7 cm，先端尖或突尖，基部楔形至近圆形，边缘有细钝锯齿；叶柄长达 2 cm。聚伞花序腋生或在枝端呈圆锥状而与叶对生，花序长 1 ～ 3 cm，雌雄异株，偶有同株，有 1 ～ 3 花；花黄绿色，雄花较雌花大；子房近球形，柱头 3 深裂。蒴果近球形，棕黄色，直径 0.8 ～ 1 cm，花柱宿存；种子椭圆形，褐色，包有红色、肉质假种皮。花期 5 ～ 6 月，果熟期 9 ～ 10 月。

| 生境分布 | 生于山沟灌丛中。江苏各地均有分布。江苏各地均有栽培。

| 资源情况 | 野生及栽培资源较丰富。

| 采收加工 | 南蛇藤：春、秋季采收，鲜用，或切段，晒干。
南蛇藤根：8 ~ 10 月采挖，洗净，鲜用或晒干。
南蛇藤叶：春季采收，晒干。
南蛇藤果：9 ~ 10 月果实成熟后采摘，晒干。

| 药材性状 | 南蛇藤根：本品呈圆柱形，细长而弯曲，有少数须根。外表棕褐色，具不规则的纵皱。主根坚韧，不易折断，断面黄白色，纤维性；须根较细，亦呈圆柱形，质较脆，有香气。以质干、栓皮厚者为佳。
南蛇藤果：本品呈黄色，球形，直径约 1 cm，3 裂，干后呈黄棕色。种子每室 2，有红色、肉质假种皮。略有异臭。

| 功效物质 | 茎藤主要含有齐墩果烷型和乌苏烷型三萜类成分，具有显著的降脂活性；还含有倍半萜多酯类成分，具有杀虫、抗肿瘤等多种生物活性。

| 功能主治 | 南蛇藤：苦、辛，微温。归肝、脾、大肠经。祛风除湿，通经止痛，活血解毒。用于风湿关节痛，四肢麻木，瘫痪，头痛，牙痛，疝气，痛经，闭经，小儿惊风，跌打扭伤，痢疾，痧证，带状疱疹。
南蛇藤根：辛、苦，平。归肾、膀胱、肝经。祛风除湿，活血通经，消肿解毒。用于风湿痹痛，跌打肿痛，闭经，头痛，腰痛，疝气痛，痢疾，肠风下血，痈疽肿毒，烫火伤，毒蛇咬伤。
南蛇藤叶：苦、辛，平。归肝经。祛风除湿，解毒消肿，活血止痛。用于风湿痹痛，疮疡疖肿，疱疹，湿疹，跌打损伤，蛇虫咬伤。
南蛇藤果：甘、微苦，平。养心安神，和血止痛。用于心悸失眠，健忘多梦，牙痛，筋骨痛，腰腿麻木，跌打伤痛。

| 用法用量 | 南蛇藤：内服煎汤，9 ~ 15 g；或浸酒。
南蛇藤根：内服煎汤，15 ~ 30 g；或浸酒。外用适量，研末调敷；或捣敷。
南蛇藤叶：内服煎汤，15 ~ 30 g。外用适量，鲜品捣敷；或干品研末调敷。
南蛇藤果：内服煎汤，6 ~ 15 g。

卫矛科 Celastraceae 卫矛属 Euonymus 凭证标本号 321324160422017LY

卫矛
Euonymus alatus (Thunb.) Sieb.

| **药 材 名** | 鬼箭羽（药用部位：具翅状物的枝条或翅状附属物）。

| **形态特征** | 灌木，高 2 ～ 3 m。小枝四棱形，有 2 ～ 4 排木栓质的阔翅。叶片倒卵形至椭圆形，长 2 ～ 5 cm，宽 1 ～ 2.5 cm，先端尖，基部楔形或钝圆，边缘有细尖锯齿，两面无毛，早春初发时及初秋霜后变紫红色或红色。聚伞花序常具 3 花；花 4 基数，直径 5 ～ 7 mm；花萼裂片半圆形；花瓣黄绿色，近圆形；雄蕊着生于花盘边缘，花丝极短；花盘近方形，子房埋于内。蒴果棕紫色，1 ～ 4 深裂，裂片椭圆状，每分果瓣有 1 ～ 2 种子；种子褐色，假种皮全包种子，橘红色。花期 4 ～ 6 月，果熟期 9 ～ 10 月。

| **生境分布** | 生于山间杂木林下、林缘或灌丛中。分布于江苏南京（江宁、六合）、

无锡（宜兴）、常州（溧阳）、苏州（常熟）、连云港、淮安（盱眙）、镇江（句容）等。江苏宿迁（沭阳）等均有栽培。

| **资源情况** | 栽培资源较丰富。

| **采收加工** | 全年均可采收，晒干；或收集其翅状物，晒干。

| **功效物质** | 含有的槲皮素、原儿茶酸具有体外抗氧化活性；生物碱类具有抗肿瘤作用；糖类成分具有免疫调节作用；黄酮类成分以降血糖、调节心脑血管系统为长。

| **功能主治** | 苦，寒。破血通经，解毒消肿，杀虫。用于癥瘕结块，心腹疼痛，闭经，痛经，崩漏，产后瘀滞腹痛，恶露不下，疝气，历节痹痛，疮肿，跌打伤痛，虫积腹痛，烫火伤，毒蛇咬伤。

| **用法用量** | 内服煎汤，3～9g。

卫矛科 Celastraceae 卫矛属 Euonymus 凭证标本号 321324160509033LY

白杜

Euonymus maackii Rupr.

| 药 材 名 | 丝棉木（药用部位：根、树皮）、丝棉木叶（药用部位：叶）。

| 形态特征 | 落叶小乔木，高 4 ~ 8 m。树皮灰色或灰褐色。小枝细长，灰褐色，无毛。叶片卵状椭圆形、卵圆形或椭圆状披针形，长 4 ~ 8 cm，宽 2 ~ 5 cm，先端渐尖，基部宽楔形至近圆形，两面无毛，边缘有细锯齿；叶柄长 1 ~ 2.5 cm。聚伞花序腋生，1 ~ 2 次分枝，有花 3 ~ 7；花 4 基数，黄绿色；萼片近半圆形；花瓣长圆形；雄蕊着生于 4 圆裂花盘上，花丝长 1 ~ 2 mm，花药紫红色；子房四角形，与花盘贴生，4 室。蒴果倒圆锥形，果皮粉红色，4 浅裂，直径约 1 cm；种子长椭圆形，淡黄色或淡红色，外面被橘红色的假种皮。花期 5 ~ 6 月，果熟期 9 ~ 10 月。

| **生境分布** | 江苏各地庭院多有栽培。

| **资源情况** | 栽培资源丰富。

| **采收加工** | 丝棉木：全年均可采收，洗净，切片，晒干。
丝棉木叶：春季采收，晒干。

| **功效物质** | 嫩枝叶含粗蛋白 8.47%、粗脂肪 4.25%、粗纤维 14.39%、灰分 8.7% 等。果实含有多糖，对小鼠骨髓瘤细胞 SP2/0 有明显的抑制作用。

| **功能主治** | 丝棉木：苦、辛，凉。归肝、脾、肾经。祛风除湿，活血通络，解毒止血。用于风湿性关节炎，腰痛，跌打伤肿，血栓闭塞性脉管炎，肺痈，衄血，疔疮肿毒。
丝棉木叶：苦，寒。清热解毒。用于漆疮，痈肿。

| **用法用量** | 丝棉木：内服煎汤，15 ～ 30 g，鲜品加倍；或浸酒；或入散剂。外用适量，捣敷；或煎汤熏洗。
丝棉木叶：外用适量，煎汤熏洗。

| **附　注** | 本种为温带树种，喜光、耐寒、耐旱，稍耐阴，也耐水湿，为深根性植物，根萌蘖力强，生长较慢。有较强的适应能力，对土壤要求不严，中性土和微酸性土均能适应，最适宜栽培在肥沃、湿润的土壤中。

卫矛科 Celastraceae 卫矛属 Euonymus 凭证标本号 320703170421735LY

扶芳藤
Euonymus fortunei (Turcz.) Hand.-Mazz.

| 药 材 名 | 扶芳藤（药用部位：带叶茎枝）。

| 形态特征 | 常绿或半常绿攀缘灌木，高达 1.5 m。下部茎枝常匍匐于地面或附着他物而随处生多数细根。叶片卵形至椭圆状卵形，薄革质，长 2 ~ 8 cm，宽 1.5 ~ 4 cm，先端尖或短锐尖，基部圆形或楔形，边缘有细锯齿；叶柄长约 5 mm。聚伞花序腋生，疏散，2 ~ 3 次分枝，有花 5 ~ 17（有时更多）；花绿白色，4 基数；花萼半圆形；花瓣近圆形；雄蕊有细长花丝；花盘方形；子房三角状锥形，具 4 棱。果序柄长 2 ~ 2.5 cm；蒴果成熟时淡红色，近球形，稍有 4 凹线，直径约 1 cm；种子卵形，橘红色假种皮全包种子。花期 5 ~ 7 月，果熟期 10 月。

| 生境分布 | 生于林缘、村庄，绕树、爬墙或匍匐于石上。江苏各地均有分布。

| 资源情况 | 野生及栽培资源丰富。

| 采收加工 | 全年均可采收，清除杂质，切碎，晒干。

| 药材性状 | 本品茎枝呈圆柱形；表面灰绿色，多生细根，并具小瘤状突起。质脆，易断，折断面黄白色，中空。叶对生，椭圆形，长 2 ~ 8 cm，宽 1 ~ 4 cm，先端尖或短锐尖，基部宽楔形，边缘有细锯齿。质较厚或稍带革质，上面叶脉稍凸起。气微弱，味辛。

| 功效物质 | 含有卫矛醇，种子含有前西红柿红素和前 -γ- 胡萝卜素。带叶茎枝的主要活性成分为黄酮类成分，具有免疫调节作用。

| 功能主治 | 苦、甘、微辛，微温。归肝、脾、肾经。益肾壮腰，舒筋活络，止血消瘀。用于肾虚，腰膝酸痛，半身不遂，风湿痹痛，小儿惊风，咯血，吐血，血崩，月经不调，子宫脱垂，跌打骨折，创伤出血。

| 用法用量 | 内服煎汤，15 ~ 30 g；或浸酒；或入丸、散剂。外用适量，研末调敷；或捣敷；或煎汤熏洗。

卫矛科 Celastraceae 卫矛属 Euonymus 凭证标本号 321023170422162LY

冬青卫矛
Euonymus japonicus Thunb.

| 药 材 名 | 大叶黄杨根（药用部位：根）、大叶黄杨（药用部位：茎皮、枝）、大叶黄杨叶（药用部位：叶）。

| 形态特征 | 常绿灌木或小乔木，高达 5 m。小枝近四棱形。叶片革质，倒卵形或窄椭圆形，长 3 ~ 6 cm，宽 2 ~ 3 cm，先端尖或钝，基部楔形，边缘有细锯齿，叶面有光泽；叶柄长 6 ~ 12 mm。聚伞花序密集，腋生，2 ~ 3 次分枝，花序梗长 2 ~ 5 cm，有花 5 ~ 12；花绿白色，4 基数；萼片半圆形；花瓣近卵圆形；雄蕊着生于肥大花盘边缘，花丝常弯曲，花药黄色。蒴果近球形，有 4 浅沟，直径约 1 cm；种子棕色，假种皮橘红色，全包种子。花期 6 ~ 7 月，果熟期 9 ~ 10 月。

| 生境分布 | 生于海拔 1 300 m 以下的山地。江苏各地均有栽培。

| 资源情况 | 栽培资源丰富。

| 采收加工 | 大叶黄杨根：冬季采挖，洗去泥土，切片，晒干。
大叶黄杨：全年均可采收，切段，晒干。
大叶黄杨叶：春季采收，晒干。

| 功效物质 | 叶、茎、果实挥发油成分具有抗病毒活性。根皮含有冬青卫矛碱 A、冬青卫矛碱 C、冬青卫矛碱 D、冬青卫矛碱 F、冬青卫矛碱 G、冬青卫矛碱 I、冬青卫矛碱 J、冬青卫矛碱 K、冬青卫矛碱 L、冬青卫矛碱 M。果实含有冬青卫矛倍半萜酯。叶含有三萜类无羁萜、表无羁萜醇和无羁萜醇，以及槲皮素 -3-β-D- 葡萄糖 -7-α-L- 鼠李糖苷和山柰酚 -3-β-D- 葡萄糖 -7-β-L- 鼠李糖苷等黄酮类成分，叶黄色部分的黄酮类成分较绿色部分含量高。

| 功能主治 | 大叶黄杨根：辛、苦，温。归肝经。活血调经，祛风湿。用于月经不调，痛经，风湿痹痛。
大叶黄杨：苦、辛，微温。祛风湿，强筋骨，活血止血。用于风湿痹痛，腰膝酸软，跌打伤肿，骨折，吐血。
大叶黄杨叶：解毒消肿。用于疮疡肿毒。

| 用法用量 | 大叶黄杨根：内服煎汤，15 ~ 30 g。
大叶黄杨：内服煎汤，15 ~ 30 g；或浸酒。
大叶黄杨叶：外用适量，鲜品捣敷。

| 附　　注 | 本种为阳性树种，喜光，耐阴，要求温暖、湿润的气候和肥沃的土壤。酸性土、中性土或微碱性土均能适应。萌生性强，适应性强，较耐寒，耐干旱、瘠薄。极耐修剪整形。

卫矛科 Celastraceae 卫矛属 Euonymus 凭证标本号 321183150922764LY

胶州卫矛
Euonymus kiautschovicus Loes.

| **药 材 名** | 胶州卫矛（药用部位：带叶茎枝）。

| **形态特征** | 直立或蔓性半常绿灌木，高达 3 m。小枝圆形，下部枝有气生根。叶片近革质，长圆形、宽倒卵形或椭圆形，长 5 ~ 8 cm，宽 2 ~ 4 cm，先端渐尖或圆钝，基部楔形，稍下延，边缘有粗锯齿；叶柄长达 1 cm。聚伞花序二或三歧状分枝，具花 7 ~ 15；花黄绿色，4 基数；花盘方形，四角外展；雄蕊有细长花丝，生于其角上；子房四棱状，与花盘近等大，花柱短而粗。果序柄长 3 ~ 4 cm；蒴果扁球形，粉红色，直径约 1 cm，4 纵裂，有浅沟；种子每室 1，黑色，假种皮全包，橘红色。花期 8 ~ 9 月，果期 9 ~ 10 月。

| **生境分布** | 生于山谷、林中多岩石处。分布于江苏连云港、无锡（宜兴）、南

京等。

| **资源情况** | 野生资源较丰富。

| **采收加工** | 夏、秋季采收，切段，晒干。

| **功能主治** | 祛风湿，强筋骨，活血解毒。用于风寒湿痹，腰痛，跌打损伤，血栓闭塞性脉管炎，痔疮，漆疮。

| **用法用量** | 内服煎汤，15 ~ 30 g；或浸酒；或入丸、散剂。外用适量，研末调敷；或捣敷；或煎汤熏洗。

卫矛科 Celastraceae 卫矛属 Euonymus 凭证标本号 NAS00581564

肉花卫矛
Euonymus carnosus Hemsl.

| 药 材 名 |

野杜仲（药用部位：根或根皮、树皮）、野杜仲果（药用部位：果实）。

| 形态特征 |

半常绿灌木或小乔木，高达 8 m。小枝圆柱形，灰绿色。叶片近革质，绿色（秋季变为紫红色或暗红色），长圆状椭圆形或长圆状倒卵形，长 4 ~ 15 cm，宽 3 ~ 6 cm，先端渐尖或短渐尖，基部阔楔形，边缘有均匀的细圆锯齿，两面无毛；叶柄长 1.5 ~ 2.5 cm。聚伞花序疏散，2 ~ 3 次分枝，花序梗长 3 ~ 6 cm，有花 5 ~ 9；花 4 基数，黄白色，直径约 2 cm；花萼较肥厚；花瓣宽倒卵形或圆形，背面有窝状皱纹或光滑；雄蕊和花丝短，长约 1.5 mm。蒴果近球形，有 4 翅状窄棱，初为黄色，后变红色；种子数枚，亮黑色，假种皮深红色。花期 5 ~ 7 月，果熟期 9 ~ 10 月。

| 生境分布 |

生于山坡、林边较阴湿处。分布于江苏南京、无锡（宜兴）等。

| **资源情况** | 野生资源较少。 |

| **采收加工** | **野杜仲：** 全年均可采收，洗净，切片，晒干。
野杜仲果： 果实成熟后采收，晒干。 |

| **功效物质** | 根皮、树皮含有硬橡胶，树皮中含量为3.38% ～ 17.25%。 |

| **功能主治** | **野杜仲：** 辛、微苦。归肝经。祛风除湿，活血通经，化瘀散结。用于风湿疼痛，跌打伤肿，腰痛，闭经，痛经，瘰疬痰核。
野杜仲果： 苦，微寒。清肠解毒。用于痢疾初起，腹痛后重。 |

| **用法用量** | **野杜仲：** 内服煎汤，15 ～ 30 g；或浸酒。
野杜仲果： 内服煎汤，10 ～ 20 g。 |

省沽油科 Staphyleaceae　野鸦椿属 *Euscaphis*　凭证标本号 320703160906505LY

野鸦椿
Euscaphis japonica (Thunb.) Dippel

| 药 材 名 | 野鸦椿子（药用部位：果实或种子）、野鸦椿根（药用部位：根或根皮）、野鸦椿花（药用部位：花）、野鸦椿叶（药用部位：叶）、野鸦椿皮（药用部位：茎皮）。

| 形态特征 | 落叶灌木或小乔木，高 3 ~ 8 m。树皮灰色，有纵裂纹。小枝及芽棕红色，枝叶揉碎后有臭气。奇数羽状复叶，有小叶（3 ~ ）5 ~ 9（~ 11）；小叶片厚纸质，卵形或卵状披针形，长 4 ~ 9 cm，宽 2 ~ 4 cm，先端渐尖，基部圆形或宽楔形，边缘有细锐锯齿，齿尖有腺体，叶面无毛或近无毛，叶背幼时沿脉疏被柔毛；顶生小叶柄长可达 2 cm，侧生小叶具短柄或近无柄；托叶线形，早落。圆锥花序顶生，长达 16 cm，花序梗长达 20 cm；花小，密集，黄白

色。蓇葖果长 1 ~ 2 cm，果皮软革质，成熟时紫红色，有纵脉纹；种子近圆形，黑色，有光泽，直径约 0.5 cm，具肉质假种皮。花期 5 ~ 6 月，果期 9 ~ 10 月。

| **生境分布** | 生于山坡、路旁或杂木林中，亦有栽培。分布于江苏丘陵山地等。

| **资源情况** | 野生及栽培资源较丰富。

| **采收加工** | **野鸦椿子：** 秋季采收成熟果实或种子，晒干。
野鸦椿根： 9 ~ 10 月采挖，洗净，切片，鲜用或晒干；或剥取根皮，鲜用或晒干。
野鸦椿花： 5 ~ 6 月采摘，晾干。
野鸦椿叶： 全年均可采收，鲜用或晒干。
野鸦椿皮： 全年均可采收，剥取茎皮，晒干。

| **功效物质** | 主要含有三萜类、酚酸类、黄酮类、倍半萜类及其他类，具有抗炎、抗肿瘤、抗肝纤维化、抑菌等药理活性。

| **功能主治** | **野鸦椿子：** 辛，温。祛风散寒，行气止痛，消肿散结。用于胃痛，寒疝疼痛，泄泻，痢疾，脱肛，月经不调，子宫脱垂，睾丸肿痛。
野鸦椿根： 苦、微辛，平。归肝、脾、肾经。祛风解表，清热利湿。用于外感疼痛，风湿腰痛，痢疾，泄泻，跌打损伤。
野鸦椿花： 祛风止痛。用于头痛，眩晕。
野鸦椿叶： 祛风止痒。用于阴痒。
野鸦椿皮： 行气，利湿，祛风，退翳。用于小儿疝气，风湿骨痛，水痘，目生翳障。

| **用法用量** | **野鸦椿子：** 内服煎汤，9 ~ 15 g；或浸酒。
野鸦椿根： 内服煎汤，15 ~ 30 g，鲜品 30 ~ 60 g；或浸酒。外用适量，捣敷；或煎汤熏洗。
野鸦椿花： 内服煎汤，10 ~ 15 g。外用适量，研细末撒敷。
野鸦椿叶： 外用适量，煎汤洗。
野鸦椿皮： 内服煎汤，9 ~ 15 g。外用适量，煎汤洗。

省沽油科 Staphyleaceae 省沽油属 *Staphylea* 凭证标本号 320111170509024LY

省沽油 *Staphylea bumalda* DC.

| 药 材 名 | 省沽油（药用部位：果实）、省沽油根（药用部位：根）。

| 形态特征 | 落叶灌木，高达 5 m。小枝无毛，具皮孔。三出复叶；小叶片椭圆形或卵圆形，长 3.5 ～ 8 cm，宽 2 ～ 5 cm，先端渐尖或短尾尖，顶生小叶片基部楔形，下延，侧生小叶片基部宽楔形或近圆形，稍偏斜，边缘有锯齿，两面被短毛或叶背仅沿叶脉有短毛；顶生小叶柄长 0.5 ～ 2 cm，侧生小叶有短柄；侧脉 4 ～ 6 对生，两面网脉均不明显；托叶小，早落。圆锥花序着生于当年生枝先端，花序长达 8 cm；萼片长椭圆形，淡黄白色；花瓣倒卵状长圆形，白色。蒴果膀胱状，扁平，长 1.5 ～ 4 cm，先端 2 裂；种子黄色，有光泽。花期 4 ～ 5 月，果期 8 ～ 9 月。

| 生境分布 | 生于山坡、路旁、溪谷两旁或丛林中。分布于江苏南部及苏州等。 |

| 资源情况 | 野生资源一般。 |

| 采收加工 | 省沽油：秋季果实成熟时采摘，晒干。
省沽油根：全年均可采挖，洗净，切片，鲜用或晒干。 |

| 功效物质 | 种仁含有不饱和脂肪酸。叶含有省沽油素。 |

| 功能主治 | 省沽油：苦、甘。归肺经。润肺止咳。用于咳嗽。
省沽油根：活血化瘀。用于产后恶露不净。 |

| 用法用量 | 省沽油：内服煎汤，5～9 g。
省沽油根：内服煎汤，9～15 g。 |

| 附　　注 | 本种在民间用于治疗干咳、产后瘀血不净。 |

3 ~ 4 mm，直立。花期 2 月，果期 5 ~ 8 月。

| 生境分布 | 江苏各地均有栽培。

| 资源情况 | 栽培资源丰富。

| 采收加工 | 黄杨叶：全年均可采收，鲜用或晒干。
黄杨根：全年均可采挖，洗净，切片，晒干。

| 药材性状 | 黄杨叶：本品叶多皱缩，薄革质。完整叶通常匙形，亦有狭卵形或倒卵形，大多数中部以上最宽，长 2 ~ 4 cm，宽 8 ~ 18 mm，先端圆或钝，往往有浅凹口或小尖凸头，基部狭长楔形，有时急尖。叶面绿色，光亮，叶背苍灰色，中脉两面凸出，侧脉极多，叶面中脉下半段大多数被微细毛。叶柄长 1 ~ 2 mm。质脆。有的可见腋生头状花序，花序轴长约 2.5 mm。气微，味苦。

| 功效物质 | 含有多种营养成分，含有丰富的矿质元素、维生素和 β- 胡萝卜素，以及谷氨酸、天冬氨酸、丝氨酸等 17 种氨基酸，粗纤维、维生素 B_1 和赖氨酸的含量尤为丰富。

| 功能主治 | 黄杨叶：清热解毒，消肿散结。用于疮疖肿毒，风火牙痛，跌打伤痛。
黄杨根：苦、辛，平。归肝经。祛风止咳，清热除湿。用于风湿痹痛，伤风咳嗽，湿热黄疸。

| 用法用量 | 黄杨叶：内服煎汤，9 g；或浸酒。外用适量，鲜品捣敷。
黄杨根：内服煎汤，9 ~ 15 g，鲜品 15 ~ 30 g。

| 附　注 | 本种喜温暖、湿润和阳光充足的环境，较耐寒，耐干旱和半阴，要求疏松、肥沃和排水良好的砂壤土。

黄杨科 Buxaceae 黄杨属 Buxus 凭证标本号 NAS00586646

匙叶黄杨
Buxus harlandii Hance

| **药 材 名** | 匙叶黄杨（药用部位：根、叶、花）。

| **形态特征** | 小灌木，高 0.5 ~ 1 m。枝近圆柱形；小枝近四棱形，纤细，直径约 1 mm，被轻微的短柔毛，节间长 1 ~ 2 cm。叶薄革质，匙形，稀狭长圆形，长 2 ~ 3.5（~ 4）cm，宽 5 ~ 8（~ 9）mm，先端稍狭，圆、钝或有浅凹口，基部楔形，叶面光亮，中脉两面凸出，侧脉和细脉在叶面细密、显著，侧脉与中脉成 30° ~ 35° 角，在叶背不甚分明，叶面中脉下半段常被微细毛；无明显的叶柄。花序腋生兼顶生，头状，花密集，花序轴长 3 ~ 4 mm；苞片卵形，具尖头；雄花 8 ~ 10，花梗长 1 mm，萼片阔卵形或阔椭圆形，长约 2 mm，雄蕊连花药长 4 mm，不育雌蕊具极短柄，末端甚膨大，高约 1 mm，长为萼片的 1/2；雌花萼片阔卵形，长约 2 mm，边缘干

膜质，受粉期间花柱长度稍超过子房，子房无毛，花柱直立，下部扁阔，柱头倒心形，下延达花柱 1/4 处。蒴果近球形，长 7 mm，无毛，平滑，宿存花柱长 3 mm，末端稍外曲。花期 5 月，果期 10 月（海南 12 月仍开花，翌年 5 月果实成熟）。

| 生境分布 | 江苏各地城镇有栽培。

| 资源情况 | 栽培资源较少。

| 采收加工 | 根，全年均可采挖，洗净，切片，晒干；叶，全年均可采收，鲜用或晒干；花，春季采集，晒干。

| 功效物质 | 含有黄杨碱等多种生物碱，以及多聚酚、脂肪油等成分。

| 功能主治 | 根，祛风止咳，清热除湿。用于风湿痹痛，伤风咳嗽，湿热黄疸。叶，清热解毒，消肿散结。用于疮疖肿毒，风火牙痛，跌打伤痛。花，止咳，止血，清热解毒。用于咳嗽，咯血，疮疡肿毒。

| 用法用量 | 内服煎汤，9 ~ 15 g。

| 附　　注 | 本种喜光，亦耐阴。常生于湿润肥沃、腐殖质丰富的溪谷岩间。生长极慢，适应性强，一般土壤都能生长。

黄杨科 Buxaceae 黄杨属 Buxus 凭证标本号 320621181125013LY

黄杨
Buxus sinica (Rehd. et Wils.) Cheng

| 药 材 名 | 黄杨木（药用部位：茎枝及叶）、黄杨叶（药用部位：叶）、山黄杨子（药用部位：果实）、黄杨根（药用部位：根）。

| 形态特征 | 灌木或小乔木，高 1 ～ 6 m。枝圆柱形，有纵棱，灰白色；小枝四棱形，节间长 0.5 ～ 2 cm。叶革质，叶片宽椭圆形、宽倒卵形、卵状椭圆形或长圆形，通常长 1.5 ～ 3.5 cm，宽 0.8 ～ 2 cm，先端圆或钝，常凹下，基部圆、急尖或楔形，叶面光亮，中脉凸出，侧脉明显，叶背中脉稍凸起，中脉上常密被白色短线状钟乳体，侧脉不明显；叶柄长 1 ～ 2 mm。花序腋生，头状，花密集，花序轴长 3 ～ 4 mm；苞片宽卵形，长 2 ～ 2.5 mm；雄花约 10，无花梗，外萼片卵状椭圆形，内萼片近圆形，长 2.5 ～ 3 mm，无毛，雄蕊长 4 mm，不育雌蕊长为花被片的 2/3，有棒状柄，末端膨大，长约 2 mm；雌花萼片长 3 mm，子房较花柱稍长，无毛，花柱粗扁，柱

头倒心形，下延达花柱中部。蒴果球形，长 6 ~ 8（~ 10）mm，宿存花柱长 2 ~ 3 mm。花期 3 月，果期 5 ~ 6 月。

| 生境分布 | 生于山谷、溪边、林下。江苏徐州、连云港、扬州（宝应、高邮）、南通（启东）、南京、苏州、无锡（宜兴）等有栽培。

| 资源情况 | 野生及栽培资源丰富。

| 采收加工 | 黄杨木：全年均可采收，鲜用或晒干。

黄杨叶：全年均可采收，鲜用或晒干。

山黄杨子：5 ~ 6 月果实成熟时采收，鲜用或晒干。

黄杨根：全年均可采挖，洗净，鲜用，或切片，晒干。

| 药材性状 | 黄杨木：本品茎呈圆柱形，有纵棱，小棱四棱形，全面被短柔毛或外方相对两侧面无毛。叶片长 1 ~ 3 cm，宽 0.8 ~ 2 cm，呈阔椭圆形、阔倒卵形、卵状椭圆形或长圆形，先端圆或钝，常有小凹口，基部圆、急尖或楔形，叶面光亮，中脉凸出，侧脉明显，叶背中脉平坦或稍凸出，中脉上常密被短线状钟乳体。革质；叶柄长 1 ~ 2 mm，上面被毛。气微，味苦。

黄杨叶：本品为完整或破碎的叶片，倒卵圆形，长 15 ~ 35 mm，全缘，先端稍凹，基部狭楔形，表面深绿色，有光泽，背面主脉明显，革质。气微，味苦。

| 功效物质 | 主要含有环常绿黄杨碱 C、环常绿黄杨碱 D，环原黄杨碱 A、环原黄杨碱 C，黄杨胺醇碱 E，环朝鲜黄杨碱 B，黄杨酮碱，小叶黄杨碱 A 等生物碱类成分。

| 功能主治 | 黄杨木：苦，平。归心、肝、肾经。祛风除湿，理气止痛。用于风湿痹痛，胸腹气胀，疝气疼痛，牙痛，跌打伤痛。

黄杨叶：苦，平。清热解毒，消肿散结。用于疮疖肿毒，风火牙痛，跌打伤痛。

山黄杨子：苦，凉。清暑热，解疮毒。用于暑热，疮疖。

黄杨根：苦、辛，平。归肝经。祛风止咳，清热除湿。用于风湿痹痛，伤风咳嗽，湿热黄疸。

| 用法用量 | 黄杨木：内服煎汤，9 ~ 15 g；或浸酒。外用适量，鲜品捣敷。

黄杨叶：内服煎汤，9 g；或浸酒。外用适量，鲜品捣敷。

山黄杨子：内服煎汤，3 ~ 9 g。外用适量，捣敷。

黄杨根：内服煎汤，9 ~ 15 g，鲜品 15 ~ 30 g。

| 附　注 | 本种喜温暖、湿润的气候，生长适温 26 ~ 30 ℃。可在空旷地或荫蔽的环境生长。在土质疏松、肥沃、排水良好的砂壤土上生长较好。

黄杨科 Buxaceae 黄杨属 Buxus 凭证标本号 320681170513114LY

小叶黄杨

Buxus sinica (Rehd. et Wils.) Cheng var. *parvifolia* M. Cheng

| 药 材 名 | 小叶黄杨（药用部位：叶、茎枝及叶、果实、根）。

| 形态特征 | 本种与黄杨的区别在于生长低矮，枝条密集，节间通常 3 ~ 6 mm。叶薄革质，阔椭圆形或阔卵形，长 7 ~ 10 mm，宽 5 ~ 7 mm，叶面无光或光亮，侧脉明显凸出。蒴果长 6 ~ 7 mm，无毛。

| 生境分布 | 生于溪边岩上或灌丛中。江苏有栽培。

| 资源情况 | 野生及栽培资源较丰富。

| 采收加工 | 全年均可采收叶，鲜用或晒干；全年均可采挖根，洗净，切片，晒干。

| 功效物质 | 主要含有多种甾体生物碱及香豆素类化合物，以黄杨碱为代表。

| 功能主治 | 叶，清热解毒，消肿散结。用于疮疖肿毒，风火牙痛，跌打伤痛。茎枝及叶，祛风除湿，理气止痛。用于风湿痹痛，胸腹气胀，疝气疼痛，牙痛，跌打伤痛。果实，清暑热，解疮毒。用于暑热，疮疖。根，祛风止咳，清热除湿。用于风湿痹痛，伤风咳嗽，湿热黄疸。

| 附　　注 | 本种喜温暖、半阴、湿润气候，耐旱、耐寒。

黄杨科 Buxaceae 板凳果属 *Pachysandra* 凭证标本号 NAS00583309

顶花板凳果

Pachysandra terminalis Sieb. et Zucc.

| 药 材 名 | 雪山林（药用部位：全株）。

| 形态特征 | 亚灌木。茎稍粗壮，下部根茎状，长约30 cm，横卧、屈曲或斜上，密布须状不定根，上部直立，高约30 cm。叶薄革质，在茎上每间隔2 ~ 4 cm有4 ~ 6叶接近着生，似簇生状，叶片菱状倒卵形，长2.5 ~ 5（~ 9）cm，宽1.5 ~ 3（~ 6）cm，上部边缘具齿，基部楔形，渐狭成长1 ~ 3 cm的叶柄。花序顶生，长2 ~ 4 cm，直立；花白色，雄花15以上，几占花序轴的全部，无花梗，雌花1 ~ 2，生于花序轴基部，有时生于最上部1 ~ 2叶的叶腋，又各生1雌花；雄花苞片及萼片宽卵形，苞片较小，萼片长2.5 ~ 3.5 mm，花丝长约7 mm，不育雌蕊长约0.6 mm；雌花苞片及萼片卵形，覆瓦状排列，花柱受粉后伸出花外甚长，上端旋曲。蒴果卵形，长5 ~ 6 mm，

花柱宿存，粗而反曲，长 5 ~ 10 mm。花期 4 ~ 5 月。

| 生境分布 | 生于海拔 800 ~ 2 600 m 的山区林下阴湿地。江苏各地城镇多有栽培。

| 资源情况 | 野生及栽培资源较少。

| 采收加工 | 全年均可采收，洗净，切段，鲜用或晒干。

| 药材性状 | 本品鲜品茎肉质，干品多纵皱；表面被极细毛，下部根茎状，长约 30 cm，布满长须状不定根。叶薄革质，在茎上每间隔 2 ~ 4 cm 有 4 ~ 6 叶接近着生，似簇生状；叶片菱状倒卵形，长 2.5 ~ 5 cm，宽 1.5 ~ 3 cm，上部边缘有牙齿，基部楔形，叶脉上有微毛；叶柄长 1 ~ 3 cm。气微，味苦、微辛。

| 功效物质 | 主要含有孕甾烷型生物碱，如粉蕊黄杨碱 A、粉蕊黄杨碱 B、粉蕊黄杨碱 C、粉蕊黄杨碱 D，表粉蕊黄杨碱 A，粉蕊黄杨胺 A、粉蕊黄杨胺 B 等，此外还含有三萜类化学成分。

| 功能主治 | 苦、辛，凉。归肝、肾经。祛风湿，舒筋活血，通经止带。用于风湿热痹，小腿转筋，月经不调。

| 用法用量 | 内服煎汤，9 ~ 15 g；或研末，3 ~ 6 g；或浸酒。外用适量，鲜品捣敷。

| 附　注 | 本种喜阴湿，耐寒。

鼠李科 Rhamnaceae　勾儿茶属 Berchemia　凭证标本号 320830150716013LY

多花勾儿茶
Berchemia floribunda (Wall.) Brongn.

| 药 材 名 | 黄鳝藤（药用部位：茎叶、根）。

| 形态特征 | 藤状或直立灌木。枝长达 7 m，小枝光滑无毛。叶片纸质，小枝上部叶片卵形、卵状椭圆形或卵状披针形，长 4 ~ 9 cm，宽 2 ~ 5 cm，先端锐尖，小枝下部叶片较大，椭圆形，长达 11 cm，宽达 6.5 cm，先端钝或圆形，基部圆形，稀心形，叶面无毛，叶背无毛或基部沿脉疏被柔毛，常有白粉，干后栗色，侧脉 9 ~ 12 对，两面稍凸起；叶柄长 1 ~ 2 cm，稀达 5 cm，无毛；托叶披针形，宿存或脱落。聚伞圆锥花序顶生，花序轴长达 15 cm，无毛或微被毛；花梗长约 2 mm；萼片三角形；花瓣倒卵形。核果圆柱状椭圆形，长 0.7 ~ 1 cm，直径约 0.5 cm；果柄长约 3 mm，无毛。花期 7 ~ 8 月，果期翌年 5 ~ 7 月。

生境分布	生于山谷、山坡林下或灌丛中。分布于江苏南京（江宁）、镇江（句容）、无锡（宜兴）等。
资源情况	野生资源丰富。
采收加工	茎叶，夏、秋季采收，鲜用，或切段，晒干；根，秋后采挖，鲜用，或切片，晒干。
药材性状	本品茎呈圆柱形，黄绿色，略光滑，有黑色小斑。叶互生，多卷曲，展平后呈狭卵形至卵状椭圆形，长 3 ~ 8 cm，宽 1 ~ 4 cm，先端尖，基部圆形或近心形，全缘。气微，味淡、微涩。
功效物质	主要含有红镰霉素 -6- 龙胆二糖苷，含量较高，体外抗氧化作用显著，还具有保肝作用。
功能主治	甘、涩，微温。归肝、胆经。祛风除湿，活血止痛。用于风湿痹痛，胃痛，痛经，产后腹痛，跌打损伤，骨关节结核，骨髓炎，疳积，肝炎，肝硬化。
用法用量	内服煎汤，15 ~ 30 g，大剂量可用 60 ~ 120 g。外用适量，鲜品捣敷。

鼠李科 Rhamnaceae 勾儿茶属 Berchemia 凭证标本号 320125150506207LY

牯岭勾儿茶 *Berchemia kulingensis* Sch.

药材名

紫青藤（药用部位：根、藤茎）。

形态特征

藤状或攀缘灌木。枝长达 3 m，小枝、花序梗和花梗均无毛。叶片纸质，卵状椭圆形或卵状长圆形，长 2 ～ 6.5 cm，宽 1.5 ～ 3.5 cm，先端钝圆或锐尖，具小尖头，基部圆形或近心形，两面无毛或叶背沿脉疏被短柔毛，干后灰绿色，侧脉 7 ～ 9 对，稀达 10 对，两面稍凸起；叶柄长 0.6 ～ 1 cm，无毛或幼时疏被短柔毛；托叶披针形，宿存或脱落。花常 2 ～ 3 簇生成近无梗或具短梗而无分枝的疏散聚伞总状花序，花序顶生，稀成窄聚伞圆锥花序，花序长 3 ～ 5 cm；花梗长约 3 mm；萼片三角形，边缘疏生缘毛；花瓣绿色，倒卵形。核果长圆柱形，长 0.7 ～ 0.9 cm，直径约 4 mm，成熟时红色至黑紫色；果柄长 2 ～ 4 mm。花期 6 ～ 7 月，果期翌年 4 ～ 6 月。

生境分布

生于山谷灌丛、林缘或疏林中。分布于江苏南京、镇江（丹徒、句容）、无锡（宜兴）等。

| 资源情况 | 野生资源较丰富。

| 采收加工 | 根，秋后采挖，鲜用，或切片，晒干；藤茎，5 ~ 7 月采收，鲜用，或切段，晒干。

| 药材性状 | 本品藤茎呈圆柱形，多分枝，黄褐色或棕褐色。表面光滑，具凸起的枝痕，其基部呈类圆形或椭圆形隆起。质极坚硬，难折断，断面不平坦，呈刺状纤维性；中央有类白色、小形的髓；木部占大部分，黄棕色，外周色较浅，黄白色；皮部较薄，易剥离，内表面光滑，具细纵纹。

| 功效物质 | 牯岭勾儿茶多糖具有增强老龄小鼠免疫功能和抗过氧化损伤的作用。

| 功能主治 | 微涩，温。祛风除湿，活血止痛，健脾消疳。用于风湿痹痛，产后腹痛，痛经，闭经，外伤肿痛，疳积，毒蛇咬伤。

| 用法用量 | 内服煎汤，15 ~ 30 g，大剂量可用 30 ~ 90 g。外用适量，捣敷。

鼠李科 Rhamnaceae 枳椇属 Hovenia 凭证标本号 320621181125054LY

枳椇
Hovenia acerba Lindl.

| 药 材 名 | 枳椇子（药用部位：种子）、枳椇叶（药用部位：叶）、枳椇木皮（药用部位：树皮）、枳椇木汁（药用部位：液汁）、枳椇根（药用部位：根）。

| 形态特征 | 乔木，高达 25 m。嫩枝、幼叶两面及叶柄初时有棕褐色柔毛，后渐脱落。叶片纸质至厚纸质，椭圆状卵形、宽卵形或心形，长 8 ~ 17 cm，宽 6 ~ 12 cm，先端短渐尖，基部平截或心形，稀近圆形或宽楔形，常不对称，边缘具整齐、浅而钝的细锯齿，具基生三出脉，叶背无毛或沿脉及脉腋有稀疏短柔毛；叶柄长 2 ~ 5 cm。花排成对称的二歧式聚伞圆锥花序，花序梗和花梗无毛或近无毛；花直径 5 ~ 6.5 mm；萼片具网状脉纹或纵条纹；花瓣黄绿色，椭圆状匙形，基部具短爪；花盘被柔毛；花柱中裂，稀浅裂或深裂。浆果状核果

近圆球形，成熟时黄褐色或棕褐色，果序轴明显膨大，扭曲，肉质；种子褐色或紫黑色，有光泽。花期 5 ~ 7 月，果期 8 ~ 10 月。

| **生境分布** | 生于山坡林缘或疏林中。分布于江苏南部等。

| **资源情况** | 野生及栽培资源较丰富。

| **采收加工** | 枳椇子：10 ~ 11 月果实成熟时连肉质花序轴一并摘下，晒干，取出种子。
枳椇叶：夏末采收，晒干。
枳椇木皮：春季剥取，晒干。
枳椇木汁：凿孔收集树干中流出的液汁。
枳椇根：秋后采挖，洗净，切片，晒干。

| **功效物质** | 种子富含二氢异黄酮类化合物，其是降尿酸的功效成分；抗肿瘤活性成分为二氢杨梅素。果实还含有大量葡萄糖、苹果酸钙。叶中黄酮类化合物具有较好的 α- 葡萄糖苷酶抑制活性。

| **功能主治** | 枳椇子：甘，平。归胃经。解酒毒，止渴除烦，止呕，利二便。用于醉酒，烦渴，呕吐，二便不利。
枳椇叶：苦，凉。归胃、肝经。清热解毒，除烦止渴。用于风热感冒，醉酒烦渴，呕吐，大便秘结。
枳椇木皮：苦，温。归肝、脾、肾经。活血，舒筋，消食，疗痔。用于筋脉拘挛，食积，痔疮。
枳椇木汁：甘，平。归肺经。辟秽除臭。用于狐臭。
枳椇根：甘、涩，温。归肝、肾经。祛风活络，止血，解酒。用于风湿筋骨痛，劳伤咳嗽，咯血，小儿惊风，醉酒。

| **用法用量** | 枳椇子：内服煎汤，6 ~ 15 g；或浸酒。
枳椇叶：内服煎汤，9 ~ 15 g；或浸酒。
枳椇木皮：内服煎汤，9 ~ 15 g。外用适量，煎汤洗。
枳椇木汁：外用适量，煎汤洗。
枳椇根：内服煎汤，9 ~ 15 g，鲜品 120 ~ 240 g；或炖肉。

| **附　注** | 本种果柄酿制的"拐枣白酒"，性热，有活血、散瘀、去湿、平喘等功效。民间常用拐枣白酒泡药或直接用于医治风湿麻木、跌打损伤等。

鼠李科 Rhamnaceae | 马甲子属 Paliurus | 凭证标本号 321183150921730LY

铜钱树
Paliurus hemsleyanus Rehd.

| **药 材 名** | 金钱木根（药用部位：根）。

| **形态特征** | 乔木或小乔木，稀灌木，高达 15 m。小枝无毛或被短柔毛。叶片纸质或厚纸质，宽椭圆形、卵状椭圆形或近圆形，长 4 ~ 12 cm，宽 2.5 ~ 9 cm，先端长渐尖或渐尖，基部宽楔形或近圆形，边缘具细锯齿或圆钝齿，两面无毛或表面沿脉被短柔毛；叶柄长达 2 cm，近无毛或上面疏被短柔毛；无托叶刺，幼龄树叶柄基部常有 2 斜向托叶针刺。聚伞花序或聚伞圆锥花序，顶生或兼腋生，无毛；萼片三角形或宽卵形；花瓣黄绿色，匙形；花盘五边形，5 浅裂。核果草帽状，周围具革质宽翅，成熟时红褐色或紫红色，无毛，直径 2 ~ 4 cm；果柄长 1.2 ~ 1.5 cm，无毛。花期 5 月，果期 9 ~ 10 月。

| 生境分布 | 生于山坡、路旁、疏林中或林缘。分布于江苏南京、镇江（句容）、无锡（宜兴）等。江苏庭院常有栽培。 |

| 资源情况 | 野生及栽培资源较丰富。 |

| 采收加工 | 秋后采挖，洗净，切片，晒干。 |

| 功效物质 | 树皮含有鞣质类成分。 |

| 功能主治 | 甘，平。归肝、脾经。补气。用于劳伤乏力。 |

| 用法用量 | 内服煎汤，10 ~ 15 g。 |

鼠李科 Rhamnaceae 猫乳属 Rhamnella 凭证标本号 320115170710012LY

猫乳
Rhamnella franguloides (Maxim.) Weberb.

| 药 材 名 | 鼠矢枣（药用部位：果实、根）。

| 形态特征 | 灌木或小乔木，高 2 ~ 9 m。小枝被短柔毛。叶片倒卵状长圆形、倒卵状椭圆形、长椭圆形，稀倒卵形，长 4 ~ 12 cm，宽 2 ~ 5 cm，先端尾状渐尖、渐尖或骤短尖，基部圆形或楔形，边缘有细锯齿，叶面无毛，叶背被柔毛或仅沿叶脉被柔毛，侧脉 5 ~ 11 对，稀达 13 对；叶柄长达 6 mm，密被柔毛；托叶披针形，长约 4 mm，宿存或脱落。聚伞花序腋生，花序梗短或近无梗，被短柔毛或无毛；萼片三角状卵形，边缘疏被短毛；花瓣黄绿色，宽倒卵形，先端微凹；花梗长达 5 mm。核果圆柱形，长达 9 mm，成熟时红色或橘红色，干后黑色或紫褐色，果柄长达 5 mm，疏被柔毛或无毛。花期 5 ~ 7 月，果期 7 ~ 10 月。

| **生境分布** | 生于山坡、路旁或灌木林中。江苏各地均有分布。

| **资源情况** | 野生资源较丰富。

| **采收加工** | 果实，采收成熟果实，晒干；根，秋后采挖，洗净，切片，晒干。

| **功效物质** | 猫乳总黄酮具有较好的抗氧化作用。

| **功能主治** | 苦，平。补脾益肾，疗疮。用于体质虚弱，劳虚乏力，疥疮。

| **用法用量** | 内服煎汤，6 ~ 15 g。外用适量，煎汤洗。

鼠李科 Rhamnaceae 鼠李属 *Rhamnus* 凭证标本号 320102190612126LY

长叶冻绿
Rhamnus crenata Siebold et Zucc.

| 药 材 名 | 黎辣根（药用部位：根或根皮）。

| 形态特征 | 灌木或小乔木，高 2 ~ 7 m。芽裸露，密被锈色柔毛；枝无刺，幼时被柔毛。叶互生；叶片纸质，倒卵状椭圆形、椭圆形、倒卵形或长圆形，长 4 ~ 14 cm，宽 2 ~ 4 cm，先端短尾状渐尖或骤短尖，基部楔形或近圆形，边缘有细锯齿，叶面无毛，叶背被柔毛或仅沿脉微被柔毛，侧脉 7 ~ 12 对；叶柄长达 1.2 cm，密被柔毛。聚伞花序腋生，花序梗长达 1.5 cm，与花梗均被短柔毛；花两性，5 基数；萼片三角形；花瓣近圆形，先端 2 浅裂。核果圆球形或倒卵状圆球形，直径约 0.7 cm，成熟时红色、黑色或紫黑色，具 3 分核，果柄长达 0.6 cm，无毛或疏生短柔毛；种子背面无纵沟。花期 5 ~ 6 月，果期 8 ~ 10 月。

| 生境分布 | 生于山地林中或灌丛。分布于江苏南京、镇江（句容）、无锡（宜兴）、苏州（常熟）等。

| 资源情况 | 野生资源较丰富。

| 采收加工 | 秋后采挖根，鲜用或切片，晒干；或剥皮，晒干。

| 功效物质 | 根含有柯桠素、鼠李宁A、鼠李宁B。

| 功能主治 | 苦、辛，平；有毒。归肝、大肠经。清热解毒，杀虫利湿。用于疥疮，顽癣，疮疖，湿疹，荨麻疹，癞痢头，跌打损伤。

| 用法用量 | 内服煎汤，3～5g；或浸酒。外用适量，煎汤熏洗；或捣敷；或研末调敷；或研末醋调擦。

| 附　注 | 本种的果肉入药可解热，治疗泄泻及瘰疬等。

鼠李科 Rhamnaceae 鼠李属 *Rhamnus* 凭证标本号 321112180724024LY

圆叶鼠李 *Rhamnus globosa* Bunge

| 药 材 名 | 冻绿刺（药用部位：茎、叶、根皮）。

| 形态特征 | 灌木，高达 2 m。芽具鳞片；小枝对生或近对生，稀兼互生，枝先端和分叉处具针刺，幼时密被短柔毛。叶在长枝上对生或近对生，稀兼互生，在短枝上簇生；叶片纸质，卵圆形、倒卵圆形或近圆形，长 2 ~ 6 cm，宽 1.2 ~ 4 cm，先端骤尖或短渐尖，稀圆钝，基部宽楔形或近圆形，边缘具细钝齿，两面被短柔毛，侧脉 3 ~ 4 对；叶柄长达 1 cm，密被柔毛。花数朵至 20 余簇生于短枝或长枝下部叶腋，花单性，雌雄异株，4 基数；花梗长达 0.8 cm，与花萼均有疏柔毛；花瓣黄绿色。核果近圆球形，直径约 0.6 cm，成熟时黑色，具 2（~ 3）分核，果柄长达 0.8 cm，疏被柔毛；种子背面或背侧有长为种子 3/5 的纵沟。花期 4 ~ 5 月，果期 8 ~ 10 月。

| 生境分布 | 生于山坡杂木林或灌丛中。分布于江苏连云港、苏州（吴江）、扬州、南京等。 |

| 资源情况 | 野生资源较丰富。 |

| 采收加工 | 夏、秋季采收，晒干。 |

| 功能主治 | 苦、涩，寒。归肺、脾、胃、大肠经。杀虫消食，下气祛痰。用于绦虫病，食积，痢疾，哮喘。 |

| 用法用量 | 内服煎汤，9 ~ 15 g。 |

鼠李科 Rhamnaceae 雀梅藤属 Sageretia 凭证标本号 320482180908181LY

雀梅藤
Sageretia thea (Osbeck) Johnst.

| 药 材 名 |

雀梅藤（药用部位：根）、雀梅藤叶（药用部位：叶）。

| 形 态 特 征 |

攀缘或直立灌木。小枝有刺，密被短柔毛。叶近对生或互生；叶片纸质或薄革质，椭圆形或卵状椭圆形，稀卵形或近圆形，长 0.8 ~ 4.5 cm，宽 0.7 ~ 2.5 cm，基部圆形或近心形，边缘有细锯齿，叶面无毛，叶背无毛或沿脉被柔毛，侧脉 3 ~ 5 对，叶面侧脉不明显，叶背主脉和侧脉均明显凸起；叶柄长 2 ~ 7 mm，被柔毛。穗状花序或圆锥状穗状花序，疏散，顶生或腋生，花序轴长 2 ~ 5 cm，密被短柔毛；花芳香，无梗；花萼外面疏被柔毛，萼片小，三角形或三角状卵形；花瓣淡黄绿色。核果近圆球形，成熟时黑色或紫黑色。花期 7 ~ 11 月，果期翌年 3 ~ 5 月。

| 生 境 分 布 |

生于山坡路旁和林缘。分布于江苏南部等。

| 资 源 情 况 |

野生资源较丰富。

| 采收加工 | **雀梅藤**：秋后采挖，洗净，鲜用，或切片，晒干。
雀梅藤叶：春季采收，鲜用或晒干。

| 功效物质 | 根含有大麦芽碱、无羁萜。

| 功能主治 | **雀梅藤**：甘、淡，平。降气化痰，祛风利湿。用于咳嗽，哮喘，胃痛，鹤膝风，水肿。
雀梅藤叶：酸，凉。清热解毒。用于疮疡肿毒，烫火伤，疥疮，漆疮。

| 用法用量 | **雀梅藤**：内服煎汤，9 ~ 15 g；或浸酒。外用适量，捣敷。
雀梅藤叶：内服煎汤，15 ~ 30 g。外用适量，鲜品捣敷；或煎汤洗；或干品研末调油涂搽。

鼠李科 Rhamnaceae 枣属 *Ziziphus* 凭证标本号 320124170821044LY

枣

Ziziphus jujuba Mill.

| 药 材 名 | 大枣（药用部位：果实）。

| 形态特征 | 落叶小乔木或乔木，稀灌木，高达 10 m。枝有长枝、短枝和无芽小枝，具 2 托叶刺，长刺直伸，长达 3 cm，短刺下弯，长 4 ~ 6 mm。叶片纸质，卵形、卵状椭圆形或卵状长圆形，长 3 ~ 7 cm，宽 1 ~ 3 cm，先端钝或圆，稀锐尖，基部近圆形，边缘具钝齿，两面无毛或叶背沿脉疏被微毛；叶柄长达 1 cm。花芳香，花单生或 2 至数朵密集成聚伞花序，腋生；萼片卵状三角形；花瓣淡黄绿色，倒卵圆形，基部有爪。核果长圆形或长卵圆形，长 2 ~ 3.5 cm，直径 1.5 ~ 2 cm，成熟时红色，后变红紫色，中果皮肉质，味甜，核两端尖，果柄长达 0.5 cm；种子扁椭圆形。花期 5 ~ 7 月，果期 8 ~ 9 月。

| **生境分布** | 生于海拔 1 700 m 以下的山区、丘陵或平原。江苏各地均有栽培。

| **资源情况** | 栽培资源一般。

| **采收加工** | 秋季果实成熟时采收，一般随采随晒。

| **药材性状** | 本品呈椭圆形或球形，长 2 ～ 3.5 cm，直径 1.5 ～ 2 cm。表面暗红色，略带光泽，有不规则皱纹。基部凹陷，有短果柄。外果皮薄，中果皮棕黄色或淡褐色，肉质，柔软，富糖性而油润。果核纺锤形，两端锐尖，质坚硬。气微香，味甜。

| **功效物质** | 果实中的三萜类化学成分主要以羽扇豆烷型、齐墩果烷型、乌苏烷型为主，具有调节免疫、保肝、抑制肿瘤细胞增殖、抗炎、抗菌等生物活性。糖类成分主要为单（寡）糖和可溶性多糖，其单（寡）糖类以葡萄糖、果糖和蔗糖较为多见，该类成分为重要的营养物质，可为机体提供能量，与补益功效相关。黄酮类、皂苷类可通过抑制中枢神经兴奋来降低焦虑、促进睡眠。黄酮类成分可防治脑缺血症并对脑缺血所致的脑组织超微结构损伤具有保护作用。

| **功能主治** | 甘，温。归脾、胃经。补中益气，养血安神。用于脾虚食少，乏力便溏，妇人脏躁。

| **用法用量** | 内服煎汤，9 ～ 15 g。

| **附　　注** | 江苏栽培有鸭枣、木枣、牛奶枣、水团枣、马枣、绿钵枣、泗洪沙枣等品种。

鼠李科 Rhamnaceae 枣属 Ziziphus 凭证标本号 320111140829028LY

无刺枣
Ziziphus jujuba Mill. var. inermis (Bunge) Rehd.

| 药 材 名 | 无刺枣（药用部位：果实）。

| 形态特征 | 落叶小乔木或乔木，稀灌木，高达 10 m。枝有长枝、短枝和无芽小枝，长枝无皮刺，幼枝无托叶刺。叶片纸质，卵形、卵状椭圆形或卵状长圆形，长 3 ~ 7 cm，宽 1 ~ 3 cm，先端钝或圆，稀锐尖，基部近圆形，边缘具钝齿，两面无毛或叶背沿脉疏被微毛；叶柄长达 1 cm。花芳香，单生或 2 至数朵密集成聚伞花序，腋生；萼片卵状三角形；花瓣淡黄绿色，倒卵圆形，基部有爪。核果长圆形或长卵圆形，长 2 ~ 3.5 cm，直径 1.5 ~ 2 cm，成熟时红色，后变红紫色，中果皮肉质，味甜，核两端尖，果柄长达 0.5 cm；种子扁椭圆形。花期 5 ~ 7 月，果期 8 ~ 10 月。

| **生境分布** | 生于海拔 1 600 m 以下的村庄、屋旁。江苏各地均有栽培。 |

| **资源情况** | 栽培资源一般。 |

| **采收加工** | 秋季果实成熟时采收，一般随采随晒。 |

| **功效物质** | 富含三萜酸类、生物碱类、黄酮类、糖类化学成分。 |

| **功能主治** | 补中益气，养血安神。用于脾虚食少，乏力便溏，妇人脏躁。 |

| **用法用量** | 内服煎汤，9 ~ 15 g。 |

鼠李科 Rhamnaceae 枣属 Ziziphus 凭证标本号 320830160712021LY

酸枣

Ziziphus jujuba Mill. var. *spinosa* (Bunge) Hu ex H. F. Chow.

| 药 材 名 |

酸枣仁（药用部位：种子）。

| 形态特征 |

常为灌木，高达 10 m。枝有长枝、短枝和无芽小枝，具 2 托叶刺，长刺直伸，长达 3 cm，短刺下弯，长 4 ~ 6 mm。叶片较小，椭圆形至卵状披针形，长 1.5 ~ 3.5 cm，宽 0.6 ~ 1.2 cm；叶柄长达 1 cm。花芳香，单生或 2 至数朵密集成聚伞花序，腋生；萼片卵状三角形；花瓣淡黄绿色，倒卵圆形，基部有爪。核果近圆球形或长圆形，较小，直径 0.7 ~ 1.2 cm，中果皮薄，味酸，核两端钝，果柄长达 0.5 cm；种子扁椭圆形。花期 6 ~ 7 月，果期 8 ~ 9 月。

| 生境分布 |

生于阳坡或干燥瘠土处，常形成灌丛。分布于江苏徐州、连云港、淮安（盱眙）、南京等。

| 资源情况 |

野生资源较少。

| 采收加工 |

秋末冬初采收成熟果实，除去果肉及核壳，

收集种子，晒干。

| 药材性状 | 本品呈扁圆形或扁椭圆形，长 5 ～ 9 mm，宽 5 ～ 7 mm，厚约 3 mm。表面紫红色或紫褐色，平滑，有光泽，有的具纵裂纹。一面较平坦，中间有一隆起的纵线纹；另一面稍凸起。一端凹陷，可见线形种脐；另一端有细小、凸起的合点。种皮较脆，胚乳白色，子叶 2，浅黄色，富油性。以粒大、饱满、有光泽、外皮红棕色、种仁黄白色者为佳。

| 功效物质 | 酸枣仁皂苷是种子发挥镇静安神作用的主要活性成分，其中四环三萜达玛烷型的酸枣仁皂苷 A、酸枣仁皂苷 B 含量最高。黄酮类化合物是种子发挥镇静催眠作用的另一类重要活性成分，种子多以芹菜素为母核形成黄酮碳苷类化合物。

| 功能主治 | 甘，平。归心、脾、肝、胆经。养心补肝，宁心安神，敛汗，生津。用于虚烦不眠，惊悸多梦，体虚多汗，津伤口渴。

| 用法用量 | 内服煎汤，6 ～ 15 g；或研末，3 ～ 5 g；或入丸、散剂。

葡萄科 Vitaceae 蛇葡萄属 *Ampelopsis* 凭证标本号 321112180724005LY

东北蛇葡萄

Ampelopsis heterophylla (Thunb.) Sieb. et Zucc. var. *brevipedunculata* (Regel) C. L. Li

| 药 材 名 | 蛇白蔹（药用部位：根皮）。

| 形态特征 | 木质藤本。小枝具纵棱，与叶柄及叶片背面均被白色柔毛或锈色长柔毛；卷须二至三叉分枝。叶为单叶，纸质，宽卵形或心形，常3浅裂，小枝上部叶片常不分裂，长 3.5 ~ 14 cm，宽 3 ~ 12 cm，先端渐尖或短渐尖，基部心形，边缘有圆钝齿，齿端具小尖头，叶面被短柔毛，基出脉5，沿中脉有侧脉 4 ~ 5 对；叶柄长 1.5 ~ 7 cm。聚伞花序与叶对生，花序梗长 2 ~ 4 cm，与花序轴均被柔毛或锈色长柔毛；花萼浅裂；花瓣长圆形或卵状三角形，与花梗、花萼均被柔毛或锈色短柔毛。浆果圆球形或肾形，直径 0.6 cm，成熟时蓝黑色。花期 5 ~ 6 月，果期 8 ~ 9 月。

| **生境分布** | 生于山坡、路旁或灌丛中。江苏各地均有分布。

| **资源情况** | 野生资源丰富。

| **采收加工** | 秋季采挖根，除去地上部分及泥土，剥取根皮，晒干或趁鲜切片，晒干。

| **药材性状** | 本品为类圆形厚片。外表皮淡灰褐色，有纵直皱纹。切面皮部淡灰褐色，中部淡棕色，有多数圆孔。质硬。

| **功效物质** | 主要含有黄酮类、酚酸类、低聚芪类、甾醇类、萜类、鞣质类和挥发油类等资源性成分。茎叶含有丰富的黄酮类，如蛇葡萄素、槲皮素、杨梅素等，含量高达 45%。根主要含有以羽扇豆醇、齐墩果酸等为主的五环三萜类成分和以 β- 谷甾醇、胡萝卜苷等为主的甾醇类成分。蛇葡萄素具有抗肿瘤、抗菌、保肝护肝、降血压等药理作用。

| **功能主治** | 清热解毒，祛风除湿，活血散结。用于肺痈吐脓，肺痨咯血，风湿痹痛，跌打损伤，疮痈肿毒，瘰疬，恶性肿瘤。

| **用法用量** | 内服煎汤，15 ~ 30 g，鲜品加倍；或研末。外用适量，捣敷；或米醋调敷。

| **附　　注** | 民间还用本种的叶焙干研末，撒于患处，治疗外伤出血。

葡萄科 Vitaceae 蛇葡萄属 Ampelopsis 凭证标本号 320116180610028LY

三裂蛇葡萄 *Ampelopsis delavayana* Planch.

| 药 材 名 | 金刚散（药用部位：茎藤、根）。

| 形态特征 | 木质藤本。小枝有纵棱，幼时疏被短柔毛，后渐脱落；卷须二至三叉分枝。叶为掌状3小叶，小枝上部常兼有单叶，中央小叶披针形或椭圆状披针形，长5～13 cm，宽2～4 cm，先端渐尖，基部楔形或近圆形，侧生小叶卵状椭圆形或卵状披针形，基部近楔形，不对称，长4.5～11.5 cm，边缘有粗锯齿，叶面和叶背沿脉疏被柔毛，侧脉5～7对，网脉两面均不明显；叶柄长3～10 cm，疏被柔毛，小叶片有柄或无柄。多歧聚伞花序与叶对生，花序梗长达4 cm；花梗短，与花序梗均被短柔毛；花萼碟形，边缘波状浅裂，无毛；花瓣卵状椭圆形，外侧无毛。果实近圆球形，直径约0.8 cm，有种子2～3。花期6～8月，果期9～11月。

| 生境分布 | 生于山坡疏林中。分布于江苏常州（溧阳）等。 |

| 资源情况 | 野生资源一般。 |

| 采收加工 | 茎藤，夏、秋季采收，洗净，切片，晒干或烘干；根，秋季采挖，洗净，切片，晒干或烘干。 |

| 功效物质 | 根主要含有黄酮类、酚酸类、低聚芪类、甾醇类和挥发油类等资源性成分，如羽扇豆醇、β-谷甾醇、β-胡萝卜素、橘红素、儿茶素等，具有显著的抗炎镇痛作用。 |

| 功能主治 | 辛、苦，凉。消炎镇痛，接骨止血，生肌散血。用于淋证，白浊，疝气，风湿痹痛，跌打瘀肿，创伤出血，烫伤，疮痈。 |

| 用法用量 | 内服煎汤，15 ~ 30 g，鲜品加倍。外用适量，捣敷；或研末调敷。 |

| 附　注 | 掌裂蛇葡萄 *Ampelopsis delavayana* (Franch.) Planch. var. *glabra* (Diels ex Gilq) C. L. Li 与本种的区别在于小叶 3 ~ 5，植株光滑无毛。花期 5 ~ 6 月，果期 7 ~ 9 月。生于沟谷、山坡、灌丛或荒草地，分布于江苏淮安（盱眙）、南京（江宁）、镇江（句容）、常州（溧阳）、无锡（宜兴）、苏州等。 |

葡萄科 Vitaceae 蛇葡萄属 Ampelopsis 凭证标本号 321084180729141LY

光叶蛇葡萄

Ampelopsis heterophylla (Thunb.) Sieb. & Zucc. var. *hancei* Planch.

| 药 材 名 | 蛇葡萄（药用部位：根或根皮）。

| 形态特征 | 木质藤本。卷须分叉，顶端不扩大。单叶互生，心形或卵形，3 ~ 5 中裂，常混生有不分裂者，顶端急尖，基部心形，基缺近呈钝角，稀圆形，边缘有急尖锯齿，上面绿色，无毛，下面浅绿色。聚伞花序，碟形，边缘具波状浅齿，外面疏生短柔毛；花瓣 5，卵椭圆形。果实近球形，种子 2 ~ 4。花期 4 ~ 6 月，果期 8 ~ 10 月。

| 生境分布 | 生于山坡、路旁或灌丛中。分布于江苏连云港、南京、镇江、苏州（常熟）、南通（海门）等。

| 资源情况 | 野生资源较丰富。

| **采收加工** | 秋季采挖根或剥取根皮，洗净泥土，切片，晒干。鲜用随时采用。

| **功效物质** | 根主要含有以白藜芦醇苷及蛇葡萄素 A、蛇葡萄素 B、蛇葡萄素 C 等其二聚体或三聚体为主的低聚芪类化合物，此外还有云杉新苷、顺式云杉新苷等酚类成分。同时还含有羽扇豆醇、β-谷甾醇、β-胡萝卜素、儿茶素等资源性成分。研究表明，光叶蛇葡萄中的儿茶酸、没食子酸及其正丁酯也可以通过改变丙氨酸转氨酶（ALT）、天冬氨酸转氨酶（AST）等指标，表现出对四氯化碳诱导肝损伤小鼠的保护作用。

| **功能主治** | 苦，凉。清热解毒，祛风活络，止痛，止血。用于风湿关节痛，呕吐，泄泻，溃疡；外用于跌打损伤，疮痈肿毒，外伤出血，烫火伤。

| **用法用量** | 内服煎汤，15～30 g，鲜品加倍。外用适量，煎汤洗。

葡萄科 Vitaceae 蛇葡萄属 Ampelopsis 凭证标本号 321323180522143LY

葎叶蛇葡萄 *Ampelopsis humulifolia* Bunge

| 药 材 名 | 七角白蔹（药用部位：根皮）。

| 形态特征 | 木质藤本。小枝有纵棱，无毛；卷须二叉分枝。叶为单叶，3～5浅裂或中裂，稀兼有不裂叶，长6～12 cm，宽5～10 cm，心状五角形或肾状五角形，先端短渐尖，基部心形，基缺先端凹成圆形，边缘有粗锯齿，叶面无毛，叶背粉绿色，无毛或沿脉有稀疏柔毛；叶柄长3～5 cm，无毛或疏被柔毛；托叶早落。多歧聚伞花序与叶对生，花序梗长3～6 cm，无毛或被稀疏柔毛；花梗短，被短柔毛；花萼碟形，边缘波状，外面无毛；花瓣卵状椭圆形，外侧无毛。果实圆球形，直径0.6～1 cm，有种子2～4。花期5～7月，果期7～9月。

| **生境分布** | 生于山坡、沟谷、灌丛、林缘或疏林中。分布于江苏连云港（灌云、赣榆）、南京、镇江（句容）等。 |

| **资源情况** | 野生资源较丰富。 |

| **采收加工** | 秋季采挖根，洗净，剥取根皮，鲜用或晒干。 |

| **功效物质** | 根含有羽扇豆醇、β-谷甾醇、胡萝卜苷和儿茶素等多种资源性成分。 |

| **功能主治** | 辛，温。归肝、胃经。活血散瘀，消炎解毒，生肌长骨，祛风除湿。用于风湿痹痛，跌打瘀肿，痈疽肿痛。 |

| **用法用量** | 内服煎汤，9 ~ 15 g。外用适量，捣敷。 |

葡萄科 Vitaceae 蛇葡萄属 Ampelopsis 凭证标本号 320121180713246LY

白蔹
Ampelopsis japonica (Thunb.) Makino

| 药 材 名 | 白蔹（药用部位：块根）。

| 形态特征 | 木质藤本。块根肉质，纺锤形、圆柱形或近圆球形。卷须不分枝或先端有短分叉。3 小叶复叶或掌状 5 小叶，小叶片长 4 ~ 14 cm，宽 6 ~ 12 cm，羽状深裂或边缘具深锯齿而不分裂，3 小叶者中央小叶片有 1 关节或无关节，基部窄，呈翅状；掌状 5 小叶者中央小叶片和侧生小叶片深裂至基部，小裂片与叶轴连接处有 1 ~ 3 关节，关节间有翅，侧生小叶较小，无关节或有 1 关节；叶片两面无毛或叶背有时沿脉疏被短柔毛；叶柄长达 4 cm。聚伞花序，花序梗纤细，长达 8 cm，与叶对生，常缠绕；花梗极短或近无梗；花萼碟形，5 浅裂，边缘波状浅裂；花瓣宽卵形。果实圆球形，直径约 1 cm，成熟时蓝色或白色，有种子 1 ~ 3。花期 5 ~ 6 月，果期 9 ~ 10 月。

生境分布	牛干山坡、路旁、疏林或荒地。江苏各地均有分布。江苏多地药圃有栽培。

资源情况	野生及栽培资源较丰富。

采收加工	春、秋季采挖，除去泥沙和细根，切成纵瓣或斜片，晒干。

药材性状	本品呈长圆形或纺锤形，多纵切成瓣或斜片。完整者长 5 ~ 12 cm，直径 1.5 ~ 3.5 cm。表面红棕色或红褐色，有纵皱纹、细横纹及横长皮孔，栓皮易层层脱落，脱落处显淡红棕色，剖面类白色或淡红棕色，皱缩不平。斜片呈卵圆形，长 2.5 ~ 5 cm，宽 2 ~ 3 cm，切面类白色或浅红棕色，可见放射状纹理，周边较厚，微翘起或略弯曲。体轻，质硬脆，粉性。以肥大、断面粉红色、粉性足者为佳。

功效物质	主要含有酚酸类、蒽醌类、甾醇类、三萜类、黄酮类等多种资源性成分，其中酚酸类成分没食子酸和蒽醌类成分大黄素被认为是其主要的活性成分，具有抗菌、降糖、抗肿瘤等活性，可用于白蔹的质量评价。蒽醌类成分大黄素、大黄酚、大黄素甲醚等具有良好的抗菌作用，没食子酸、齐墩果酸、白藜芦醇等具有显著抗肿瘤活性。

功能主治	苦、辛，微寒。归心、肝、脾经。清热解毒，消痈散结，敛疮生肌。用于痈疽发背，疔疮，瘰疬，烫火伤。

用法用量	内服煎汤，3 ~ 10 g；或研末。外用适量，研末撒；或调涂。

附　注	本种醇提取物具有提高免疫力和抗感染的作用。

葡萄科 Vitaceae 乌蔹莓属 Cayratia 凭证标本号 320382180726001LY

乌蔹莓 *Cayratia japonica* (Thunb.) Gagnep.

| 药 材 名 | 乌蔹莓（药用部位：全草或根）。

| 形态特征 | 草质藤本。幼枝疏被柔毛，后渐脱落；卷须二至三叉分枝。叶为鸟足状 5 小叶，稀混生有 3 小叶，中央小叶片长椭圆形或椭圆状披针形，长 2.5 ~ 4.5 cm，宽 1.5 ~ 4.5 cm，边缘有疏锯齿，侧生小叶较小，成对着生于同一小叶柄上，小叶片椭圆形或长椭圆形，叶两面无毛或背面微被短毛，侧脉 5 ~ 9 对；叶柄长达 10 cm，中央小叶柄长达 2.5 cm，侧生小叶无柄或有短柄。复二歧聚伞花序，腋生或假顶生；花序梗长达 13 cm，无毛或微被短毛；花梗短，近无毛；花萼碟形，外侧被乳突状毛或近无毛；花瓣外侧被乳突状毛；花盘发达，橘红色，4 浅裂。浆果近圆球形，成熟时黑色，有光泽。花期 6 ~ 7 月，果熟期 8 ~ 9 月。

| 生境分布 | 生于山坡、路边、沟谷、草丛或灌丛中。江苏各地均有分布。 |

| 资源情况 | 野生资源较丰富。 |

| 采收加工 | 全草，夏、秋季采收，洗净泥土，除去杂质，晒干；根，夏、秋季采挖，除去杂质，洗净，切段，晒干或鲜用。 |

| 药材性状 | 本品茎呈圆柱形，扭曲，有纵棱，多分枝，带紫红色；卷须二歧分叉，与叶对生。叶皱缩。展平后为鸟足状复叶，小叶 5，椭圆形、椭圆状卵形至狭卵形，边缘具疏锯齿，两面中脉有毛茸或近无毛，中间小叶较大，有长柄，侧生小叶较小，叶柄长可达 4 cm 以上。浆果卵圆形，成熟时黑色。气微，味苦、涩。 |

| 功效物质 | 全草含有硝酸钾、黏液质（可水解生成阿拉伯聚糖）、甾醇类、氨基酸类、酚酸类、黄酮类、内酯类和香豆素等资源性成分。根含有生物碱类、鞣质、淀粉、树胶等。果皮含有乌蔹莓素。挥发油类常温下为黄棕色透明油状液体，其中单萜、倍半萜及其含氧化合物占 60%。全草中多种成分具有抗菌、抗病毒、抗炎等药理作用，同时又可外敷或制剂，具有解毒消肿的功效。 |

| 功能主治 | 苦、酸，寒。归心、肝、胃经。清热利湿，解毒消肿。用于热毒痈肿，疔疮，丹毒，咽喉肿痛，蛇虫咬伤，烫火伤，风湿痹痛，黄疸，泻痢，白浊，血尿。 |

| 用法用量 | 内服煎汤，15 ~ 30 g；或浸酒；或捣汁。外用适量，捣敷。 |

葡萄科 Vitaceae 地锦属 Parthenocissus 凭证标本号 321284190701009LY

地锦
Parthenocissus tricuspidata (Sieb. & Zucc.) Planch.

| 药 材 名 | 地锦（药用部位：藤茎、根）。

| 形态特征 | 木质藤本。小枝无毛；卷须 5 ~ 9 分枝，幼时先端膨大成圆球形，后遇附着物时扩大成吸盘。叶异型，能育枝上叶片宽倒卵形，长 10 ~ 20 cm，宽 8 ~ 17 cm，先端 3 浅裂，基部心形，边缘有粗锯齿，两面无毛或叶背沿脉被短柔毛；不育枝上的叶常 3 全裂或为三出复叶，中央小叶片倒卵形，侧生小叶片斜卵形，边缘有粗锯齿，幼枝上常为单叶，较小，卵形或卵圆形，不分裂；叶柄长达 22 cm。多歧聚伞花序着生于短枝上，长达 13 cm，主轴不明显，花序梗长达 3.5 cm，近无毛；花梗短，无毛；花萼碟形，全缘或呈波状，无毛；花瓣长椭圆形。果实圆球形，直径 1 ~ 1.5 cm，成熟时蓝黑色，常被白粉，有种子 1 ~ 3。花期 5 ~ 8 月，果期 9 ~ 11 月。

| **生境分布** | 常攀缘于岩石、树干或墙壁上。江苏各地均有分布。

| **资源情况** | 野生资源丰富。

| **采收加工** | 藤茎，秋季采收，去掉叶片，切段，鲜用或晒干；根，冬季采挖，洗净，切片，鲜用或晒干。

| **药材性状** | 本品藤茎呈圆柱形，灰绿色，光滑。外表有细纵条纹，并有细圆点状凸起的皮孔，呈棕褐色。节略膨大，节上常有叉状分枝的卷须。断面中央有类白色的髓，木部黄白色，皮部呈纤维片状剥离。根纤细，常不分枝。气微，味淡。

| **功效物质** | 种子含有烷烃、脂肪酸、脂肪醇和甾醇类资源性成分。叶含有莽草酸和花青苷等。茎含有蔗糖、还原糖（主要是葡萄糖）、矢车菊素和白藜芦醇等。冠瘿含有羟乙基赖氨酸、羟乙基鸟氨酸。果实、茎、叶中多糖含量较高，分别约为6.39%、21.88%、11.7%，多糖为其主要有效成分，具有提高机体免疫、抗病毒、抗衰老的作用。此外，果实还含有丰富的人体必需的微量元素，如钠、钾、镁、铁等，具有较高的营养和临床医疗价值。

| **功能主治** | 辛、微涩，温。清热利湿，解毒消肿。用于热毒痈肿，疔疮，丹毒，咽喉肿痛，蛇虫咬伤，烫火伤，风湿痹痛，黄疸，泻痢，白浊，尿血。

| **用法用量** | 内服煎汤，15 ~ 30 g；或浸酒。外用适量，煎汤洗；或磨汁涂；或捣敷。

葡萄科 Vitaceae 葡萄属 Vitis 凭证标本号 320115160424006LY

蘡薁

Vitis bryoniifolia Bge.

| 药 材 名 | 蘡薁（药用部位：果实）、蘡薁藤（药用部位：茎叶）、蘡薁根（药用部位：根）。

| 形态特征 | 木质藤本。幼时小枝、叶柄、叶片背面、花序梗及花序轴均密被蛛丝状绒毛或柔毛，后渐脱落变稀疏；卷须二叉分枝。叶片宽卵形、三角状卵形或卵状椭圆形，长 2.5 ~ 8 cm，宽 2 ~ 8 cm，3 ~ 5（~ 7）深裂或浅裂，稀兼有不裂叶，边缘具缺刻状粗齿，先端急尖或短渐尖，基部心形、深心形、浅心形或近截形，叶面疏被短柔毛，基出脉 5，沿中脉有侧脉 4 ~ 6 对，两面网脉均不明显；叶柄长达 4.5 cm。聚伞圆锥花序长达 12 cm；花序梗长达 2.5 cm；花梗无毛；花萼碟形，近全缘。浆果圆球形，直径达 0.8 cm，成熟时紫色或紫红色；种子倒卵圆形，两侧洼穴向上达种子 3/4 处。花期 4 ~

8 月，果期 6 ~ 10 月。

| **生境分布** | 生于丘陵山地的沟谷、山坡、林缘或灌丛。江苏各地均有分布。

| **资源情况** | 野生资源丰富。

| **采收加工** | 蘡薁：夏、秋季果实成熟时采收，鲜用或晒干。

蘡薁藤：夏、秋季采收，洗净，切片或段，鲜用或晒干。

蘡薁根：秋、冬季采挖，洗净，切片或段，鲜用或晒干。

| **功效物质** | 果实含糖分较高，主要为果糖（84.25 g/L）和葡萄糖（62.46 g/L）。有机酸类型主要为酒石酸（53.34%）、苹果酸（40.64%），其次是柠檬酸（5.96%），同时含有少量的富马酸（0.06%）。此外，还含有以双糖花色苷（88.29%）为主的花色苷类成分，以及黄酮醇、黄烷醇、芪类等酚类成分，为其发挥抗氧化作用的主要成分。

| **功能主治** | 蘡薁：甘、酸，平。生津止渴。用于暑月伤津口干。

蘡薁藤：甘、淡，凉。清热，利湿，止血，解毒消肿。用于淋病，痢疾，崩漏，哕逆，风湿痹痛，跌打损伤，瘰疬，湿疹，疮痈肿毒。

蘡薁根：甘，平。归肝、膀胱经。清热利湿，解毒消肿。用于湿热，黄疸，热淋，痢疾，疮痈肿毒，瘰疬，跌打损伤。

| **用法用量** | 蘡薁：内服适量，嚼食。

蘡薁藤：内服煎汤，15 ~ 30 g；或捣汁。外用适量，捣敷；或取汁点眼、滴耳。

蘡薁根：内服煎汤，15 ~ 30 g，鲜品加倍。外用适量，捣敷；或研末敷。

葡萄科 Vitaceae 葡萄属 Vitis 凭证标本号 320282160428146LY

山葡萄
Vitis amurensis Rupr.

| 药 材 名 | 山藤藤秧（药用部位：根、茎藤）、山藤藤果（药用部位：果实）。

| 形态特征 | 木质藤本。幼时小枝、叶柄、叶片表面及花序梗均疏被蛛丝状绒毛，后渐脱落近无毛；卷须二至三叉分枝。叶片宽卵形，长 6 ~ 24 cm，宽 5 ~ 21 cm，3（~ 5）浅裂或中裂，有时兼有不裂叶，先端急尖或短渐尖，基部宽心形，边缘具不整齐粗锯齿，叶背沿脉被短毛或有时被蛛丝状绒毛，或脱落近无毛，基出脉 5，沿中脉有侧脉 4 ~ 6 对，两面网脉凸起；叶柄长达 14 cm。聚伞圆锥花序疏散，长达 13 cm；花萼碟形，近全缘，与花梗均无毛。浆果圆球形，直径达 1.5 cm，成熟时黑色；种子倒卵圆形，腹面两侧洼穴向上达种子中部或近先端。花期 5 ~ 6 月，果期 7 ~ 9 月。

| **生境分布** | 生于山坡疏林下。分布于江苏南京等。江苏北部一些场圃有栽培。

| **资源情况** | 野生及栽培资源一般。

| **采收加工** | **山藤藤秧：** 秋季采挖根，洗净泥土，切片或剥取根皮，切片，晒干；鲜用随时可采；秋、冬季采收茎藤，洗净，切片或切段，晒干。

山藤藤果： 8 ~ 9 月果熟时采收，鲜用或晒干。

| **功效物质** | 茎藤和叶中的主要化学成分为白藜芦醇，具有抗衰老、皮肤保健和抗肿瘤的作用。茎藤和根含有多种低聚芪类、微量元素、氨基酸类等资源性成分。果实和种子含有以槲皮素、木犀草素、杨梅素及其糖苷等为主的黄酮类化合物，对心脑血管疾病具有良性效应。果实富含可溶性糖、酚类、有机酸、花青素等。山葡萄籽油含量在 9% 以上，其中不饱和脂肪酸含量超过 83%，以亚油酸和油酸为主，饱和脂肪酸含量为 10% 左右，主要为棕榈酸和硬脂酸。

| **功能主治** | **山藤藤秧：** 祛风止痛。用于风湿骨痛，胃痛，腹痛，神经性头痛，术后疼痛，外伤痛。

山藤藤果： 清热利尿。用于烦热口渴，尿路感染，小便不利。

| **用法用量** | **山藤藤秧：** 内服煎汤，3 ~ 9 g。

山藤藤果： 内服煎汤，10 ~ 15 g。

葡萄科 Vitaceae 葡萄属 Vitis 凭证标本号 320102190420065LY

刺葡萄
Vitis davidii (Roman. du Caill.) Foex.

| **药 材 名** | 刺葡萄根（药用部位：根）。

| **形态特征** | 木质藤本。小枝无毛，具皮刺和纵棱；卷须二至三叉分枝。叶片卵圆形或卵状椭圆形，长 5 ~ 15 cm，宽 4 ~ 16 cm，先端急尖或短尾尖，基部心形，边缘有锐细锯齿，不分裂或不明显 3 浅裂，两面无毛，基出脉 5，沿中脉有侧脉 4 ~ 5 对，网脉明显；叶柄长达 13 cm，无毛或疏生软小皮刺。聚伞圆锥花序长达 24 cm，花序梗长达 2.5 cm；花青绿色；花萼碟形，不明显 5 浅裂。浆果圆球形，直径 1.2 ~ 2.5 cm，成熟时紫色或紫红色；种子倒卵状椭圆形，腹面两侧洼穴向上达种子 3/4 处。花期 4 ~ 6 月，果期 7 ~ 10 月。

| **生境分布** | 生于山坡杂木林中。分布于江苏常州（溧阳）、无锡（宜兴）等。

| **资源情况** | 野生资源较丰富。

| **采收加工** | 秋、冬季采挖，洗净，切片，鲜用或晒干。

| **功效物质** | 果实含有糖类 13%、蛋白质 0.88%、果胶 0.81%、纤维素 0.23%，单宁含量低，但维生素 C 含量较高，可达 21.92 mg/100 g。此外，还含有丰富的白藜芦醇、葡萄素、齐墩果酸、花青素等资源性成分，具有抗肿瘤、抗氧化等多种活性，可用于保健品和营养品的开发利用。刺葡萄籽油主要成分为脂肪酸类，以亚油酸为主的不饱和脂肪酸含量约占 87%。

| **功能主治** | 苦，凉。散瘀消积，舒筋止痛。用于吐血，腹胀臌积，关节肿痛，筋骨伤痛。

| **用法用量** | 内服煎汤，15 ~ 30 g。外用适量，煎汤洗。

| **附　　注** | 在江苏南京、无锡（宜兴）、常州（溧阳）等分布有锈毛刺葡萄 *Vitis davidii* (Roman. du Caill.) Foex. var. *ferruginea* Merr. & Chun，叶背沿脉被锈色短柔毛及蛛丝状绒毛，有时脉腋兼有锈色短簇毛。本种是我国野生葡萄中唯一果粒较大的，平均果粒重 1.84 g，最大粒重可达 2.8 g。

葡萄科 Vitaceae 葡萄属 Vitis 凭证标本号 320124170821010LY

葛藟葡萄
Vitis flexuosa Thunb.

| 药 材 名 | 葛藟根（药用部位：根或根皮）、葛藟叶（药用部位：叶）、葛藟汁（药用部位：藤汁）、葛藟果实（药用部位：果实）。

| 形态特征 | 木质藤本。幼时小枝、叶柄及叶背沿脉均疏被蛛丝状绒毛，后渐脱落无毛；卷须二叉分枝。叶片卵形、宽卵形、三角状卵形或卵状椭圆形，长 2.5 ~ 12 cm，宽 2.5 ~ 10 cm，先端急尖或渐尖，基部浅心形或近截形，边缘具不整齐锯齿，叶面无毛，叶背沿脉疏被短柔毛，脉腋有簇毛，基出脉 5，沿中脉有侧脉 4 ~ 5 对，网脉不明显；叶柄长达 7 cm，疏被柔毛。聚伞圆锥花序疏散，长达 12 cm，花序梗长达 5 cm，被蛛丝状绒毛或近无毛；花梗无毛；花萼浅碟形，边缘波状浅裂。浆果圆球形，直径约 1 cm；种子两侧洼穴向上达种子 1/4 处。花期 3 ~ 5 月，果期 7 ~ 11 月。

| **生境分布** | 生于山坡、沟谷、田边、灌丛或林中。分布于江苏镇江（句容）、无锡（宜兴）、连云港等。 |

| **资源情况** | 野生资源较丰富。 |

| **采收加工** | 葛藟根：秋、冬季采挖，洗净，切片，或剥取根皮，切片，鲜用或晒干。
葛藟叶：夏、秋季采摘，洗净，鲜用或晒干。
葛藟汁：夏、秋季砍断茎藤，取汁，鲜用。
葛藟果实：夏、秋季果实成熟时采收，鲜用或晒干。 |

| **功能主治** | 葛藟根：甘，平。利湿退黄，活血通络，解毒消肿。用于黄疸性肝炎，风湿痹痛，跌打损伤，痈肿。
葛藟叶：甘，平。消积，解毒，敛疮。用于食积，痢疾，湿疹，烫火伤。
葛藟汁：甘，平。益气生津，活血舒筋。用于乏力，口渴，哕逆，跌打损伤。
葛藟果实：甘，平。润肺止咳，凉血止血，消食。用于肺燥咳嗽，吐血，食积，泻痢。 |

| **用法用量** | 葛藟根：内服煎汤，15 ~ 30 g。外用适量，捣敷。
葛藟叶：内服煎汤，10 ~ 15 g。外用适量，煎汤洗；或捣汁涂。
葛藟汁：内服原汁，5 ~ 10 g。外用适量，涂敷；或点眼。
葛藟果实：内服煎汤，10 ~ 15 g。 |

葡萄科 Vitaceae 葡萄属 Vitis 凭证标本号 320829170711147LY

毛葡萄
Vitis heyneana Roem. et Schult

| 药 材 名 | 毛葡萄根皮（药用部位：根皮）、毛葡萄叶（药用部位：叶）。

| 形态特征 | 木质藤本。小枝被蛛丝状绒毛；卷须二至三叉分枝，密被绒毛。叶片卵圆形、长卵状椭圆形，长 4 ~ 12 cm，宽 3 ~ 8 cm，先端急尖或短渐尖，基部心形或浅心形，边缘有小锯齿，叶面初时被蛛丝状绒毛，后渐脱落，叶背密被绒毛，基出脉 3 ~ 5，沿中脉有侧脉 4 ~ 6 对；叶柄长达 6 cm，密被蛛丝状绒毛。聚伞圆锥花序长达 14 cm，花序梗长 1 ~ 2 cm，被蛛丝状绒毛；花梗无毛；花萼碟形，近全缘。果实圆球形，成熟时紫黑色，直径达 1.3 cm；种子倒卵圆形，两侧洼穴向上达种子 1/4 处。花期 4 ~ 6 月，果期 6 ~ 10 月。

| 生境分布 | 生于山坡、谷地丛林中。分布于江苏连云港、南京、无锡（宜兴）等。

| 资源情况 | 野生资源较丰富。

| 采收加工 | **毛葡萄根皮**：秋、冬季采挖根，洗净，剥取根皮，切片，鲜用或晒干。
毛葡萄叶：夏、秋季采收，晒干。

| 功效物质 | 果实中糖少酸多，单宁含量高，含多种维生素、氨基酸、矿物质等。果皮、果肉、种子均含有儿茶素、表倍儿茶素等黄烷 -3- 醇及其衍生物，黄烷 -3- 醇类、多酚类成分具有抗氧化活性，是影响果实风味和品质的重要成分。果实和叶还含有丰富的黄酮类成分，如二氢杨梅素、槲皮素、芹菜素等，其具有明显的抗血栓作用。毛葡萄籽油以不饱和脂肪酸为主，其含量约为总量的 83.6%，其中亚油酸 61.75%、油酸 18.76%，饱和脂肪酸主要为棕榈酸（9.86%）和硬脂酸（6.07%）。果皮含有齐墩果酸、花色苷等资源性成分。

| 功能主治 | **毛葡萄根皮**：酸、微苦，平。活血舒筋。用于月经不调，带下，风湿骨痛，跌打损伤。
毛葡萄叶：微酸、苦，平。止血。用于外伤出血。

| 用法用量 | **毛葡萄根皮**：内服煎汤，6 ~ 10 g。外用适量，捣敷。
毛葡萄叶：外用适量，研末敷。

葡萄科 Vitaceae 葡萄属 *Vitis* 凭证标本号 320803180530027LY

葡萄
Vitis vinifera L.

| 药 材 名 | 葡萄（药用部位：果实）、葡萄藤叶（药用部位：藤叶）、葡萄根（药用部位：根）。

| 形态特征 | 木质藤本。小枝无毛或疏被柔毛；卷须二叉分枝。叶片宽卵圆形，3~5浅裂或中裂，有时不分裂，长7~18 cm，宽6~16 cm，先端急尖，基部深心形，两侧常靠合，边缘具缺刻状粗锯齿，叶背疏被柔毛或近无毛，基出脉5，沿中脉有侧脉4~5对；叶柄长达9 cm；托叶早落。聚伞圆锥花序密集，长达20 cm，花序梗长达4 cm，近无毛或疏被蛛丝状绒毛；花梗无毛；花萼浅碟形，边缘呈波状。浆果圆球形或椭圆形，直径约2 cm，成熟时紫红色或紫黑色，常被白粉；种子倒卵状椭圆形，腹面两侧洼穴向上达种子1/4处。花期4~5月，果期8~9月。

| 生境分布 | 生于山坡疏林下。江苏各地均有栽培。

| 资源情况 | 栽培资源丰富。

| 采收加工 | **葡萄：**夏、秋季果实成熟时采收，鲜用或风干。

葡萄藤叶：夏、秋季采收，洗净，茎切片，叶切碎，晒干；或春、夏季采收嫩茎叶，鲜用。

葡萄根：秋、冬季采挖，洗净，切片，鲜用或晒干。

| 药材性状 | **葡萄：**本品鲜品呈圆形或椭圆形，干品均皱缩，长 3 ~ 7 mm，直径 2 ~ 6 mm。表面淡黄绿色至暗红色，先端有残存柱基，微凸尖，基部有果柄痕，有的残存果柄。质稍柔软，易被撕裂，富糖质。气微，味甜、微酸。

| 功效物质 | 果实含有葡萄糖、果糖、蔗糖、木糖、酒石酸、草酸、柠檬酸、苹果酸等资源性成分，以及各种花色素的单葡萄糖苷和双葡萄糖苷。果皮含有矢车菊素、芍药素、飞燕草素、矮牵牛素、锦葵花素、锦葵花素 -3-β- 葡萄糖苷等。种子含油量为 9.58％，又含焦性儿茶酚、没食子儿茶精、没食子酸盐等。茎含有还原糖、蔗糖、淀粉、鞣质、黄酮类等资源性成分。叶含有有机酸类、黄酮类资源性成分。根含有 γ-2- 葡萄素。

| 功能主治 | **葡萄：**甘、酸，平。归肺、脾、肾经。补气血，强筋骨，利小便。用于气血虚弱，肺虚咳嗽，心悸盗汗，烦渴，风湿痹痛，淋病，水肿，痘疹不透。

葡萄藤叶：甘，平。祛风除湿，利水消肿，解毒。用于风湿痹痛，水肿，腹泻，风热目赤，痈肿疔疮。

葡萄根：甘，平。祛风通络，利湿消肿，解毒。用于风湿痹痛，肢体麻木，跌打损伤，水肿，小便不利，痈肿疔毒。

| 用法用量 | **葡萄：**内服煎汤，15 ~ 30 g；或捣汁；或熬膏；或浸酒。外用适量，浸酒涂擦；或捣汁含咽；或研末撒。

葡萄藤叶：内服煎汤，10 ~ 15 g；或捣汁。外用适量，捣敷。

葡萄根：内服煎汤，15 ~ 30 g；或炖肉。外用适量，捣敷；或煎汤洗。

| 附　注 | 江苏常见栽培的葡萄主要为食用类品种，如"巨峰"葡萄、"藤稔"葡萄、"金手指"葡萄、"红地球"葡萄、"夏黑"葡萄、"玫瑰香"葡萄等。江苏新沂因其独特的地理位置、土壤特性与气候特征，葡萄种植产业发展较好，当地的葡萄品种从最初的 2 个增加至现在的包括比亚克、美人指、维多利亚等在内的近 10 个。

锦葵科 Malvaceae 秋葵属 Abelmoschus 凭证标本号 320981170618122LY

咖啡黄葵
Abelmoschus esculentus (L.) Moench

| 药 材 名 | 秋葵（药用部位：根、叶、花、种子）。

| 形态特征 | 一年生草本，高 1 ~ 2 m。全体疏被硬毛。茎幼时疏生刺毛。叶片
近圆形或圆肾形，直径 10 ~ 25 cm，掌状 3 ~ 7 浅裂，裂片宽卵
形，边缘有粗齿；叶柄长 5 ~ 15 cm；托叶线形。花单生于叶腋，
花梗长 1 ~ 2 cm；小苞片 8 ~ 10，线形；花萼佛焰苞状，长于小
苞片，先端 5 齿裂，密被星状短绒毛；花冠黄色，内面基部紫色，
直径 5 ~ 7 cm，花瓣倒卵形。蒴果柱状尖塔形，长 10 ~ 20 cm，
直径 1.5 ~ 2 cm，先端具长喙，疏被糙硬毛；种子多数，近圆形，
有短毛及条纹。花期 6 ~ 8 月，果期 9 ~ 10 月。

| 生境分布 | 江苏各地均有栽培。

资源情况	栽培资源较丰富。

采收加工	根，11 月至翌年 2 月前采挖，抖去泥土，晒干或炕干；叶，9 ~ 10 月采收，晒干；花，6 ~ 8 月采摘，晒干；种子，9 ~ 10 月果实成熟时采摘果实，脱粒，晒干。

功效物质	主要含有黄酮类、多糖类、脂肪酸类、酚酸类等资源性成分。叶中总黄酮含量高达 2.8%，远高于大豆中的总异黄酮。叶中还富含维生素 A、维生素 C、维生素 E、B 族维生素及铁、钾、钙、锌等矿物元素，蛋白质含量达 22.9%，还含有果胶、新乳聚糖和阿拉伯树胶等黏性物质，以及以叶黄素和 β- 胡萝卜素为主的类胡萝卜素类化合物，营养保健价值高。锌、硒等微量元素可增强预防肿瘤、抗肿瘤能力，高含量的维生素 C 可预防心血管疾病的发生。种子中的脂肪酸以不饱和脂肪酸为主，其中亚油酸含量最高，可达 40.2%，还含有以原花青素和芦丁为主的黄酮类资源性成分。

功能主治	淡，寒。利咽，通淋，下乳，调经。用于咽喉肿痛，小便淋涩，产后乳汁稀少，月经不调。

用法用量	内服煎汤，9 ~ 15 g。

附　注	本种喜温暖气候，不耐寒，以土壤深厚肥沃、阳光充足之地栽培为佳。

锦葵科 Malvaceae 秋葵属 Abelmoschus 凭证标本号 320282161113296LY

黄蜀葵

Abelmoschus manihot (L.) Medic.

| 药 材 名 | 黄蜀葵花（药用部位：花冠）、黄蜀葵子（药用部位：种子）、黄蜀葵叶（药用部位：叶）、黄蜀葵茎（药用部位：茎或茎皮）、黄蜀葵根（药用部位：根）。

| 形态特征 | 一年生或多年生草本，高 1 ~ 2 m。全体疏被长硬毛。叶掌状 5 ~ 9 深裂，裂片长圆状披针形或狭披针形，长 8 ~ 18 cm，宽 1 ~ 6 cm，边缘具粗钝锯齿；叶柄长 5 ~ 18 cm；托叶披针形。花单生于枝端叶腋；小苞片 4 ~ 6，卵状披针形，大小常不相等；花萼佛焰苞状，先端具 5 齿，果时脱落；花冠淡黄色，内面基部紫色，直径达 12 cm；花瓣倒卵形；雄蕊柱长 15 ~ 20 mm，花药近无柄；柱头紫黑色，匙状盘形。蒴果长角状长圆形，长 4 ~ 6 cm。

| 生境分布 | 江苏各地城镇多有栽培。

| 资源情况 | 栽培资源丰富。

| 采收加工 | 黄蜀葵花：7～10月分批采摘，晒干。

黄蜀葵子：9～11月采收成熟果实，晒干，脱粒，簸去杂质，再晒至全干。

黄蜀葵叶：春、夏季采收，鲜用或晒干。

黄蜀葵茎：秋、冬季采集，晒干或炕干。

黄蜀葵根：秋季采挖，洗净，晒干。

| 药材性状 | 黄蜀葵花：本品多皱缩破碎，完整的花瓣呈三角状阔倒卵形，长7～10 cm，宽7～12 cm；表面有纵向脉纹，呈放射状，淡棕色，边缘浅波状，内面基部紫褐色。雄蕊多数，联合成管状，长1.5～2.0 cm，花药近无柄。柱头紫黑色，匙状盘形，5裂。气微香，味甘、淡。

黄蜀葵子：本品呈肾形，种子多数，被柔毛组成的条纹。

黄蜀葵叶：本品掌状5～9深裂，裂片长圆状披针形或狭披针形，长8～18 cm，宽1～6 cm，两面疏被长硬毛，边缘具粗钝锯齿；叶柄长5～18 cm；托叶披针形。

黄蜀葵茎：本品长1～2 m，疏被长硬毛。

| 功效物质 | 花和叶主要含有黄酮及其苷类资源性成分，如金丝桃苷、杨梅素、槲皮素等，具有良好的抗炎、解热、镇痛作用。花还富含有机酸类、鞣酸类、甾类及长链烃类等资源性成分。茎中总多糖含量较高，约19.76%。根中总纤维含量较高，约29.88%。种子含有大量不饱和脂肪酸，其含量高达91.82%，同时含有丰富的氨基酸，其中必需氨基酸含量较高，占总氨基酸的30.59%。

| 功能主治 | 黄蜀葵花：甘，寒。归肾、膀胱经。清利湿热，消肿解毒。用于湿热壅遏，淋浊水肿；外用于痈疽肿毒，烫火伤。

黄蜀葵子：甘，寒。利水，通经，消肿解毒。用于淋证，水肿，便秘，乳汁不通，痈肿，跌打损伤。

黄蜀葵叶：清热解毒，接骨生肌。用于热毒疮痈，尿路感染，骨折，烫火伤，外伤出血。

黄蜀葵茎：甘，寒。清热解毒，通便利尿。用于高热不退，大便秘结，小便不利，疔疮肿毒，烫伤。

黄蜀葵根：甘，苦，寒。利水，通经，解毒。用于淋证，水肿，便秘，跌打损伤，乳汁不通，痈肿，耵耳，腮腺炎。

| 用法用量 | 黄蜀葵花：内服煎汤，10～30 g；或研末，3～5 g。外用适量，研末调敷；或浸油涂。

黄蜀葵子：内服煎汤，10～15 g；或研末，2～5 g。外用适量，研末调敷。

黄蜀葵叶：内服煎汤，10～15 g，鲜品30～60 g。外用适量，鲜品捣敷。

黄蜀葵茎：内服煎汤，5～10 g。外用适量，浸油搽。

黄蜀葵根：内服煎汤，9～15 g；或研末，1.5～3 g。外用适量，捣敷；或研末调敷；或煎汤洗。

| 附　　注 | （1）本种的总黄酮部位为治疗慢性肾炎的黄葵胶囊的工业原料。本种的花民间多用于治疗烫火伤，有较好的疗效。

（2）本种喜温暖气候，平地、丘陵山区均可栽培。适应性较强，但不耐寒。对土壤要求不严，但以排水良好、疏松肥沃的夹砂土栽培较好。

锦葵科 Malvaceae 秋葵属 *Abelmoschus* 凭证标本号 320482180711427LY

黄葵

Abelmoschus moschatus (L.) Medicus

| **药 材 名** | 黄葵（药用部位：全草）。

| **形态特征** | 一年生或二年生草本，高 1 ~ 2 m，被粗毛。叶通常掌状 5 ~ 7 深裂，直径 6 ~ 15 cm，裂片披针形至三角形，边缘具不规则锯齿，偶有浅裂似槭叶状，基部心形，两面均疏被硬毛；叶柄长 7 ~ 15 cm，疏被硬毛；托叶线形，长 7 ~ 8 mm。花单生于叶腋间，花梗长 2 ~ 3 cm，被倒硬毛；小苞片 8 ~ 10，线形，长 10 ~ 13 mm；花萼佛焰苞状，长 2 ~ 3 cm，5 裂，常早落；花黄色，内面基部暗紫色，直径 7 ~ 12 cm；雄蕊柱长约 2.5 cm，平滑无毛；花柱分枝 5，柱头盘状。蒴果长圆形，长 5 ~ 6 cm，先端尖，被黄色长硬毛；种子肾形，具腺状脉纹，具香味。花期 6 ~ 10 月。

| **生境分布** | 生于平原、山谷、溪涧旁或山坡旁灌丛中。江苏各地城镇多有栽培。 |

| **资源情况** | 野生及栽培资源较丰富。 |

| **采收加工** | 夏、秋季采收，洗净，鲜用或晒干。 |

| **功效物质** | 主要含有挥发油类、黄酮类资源性成分。籽油中主要成分为乙酸金合欢酯（约35.07%）和氧代环十七碳 -8- 烯 -2- 酮（约12.37%），具有抗氧化活性。种子含有的黄葵内酯为无色黏稠状液体，具强烈麝香香气，极低浓度即可掩盖乙醇气息，可作为食用香精的修饰剂。 |

| **功能主治** | 微甘，寒。清热解毒，下乳通便。用于高热不退，肺热咳嗽，痢疾，大便秘结，产后乳汁不通，骨折，痈疮脓肿，无名肿毒，烫火伤。 |

| **用法用量** | 内服煎汤，9 ~ 15 g。外用适量，鲜品捣敷。 |

锦葵科 Malvaceae 苘麻属 Abutilon 凭证标本号 320482180704202LY

苘麻
Abutilon avicennae Gaertn.

| 药 材 名 | 苘麻子（药用部位：种子）、苘麻（药用部位：全草或叶）、苘麻根（药用部位：根）。

| 形态特征 | 一年生亚灌木状草本，高 0.5 ~ 1.5 m。茎被柔毛。叶片圆心形，不分裂，长 5 ~ 12 cm，先端长渐尖，基部心形，边缘具细圆锯齿，两面密生星状柔毛；叶柄长 3 ~ 15 cm，有星状柔毛；托叶披针形，早落。花单生于叶腋；花梗长 0.5 ~ 3 cm，被柔毛，近先端有节；花萼杯状，密被短绒毛，萼片 5，卵形或卵状披针形，长约 8 mm；花冠黄色，花瓣倒卵形，长约 1 cm；心皮 15 ~ 20，先端平截，轮状排列，密被柔毛。蒴果半球形，直径约 2 cm，分果爿 15 ~ 20，被粗长毛，先端有 2 长芒；种子肾形，成熟时黑褐色，被星状柔毛。花期 7 ~ 8 月，果期 9 ~ 10 月。

| **生境分布** | 生于路旁、荒地和田野间。分布于江苏南京、镇江（句容）、无锡（宜兴）等。

| **资源情况** | 野生资源丰富。

| **采收加工** | 苘麻子：秋季采收成熟果实，晒干，打下种子，筛去果皮及杂质，再晒干。
苘麻：夏季采收，鲜用或晒干。
苘麻根：立冬后采挖，除去茎叶，洗净，晒干。

| **药材性状** | 苘麻子：本品呈三角状肾形，长 3.5 ~ 6 mm，宽 2.5 ~ 4.5 mm，厚 1 ~ 2 mm。表面灰黑色或暗褐色，有白色稀疏绒毛，凹陷处有类椭圆状种脐，淡棕色，四周有放射状细纹。种皮坚硬，子叶 2，重叠折曲，富油性。气微，味淡。

| **功效物质** | 全草富含黄酮类资源性成分，茎叶总黄酮含量 5.41%，以芸香苷为主，具有抗炎镇痛作用。种子中脂肪酸含量丰富，含油 15% ~ 17%，其中亚油酸含量高达58%，其次是油酸、棕榈酸，还存在少量的锦葵酸和苹婆酸。根、茎、叶、种子和外果皮均含有丰富的芳香酸类资源性成分，包括绿原酸、香草酸、咖啡酸等，具有抗血栓、改善血液流变、抗凝血等广泛的生物活性和药理作用。

| **功能主治** | 苘麻子：苦，平。归大肠、小肠、膀胱经。清热解毒，利湿，退翳。用于赤白痢疾，淋证涩痛，痈肿疮毒，目生翳膜。
苘麻：苦，平。清热利湿，解毒开窍。用于痢疾，中耳炎，耳鸣，耳聋，睾丸炎，化脓性扁桃体炎，痈疽肿毒。
苘麻根：苦，平。利湿解毒。用于小便淋沥，痢疾，急性中耳炎，睾丸炎。

| **用法用量** | 苘麻子：内服煎汤，3 ~ 9 g；或入散剂。
苘麻：内服煎汤，10 ~ 30 g。外用适量，捣敷。
苘麻根：内服煎汤，30 ~ 60 g。

锦葵科 Malvaceae 蜀葵属 Althaea 凭证标本号 320482180704210LY

蜀葵
Althaea rosea (L.) Cavan.

| 药 材 名 | 蜀葵花（药用部位：花）、蜀葵苗（药用部位：茎叶）、蜀葵子（药用部位：种子）、蜀葵根（药用部位：根）。

| 形态特征 | 二年生直立草本，高达 2.5 m。茎不分枝，密被星状毛和刚毛。叶片近圆形，直径 6 ~ 10 cm，常 3 ~ 7 浅裂，裂片边缘有锯齿，叶面被星状柔毛，叶背密被星状硬毛或柔毛；叶柄长 4 ~ 16 cm，被星状长硬毛；托叶卵形，先端 3 裂，具长缘毛。花单生或数朵近簇生于叶腋，或成顶生的总状花序，具叶状总苞片；小苞片 6 ~ 7裂，裂片三角形，不等大，密被星状硬毛，基部合生；花梗长 1 ~ 2.5 cm；花萼钟形，5 裂，裂片卵状三角形，密被星状硬毛；花冠红色、黄色、紫色、粉红色、黑紫色等，直径 6 ~ 10 cm；花瓣先端微凹，有裂齿，瓣爪有髯毛；雄蕊柱长约 2 cm，花丝纤细。分

果盘状，直径约 2.5 cm，被柔毛；分果爿多数，近圆形，背部具纵槽；种子肾形。花期 4 ~ 7 月，果期 8 ~ 9 月。

| 生境分布 | 江苏各地均有栽培。

| 资源情况 | 栽培资源丰富。

| 采收加工 | **蜀葵花**：夏、秋季采收，晒干。

蜀葵苗：夏、秋季采收，鲜用或晒干。

蜀葵子：秋季采摘成熟果实，晒干，打下种子，筛去杂质，再晒干。

蜀葵根：冬季采挖，刮去栓皮，洗净，切片，晒干。

| 药材性状 | **蜀葵花**：本品多卷曲，呈不规则的圆柱状，长 2 ~ 4.5 cm。有的带有花萼和副萼，花萼钟状，5 裂，裂片三角形，长 1.5 ~ 2.5 cm，副萼 6 ~ 7 裂，长 5 ~ 10 cm，两者均呈黄褐色，并被有较密的星状毛。花瓣皱缩卷折，平展后呈倒卵状三角形，爪有长毛状物。雄蕊多数，花丝联合成筒状。花柱上部分裂成丝状。

质柔韧而稍脆。气微香，味淡。

蜀葵苗：本品茎部不分枝，密被星状柔毛和刚毛；叶互生，叶片近圆形，直径 6 ~ 10 cm，常 3 ~ 7 浅裂，裂片三角形或圆形，边缘有锯齿，中裂片长约 3 cm，宽 4 ~ 6 cm，上面疏被星状柔毛，粗糙，下面被星状长硬毛或绒毛；叶柄长 4 ~ 16 cm，被星状长硬毛；托叶卵形，长约 8 mm，顶端 3 裂，具长缘毛。

蜀葵子：本品呈肾形。

蜀葵根：本品呈圆锥形，略弯曲，长 5 ~ 20 cm，直径 0.5 ~ 1 cm；表面土黄色，栓皮易脱落。质硬，不易折断；断面不整齐，纤维状，切面淡黄色或黄白色。气淡，味微甘。

| **功效物质** | 花主要含有黄酮类资源性成分，以槲皮素、山柰酚、芹菜素等为主。酚酸类成分中，丁香酸、香豆酸和对羟基苯甲酸含量较高。黏液质以由半乳糖、半乳糖醛酸、鼠李糖和葡萄糖醛酸构成的酸性多糖为主，花中黏液质含量高于叶。花色素中主要成分为飞燕草素 -3- 葡萄糖苷。根和茎还含有果胶、半纤维素，铁、锌等微量元素的含量也较高。籽油出油率 18.5%，其中亚油酸含量最高，达 69.24%。

| **功能主治** | **蜀葵花**：甘、咸，凉。归肝、大肠经、小肠经。和血止血，解毒散结。用于吐血，衄血，月经过多，赤白带下，二便不利，小儿风疹，疟疾，痈疽疔肿，蜂蝎蜇伤，烫火伤。

蜀葵苗：甘，凉。归大肠、膀胱经。清热利湿，解毒。用于热毒下痢，淋证，无名肿毒，烫火伤，金疮。

蜀葵子：甘，寒。归肾、膀胱、大肠经。利尿通淋，解毒排脓，润肠。用于水肿，淋证，带下，乳汁不通，疥疮，无名肿毒。

蜀葵根：甘、咸，微寒。归心、肺、大肠、膀胱经。清热利湿，凉血止血，解毒排脓。用于淋证，带下，痢疾，吐血，血崩，外伤出血，疮疡肿毒，烫火伤。

| **用法用量** | **蜀葵花**：内服煎汤，3 ~ 9 g；或研末，1 ~ 3 g。外用适量，研末调敷；或鲜品捣敷。

蜀葵苗：内服煎汤，6 ~ 18 g；或煮食；或捣汁。外用适量，捣敷；或烧存性，研末调敷。

蜀葵子：内服煎汤，3 ~ 9 g；或研末。外用适量，研末调敷。

蜀葵根：内服煎汤，9 ~ 15 g。外用适量，捣敷。

| **附　注** | 本种喜阳光充足、温暖气候，耐寒。宜在排水良好的肥沃土壤栽培。

锦葵科 Malvaceae   棉属 Gossypium   凭证标本号 320830150716003LY

陆地棉 *Gossypium hirsutum* L.

| 药 材 名 | 棉花（药用部位：种子上的绵毛）、棉花子（药用部位：种子）、棉花油（药材来源：种子榨取的脂肪油）、棉花壳（药用部位：外果皮）、棉花根（药用部位：根或根皮）。

| 形态特征 | 一年生草本，高 1 ~ 1.5 m。小枝疏生长柔毛。叶片宽卵形，长、宽近相等，直径 5 ~ 12 cm，基部心形或平截，通常 3 浅裂，稀 5 裂，裂片宽三角状卵形，先端短渐尖；叶柄长 4 ~ 12 cm；托叶卵状镰形，早落。花直径 4 ~ 5 cm；小苞片 3，分离，基部心形，有 1 腺体，边缘有 7 ~ 13 细长齿裂；花萼 5 齿裂，裂片三角形，具缘毛；花冠白色或淡黄色，后变淡红色或紫色；雄蕊柱长 1 ~ 2 cm。蒴果卵圆形，长 3.5 ~ 5 cm，先端有喙，3 ~ 5 室；种子有长绵毛和不易剥离的短绵毛。花期 7 ~ 8 月，果期 10 月。

| 生境分布 | 江苏各地多有栽培。

| 资源情况 | 栽培资源较丰富。

| 采收加工 | **棉花**：秋季采收，晒干。

棉花子：秋季采收棉花时收集，晒干。

棉花壳：轧取棉花时收集。

棉花根：秋季采挖，洗净，切片，晒干；或剥取根皮，切段，晒干。

| 药材性状 | **棉花子**：本品呈卵状，长约1 cm，直径约0.5 cm。外被2层白色绵毛，1层长绵毛及1层短茸毛，少数仅具1层长绵毛。质柔韧，破开后，种仁黄褐色，富油性。有油香气，味微辛。

棉花根：本品呈圆柱形，稍弯曲，长10 ~ 20 cm，直径0.4 ~ 2 cm。表面黄棕色，有不规则的纵皱纹及横裂的皮孔，皮部薄，红棕色，易剥落。质硬，折断面纤维性，黄白色。无臭，味淡。

| 功效物质 | 主要富含棉酚、棉紫色素等多种资源性成分。棉酚尤其是左旋棉酚，不仅可作为一种植株防御素，杀灭真菌，抑制害虫，防止病菌侵害，同时具有重要的男性抗生育、抗肿瘤、抗病毒作用。

功能主治	棉花：甘，温。止血。用于吐血，便血，血崩，金疮出血。

棉花子：辛，热。归肝、肾、脾、胃经。温肾，通乳，活血止血。用于阳痿，腰膝冷痛，带下，遗尿，胃痛，乳汁不通，崩漏，痔血。

棉花油：辛，热。解毒杀虫。用于恶疮，疥癣。

棉花壳：辛，温。温胃降逆，化痰止咳。用于噎膈，胃寒呃逆，咳嗽气喘。

棉花根：甘，温。归肺经。止咳平喘，通经止痛。用于咳嗽，气喘，月经不调，崩漏。

用法用量	棉花：内服烧存性研末，5～9 g。外用适量，烧存性，研末撒。

棉花子：内服煎汤，6～10 g；或入丸、散剂。外用适量，煎汤熏洗。

棉花油：外用适量，涂擦。

棉花壳：内服煎汤，9～15 g。

棉花根：内服煎汤，15～30 g。

附　　注	本种喜温暖的气候、较强的光照、深厚的耕层、中性反应和质地疏松的轻壤土，以及较高的土壤肥力等条件，但对这些条件的要求不严，从而表现出较大的可塑性。生长在良好条件下能获得高产，处于旱涝、盐碱、低温等不良的生育环境里，亦可表现出较强的适应能力。

锦葵科 Malvaceae 木槿属 Hibiscus 凭证标本号 320506150823093LY

木芙蓉 *Hibiscus mutabilis* L.

| 药 材 名 | 木芙蓉叶（药用部位：叶）。

| 形态特征 | 落叶灌木或小乔木，高 2 ～ 5 m。茎、叶、花梗、苞片及花萼均密被星状毛与直毛相混的细绒毛。叶片宽卵形、卵状心形或卵圆形，直径 7 ～ 15 cm，常 5 ～ 7 掌状分裂，裂片三角形，先端渐尖，边缘有钝齿，主脉 5 ～ 11；叶柄长 5 ～ 20 cm；托叶披针形，常早落。花单生于枝端叶腋，花梗长 5 ～ 10 cm，近先端有节；小苞片 8 ～ 10，线形，基部合生；花萼钟形，裂片卵形；花初开时白色或粉红色，开后色逐渐变深；花瓣 5，近圆形，基部具髯毛；雄蕊柱长 2.5 ～ 3 cm，无毛；花柱分枝 5，疏被柔毛。蒴果扁球形，密被淡黄色刚毛和绵毛，分果爿 5；种子肾形。花果期 8 ～ 11 月。

| 生境分布 | 江苏各地均有栽培。

| 资源情况 | 栽培资源丰富。

| 采收加工 | 夏、秋季采摘，阴干或晒干，研成粉末贮藏。

| 药材性状 | 本品叶柄直径约 0.3 cm，黄褐色。叶片大形，常折叠，叶面灰绿色，叶背浅绿色，脉隆起，被灰色星状毛。气微香，味微辛。

| 功效物质 | 主要含有黄酮类、有机酸类、挥发油类、豆甾类、蒽醌类、香豆素类和无机元素等资源性成分。黄酮类是其主要成分类型，花、根、叶中均含有，以芦丁为主，具有抗菌、消炎等药理活性。叶中的有机酸类主要是阿魏酸、咖啡酸等。根含有斑鸠菊酸、苹婆酸和锦葵酸等。单萜、倍半萜、脂肪酸等挥发性成分在叶中含量丰富。

| 功能主治 | 辛，平。归肺、肝经。凉血，解毒，消肿，止痛。用于痈疽焮肿，蛇串疮，烫火伤，目赤肿痛，跌打损伤。

| 用法用量 | 外用适量，研末调敷；或捣敷。

| 附　　注 | 本种喜阳光充足及温暖湿润气候，不耐干旱。宜在排水良好的砂壤土中栽培。

锦葵科 Malvaceae 木槿属 Hibiscus 凭证标本号 320506150704205LY

木槿
Hibiscus syriacus L.

| 药 材 名 | 木槿花（药用部位：花）、木槿根（药用部位：根）、木槿皮（药用部位：茎皮或根皮）、木槿叶（药用部位：叶）、木槿子（药用部位：果实）。

| 形态特征 | 落叶灌木，高 3 ~ 4 m。嫩枝、苞片、花梗、花萼和果实均被星状绒毛。叶片菱形或三角状卵形，长 4 ~ 7 cm，宽 4 ~ 5 cm，3 裂或不裂，基出脉 3 ~ 5，边缘有不整齐缺齿，先端钝，基部楔形；叶柄长 1.5 ~ 2.5 cm；托叶线形。花单生于枝端叶腋；小苞片 6 ~ 8，线形，基部合生；花梗长 0.4 ~ 1.4 cm；花萼钟形，5 裂，裂片三角形；花冠钟形，淡紫色，直径 5 ~ 6 cm；花瓣 5，倒卵形；雄蕊柱和柱头不伸出花冠外；花柱分枝 5，无毛。蒴果卵圆形，先端有短喙；种子肾形，褐色，背部被长柔毛。花期 7 ~ 10 月。

| **生境分布** | 江苏各地均有栽培。

| **资源情况** | 栽培资源丰富。

| **采收加工** | **木槿花**：夏、秋季选晴天早晨花半开时采摘，晒干。
木槿根：全年均可采挖，洗净，切片，鲜用或晒干。
木槿皮：4 ~ 5 月剥取茎皮，晒干；秋末采挖根，剥取根皮，晒干。
木槿叶：全年均可采收，鲜用或晒干。
木槿子：9 ~ 10 月果实黄绿色时采收，晒干。

| **药材性状** | 木槿花：本品多皱缩成团或呈不规则形，长 2 ~ 4 cm，宽 1 ~ 2 cm，全体被毛。花萼钟形，黄绿色或黄色，先端 5 裂，裂片三角形，萼筒外有苞片 6 ~ 8，条形，萼筒下常带花梗，长 3 ~ 7 mm，花萼、苞片、花梗表面均密被细毛及星状毛。花瓣 5 或重瓣，黄白色至黄棕色，基部与雄蕊合生，并密生白色长柔毛。雄蕊多数，花丝下部联合成筒状，包围花柱，柱头 5 分歧，伸出花丝筒外。质轻脆。气微香。 |

木槿皮：本品呈半圆筒状或圆筒状，长 15 ~ 30 cm，宽窄及厚薄多不一致，通常宽 0.7 ~ 1 cm，厚约 2 mm。外表面粗糙，土灰色，有纵向的皱纹及横向的小突起（皮孔）；内表面淡黄绿色，现明显的丝状纤维。不易折断，体质轻泡。气弱。以条长、宽、厚、少碎块者为佳。

木槿叶：本品多皱缩，完整者多呈菱状卵圆形，长 3 ~ 6 cm，宽 2 ~ 4 cm，常具深浅不等的 3 裂，基部楔形，叶两面均疏被星状毛。叶柄长 5 ~ 25 mm。托叶条形。质脆。气微。

木槿子：本品呈卵圆形或长椭圆形，长 1.5 ~ 3 cm，直径 1 ~ 1.6 cm；表面黄绿色或棕黄色，密被黄色短绒毛，有 5 纵向浅沟及 5 纵缝线；先端短尖，有的沿缝线开裂为 5 瓣；基部有宿存钟状花萼，5 裂，萼下有狭条形的苞片 6 ~ 8，排成 1 轮，或部分脱落；有残余的短果柄；果皮质脆。种子多数，扁肾形，长约 3 mm，宽约 4 mm；棕色至深棕色，无光泽，四周密布乳白色至黄色长绒毛。气微。以身干、色黄、蒂绿、不开裂者为佳。

| **功效物质** | 主要含有木脂素类、香豆素类资源性成分。叶还含有 β- 谷甾醇、β- 胡萝卜苷、齐墩果酸、山柰酚等资源性成分。花中主要的挥发油类成分为十三烷酸（59.08%）、亚麻油酸（4.43%）、油酸（4.04%）等。 |

| **功能主治** | 木槿花：甘、苦，凉。归脾、肺、肝经。清热利湿，凉血解毒。用于肠风泻血，赤白下痢，痔疮出血，肺热咳嗽，咯血，带下，疮疖痈肿，烫火伤。 |

木槿根：甘，凉。归肺、肾、大肠经。清热解毒，消痈肿。用于肠风，痢疾，肺痈，肠痈，痔疮肿痛，赤白带下，疥癣，肺结核。

木槿皮：甘、苦，微寒。归大肠、肝、脾经。清热利湿，杀虫止痒。用于湿热泻痢，肠风泻血，脱肛，痔疮，赤白带下，滴虫性阴道炎，疥癣，阴囊湿疹。

木槿叶：苦，寒。归心、胃、大肠经。清热解毒。用于赤白痢疾，肠风，痈肿疮毒。

木槿子：甘，寒。归肺、心、肝经。清肺化痰，止头痛，解毒。用于痰喘咳嗽，支气管炎，偏正头痛，黄水疮，湿疹。

| 用法用量 | 木槿花：内服煎汤，3～9g，鲜品30～60g。外用适量，研末调敷；或鲜品捣敷。

木槿根：内服煎汤，15～25g，鲜品50～100g。外用适量，煎汤熏洗。

木槿皮：内服煎汤，5～15g。外用适量，研末醋调搽；或制成50%酊剂搽；或煎汤熏洗。

木槿叶：内服煎汤，3～9g，鲜品30～60g。外用适量，捣敷。

木槿子：内服煎汤，9～15g。外用适量，煎汤熏洗。

| 附　注 | 本种喜温暖、喜光，半阴亦能生长。对气候、土壤适应性较强，耐干旱、瘠薄，山坡、平地均可栽培。以向阳、肥沃、排水良好的砂壤土栽培为好。

锦葵科 Malvaceae 木槿属 Hibiscus 凭证标本号 321084180823201LY

野西瓜苗 *Hibiscus trionum* L.

| **药 材 名** | 野西瓜苗（药用部位：全草或根）、野西瓜苗子（药用部位：种子）。 |

| **形态特征** | 一年生草本，常平卧，高 25 ~ 90 cm。茎柔弱，被白色星状粗毛。茎下部的叶片圆形，不分裂，上部的叶片掌状 3 ~ 5 深裂至全裂，长 3 ~ 6 cm，中裂片较两侧裂片长，裂片倒卵形，常羽状全裂，叶面疏被粗硬毛或近无毛，叶背疏被星状粗刺毛；叶柄长 2 ~ 4 cm，被星状长硬毛和星状柔毛；托叶线形，被星状粗硬毛。花单生于叶腋，花梗长 1.5 ~ 3.5 cm，被星状粗硬毛；小苞片 12，线形，长 7 ~ 10 mm，基部合生；花萼钟形，膜质，5 裂，裂片三角形，有紫色条纹；花冠淡黄色，内面基部紫色，直径 2 ~ 3 cm；花瓣 5，倒卵形，外面疏被细柔毛。蒴果长圆状球形，直径约 1 cm，被粗硬毛，成熟时开裂成 5 果爿；种子肾形，黑褐色，无毛，具腺状突起。花 |

果期 7 ~ 10 月。

| **生境分布** | 生于平原、山野、丘陵或田埂。江苏各地均有分布。

| **资源情况** | 野生资源较丰富。

| **采收加工** | **野西瓜苗**：夏、秋季采收，去净泥土，晒干。

野西瓜苗子：秋季采摘成熟果实，晒干，打下种子，筛净，再晒干。

| **药材性状** | **野西瓜苗**：本品茎柔软，长 30 ~ 60 cm；表面具星状粗毛。单叶互生，叶柄长 2 ~ 4 cm；完整叶片掌状 3 ~ 5 全裂，长 3 ~ 6 cm，裂片倒卵形，通常羽状分裂，两面有星状粗刺毛。质脆。气微，味甘、淡。

野西瓜苗子：本品呈肾形，黑褐色至灰黑色，长 22 ~ 28 mm，宽约 2 mm。表面粗糙，具浅褐色、尖头状、小瘤状突起；背部弓形，腹部内凹。种脐黑色，阔椭圆形，位于种子腹面近基部的凹陷内，常覆着残存珠柄，并有紧密而整齐的放射状线纹。种子纵切面肾形，横切面卵圆形。无胚乳，胚弯生，子叶回旋状折叠，淡黄色。气微。

| **功效物质** | 主要含有蒽醌类、挥发油类、生物碱类、糖类及脂肪酸类资源性成分。种子油提取率为 16%，亚油酸含量最高，可达 63.61%，其次棕榈酸 16.72%、油酸 12.30%，不饱和脂肪酸总量约为 79.11%。

| **功能主治** | **野西瓜苗**：甘，寒。归肺、肝、肾经。清热解毒，利咽止咳。用于咽喉肿痛，咳嗽，泻痢，疮毒，烫火伤。

野西瓜苗子：辛，平。归肺、肝、肾经。补肾，润肺。用于肾虚头晕，耳鸣，耳聋，肺痨咳嗽。

| **用法用量** | **野西瓜苗**：内服煎汤，15 ~ 30 g，鲜品 30 ~ 60 g。外用适量，鲜品捣敷；或干品研末油调涂。

野西瓜苗子：内服煎汤，9 ~ 15 g。

锦葵科 Malvaceae 锦葵属 Malva 凭证标本号 321084180606034LY

锦葵
Malva sinensis Cavan.

| 药 材 名 | 锦葵（药用部位：花、叶、茎）。

| 形态特征 | 二年生或多年生直立草本。茎高 0.4 ~ 1 m。分枝多，疏被粗毛。叶片心状圆形或肾形，直径 6 ~ 13 cm，常 5 ~ 7 浅裂，基部圆形或近心形，边缘有不规则钝齿，两面无毛或仅叶脉上疏被糙毛或星状毛；叶柄长 7 ~ 18 cm；托叶宽卵形，偏斜，边缘疏生锯齿及粗毛。花 2 至数朵簇生于叶腋；花梗长短不一；小苞片 3，长圆形；花萼杯状，裂片 5，宽卵形；花冠淡紫红色或白色，直径 2.5 ~ 4 cm；花瓣较花萼长 3 倍，具紫色条纹，先端微凹，爪具髯毛；雄蕊柱被短刺毛；花柱分枝 9 ~ 11。分果扁圆形，分果爿 9 ~ 11，肾形，被柔毛，背部有明显网纹；种子肾形，黑褐色。花期 5 ~ 7 月，果期 7 ~ 9 月。

| 生境分布 | 江苏各地庭园常见栽培，偶有逸生。 |

| 资源情况 | 栽培资源较丰富。 |

| 采收加工 | 夏、秋季采收，晒干。 |

| 功效物质 | 花含有酚酸类资源性成分，如阿魏酸、对羟基肉桂酸、香兰酸等。种子含有黄酮类、三萜皂苷类、醌及多元酚类等资源性成分，如芦丁、槲皮素、槲皮素糖苷衍生物、山柰酚、山柰酚糖苷衍生物、根皮素、羽扇醇、羽扇烯酮、儿茶酚等。 |

| 功能主治 | 咸，寒。归肺、大肠、膀胱经。利尿通便，清热解毒。用于二便不利，带下，淋巴结结核，咽喉肿痛。 |

| 用法用量 | 内服煎汤，3～9 g；或研末，1～3 g，开水送服。 |

| 附　注 | 本种性强健，适应性强，喜向阳及冷凉环境，较耐寒，不择土壤，在各种土壤上均能生长。 |

锦葵科 Malvaceae 锦葵属 Malva 凭证标本号 320482180704375LY

中华野葵

Malva verticillata L. var. *chinensis* (Mill.) S. Y. Hu

| 药 材 名 |

中华冬葵（药用部位：茎、叶）。

| 形态特征 |

二年生草本，高可达 1 m。茎被星状柔毛。
叶片肾形或圆形，通常掌状 5 ~ 7 裂，裂片
圆形，具钝尖头，边缘有钝齿，两面疏被糙
伏毛或近无毛；叶柄长 2 ~ 8 cm，上面槽
内被绒毛；托叶卵状披针形，被星状柔毛。
花 3 至数朵生于叶腋，花梗不等长，其中有
1 花梗特长，长达 4 cm；小苞片 3，线状披
针形，被纤毛；花萼杯状，裂片宽三角形，
疏被星状硬毛；花冠白色或淡红色，稍长于
花萼；瓣爪无髯毛，或微被细毛；雄蕊柱被
毛；花柱分枝 10 ~ 11。分果扁球形，分果
片 10 ~ 11，背面无毛，两侧具网纹；种子
肾形，无毛，紫褐色。花期 4 ~ 5 月，果期
6 ~ 8 月。

| 生境分布 |

生于山坡、路旁及村庄附近的荒地。江苏各
地均有分布。

| 资源情况 |

野生资源一般。

| 采收加工 | 夏、秋季采收，晒干。

| 功效物质 | 果实主要含有挥发油类、糖类、苯丙素类、氨基酸类、鞣质类、黄酮类等资源性成分。糖类包含中性多糖、酸性多糖、肽聚糖及少量低聚糖，多糖具有明显的抗氧化活性，黏多糖具有增强免疫的作用。此外，钾含量较高，可及时给人体补充钾。酚酸类成分以咖啡酸为主，具有止痛、抗炎、抗溃疡等作用。

| 功能主治 | 甘，寒。归脾、膀胱经。解毒止痛，利尿通淋。用于淋证，水肿，大便不通，乳汁不通。

| 用法用量 | 内服煎汤，30 ~ 60 g；或捣汁；或研末。外用适量，烧炭存性，研末调敷。

椴树科 Tiliaceae 田麻属 Corchoropsis 凭证标本号 320703141016016LY

田麻 *Corchoropsis crenata* Sieb. et Zucc.

药材名

田麻（药用部位：全草）。

形态特征

一年生草本，高 0.4 ~ 1 m。茎被星状短柔毛。叶片卵形或狭卵形，长 2.5 ~ 6 cm，宽 1 ~ 3 cm，边缘有钝牙齿，基出脉 3，两面密生星状短柔毛；叶柄长 0.2 ~ 2.3 cm；托叶钻形，长 2 ~ 4 mm，脱落。花黄色，单生于叶腋；花梗细长；萼片 5，狭披针形，长约 5 mm；花瓣 5，倒卵形；能育雄蕊 15，每 3 成一束；退化雄蕊 5，与萼片对生，匙状线形，长约 1 cm；子房密被星状柔毛，花柱长约 1 cm。蒴果长圆柱形，长 1.7 ~ 3 cm，被星状柔毛；种子长卵形。花期 8 ~ 9 月，果熟期 10 月。

生境分布

生于丘陵、低山的干燥山坡或多石处。江苏各地均有分布。

资源情况

野生资源较丰富。

| **采收加工** | 夏、秋季采收，切段，鲜用或晒干。

| **功能主治** | 苦，凉。清热利湿，解毒止血。用于疮疖肿毒，咽喉肿痛，疥疮，疳积，带下，外伤出血。

| **用法用量** | 内服煎汤，9 ~ 15 g，大剂量可用 30 ~ 60 g。外用适量，鲜品捣敷。

椴树科 Tiliaceae 田麻属 Corchoropsis 凭证标本号 320323150723233LY

光果田麻 *Corchoropsis psilocarpa* Harms et Loes. ex Loes.

药 材 名

光果田麻（药用部位：全草）。

形态特征

一年生草本，高 30 ~ 60 cm。分枝带紫红色，有白色短柔毛和平展的长柔毛。叶卵形或狭卵形，长 1.5 ~ 4 cm，宽 0.6 ~ 2.2 cm，边缘有钝牙齿，两面均密生星状短柔毛，基出脉 3；叶柄长 0.2 ~ 1.2 cm；托叶钻形，长约 3 mm，脱落。花单生于叶腋，直径约 6 mm；萼片 5，狭披针形，长约 2.5 mm；花瓣 5，黄色，倒卵形；发育雄蕊和退化雄蕊近等长；雌蕊无毛。蒴果角状圆筒形，长 1.8 ~ 2.6 cm，无毛，裂成 3 瓣；种子卵形，长约 2 mm。果期秋、冬季。

生境分布

生于山地、路边草丛等。分布于江苏徐州（铜山、邳州）、南通、苏州（常熟）、镇江（句容）、南京等。

资源情况

野生资源丰富。

| **采收加工** | 夏、秋季采收，切段，鲜用或晒干。

| **功效物质** | 含有莨菪碱、假莨菪碱、莨菪酮、红古豆碱、古豆碱等生物碱类资源性成分。

| **功能主治** | 清热利湿，解毒止血。用于疮疖肿毒，咽喉肿痛，疥疮，疳积，带下，外伤出血。

椴树科 Tiliaceae 黄麻属 Corchorus 凭证标本号 320830151031002LY

甜麻
Corchorus aestuans L.

| 药 材 名 | 野黄麻 (药用部位: 全草)。

| 形态特征 | 一年生直立草本, 高约1m。茎红褐色, 稍被淡黄色柔毛。枝条细长, 常呈披散状。叶片卵形、宽卵形或狭卵形, 长2~5cm, 宽1~3.5cm, 叶面近无毛, 叶背沿脉有疏毛, 边缘有锯齿, 近基部有1对线状小裂片, 基出脉5~7; 叶柄长5~20mm; 托叶小, 钻形。花单一或数朵组成聚伞花序, 腋生或腋外生; 花黄色, 有短梗; 萼片5, 狭长圆形, 长约5mm, 上部凹陷成舟状; 花瓣5, 倒卵形, 与萼片近等长; 雄蕊多数, 离生; 子房长圆柱形, 被柔毛, 花柱圆棒状, 柱头喙状, 5齿裂。蒴果长筒形, 长1.5~3cm, 有6棱, 其中3~4呈翅状, 先端有角3~4, 角二叉, 成熟时3~4片裂, 分果片有横隔膜。花期7月, 果熟期9月。

| 生境分布 | 生于路边、田边或荒坡草丛中。江苏各地均有分布。

| 资源情况 | 野生资源一般。

| 采收加工 | 9 ~ 10 月选晴天采收，洗去泥土，切段，晒干。

| 药材性状 | 本品呈绿黄色，皱缩。茎圆柱形，直径 3 ~ 6 mm；表面棕褐色，微被淡黄色柔
毛；质韧，难折断，皮薄而强纤维性。叶皱缩，完整叶片近卵形，长 2 ~ 5 cm，
宽 1 ~ 3 cm，边缘有锯齿，基部 1 对锯齿往往延伸成尾状的小裂片；表面绿黄色，
有疏长毛，基出脉 5 ~ 7；易脱落。蒴果长筒形，长约 2.5 cm，有 6 棱，其中
3 ~ 4 有狭翅，表面棕褐色，易开裂；种子多数。气微，味淡。以完整、叶果多、
色绿者为佳。

| 功效物质 | 种子含有强心苷类成分黄麻属苷 A，其苷元黄麻因的结构类似 *D*-毒毛旋花苷、
羊角拗苷、洋地黄毒苷等的苷元，均属于甲型强心苷元。此外尚含鞣质类、黄
酮类、香豆素类、生物碱类、三萜烯类、甾醇类、蜡质和糖类等资源性成分。

| 功能主治 | 淡，寒。归肺、胃、大肠经。清热解暑，消肿解毒。用于中暑发热，咽喉肿痛，
痢疾，疳积，麻疹，跌打损伤，疮疥疖肿。

| 用法用量 | 内服煎汤，15 ~ 30 g。外用适量，捣敷；或煎汤洗。

| 附　注 | 本种的嫩叶可做菜汤，能清凉解暑。

椴树科 Tiliaceae 扁担杆属 Grewia 凭证标本号 321112180723017LY

扁担杆 *Grewia biloba* G. Don

| 药 材 名 | 娃娃拳（药用部位：全株）。

| 形态特征 | 落叶灌木或小乔木，高约 3 m。小枝被粗毛及星状毛。叶片狭菱状卵形或狭菱形，长 4 ～ 9 cm，宽 2 ～ 4 cm，边缘密生小齿，基出脉 3，叶面近无毛，叶背疏生星状毛；叶柄长不超过 1 cm；托叶钻形。聚伞花序腋生，具短梗；花淡黄绿色；萼片 5，狭披针形，外面密生灰白色短毛，内面无毛；花瓣 5，长 1 ～ 1.5 cm；雄蕊多数，花药白色；子房有毛，柱头盘状，浅裂。核果成熟时橙红色，无毛，有分核 2 ～ 4，内有种子 2 ～ 4。花期 6 ～ 7 月，果期 8 ～ 9 月。

| 生境分布 | 生于丘陵、低山路边灌丛或疏林中。江苏各地均有分布。

| 资源情况 | 野生资源较丰富。

| **采收加工** | 夏、秋季采收，洗净，鲜用或晒干。

| **功效物质** | 主要含有生物碱类、三萜类、甾醇类、黄酮类等资源性成分，具有抗炎镇痛的作用。儿茶素对铜绿假单胞菌、β- 溶血性链球菌和表皮葡萄球菌均有较强的抑制作用。

| **功能主治** | 甘、苦，温。归肺、脾经。健脾益气，祛风除湿，固精止带。用于脾虚食少，久泻脱肛，疳积，蛔虫病，风湿痹痛，遗精，崩漏，带下，子宫脱垂。

| **用法用量** | 内服煎汤，9 ~ 15 g；或浸酒。外用适量，鲜品捣敷。

椴树科 Tiliaceae 扁担杆属 Grewia 凭证标本号 320115150714016LY

小花扁担杆

Grewia biloba G. Don var. *parviflora* (Bunge) Hand.-Mazz.

| 药 材 名 | 吉利子树（药用部位：枝叶）。

| 形态特征 | 本种与扁担杆的主要区别在于叶片菱状卵形或菱形，边缘密生不整齐小齿，常有不明显浅裂，叶面疏被星状毛，叶背密被灰白色星状毛；叶柄较长；聚伞花序与叶对生，花较小；果实成熟时红色。

| 生境分布 | 生于山坡灌丛或疏林中。江苏各地均有分布。

| 资源情况 | 野生资源较丰富。

| 采收加工 | 夏、秋季采收，晒干。

| 功能主治 | 甘、苦，温。归肝经。健脾益气，祛风除湿。用于疳积，脘腹胀

满，脱肛，崩漏，带下，风湿痹痛。

| **用法用量** | 内服煎汤，9～15 g；或浸酒。

椴树科 Tiliaceae 椴树属 *Tilia* 凭证标本号 320703150520205LY

辽椴
Tilia mandshurica Rupr. et Maxim.

| 药 材 名 | 紫椴（药用部位：花）。

| 形态特征 | 乔木，高达 20 m。嫩枝被灰白色星状茸毛，顶芽有茸毛。叶片卵圆形，长 8 ~ 10 cm，宽 7 ~ 9 cm，先端短尖，基部斜心形或斜截形，边缘有三角形锯齿，侧脉 5 ~ 7 对，叶面无毛，叶背密被灰白色星状毛；叶柄长 2 ~ 5 cm，被星状茸毛，后脱落无毛。聚伞花序长 6 ~ 9 cm，有花 6 ~ 12，花序梗和花梗均有毛；苞片狭长椭圆形或狭倒披针形，长 5 ~ 9 cm，基部有短柄；萼片外面被星状柔毛，内面有长丝毛；花瓣长 7 ~ 8 mm；退化雄蕊花瓣状；子房被星状茸毛。核果球形，被黄褐色星状茸毛，具 5 不明显的棱。果熟期 9 月。

| 生境分布 | 生于山坡阔叶林中。分布于江苏连云港、镇江（句容）、无锡（宜兴）等。

| 资源情况 | 野生资源较丰富。

| 采收加工 | 6 ~ 7 月花开时采收，烘干或晒干。

| 药材性状 | 本品呈圆球形，直径 5 ~ 10 mm；表面淡黄色至黄棕色，常数朵聚生。花序梗下部与苞片合生，苞片匙形或近矩圆形，长 5 ~ 9 cm，宽 1 ~ 2 cm。花萼 5，灰绿色，两面均被白色星状毛。花瓣 5，淡黄色。雄蕊多数。气香。以无杂质、色黄者为佳。

| 功效物质 | 花及花蕾含有较多的酚类、糖类、苷类、黄酮类、蛋白质、香豆素类及强心苷类等，花蕾还含有少量鞣质。果实含有酚类、糖类和苷类，还含有少量黄酮类、香豆素类和鞣质。多糖具有抗氧化作用，其他成分具有抗炎、抗菌、抗肿瘤等活性。

| 功能主治 | 辛，凉。解表，清热。用于感冒风热，口腔炎，喉炎，肾盂肾炎。

| 用法用量 | 内服煎汤，3 ~ 10 g。

椴树科 Tiliaceae 椴树属 *Tilia* 凭证标本号 320703170420708LY

南京椴
Tilia miqueliana Maxim.

| 药 材 名 | 菩提树皮（药用部位：树皮、根或根皮）、菩提树花（药用部位：花序）。

| 形态特征 | 乔木，高达 20 m。幼枝及顶芽均密被黄褐色星状柔毛。叶卵圆形，长 9 ~ 12 cm，宽 7 ~ 9 cm，先端骤尖，基部心形、斜心形或斜截形，边缘有锯齿，侧脉 6 ~ 8 对，叶面无毛，叶背被灰色或灰黄色星状柔毛；叶柄长 3 ~ 4 cm，被柔毛，后脱落近无毛。聚伞花序有花 10 ~ 20，花序梗被星状柔毛；花梗长 0.8 ~ 1.2 cm；苞片狭倒披针形，长 8 ~ 12 cm，宽 1.5 ~ 2.5 cm，两面均被星状柔毛，先端钝，基部狭窄，有短柄，稀无柄，下部 4 ~ 6 cm 与花序梗中下部合生；萼片外面有星状毛，内面有长柔毛；花瓣略长于萼片，无毛。核果

近球形，无棱或仅基部具 5 不明显的棱，密被星状绒毛，有小突起。花期 6 ~ 7 月，果期 8 ~ 10 月。

| **生境分布** | 生于山坡、沟谷或疏林中。分布于江苏徐州、连云港、淮安、镇江（句容）、南京等。

| **资源情况** | 野生资源一般。

| **采收加工** | **菩提树皮：**夏、秋季采收树皮或根皮，洗净，切片，晒干。
菩提树花：夏季采集，阴干。

| **功效物质** | 花序含有挥发油类、黄酮类、茶多酚、鞣质、色素类、维生素 C 等资源性成分，其浸剂有镇静、发汗、镇痉、解热之功效。茎皮含鞣质、脂肪、蜡及果胶等，主要用于劳伤乏力初起、久咳等。

| **功能主治** | **菩提树皮：**辛，温。归肺经。补虚止咳，活血化瘀。用于劳伤乏力，久咳，跌打损伤。
菩提树花：辛，微温。归肺经。发汗解表，止痛镇痉。用于风寒感冒，头身疼痛，惊痫。

| 用法用量 | **菩提树皮**：内服煎汤，15 ~ 24 g。外用适量，浸酒搽。

菩提树花：内服煎汤，15 ~ 20 g；或研末；或浸温开水，1.5 ~ 3 g。

| 附　　注 | 本种民间用于治疗扁桃体发炎、控制癔症等。

梧桐科 Sterculiaceae 梧桐属 *Firmiana* 凭证标本号 320282170627466LY

梧桐
Firmiana platanifolia (L. f.) Marsili

| 药 材 名 | 梧桐子（药用部位：种子）、梧桐花（药用部位：花）、梧桐叶（药用部位：叶）、梧桐白皮（药用部位：除去栓皮的树皮）、梧桐根（药用部位：根）。

| 形态特征 | 乔木，高达 15 m。树干挺直，树皮绿色，平滑。叶片心形，掌状 3 ~ 5 裂，直径 15 ~ 30 cm，裂片三角形，先端渐尖，基部深心形，全缘，基生脉 7，两面无毛或微被短毛；叶柄与叶片近等长。圆锥花序顶生；花小，淡黄绿色；萼片 5 深裂几达基部，裂片披针形，向外卷曲，外面被淡黄色柔毛，内面仅基部被柔毛；子房球形，5 室，基部有退化雄蕊。蓇葖果 4 ~ 5，纸质，叶状，有毛；种子 2 ~ 4，圆球形，着生于叶状分果爿内缘，有皱纹。花期 6 月，果熟期 11 月。

| 生境分布 | 江苏各地均有栽培。

| 资源情况 | 栽培资源丰富。

| 采收加工 | 梧桐子：秋季种子成熟时将果枝采下，打落种子，除去杂质，晒干。

梧桐花：6 月采收，晒干。

梧桐叶：夏、秋季采集，随采随用，或晒干。

梧桐白皮：全年均可采剥树皮，剥取韧皮部，晒干。

梧桐根：全年均可采挖，洗去泥沙，切片，鲜用或晒干。

| 药材性状 | 梧桐子：本品呈球形，状如豌豆，直径约 7 mm。表面黄棕色至棕色，微具光泽，有明显隆起的网状皱纹。质轻而硬，外层种皮较脆，易破裂，内层种皮坚韧。剥除种皮，可见淡红色的数层外胚乳，内为肥厚的淡黄色内胚乳，油质，子叶 2，薄而大，紧贴在内胚乳上，胚根在较小的一端。以饱满、完整、色淡绿者为佳。

梧桐花：本品呈淡黄绿色，基部有梗。无花瓣。花萼筒状，长约 1 mm，裂片 5，长条形，向外卷曲，被淡黄色短柔毛。雄蕊 10 ～ 15，合生，约与萼等长。气微。

梧桐叶：本品多皱缩破碎，完整者心形，掌状 3 ~ 5 裂，直径 15 ~ 30 cm，裂片三角形，先端渐尖，基部心形；表面棕色或棕绿色，两面均无毛或被短柔毛，基生脉 7。叶柄与叶片等长。气微。以叶大、完整、色棕绿者为佳。

| 功效物质 | 种子的含油量较高，带壳种子含油量约 26%，种仁含油量可达 40%。种子脂肪酸组成主要为苹婆酸、亚油酸、锦葵酸等。种子中蛋白质含量为 20% 左右，还含有具有止血作用的生物碱类资源性成分。花含有齐墩果酸、β- 谷甾醇、芹菜素、水溶性多糖等资源性成分，总黄酮具有体外抑菌和抗病毒作用。

| 功能主治 | 梧桐子：甘，平。归心、肺、胃经。顺气和胃，健脾消食，止血。用于胃脘疼痛，伤食腹泻，疝气，须发早白，小儿口疮，鼻衄。

梧桐花：甘，平。归肺、肾经。利湿消肿，清热解毒。用于水肿，小便不利，无名肿毒，创伤红肿，头癣，烫火伤。

梧桐叶：苦，寒。归肺，肝经。祛风除湿，解毒消肿，降血压。用于风湿痹痛，跌打损伤，疮痈肿毒，痔疮，疳积，泻痢，高血压。

梧桐白皮：甘、苦，凉。归肝、脾、肺、肾、大肠经。祛风除湿，活血通经。用于风湿痹痛，月经不调，痔疮脱肛，丹毒，恶疮，跌打损伤。

梧桐根：甘，平。归肺、肝、肾、大肠经。祛风除湿，调经止血，解毒疗疮。用于风湿关节疼痛，吐血，肠风下血，月经不调，跌打损伤。

| 用法用量 | 梧桐子：内服煎汤，3 ~ 9 g；或研末，2 ~ 3 g。外用适量，煅存性，研末敷。

梧桐花：内服煎汤，6 ~ 15 g。外用适量，研末调涂。

梧桐叶：内服煎汤，10 ~ 30 g。外用适量，鲜品敷贴；或煎汤洗；或研末调敷。

梧桐白皮：内服煎汤，10 ~ 30 g。外用适量，捣敷；或煎汤洗。

梧桐根：内服煎汤，9 ~ 15 g，鲜品 30 ~ 60 g；或捣汁。外用适量，捣敷。

| 附　注 | 本种喜光，喜排水良好、湿润深厚的酸性或中性及钙质土壤，耐严寒、耐干旱、耐瘠薄，忌积水洼地、盐碱地栽培，不耐涝和草荒，树皮不耐烈日晒。

梧桐科　Sterculiaceae　马松子属　Melochia　凭证标本号　320111151017001LY

马松子 *Melochia corchorifolia* L.

| 药 材 名 | 木达地黄（药用部位：茎叶）。

| 形态特征 | 亚灌木状草本，高可达 1 m。幼枝、叶背与叶柄均被星状柔毛。叶片卵形、长圆状卵形或披针形，不分裂，稀不明显 3 浅裂，长 2.5 ~ 7 cm，宽 1.5 ~ 3 cm，先端急尖或钝，基部宽三角形、圆形或近心形，边缘有细锯齿，基生脉 5；叶柄长 5 ~ 25 mm；托叶线形。密集的聚伞花序或团伞花序顶生或腋生；小苞片线形；花萼钟状，5 浅裂，外面被长柔毛或刚毛，内面无毛；花瓣 5，白色，后变为淡红色；雄蕊 5，下部合生成管状；子房无柄，5 室，花柱 5，线状。蒴果球形，有 5 棱，密被粗毛，每室有种子 1 ~ 2；种子灰褐色，粗糙，有鳞毛。花期 8 ~ 9 月。

| **生境分布** | 生于山坡、路旁草丛中。分布于江苏南部等。

| **资源情况** | 野生资源较丰富。

| **采收加工** | 夏、秋季采收，扎成把，晒干。

| **药材性状** | 本品叶呈卵形或三角状披针形，基部圆形、截形或浅心形，边缘有小齿，下面沿叶脉疏被短毛，长 2.5 ~ 7 cm，宽 0.7 ~ 3 cm。叶柄长 5 ~ 20 mm。气微，味苦。

| **功效物质** | 地上部分含有生物碱类资源性成分，另含有无羁萜、无羁萜醇、β- 香树脂醇、三十四醇、β- 谷甾醇、硬脂酸 -β- 谷甾醇酯、硬脂酸乙酯、牡荆素、洋槐苷等甾醇类及黄酮类成分。叶含有马松子苷、棉花皮素 -8-O-β-D- 葡糖醛酸苷、三叶豆苷等资源性成分。

| **功能主治** | 淡，平。归心经。清热利湿，止痒。用于急性黄疸性肝炎，皮肤痒疹。

| **用法用量** | 内服煎汤，10 ~ 30 g。外用适量，煎汤洗。

瑞香科 Thymelaeaceae 瑞香属 Daphne 凭证标本号 320323150415135LY

芫花
Daphne genkwa Sieb. et Zucc.

| 药 材 名 | 芫花（药用部位：花蕾）、芫花根（药用部位：根或根皮）。

| 形态特征 | 落叶灌木，高达 1 m。茎多分枝，幼枝有淡黄色绢状柔毛，老枝褐色或带紫红色，无毛或有疏柔毛。叶对生，很少互生；叶片长椭圆形、椭圆形或卵状披针形，长 3 ~ 4.5 cm，宽 0.9 ~ 1.5 cm，叶背有长绢状柔毛，脉上尤密。花先叶开放，3 ~ 7 簇生于叶腋间的短梗上；花萼花瓣状，紫色或粉红色，萼筒长 0.6 ~ 1 cm，外面有白色绒毛，裂片 4，卵形或长圆形，先端圆；无花瓣；雄蕊 8，排成 2 轮，分别着生于萼筒中部和上部；花盘环状，不发达；子房倒卵形，密被淡黄色柔毛，柱头红色。核果长圆形，肉质，白色，包藏于宿存萼的下部，具 1 种子。花期 3 ~ 5 月，果期 6 ~ 7 月。

| 生境分布 | 生于山坡路边或疏林中。江苏各地均有分布。

| 资源情况 | 野生资源较丰富。

| 采收加工 | 芫花：春季花未开时采摘，拣去杂质，晒干或烘干。
芫花根：全年均可采挖根或剥取根皮，洗净，鲜用，或切片，晒干。

| 药材性状 | 芫花：本品呈棒槌状，稍压扁，多数弯曲，长 1 ~ 1.7 cm，直径约 1.5 mm；常 3 ~ 7 簇生于一短柄上，基部有 1 ~ 2 密被黄色绒毛的苞片。花被筒表面淡紫色或灰绿色，密被白色短柔毛，先端 4 裂，裂片卵形。质软。气微，味微辛。以花淡紫色或灰紫色、无杂质者为佳。

| 功效物质 | 花含有二萜类、黄酮类等资源性成分，主要为芫花素、羟基芫花素、芹菜素、谷甾醇、苯甲酸及刺激性油状物。根皮含有 β- 谷甾醇、黄酮苷、芫根苷等资源性成分。花蕾煎剂有利尿作用，羟基芫花素有止咳、祛痰作用，芫花瑞香宁和芫花酯甲有抗白血病作用。

| 功能主治 | 芫花：辛、苦，温；有毒。归肺、脾、肾、膀胱经。泻水逐饮，杀虫疗疮。用于水肿胀满，胸腹积水，痰饮积聚，气逆咳喘，二便不利；外用于疥癣秃疮，痈肿，冻疮。

芫花根：辛、苦，温；有毒。归肺、脾、肝、肾经。逐水，解毒，散结。用于水肿，瘰疬，乳痈，痔瘘，疥疮，风湿痹痛。

| 用法用量 | 芫花：内服煎汤，1.5 ~ 3 g；或研末，每次 0.6 ~ 1 g，每日 1 次。外用适量，研末调敷；或煎汤洗。

芫花根：内服煎汤，1.5 ~ 4.5 g；或捣汁；或入丸、散剂。外用适量，捣敷；或研末调敷；或熬膏涂。

瑞香科 Thymelaeaceae 结香属 Edgeworthia 凭证标本号 321284190320002LY

结香
Edgeworthia chrysantha Lindl.

| 药 材 名 | 梦花（药用部位：花蕾）、梦花根（药用部位：根皮、茎皮）。

| 形态特征 | 灌木，高达2m。茎皮韧性强。嫩枝有绢状柔毛，枝条粗壮，棕红色或褐色，常呈三叉状分枝，有皮孔。叶片纸质，椭圆状长圆形或椭圆状倒披针形，长8～16cm，宽2～4.5cm，基部楔形、下延，先端急尖或钝，叶面有疏柔毛，叶背有长硬毛。花多数，芳香，集成下垂的头状花序，花序梗长达2cm，密被白色长硬毛；总苞片披针形，长达3cm，被毛，花开时脱落；花萼筒状，长1～2cm，黄色，外面密生绢状柔毛，先端4裂，花瓣状；雄蕊8，2轮，上轮4与花萼裂片对生，下轮4与之互生；子房先端被丝状毛，花柱线形，柱头棒状，具乳突。核果卵形，通常包于花被基部。花期3～4月，果期8月。

| 生境分布 | 生于山坡、山谷林下及灌丛中。江苏公园、庭园等有栽培。

| 资源情况 | 栽培资源丰富。

| 采收加工 | **梦花：**冬末或初春花未开时采摘，晒干。
梦花根：全年均可采收根、茎，洗净，剥皮，晒干。

| 药材性状 | **梦花：**本品多数散生或由多数小花结成半圆球形的头状花序，直径 1.5 ~ 2 cm，表面密被淡绿黄色、有光泽的绢丝状毛茸。总苞片 6 ~ 8；花梗粗糙，多弯曲成钩状。单个花蕾呈短棒状，长 0.6 ~ 1 cm，为单被花，筒状，先端 4 裂。质脆，易碎。气微。以色新鲜、无杂质者为佳。

| 功效物质 | 花含有香豆素类、黄酮类、有机酸及其酯类、苯丙素类、四环三萜类、挥发油类等资源性成分。根、茎含有香豆素类等。伞形花内酯具有明显的抗诱变作用，银椴苷具有显著的 α- 葡萄糖苷酶抑制活性，结香苷 A 和结香苷 C 则具有抗炎作用。

| 功能主治 | **梦花：**甘，平。归肾、肝经。滋养肝肾，明目消翳。用于夜盲，翳障，目赤流泪，畏光，小儿疳眼，头痛，失声，夜梦遗精。
梦花根：辛，平。归肾经。祛风活络，滋养肝肾。用于风湿痹痛，跌打损伤，梦遗，早泄，白浊，虚淋，产后血崩，带下。

| 用法用量 | **梦花：**内服煎汤，3 ~ 15 g；或研末。
梦花根：内服煎汤，6 ~ 15 g；或浸酒。外用适量，捣敷。

| 附　　注 | 本种喜温和凉爽的气候。在海拔 500 m 以上的山区栽培生长良好；在低海拔地区栽培生长缓慢，植株矮小，开花花朵小，结实率低。以排水良好、土层疏松而肥沃的壤土栽培为宜。

胡颓子科 Elaeagnaceae 胡颓子属 *Elaeagnus* 凭证标本号 320111151203001LY

佘山羊奶子

Elaeagnus argyi Lévl.

| 药 材 名 | 佘山羊奶子（药用部位：根）。

| 形态特征 | 落叶或常绿直立灌木，高达 3 m。枝常具棘刺，幼枝密被淡黄色鳞片。叶发于春、秋季；叶片薄纸质，大小不相等；春季叶片椭圆形或长椭圆形，长 1 ~ 4 cm，两端圆钝；秋季叶片较大，长椭圆状倒卵形或宽椭圆形，长 6 ~ 10 cm，两端圆钝，叶面幼时密被星状毛，叶背密被银白色星状鳞片，散生棕色鳞片；叶柄长 0.5 ~ 0.8 cm，被灰褐色或棕色鳞片。花常数朵簇生于新枝基部成伞形总状花序；花棕红色或淡黄色，被银白色或淡黄色鳞片；萼筒漏斗状圆筒形，裂片卵形或卵状三角形，密被棕红色鳞片。果实长椭圆形或近圆球形，长达 1.5 cm，被银白色或褐色鳞片，成熟时红色；果柄长约 1 cm。花期 10 月，果期翌年 4 ~ 5 月。

生境分布	生于山坡、路旁或林缘。分布于江苏南京、镇江（句容）、无锡（宜兴）等。
资源情况	野生资源一般。
采收加工	夏、秋季采挖，切片，晒干。
功效物质	叶含有多糖类、蛋白质和酚类等资源性成分。果实含有蛋白质、维生素类、氨基酸类、矿物质元素等营养成分。
功能主治	淡、微苦，平。归肺、肝、胃经。祛风止咳，利湿退黄，解毒。用于咳喘，黄疸性肝炎，风湿痹痛，痈疖。
用法用量	内服煎汤，9～15 g。

胡颓子科 Elaeagnaceae ▎胡颓子属 Elaeagnus ▎凭证标本号 320703151016310LY

大叶胡颓子

Elaeagnus macrophylla Thunb.

| 药 材 名 | 大叶胡颓子（药用部位：果实、叶、根）。

| 形态特征 | 常绿直立灌木，高 2 ~ 3 m，无刺。小枝成 45° 角开展，幼枝扁棱形，灰褐色，密被淡黄白色鳞片，老枝鳞片脱落，黑色。叶厚纸质或薄革质，卵形至宽卵形或阔椭圆形至近圆形，长 4 ~ 9 cm，宽 4 ~ 6 cm，先端钝形或钝尖，基部圆形至近心形，全缘，上面幼时被银白色鳞片，成熟后脱落，绿色，干燥后黑褐色，下面银白色，密被鳞片，侧脉 6 ~ 8 对，与中脉开展成 60° ~ 80° 的角，近边缘 3/5 处分叉而互相连接，两面略明显凸起；叶柄扁圆形，银白色，上面有宽沟，长 15 ~ 25 mm。花白色，被鳞片，略开展，常 1 ~ 8 生于叶腋短小枝上，花枝褐色，长 2 ~ 3 mm；花梗银白色或淡黄色，长 3 ~ 4 mm；萼筒钟形，长 4 ~ 5 mm，在裂片下面开展，在子房

上骤缩，裂片宽卵形，与萼筒等长，比萼筒宽，先端钝尖，内面疏生白色星状柔毛，包围子房的萼筒椭圆形，黄色，长 3 mm；雄蕊的花丝极短，花药椭圆形；花柱被白色星状柔毛，先端略弯曲，超过雄蕊。果实长椭圆形，被银白色鳞片，长 14 ~ 18 mm，直径 5 ~ 6 mm；果核具 8 肋，内面具丝状绵毛；果柄长 6 ~ 7 mm。花期 9 ~ 10 月，果期翌年 3 ~ 4 月。

| 生境分布 | 生于山麓、山坡、悬崖陡壁及岩缝间。分布于江苏连云港等。江苏各地庭园常有栽培。

| 资源情况 | 野生及栽培资源较少。

| 功效物质 | 根、叶均含有甾体类、三萜类、糖及其苷类、有机酸类、蛋白质、氨基酸、强心苷类等资源性成分。叶还含有酚酸类、生物碱类、香豆素类等。根还含有皂苷类、酚类、有机酸类等成分。根、茎、叶具有体外抗菌作用。

| 功能主治 | 果实，收敛止泻，健脾消食，止咳平喘，止血。用于泄泻，痢疾，食欲不振，消化不良，咳嗽气喘，崩漏，痔疮下血。叶，止咳平喘，止血，解毒。用于肺虚咳嗽，气喘，咯血，吐血，外伤出血，痈疽，痔疮肿痛。根，活血止血，祛风利湿，止咳平喘，解毒敛疮。用于吐血，咯血，便血，月经过多，风湿关节痛，黄疸，水肿，泻痢，疳积，咳喘，咽喉肿痛，疮疖，跌打损伤。

| 附　　注 | 民间以本种的果实代丹皮用于治疗妇科病。

胡颓子科 Elaeagnaceae 胡颓子属 Elaeagnus 凭证标本号 320829170422085LY

木半夏
Elaeagnus multiflora Thunb.

| 药 材 名 | 木半夏果实（药用部位：果实）、木半夏根（药用部位：根）、木半夏叶（药用部位：叶）。

| 形态特征 | 落叶直立灌木，高达 3 m。枝常无刺，稀老枝具刺，幼枝密被锈色或深褐色鳞片。叶片纸质，椭圆形、倒长卵形或倒卵状椭圆形，长 3 ~ 7 cm，宽 2 ~ 4 cm，先端钝或短尖，基部宽楔形，幼时叶面有银白色星状毛和鳞片，叶背密被银白色鳞片，散生褐色鳞片；叶柄被锈色鳞片。花 1 ~ 3 着生于新枝基部叶腋；花梗纤细，长达 0.8 cm；花白色，外面被银白色鳞片及少数褐色鳞片；萼筒圆筒状，裂片宽卵形，内侧疏被白色星状短柔毛；花柱无毛，稍伸出萼筒喉部。果实长倒卵形或椭圆形，长达 1.4 cm，密被锈色鳞片，成熟时

红色；果柄花后延长，纤细而下垂，长可达 4 cm。花期 4 ~ 5 月，果期 6 ~ 7 月。

| 生境分布 | 生于山坡、沟谷、路边、疏林下或灌丛中。江苏各地均有分布。

| 资源情况 | 野生资源较丰富。

| 采收加工 | **木半夏果实**：6 ~ 7 月采收，鲜用或晒干。
木半夏根：夏、秋季采挖，洗净，切片，晒干。
木半夏叶：夏、秋季采收，晒干。

| 药材性状 | **木半夏果实**：本品呈长椭圆形或圆锥形，长 12 ~ 14 mm，直径 7 ~ 9 mm。外果皮密被锈色鳞片，成熟时红色，先端花柱残存，中果皮肉质，多浆，内果皮骨质，坚硬，内侧有 1 层白色丝绵状物。果脐位于基端，圆形，凹陷。果核长椭圆形，长 11 ~ 13 mm，直径 3 ~ 4.5 mm，黄白色；表面有纵棱 7 ~ 8。味淡、涩。

木半夏叶：本品干燥后呈黑褐色或淡绿色，展开后呈椭圆形、卵形至倒卵状阔椭圆形；叶背密被白色或褐色鳞毛。气微。

| 功效物质 | 主要含有生物碱类、挥发油类、脂肪酸类、黄酮类、萜类、甾体类、芳香族酚酸类等资源性成分。成熟果实含有番茄烃。种子含有脂肪油。花含有挥发油。叶含有黄酮苷类成分。

| 功能主治 | **木半夏果实**：淡、涩，温。归肺、大肠经。平喘止痢，活血消肿，止血。用于哮喘，痢疾，跌打损伤，风湿关节痛，痔疮下血，肿毒。

木半夏根：涩、微甘，平。归肝、脾经。行气活血，止泻，敛疮。用于跌打损伤，虚弱劳损，泻痢，肝炎，恶疮疥癞。

木半夏叶：涩、微甘，温。归肾经。平喘活血。用于哮喘，跌打损伤。

| 用法用量 | **木半夏果实**：内服煎汤，15 ~ 30 g。
木半夏根：内服煎汤，9 ~ 24 g；或浸酒。外用适量，煎汤洗。
木半夏叶：内服煎汤，9 ~ 15 g。外用适量，煎汤洗。

胡颓子科 Elaeagnaceae 胡颓子属 Elaeagnus 凭证标本号 320111160306005LY

胡颓子

Elaeagnus pungens Thunb.

| 药 材 名 | 胡颓子（药用部位：果实）、胡颓子叶（药用部位：叶）、胡颓子根（药用部位：根）。

| 形态特征 | 常绿直立灌木。全株被褐色鳞片。枝常具棘刺。叶片革质或薄革质，椭圆形或宽椭圆形，长 4 ～ 10 cm，宽 2 ～ 5 cm，先端短尖或圆钝，基部圆形，边缘微反卷或皱波状，叶面幼时和叶背密被银白色鳞片，散生褐色鳞片，侧脉 7 ～ 9 对，叶面主脉凹陷，侧脉和网状脉凸起，叶背主脉凸起，侧脉和网脉均不明显；叶柄长达 0.5 ～ 0.8 cm。花 1 ～ 3 生于叶腋的短枝上；花白色或淡白色，密被鳞片；萼筒圆筒形或漏斗状圆筒形，裂片三角形或长圆状三角形，内侧疏生白色星状毛；花柱无毛。果实椭圆形，长达 1.4 cm，幼时被褐色鳞片，成熟时红色；果柄长达 0.6 cm。花期 9 ～ 12 月。

| **生境分布** | 生于山坡、路旁或林缘。江苏南部均有分布。

| **资源情况** | 野生资源较丰富。

| **采收加工** | **胡颓子**：4～6月果实成熟时采收，晒干。

胡颓子叶：全年均可采收，鲜用或晒干。

胡颓子根：夏、秋季采挖，洗净，切片，晒干。

| **药材性状** | **胡颓子叶**：本品呈椭圆形或长圆形，长4～9 cm，宽2～4 cm，先端钝尖，基部圆形，全缘或微波状，革质。叶面浅绿色或黄绿色，具光泽，散生少数黑褐色鳞片；叶背被银白色星状毛，并散生多数黑褐色或浅棕色鳞片，主脉在叶背凸出，叶片常向背面反卷，有时呈筒状。叶柄粗短，长0.5～0.8 cm，灰黑色。质稍硬脆。气微。以叶大、色浅绿、上表面具光泽、无枝梗、无碎叶杂质者为佳。

胡颓子根：本品呈圆柱形，弯曲，多截成长30～35 cm的段，粗细不一，粗根直径约3 cm，细根直径1 cm。表面土黄色，根皮易剥落，露出黄白色的木部。质坚硬，横断面纤维性强，中心色较深。气微。

| **功效物质** | 叶含有黄酮类、木脂素羽扇豆醇、熊果酸、齐墩果酸等资源性成分。根含有甾体类、黄酮类、三萜类、糖及苷类、有机酸类、蛋白质和鞣质等资源性成分。叶中的木脂素和萜类化合物具有较强的抗炎活性。

| **功能主治** | **胡颓子**：酸、涩，平。归肺、胃、大肠经。收敛止泻，健脾消食，止咳平喘，止血。用于泄泻，痢疾，食欲不振，消化不良，咳嗽气喘，崩漏，痔疮下血。

胡颓子叶：酸，微温。归肺经。止咳平喘，止血，解毒。用于肺虚咳嗽，气喘，咯血，吐血，外伤出血，痈疽，痔疮肿痛。

胡颓子根：苦、酸，平。归肺、脾经。活血止血，祛风利湿，止咳平喘，解毒敛疮。用于吐血，咯血，便血，月经过多，风湿关节痛，黄疸，水肿，泻痢，疳积，咳喘，咽喉肿痛，疮疥，跌打损伤。

| **用法用量** | **胡颓子**：内服煎汤，9～15 g。外用适量，煎汤洗。

胡颓子叶：内服煎汤，9～15 g；或捣敷；或研末，2～3 g。外用适量，捣敷；或研末调敷；或煎汤熏洗。

胡颓子根：内服煎汤，15～30 g；或浸酒。外用适量，煎汤洗；或捣敷。

胡颓子科 Elaeagnaceae 胡颓子属 Elaeagnus 凭证标本号 320482180317146LY

牛奶子

Elaeagnus umbellata Thunb.

| 药 材 名 | 牛奶子（药用部位：根、叶、果实）。

| 形态特征 | 落叶直立灌木，高达 4 m。全株多被银白色鳞片。枝常具棘刺，幼枝密被银白色或黄褐色鳞片。叶片纸质，椭圆形、卵状椭圆形或倒卵状披针形，长 3 ～ 8 cm，宽 1.5 ～ 4 cm，先端钝或短渐尖，基部圆形或楔形，幼时叶面有白色星状短柔毛或鳞片，后脱落或部分脱落，叶背密被银白色鳞片，散生褐色鳞片。花单生或数朵簇生于新枝基部或幼枝的叶腋；花淡黄白色，密被银白色鳞片，先叶开放或与叶同时开放；萼筒漏斗状，裂片卵状三角形；花柱疏生白色星状毛和鳞片。果实近圆球形或卵圆形，长达 0.7 cm，被银白色鳞片，成熟时红色；果柄直立，长达 1 cm。花期 4 ～ 5 月，果期 7 ～ 8 月。

| **生境分布** | 生于向阳山坡、疏林下、灌丛、荒坡或沟谷。分布于江苏南部及连云港等。

| **资源情况** | 野生资源较丰富。

| **采收加工** | 夏、秋季采收，根洗净，切片，晒干；叶和果实直接晒干。

| **功效物质** | 果实含有葡萄糖、果糖、蔗糖等糖类，抗坏血酸和去氢抗坏血酸，以及多酚类、有机酸类资源性成分。叶含有 5- 羟色胺和黄酮类成分。根含有 β- 谷甾醇、槲皮素和芦丁等资源性成分。β- 谷甾醇具有抗肿瘤和降低胆固醇的作用。槲皮素和芦丁具有抑制血小板凝集、抑制胆碱酯酶等作用。

| **功能主治** | 苦、酸，凉。归肺、肝、大肠经。清热止咳，利湿解毒。用于肺热咳嗽，泄泻，痢疾，淋证，带下，崩漏，乳痈。

| **用法用量** | 内服煎汤，根或叶 15 ~ 30 g，果实 3 ~ 9 g。

董菜科 Violaceae 董菜属 *Viola* 凭证标本号 320211190415065LY

如意草
Viola hamiltoniana D. Don

| 药 材 名 | 如意草（药用部位：全草）。

| 形态特征 | 多年生草本，高可达 20 cm。根茎短而粗。地上茎柔弱，多条丛生。基生叶宽心形或肾形，长 1.5 ~ 3.5 cm，宽 1.5 ~ 3 cm，先端圆钝，基部宽心形，边缘有浅波状圆齿，开花时常凋落；茎生叶少，疏列，与基生叶相似；叶柄长 1.5 ~ 7 cm，有窄翅；基生叶的托叶褐色，下部与叶柄合生，离生部分呈披针状，茎生叶的托叶离生，绿色，全缘。花小，淡紫色或白色，生于茎生叶叶腋，有长梗；萼片披针形，基部附属物半圆形；侧方花瓣具暗紫色条纹，内面基部疏生短须毛，下方花瓣较小，距短囊状，长约 2 mm；下方雄蕊的距短粗；花柱棍棒状，柱头 2 裂，中央部分隆起成鸡冠状，前方裂片间的基部具短喙，喙端具圆形柱头孔。蒴果椭圆形，长约 8 mm，无毛；种

子卵形，淡黄色，基部一侧具膜质翅。花期4～5月，果期5～8月。

| 生境分布 | 生于湿草地、草坡、田野、屋边。江苏各地均有分布。

| 资源情况 | 野生资源丰富。

| 采收加工 | 秋季采收，洗净，晒干。

| 药材性状 | 本品多皱缩成团。根茎上有细根。基生叶多，具长柄；茎生叶有托叶，托叶小，披针形；叶片湿润展平后呈宽心形或近新月形，边缘有波状圆齿。花基生或生于茎生叶叶腋，淡棕紫色。蒴果较小，椭圆形，长8 mm。气微。

| 功效物质 | 叶含有多种黄酮类，以及蕨素、蕨苷等苷满酮类资源性成分，还含有致癌物蕨内酰胺、蕨甾酮等。

| 功能主治 | 辛、微酸，寒。归心、肝经。清热解毒，散瘀止血。用于疮疡肿毒，乳痈，跌打损伤，开放性骨折，外伤出血，蛇咬伤。

| 用法用量 | 内服煎汤，9～15 g，鲜品15～30 g。外用适量，捣敷；或焙干研末撒敷。

菫菜科 Violaceae 菫菜属 Viola 凭证标本号 320829170422056LY

戟叶菫菜
Viola betonicifolia J. E. Smith

| 药 材 名 | 铧头草（药用部位：全草）。

| 形态特征 | 多年生草本。无地上茎，根茎粗短。主根粗，淡褐色。叶呈莲座状，长 3 ～ 13 cm；叶片狭披针形、长三角状戟形或三角状卵形，长 2 ～ 9 cm，宽 0.5 ～ 3 cm，先端尖或钝圆，基部截形或略带心形，有时稍呈戟形，边缘有疏而浅的波状齿，两面近无毛；叶柄较长，长 3 ～ 14 cm，上半部有明显的狭翅；托叶褐色，约 3/4 与叶柄合生，全缘或有疏齿。花白色或淡紫色，有深色条纹；花梗长于叶或与叶等长；萼片卵状披针形或狭卵形，基部附属物较短，末端圆，具 3 脉；侧方花瓣长圆状倒卵形，内面基部密生须毛，距管状，长 2 ～ 6 mm，粗短，直或稍向上弯；花药及药隔附属物均长约 2 mm，下方的 2 雄蕊具长 1 ～ 3 mm 的距；花柱棍棒状，基部稍膝曲，上部

渐增粗，前方具明显的短喙。蒴果椭圆形，长约 1 cm，无毛。花果期 3 ～ 9 月。

| **生境分布** | 生于山坡草地及田野中。分布于江苏南部等。

| **资源情况** | 野生资源丰富。

| **采收加工** | 夏、秋季采收，洗净，除去杂质，鲜用或晒干。

| **药材性状** | 本品多皱缩成团。主根淡黄棕色，直径 1 ～ 3 mm，有细纵纹。叶灰绿色，展平后呈披针形或卵状披针形，先端钝，基部截形或微心形，边缘具浅波状齿，两面被毛；叶柄有狭翼。花茎纤细；花淡紫色，花瓣距细管状。蒴果椭圆形；种子多数。气微，味微苦而稍黏。以色绿、根黄者为佳。

| **功效物质** | 主要含有秦皮乙素、东莨菪内酯、早开堇菜苷、千金子素、槲皮素 -3-*O*-β-*D*- 葡萄糖苷等资源性成分。

| **功能主治** | 苦、辛，寒。归肝、胃经。清热解毒，散瘀消肿。用于疮疡肿毒，喉痛，乳痈，肠痈，黄疸，目赤肿痛，跌打损伤，刀伤出血。

| **用法用量** | 内服煎汤，15 ～ 30 g。外用适量，鲜品捣敷。

堇菜科 Violaceae 堇菜属 Viola 凭证标本号 320703150425166LY

南山堇菜

Viola chaerophylloides (Regel) W. Beck.

| 药 材 名 | 冲天伞（药用部位：全草）。

| 形态特征 | 多年生草本。无地上茎，地下茎短。叶基生，2～6；叶片3全裂，侧生裂片2深裂，小裂片有深锐齿或1～2对羽状深裂，中裂片2～3深裂，裂片卵状披针形、长圆形，具缺刻状齿或浅裂；叶柄长3～9 cm，果期长可达20 cm；托叶膜质，1/2以上与叶柄合生，边缘有稀疏睫毛。花较大，长约2 cm（包括距），白色、乳白色或淡紫色，芳香；萼片长圆状卵形或狭卵形，基部附属物长达6 mm，先端有齿；花瓣宽倒卵形，距囊管状，长达6 mm；花药长近3 mm，下方雄蕊的距长约5 mm；花柱长约3 mm，柱头前端具短喙。蒴果长椭圆形，长约1.6 cm，略有短柔毛或无毛。花果期4～9月。

| **生境分布** | 生于低山、丘陵或平原草地。分布于江苏连云港（海州）等。

| **资源情况** | 野生资源较丰富。

| **采收加工** | 夏季采收，鲜用或晒干。

| **药材性状** | 本品多皱缩成团。根茎较短，主根细圆柱形。叶基生，具长柄，湿润展平后叶片 3 全裂，小裂片又 1 ~ 2 对羽状深裂，末回裂片线形，灰绿色或枯绿色。花茎较叶短，花稍大，淡棕紫色，两侧对称。气微，味微苦。

| **功效物质** | 含有黄酮类、香豆素类、萜类、有机酸类、酚类、甾醇类等成分，具有解热、镇痛、抗炎活性。

| **功能主治** | 辛，寒。清热止咳，解毒散瘀。用于风热咳嗽，疮痈肿毒，跌打疼痛，外伤出血，蛇咬伤。

| **用法用量** | 内服煎汤，9 ~ 15 g。外用适量，捣敷。

董菜科 Violaceae 董菜属 Viola 凭证标本号 320703170421722LY

球果堇菜
Viola collina Bess.

| 药 材 名 | 地核桃（药用部位：全草）。

| 形态特征 | 多年生草本，花期高 4 ~ 9 cm，果期高可达 20 cm。根茎较粗。叶呈莲座状；叶片宽卵形或近圆形，长 1 ~ 3.5 cm，先端钝或圆，基部凹入，弯缺浅或深而狭，两面密被白色短柔毛，边缘有浅钝齿；叶柄具狭翅，有倒向粗短毛，花期长 2 ~ 5 cm，果期叶片明显增大，长可达 19 cm；托叶膜质，披针形，基部与叶柄合生，边缘有稀疏流苏状细齿。花有长梗；萼片披针形，具缘毛和腺体；花瓣基部微带白色，侧瓣内面有须毛，基部附属物不显著，有毛；距长约 3 mm；子房有毛，柱头弯曲向下，不分裂，顶部具喙。蒴果球形，直径约 8 mm，密生白色柔毛，成熟时果柄常下弯接近地面。花期 4 月。

| 生境分布 | 生于路旁、草坡阴湿地。江苏各地均有分布。

| 资源情况 | 野生资源丰富。

| 采收加工 | 夏、秋季采收，洗净，鲜用或晒干。

| 药材性状 | 本品多皱缩成团，深绿色或枯绿色。根茎稍长，主根圆锥形。全体有毛茸。叶基生，湿润展平后叶片呈心形或近圆形，先端钝或圆，基部稍呈心形，边缘有浅锯齿。花基生，具梗，淡棕紫色，两侧对称。蒴果球形，具毛茸，果柄下弯。气微。

| 功效物质 | 含有菊苣苷、秦皮乙素、东莨菪内酯、千金子素、槲皮素 -3-O-β-D- 葡萄糖苷等资源性成分。

| 功能主治 | 苦、辛，寒。归肺、肝经。清热解毒，散瘀消肿。用于疮疡肿毒，肺痈，跌打损伤，刀伤出血，外感咳嗽。

| 用法用量 | 内服煎汤，9 ~ 15 g，鲜品 15 ~ 30 g；或捣汁。外用适量，捣敷。

董菜科 Violaceae 董菜属 Viola 凭证标本号 320323161104936LY

心叶董菜
Viola concordifolia C. J. Wang

| 药 材 名 | 犁头草（药用部位：全草）。

| 形态特征 | 多年生草本，无地上茎和匍匐枝。根茎粗短，节密生，直径 4 ~
5 mm。支根多条，较粗壮而伸长，褐色。叶多数，基生；叶片卵
形、宽卵形或三角状卵形，稀肾状，长 3 ~ 8 cm，宽 3 ~ 8 cm，
先端尖或稍钝，基部深心形或宽心形，边缘具多数圆钝齿，两面
无毛或疏生短毛；叶柄在花期通常与叶片近等长，在果期远较叶片
长，最上部具极狭的翅，通常无毛；托叶短，下部与叶柄合生，长约
1 cm，离生部分开展。花淡紫色；花梗不高出叶片，被短毛或无毛，
近中部有 2 线状披针形小苞片；萼片宽披针形，长 5 ~ 7 mm，宽约
2 mm，先端渐尖，基部附属物长约 2 mm，末端钝或平截；上方花
瓣与侧方花瓣倒卵形，长 1.2 ~ 1.4 cm，宽 5 ~ 6 mm，侧方花瓣内

面无毛，下方花瓣长倒心形，先端微缺，连距长约 1.5 cm，距圆筒状，长 4 ～ 5 mm，直径约 2 mm；下方雄蕊的距细长，长约 3 mm；子房圆锥状，无毛，花柱棍棒状，基部稍膝曲，上部变粗，柱头顶部平坦，两侧及背方具明显缘边，前端具短喙，柱头孔较粗。蒴果椭圆形，长约 1 cm。

| **生境分布** | 生于路旁、山地。江苏各地均有分布。

| **资源情况** | 野生资源丰富。

| **采收加工** | 4 ～ 5 月果实成熟时采收，去净泥土，鲜用或晒干。

| **药材性状** | 本品多皱缩成团。主根长圆锥形，直径 1 ～ 3 mm，淡黄棕色，有细纵皱纹。叶基生，灰绿色，展平后叶片呈披针形或卵状披针形，长 1.5 ～ 6 cm，宽 1 ～ 2 cm，先端钝，基部截形或稍心形，边缘具钝锯齿，两面有毛；叶柄细，长 2 ～ 6 cm，上部具明显狭翅。花茎纤细；花瓣 5，紫堇色或淡棕色；花距细管状。蒴果椭圆形或 3 裂，种子多数，淡棕色。气微，味微苦而稍黏。

| **功效物质** | 含有秦皮乙素、东莨菪内酯、早开堇菜苷、千金子素、槲皮素 -3-*O*-*β*-*D*- 葡萄糖苷等资源性成分，具有抗菌、消炎、解毒作用。

| **功能主治** | 苦、微辛，寒。归肝、脾经。清热解毒，化瘀排脓，凉血清肝。用于痈疽肿毒，乳痈，肠痈下血，化脓性骨髓炎，黄疸，目赤肿痛，瘰疬，外伤出血，蛇咬伤。

| **用法用量** | 内服煎汤，15 ～ 30 g，鲜品 30 ～ 60 g。外用适量，鲜品捣敷。

董菜科 Violaceae 董菜属 *Viola* 凭证标本号 321324170513126LY

紫花董菜
Viola grypoceras A. Gray

| 药 材 名 | 地黄瓜（药用部位：全草）。

| 形态特征 | 多年生草本。地上茎高约 30 cm；地下茎很短。主根长。基生叶心形或近圆心形，长 1 ~ 6 cm，宽 1 ~ 4 cm，先端钝尖或圆，基部心形，边缘有钝齿，两面有棕色腺点；茎生叶三角状心形或卵状心形；托叶褐色，狭披针形，边缘有栉状长齿。花由茎基或茎生叶的腋部抽出；萼片披针形，有棕色腺点，基部附属物半圆形；花淡紫色，有棕色腺点，侧瓣内面无须毛，距长囊状，直或略弯，长 6 ~ 7 mm；下方的 2 雄蕊具长距，近直立；花柱棍棒状，柱头无乳头状突起，向前稍弯曲成短喙，不分裂，喙端具较宽的柱头孔。蒴果椭圆形，长约 7 mm，有棕色腺点。花期 4 月。

| 生境分布 | 生于水边草丛或林下湿地。分布于江苏镇江（句容）、常州（溧阳）、无锡（宜兴）等。 |

| 资源情况 | 野生资源较丰富。 |

| 采收加工 | 夏、秋季采收，洗净，鲜用或晒干。 |

| 药材性状 | 本品多皱缩成团。主根淡黄棕色，直径 1 ~ 3 mm，有细纵纹。叶灰绿色，展平后呈披针形或卵状披针形，长 1 ~ 6 cm，宽 1 ~ 4 cm，先端钝，基部截形或微心形，边缘具钝齿，两面被毛；叶柄有狭翼。花茎纤细；花淡紫色，花瓣距细管状。蒴果椭圆形；种子多数。气微，味微苦而稍黏。以色绿、根黄者为佳。 |

| 功效物质 | 主要含有黄酮类、三萜类、挥发油类、虫蜡酸类、烃类等资源性成分，具有抗菌、消炎、解毒作用。 |

| 功能主治 | 苦、辛，寒。归心、肝经。清热解毒，散瘀消肿，凉血止血。用于疮痈肿毒，咽喉肿痛，乳痈，急性结膜炎，跌打伤痛，便血，刀伤出血，蛇咬伤。 |

| 用法用量 | 内服煎汤，15 ~ 30 g。外用适量，鲜品捣敷。 |

| 附　注 | 本种民间常用于化脓性炎症、乳腺炎、败血症的治疗。 |

董菜科 Violaceae 董菜属 Viola 凭证标本号 320981170619117LY

长萼董菜
Viola inconspicua Bl.

| 药 材 名 | 铧尖草（药用部位：全草）。

| 形态特征 | 多年生草本。无地上茎。根茎较粗壮，长 1 ~ 2 cm，节密生，通常被残留的褐色托叶所包被。叶呈莲座状；叶片通常三角状卵形或舌状三角形，长 1.5 ~ 7 cm，宽 1 ~ 3.5 cm，先端渐尖，基部宽心形，稍下延于叶柄，有 2 垂片，两面通常无毛或少有短毛，花后增大有时呈头盔状；托叶 3/4 与叶柄合生，分离部分披针形，边缘疏生流苏状短齿，稀全缘，通常有褐色腺点。花淡紫色，有深条纹；萼片披针形，基部附属物狭长；花瓣长圆状倒卵形，侧瓣内面有须毛，距管状，长 2.5 ~ 3 mm；下方雄蕊背部的距角状；花柱棍棒状，长约 2 mm，先端平，具明显的短喙。蒴果椭圆形，长 8 ~ 10 mm，夏季闭合花的果实较大。花果期 11 月。

| 生境分布 | 生于田边、溪边或杂草丛中。分布于江苏南京、无锡（宜兴）、常州（溧阳）、连云港等。 |

| 资源情况 | 野生资源较丰富。 |

| 采收加工 | 夏、秋季采集，洗净，除去杂质，鲜用或晒干。 |

| 药材性状 | 本品叶片呈三角状卵形或舌状三角形，基部宽心形，稍下延于叶柄，有 2 垂片，有的两面皆可见少数短毛。花距短囊形，长约 2.5 cm。味苦、辛。 |

| 功效物质 | 花含有蜡质、黄酮类、多糖类、挥发油类等资源性成分。全草除含有堇菜属植物都有的黄酮类、三萜类、挥发油类外，还含有具有较强抗菌活性的环肽类资源性成分。 |

| 功能主治 | 苦、辛，寒。归心、肝、胃经。清热解毒，凉血消肿，利湿化瘀。用于疔疮痈肿，咽喉肿痛，乳痈，湿热黄疸，目赤生翳，肠痈下血，跌打损伤，外伤出血，产后瘀血腹痛，蛇虫咬伤。 |

| 用法用量 | 内服煎汤，9 ~ 15 g，鲜品 30 ~ 60 g；或捣汁。外用适量，捣敷。 |

| 附　　注 | 本种民间用于湿热发黄的治疗。 |

董菜科 Violaceae 董菜属 Viola 凭证标本号 321323180411173LY

白花堇菜 *Viola lactiflora* Nakai

| **药 材 名** | 白花堇菜（药用部位：全草）。

| **形态特征** | 多年生草本，高 10 ～ 18 cm。无地上茎。根茎稍粗，垂直或斜生，上部具短而密的节，散生数条淡褐色长根。叶多数，均基生；叶片长三角形或长圆形，下部者长 2 ～ 3 cm，宽 1.5 ～ 2.5 cm，上部者长 4 ～ 5 cm，宽 1.5 ～ 2.5 cm，先端钝，基部明显浅心形或截形，有时稍呈戟形，边缘具钝圆齿，两面无毛，下面叶脉明显隆起；叶柄长 1 ～ 6 cm，无翅，下部者较短，上部者较长；托叶明显，淡绿色或略呈褐色，近膜质，中部以上与叶柄合生，合生部分宽约 4 mm，离生部分线状披针形，边缘疏生细齿，或全缘。花白色，中等大小，长 1.5 ～ 1.9 cm；花梗不超出或稍超出叶，在中部或中部以上有 2 线形小苞片；萼片披针形或宽披针形，长 5 ～ 7 mm，先

端渐尖，基部附属物短而明显，末端截形，具钝齿或全缘，边缘狭膜质，具 3 脉；花瓣倒卵形，侧方花瓣内面有明显的须毛，下方花瓣较宽，先端无微缺，末端具明显的筒状距，距长 4 ~ 5 mm，直径约 3 mm，末端圆；花药长约 2 mm，与药隔先端附属物近等长，下方 2 雄蕊背部的距呈短角状，长约 2.5 mm，末端渐细；子房无毛，花柱棍棒状，基部细，稍向前膝曲，向上渐增粗，柱头两侧及后方稍增厚成狭的缘边，前方具短喙，喙端有较细的柱头孔。蒴果椭圆形，长 6 ~ 9 mm，无毛，先端常有宿存的花柱；种子卵球形，长约 1.5 mm，呈淡褐色。

| 生境分布 | 生于山坡草地。分布于江苏镇江、无锡（宜兴）、苏州等。

| 资源情况 | 野生资源一般。

| 采收加工 | 夏、秋季采收，鲜用或晒干。

| 药材性状 | 本品叶片呈三角状卵形或舌状三角形，基部宽心形，稍下延于叶柄，有 2 垂片，有的两面皆可见少数短毛。花距短囊形，长约 2.5 cm。

| 功效物质 | 含有堇菜属植物都有的黄酮类、三萜类、挥发油类资源性成分，具有抗菌、消炎、解毒作用。

| 功能主治 | 苦、甘，平。归大肠、心、肝经。清热解毒，消瘀消肿。用于疮毒红肿，淋浊，狂犬咬伤，目赤，咽喉肿痛。

| 用法用量 | 内服煎汤，15 ~ 30 g。

| 附　　注 | 本种民间用于治疗五劳七伤、全身疼痛。

董菜科 Violaceae 董菜属 *Viola* 凭证标本号 320721180413015LY

东北堇菜
Viola mandshurica W. Beck.

| 药 材 名 | 东北堇菜（药用部位：全草）。

| 形态特征 | 多年生草本，高 6 ~ 18 cm。根茎缩短，常有数条褐色长根。下部的叶较狭小，长 2 ~ 5 cm，花期后增大，呈长三角形或椭圆状披针形，长达 10 cm，基部钝圆、截形或宽楔形，明显下延于叶柄，边缘具疏生波状浅圆齿，两面无毛或疏被柔毛；叶柄上部具狭翅，花期后翅显著增宽；托叶约 2/3 与叶柄合生，离生部分线状披针形，近全缘或疏生细齿。花紫堇色或淡紫色，直径约 2 cm；花梗常长于叶，无毛或被短毛；萼片卵状披针形或狭披针形，基部附属物短而宽，末端圆形或截形，通常无齿；侧方花瓣内面基部有长须毛，下方花瓣的距圆筒形，粗而长，长 5 ~ 10 mm，末端圆；花柱棍棒状，柱头两侧及后方稍增厚成薄而直立的缘部，前方具

短喙。蒴果长圆形，无毛，先端尖。花果期 4 ~ 9 月。

| 生境分布 | 生于山脚空旷地。分布于江苏连云港（东海）等。

| 资源情况 | 野生资源一般。

| 采收加工 | 夏、秋季采收，洗净，鲜用或晒干。

| 药材性状 | 本品多皱缩成团。根细长，深褐色或灰白色。基生叶卵状披针形或条形，先端钝圆，边缘波状，基部下延至叶柄。质脆，易碎。气微，味微苦。

| 功效物质 | 含有堇菜属植物都有的黄酮类、三萜类、挥发油类资源性成分，具有抗菌、消炎、解毒作用。

| 功能主治 | 苦，寒。归肝经。清热解毒，消肿排脓。用于痈疽疔毒，目赤肿痛，咽喉肿痛，乳痈，黄疸，各种脓肿，淋巴结结核，泄泻，痢疾。

| 用法用量 | 内服煎汤，15 ~ 30 g。外用适量，鲜品捣敷。

董菜科 Violaceae 董菜属 Viola 凭证标本号 320721180413017LY

白花地丁

Viola patrinii DC. ex Ging.

| 药 材 名 | 白花地丁（药用部位：全草）。

| 形态特征 | 多年生草本，高 5 ~ 15 cm。根茎短，节密。根淡褐色，数条。无地上茎。叶呈莲座状；下部的叶较小，叶片三角状卵形或狭卵形；上部的叶较大，叶片长圆形、长圆状卵形或狭卵状披针形，长 2 ~ 4 cm，宽 0.5 ~ 1 cm，先端圆钝，基部截形或楔形，下延于叶柄，边缘有浅圆齿；有时叶背沿脉有短毛，果期叶片增大，长达 10 cm，叶柄增大，长达叶片的 2 ~ 3 倍；托叶膜质，苍白色或淡绿色，长 1.5 ~ 2.5 cm，2/3 ~ 4/5 与叶柄合生，离生部分线状披针形，边缘有稀疏的流苏状细齿，或全缘。花有长梗；萼片卵状披针形，先端尖，基部附属物短，先端截形或有小齿，无毛或有毛；花瓣淡紫色，倒卵形或长圆状倒卵形，距细管状，长 4 ~ 8 mm，末端圆；

花柱棍棒状，柱头三角形，顶部略平，前方具短喙。蒴果长圆形，无毛。花果期 4 ~ 9 月。

| **生境分布** | 生于河岸、湖边等湿地。分布于江苏连云港（东海）、南京（高淳）、无锡（宜兴）等。

| **资源情况** | 野生资源一般。

| **采收加工** | 夏、秋季采收，洗净，鲜用或晒干。

| **药材性状** | 本品叶片呈三角状卵形或舌状三角形，基部宽心形，稍下延于叶柄，有 2 垂片，有的两面皆可见少数短毛。花距短囊形，长约 2.5 cm。

| **功效物质** | 含有堇菜属植物都有的黄酮类、三萜类、挥发油类资源性成分，其乙醇、正己烷、氯仿提取物具有较好的抗菌活性。

| **功能主治** | 苦、甘，平。归大肠、心、肝经。除风火，散瘀血，通经，消肿，解毒。用于疮毒红肿，疔疮，淋浊，狂犬咬伤，火眼，咽喉肿痛。

| **用法用量** | 内服煎汤，15 ~ 31 g。

董菜科 Violaceae 董菜属 *Viola* 凭证标本号 320703170421741LY

斑叶董菜
Viola variegata Fisch ex Link

| 药 材 名 | 斑叶董菜（药用部位：全草）。

| 形态特征 | 多年生草本。无地上茎。根茎短。叶呈莲座状；叶片近圆形或宽卵形，长 1.5 ~ 5 cm，宽 1 ~ 4.5 cm，先端圆钝，基部心形，边缘有细锯齿，叶脉常有青白色的斑纹，叶面常稍带紫红色，两面密被短粗毛；叶柄长 1 ~ 7 cm；果期叶增大，基部弯缺变深而狭；托叶近膜质，2/3 与叶柄合生，离生部分卵状披针形或披针形，边缘疏生流苏状腺齿。花红紫色；萼片卵状披针形或披针形，基部附属物短；花瓣倒卵形，侧瓣内面基部有须毛，下方花瓣基部白色并有董色条纹，距筒状，长 5 ~ 7 mm，稍向上弯；花药及药隔先端附属物均长约 2 mm，下方 2 雄蕊的距长可达 4 mm；子房近球形，通常被粗毛，花柱棍棒状，前端具短喙。蒴果椭圆形，长约 7 mm，无毛或疏生短

毛；幼果通常被短粗毛。花期 4 ~ 8 月，果期 6 ~ 9 月。

| 生境分布 | 生于山坡杂草丛中。分布于江苏徐州（铜山）等。

| 资源情况 | 野生资源一般。

| 采收加工 | 夏、秋季采收，洗净，鲜用或晒干。

| 药材性状 | 本品多皱缩成团。叶基生，宽卵形，基部下延至叶柄，边缘有圆锯齿，绿色或枯绿色，叶脉有类白色斑纹，基部有披针状托叶。花茎长于叶，淡棕紫色。气微。

| 功效物质 | 含有黄酮类、三萜类、挥发油类资源性成分，具有抗菌、消炎、解毒作用。

| 功能主治 | 甘，凉。清热解毒，凉血止血。用于疮痈肿毒，创伤出血。

| 用法用量 | 内服煎汤，9 ~ 15 g。外用适量，捣敷。

| 附　　注 | 本种民间多用于治疗创伤出血。

堇菜科 Violaceae 堇菜属 *Viola* 凭证标本号 320703150425167LY

堇菜
Viola verecunda A. Gray

药 材 名

消毒药（药用部位：全草）。

形态特征

多年生草本，高 10 ~ 20 cm。全体近无毛。根茎较短，节间缩短，节密，须根发达。地上茎常数条丛生。基生叶多，宽心形或近新月形，长可达 3 cm（包括垂片），先端圆钝或微尖，基部宽心形，边缘具向内弯的浅波状圆齿，叶片长；茎生叶少，疏列，叶片与基生叶相似；基生叶的托叶褐色，披针形或条状披针形，下部与茎合生，具疏锯齿，茎生叶的托叶绿色，离生，卵状披针形或匙形。花较小，基生或生于茎生叶叶腋，花梗长于叶；萼片卵状披针形，长 4 ~ 5 mm，基部附属物短，先端平截，具浅齿；花瓣白色或淡紫色，下方花瓣下部有深紫色条纹，距短，囊状，长 1 ~ 3 mm；花柱棍棒状，柱头 2 裂。果实椭圆形，长约 8 mm，无毛。

生境分布

生于湿草地、山坡草丛、灌丛、杂木林林缘、田野、宅旁等。江苏各地均有分布。

| 资源情况 | 野生资源较丰富。

| 采收加工 | 7 ~ 8 月采收，洗净，鲜用或晒干。

| 药材性状 | 本品多皱缩成团。根茎上有细根。基生叶多，具长柄；茎生叶有托叶，托叶小，披针形；叶片湿润展平后呈宽心形或近新月形，边缘有波状圆齿。花基生或生于茎生叶叶腋，淡棕紫色。蒴果较小，椭圆形，长 8 mm。

| 功效物质 | 含有黄酮类、酚酸类资源性成分，如槲皮素、木犀草素、山柰酚及其糖苷、原儿茶酸、咖啡酸、对香豆酸、香草酸、龙胆酸、阿魏酸等，具有抗菌、消炎、解毒作用。另含有多糖类资源性成分。

| 功能主治 | 辛、微酸，寒。归肺、心、肝、胃经。清热解毒，止咳，止血。用于肺热咯血，扁桃体炎，结膜炎，疔疮肿毒，蝮蛇咬伤，刀伤出血。

| 用法用量 | 内服煎汤，9 ~ 15 g，鲜品 15 ~ 30 g。外用适量，捣敷；或焙干研末撒敷。

■ 堇菜科 ■ Violaceae ■ 堇菜属 ■ Viola ■ 凭证标本号 ■ 320703170421725LY

紫花地丁

Viola philippica Cav. Icons et Descr.

药 材 名	紫花地丁（药用部位：全草）。
形态特征	多年生草本，高约 15 cm。主根粗而长。无地上茎。叶呈莲座状，叶形多变，长椭圆形至广披针形或三角状卵形，长 2 ~ 6 cm，宽 0.5 ~ 1.5 cm，先端圆或钝，基部截形、楔形或稍呈心形，稍下延于叶柄，边缘有浅圆齿；果期叶片增大，叶柄增长；托叶膜质，苍白色或淡绿色，长 1.5 ~ 2.5 cm，2/3 ~ 4/5 与叶柄合生，离生部分线状披针形，有睫毛。花有长梗；萼片卵状披针形，基部附属物长圆形或半圆形，先端截形、圆形或有小齿；花瓣倒卵形或长圆状倒卵形，距细管状，长约 7 mm；花药长约 2 mm，药隔顶部附属物长约 1.5 mm，下方 2 雄蕊的距长 4 ~ 6 mm；花柱棍棒状，柱头三角形，顶部略平，前方具短喙。蒴果椭圆形，长 6 ~ 10 mm，无毛。花

期 3 ~ 4 月，有时 10 月也开花。

| 生境分布 | 生于野外草地。江苏各地均有分布。

| 资源情况 | 野生资源丰富。

| 采收加工 | 5 ~ 6 月果实成熟时采收，洗净，晒干。

| 药材性状 | 本品多皱缩成团。主根淡黄棕色，直径 1 ~ 3 mm，有细纵纹。叶灰绿色，展平后呈披针形或卵状披针形，先端钝，基部截形或微心形，边缘具浅圆齿，两面被毛；叶柄有狭翼。花茎纤细；花淡紫色，花瓣距细管状。蒴果椭圆形；种子多数。气微，味微苦而稍黏。以色绿、根黄者为佳。

| 功效物质 | 全草含有黄酮类、香豆素类、有机酸类、酚类、生物碱类、皂苷类、多糖类、氨基酸类、多肽及蛋白质、植物甾醇等多种资源性成分，同时富含铜、铁、锌、锰、镁、钙等微量元素。黄酮类和香豆素类资源性成分具有抗氧化、抗菌活性。

| 功能主治 | 苦、辛，寒。归心、肝经。清热解毒，凉血消肿。用于疔疮肿毒，痈疽发背，丹毒，毒蛇咬伤。

| 用法用量 | 内服煎汤，15 ~ 30 g。外用适量，鲜品捣敷。

| 附　注 | 在 FOC 中，本种的拉丁学名被修订为 *Viola philippica* Cav.，部分文献使用的中文名称为"光瓣堇菜"。紫花地丁总生物碱具有抗鸡新城疫病毒作用，黄酮类提取物能明显抑制鸡传染性支气管炎病毒，可用于开发抗病毒兽用药物。

堇菜科 Violaceae 堇菜属 *Viola* 凭证标本号 NAS00612983

犁头草
Viola japonica Langsd. ex DC.

| 药 材 名 | 犁头草（药用部位：全草）。

| 形态特征 | 多年生草本。无地上茎。根茎粗短，节密生。支根多条，褐色。叶呈莲座状；叶片长卵形、三角状卵形或广卵形，长 2 ～ 6 cm，宽 1.5 ～ 4 cm，先端钝，基部心形或浅心形，边缘有锯齿，叶背有时稍带紫色；叶柄长 2 ～ 8 cm，花后伸长可达 18 cm；花后叶片增大，长达 11.5 cm，宽达 8 cm；托叶短，下部与叶柄合生，长约 1 cm，离生部分开展。花淡紫色，花梗长 6 ～ 12 cm；萼片披针形，附属物上有钝齿；上方与侧方花瓣内面无毛，下方花瓣长倒心形，先端微凹，距圆筒状，长约 5 mm；下方雄蕊的距长约 3 mm；柱头呈三角形凸出，顶部平坦，前端具短喙。蒴果长圆形，长 6 ～ 10 mm。花期 3 ～ 4 月。

| 生境分布 | 生于路旁、山地。江苏各地均有分布。 |

| 资源情况 | 野生资源较丰富。 |

| 采收加工 | 4 ～ 5 月果实成熟时采收，去净泥土，鲜用或晒干。 |

| 药材性状 | 本品多皱缩成团。主根长圆锥形，直径 1 ～ 3 mm，淡黄棕色，有细纵皱纹。叶基生，灰绿色，展平后叶片呈披针形或卵状披针形，长 1.5 ～ 6 cm，宽 1 ～ 2 cm，先端钝，基部截形或稍心形，边缘具钝锯齿，两面有毛；叶柄细，长 2 ～ 6 cm，上部具明显狭翅。花茎纤细；花瓣 5，紫堇色或淡棕色；花距细管状。蒴果椭圆形或 3 裂；种子多数，淡棕色。气微，味微苦而稍黏。 |

| 功效物质 | 全草主要含有黄酮类资源性成分，如金圣草素、刺槐苷、芹菜素 -7-*O*-β-*D*- 葡萄糖苷等，含量达 15% 以上，具有抗金黄色葡萄球菌、抗乙型肝炎病毒等活性。 |

| 功能主治 | 微苦，寒。归肝、脾经。清热解毒，化瘀排脓，凉血清肝。用于痈疽肿毒，乳痈，肠痈下血，化脓性骨髓炎，黄疸，目赤肿痛，瘰疬，外伤出血，蛇咬伤。 |

| 用法用量 | 内服煎汤，9 ～ 15 g，鲜品 30 ～ 60 g；或捣汁；或入丸剂。外用适量，捣敷；或研末调敷。 |

| 附　　注 | 《江苏植物志》等地方植物志原载为心叶堇菜 *Viola concordifolia* C. J. Wang，系本种的误订。 |

柽柳科 Tamaricaceae 柽柳属 Tamarix 凭证标本号 320621180721023LY

柽柳
Tamarix chinensis Lour.

| 药 材 名 | 柽柳（药用部位：细嫩枝叶）。

| 形态特征 | 灌木或小乔木，高 3 ~ 6 m。树皮红褐色。小枝细弱，下垂，暗紫红色或淡棕色。叶卵状披针形，叶背有凸起的脊，先端内弯。花粉红色，每年开花 2 ~ 3 次，春季的总状花序侧生于去年生木质化小枝上，长 3 ~ 6 cm，下垂，夏、秋季总状花苞长 3 ~ 5 cm，再由总状花序集成大型的圆锥花丛，着生于新枝先端，下垂；苞片线状锥形；雄蕊着生于花盘裂片之间，伸出花冠外；花盘 5 裂或每裂片再 10 裂，肉质，紫红色；花柱 3，棍棒状。蒴果圆锥形，长 3 ~ 3.5 mm；种子有毛。花期 4 ~ 9 月，果期 10 月。

| 生境分布 | 生于河流冲积平原河滩、沙荒地、潮湿盐碱地及沿海滩涂。分布于

江苏北部、南部等。

| 资源情况 | 野生及栽培资源丰富。

| 采收加工 | 4～9月花未开时折取，阴干。

| 药材性状 | 本品干燥的枝梗呈圆柱形。嫩枝直径不及 1.5 mm；表面灰绿色，生有许多互生的鳞片状小叶。质脆，易折断。粗梗直径约 3 mm；表面红褐色，叶片常脱落而残留叶基呈突起状；横切面黄白色，木部占绝大部分，有明显的年轮，皮部与木部极易分离，中央有髓。气微弱。以色绿、质嫩、无杂质者为佳。

| 功效物质 | 主要含有黄酮类、三萜类、甾体类、酚酸类、挥发油类等资源性成分，具有抗炎镇痛、抗肿瘤、抗菌、保肝、抑酶等药理活性。豆甾 -4- 烯 -3,6- 二酮、麦角甾 -4,24（28）- 二烯 -3- 酮、豆甾烷 -3,6- 二酮和豆甾 -4- 烯 -3- 酮对人肺癌细胞 A549 有较强的细胞毒活性。

| 功能主治 | 甘、辛，平。归心、肺、胃经。发表透疹，祛风除湿。用于麻疹不透，风湿痹痛。

| 用法用量 | 内服煎汤，30～60 g；或入散剂。外用适量，煎汤洗。

| 附　　注 | 江苏也以本种的花入药，用于治疗风疹。

柽柳科 Tamaricaceae 柽柳属 *Tamarix* 凭证标本号 320321180614005LY

多枝柽柳
Tamarix ramosissima Ledeb.

| 药 材 名 | 多枝柽柳（药用部位：细嫩枝叶）。

| 形态特征 | 灌木或小乔木，高 5 m。老枝暗灰色，当年生木质化生长枝红紫色，营养枝绿色。木质化生长枝上的叶披针形，基部半抱茎；营养枝上的叶片短，卵圆形或三角状心形，先端尖，内倾，基部几抱茎。花粉红色；总状花序集成顶生的圆锥花丛，着生于当年生枝顶；苞片卵状披针形，达到或超过花萼先端，先端长尖；萼片卵形，急尖，绿色，长 0.5 ~ 1 mm；花瓣倒卵状长圆形，先端微凹，花后宿存；花盘 5 裂，先端凹，紫红色；雄蕊 5，明显伸出花冠外；子房具 3 棱，花柱 3，棍棒状。蒴果 3 瓣裂；种子有毛。

| 生境分布 | 生于路边、沟旁及盐碱地。分布于江苏北部及海边等。江苏南部有栽培。

| **资源情况** | 野生及栽培资源丰富。

| **采收加工** | 4 ~ 5 月花未开时折取，阴干。

| **功效物质** | 主要含有黄酮类、酚酸类、挥发油类、三萜类、苯丙酸类、甾体类等资源性成分，其中的黄酮类主要是以山柰酚、槲皮素为苷元的黄酮苷，黄酮，硫酯化黄酮等，以及少量的查尔酮和黄烷酮类，该类成分具有抗氧化、抗衰老、抗炎、抗寄生虫、抗病毒、抗肿瘤活性。挥发性成分主要含有烃、醛、酮和醇四类化合物，其中烃类含量最高。

| **功能主治** | 发表透疹，祛风除湿。用于麻疹不透，风湿痹痛。

| **用法用量** | 内服煎汤，10 ~ 15 g；或入散剂。外用适量，煎汤洗。

秋海棠科 Begoniaceae 秋海棠属 Begonia 凭证标本号 320428180524630LY

四季秋海棠

Begonia semperflorens Link et Otto

| 药 材 名 | 四季海棠（药用部位：花、叶）。

| 形态特征 | 多年生肉质草本，高 15 ~ 30 cm。根纤维状。茎直立，绿色或淡红色，基部多分枝，无毛或上部被疏毛。叶片稍肉质，光亮，卵形或宽卵形，长 5 ~ 8 cm，宽 3.5 ~ 6 cm，先端急尖或钝，基部稍心形而微偏斜，边缘有细锯齿及细缘毛，两面绿色，叶脉红色。聚伞花序生于上部叶腋；花被红色、淡红色或白色；雄花花被片 4，外轮 2 大于内轮 2，雄蕊多数；雌花较雄花稍小，花被片 5，几等大或内轮 1 略小；花柱 3，基部合生，柱头叉状，裂片螺旋状扭曲。蒴果具 3 翅，其中 1 翅较大，卵状三角形。花期 3 ~ 12 月。

| 生境分布 | 江苏各地均有栽培。

| **资源情况** | 栽培资源丰富。 |

| **采收加工** | 全年均可采收，多为鲜用。 |

| **功效物质** | 含有有机酸类资源性成分，如草酸、琥珀酸、延胡索酸和苹果酸等，有清热解毒的作用。还含有花色素苷类成分，是彩叶植物呈色的主要物质。 |

| **功能主治** | 苦，凉。清热解毒。用于疮疖。 |

| **用法用量** | 外用适量，鲜品捣敷。 |

| **附　注** | 本种喜温暖而凉爽的气候，最适宜生长温度 15 ~ 24 ℃，既怕高温，也怕严寒；喜散射光，而怕盛夏中午强光直射。喜生于微酸性砂壤土中，喜空气湿度大的环境。 |

葫芦科 Cucurbitaceae 盒子草属 Actinostemma 凭证标本号 320482180704051LY

盒子草
Actinostemma tenerum Griff.

| 药 材 名 | 盒子草（药用部位：全草或种子）。

| 形态特征 | 草本。茎细长，疏被柔毛，后变无毛。叶形变异大，心状戟形至披针状三角形，长 4 ~ 8 cm，宽 2.5 ~ 5 cm，边缘波状，具疏齿，先端尖或渐尖，基部弯缺，呈半圆形、长圆形或深心形，两面生疣状突起；叶柄细，长 2 ~ 6 cm，被短柔毛。总苞片叶状 3 裂，长 5 mm，花序轴细弱，长 2 ~ 12 cm，被短柔毛；苞片线形，长约 3 mm，被短柔毛；子房卵形，有疣状突起。果实绿色，长 1.5 ~ 2.5 cm，直径 1 ~ 2 cm，自近中部盖裂，果盖锥形；种子卵形，长 1 ~ 1.2 cm，宽 8 ~ 9 mm。花期 7 ~ 9 月，果期 9 ~ 11 月。

| 生境分布 | 生于水边草丛中。分布于江苏南部及淮安、扬州（宝应）等。

| 资源情况 | 野生资源较丰富。

| 采收加工 | 全草，夏、秋季采收，晒干；种子，秋季采收成熟果实，收集种子，晒干。

| 功效物质 | 全草含有皂苷类、黄酮类、氨基酸类等资源性成分，如合子草皂苷 A、合子草皂苷 B、合子草皂苷 C、合子草皂苷 D、合子草皂苷 E、合子草皂苷 F、合子草皂苷 G、合子草皂苷 H。种子含有 25% ~ 29% 脂肪油，具有抗肿瘤、抗氧化、抑菌等多种生物活性。

| 功能主治 | 苦，寒。利水消肿，清热解毒。用于水肿，臌胀，疳积，湿疹，疮疡，毒蛇咬伤。

| 用法用量 | 内服煎汤，15 ~ 30 g。外用适量，捣敷；或煎汤熏洗。

葫芦科 Cucurbitaceae 冬瓜属 Benincasa 凭证标本号 321023170814287LY

冬瓜 *Benincasa hispida* (Thunb.) Cogn.

| **药 材 名** | 冬瓜皮（药用部位：外层果皮）。

| **形态特征** | 一年生蔓生草本。除叶片、花冠被稀疏毛外，植株的其他部位均有黄褐色硬毛及长柔毛。茎有棱槽。叶片肾状圆形，长、宽均为15 ~ 30 cm，5 ~ 7浅裂或中裂，裂片宽三角形或卵状三角形，先端急尖，基部深心形，弯缺近圆形，边缘有小齿；叶柄粗壮，长5 ~ 20 cm。雄花梗长5 ~ 15 cm，基部常有苞片1；苞片宽卵形，长6 ~ 10 mm；花丝长2 ~ 3 mm，基部膨大，被毛，花药长5 mm，药室3回折曲；雌花梗长不及5 cm，柱头长12 ~ 15 mm。果实长圆柱状，大型，长25 ~ 60 cm，直径10 ~ 30 cm；种子白色或深黄色，长约1 cm，扁平，有边缘。花果期夏季。

| 生境分布 | 江苏各地均有栽培。

| 资源情况 | 栽培资源丰富。

| 采收加工 | 夏末秋初采摘成熟果实，剥取外层果皮，晒干。

| 功效物质 | 皮含有利尿、降血压的糖类、维生素类、蛋白质、矿物质和膳食纤维等资源性成分。籽含有皂苷类、蛇麻醇酯、甘露醇、氨基酸类、微量元素等，还含有少量的腺嘌呤、葫芦巴碱、5-甲基胞嘧啶等生物碱类成分。冬瓜籽油成分以不饱和脂肪酸为主，含量达 53.11% 以上，包括亚油酸、棕榈酸、硬脂酸、油酸等。亚油酸、油酸等不饱和脂肪酸可降低血中胆固醇、甘油三酯，对防治冠心病、动脉硬化、高脂血症均有一定的作用。

| 功能主治 | 甘、淡，凉。归肺、大肠、小肠、膀胱经。利尿消肿。用于水肿胀满，小便不利，暑热口渴，小便短赤。

| 用法用量 | 内服煎汤，60 ~ 120 g；或煨熟；或捣汁。外用适量，捣敷；或煎汤洗。

| 附　　注 | 本种喜温、耐热。生长发育适温为 25 ~ 30 ℃，种子发芽适温为 28 ~ 30 ℃，根系生长的最低温度为 12 ~ 16 ℃，均比其他瓜类蔬菜要求高。授粉坐果适宜温度为 25 ℃左右，20 ℃以下的气温不利于果实发育。属短日性作物，短日照、低温有利于花芽分化，但整个生育期中还要求长日照和充足的光照。

葫芦科 Cucurbitaceae 西瓜属 Citrullus 凭证标本号 3209811170616051LY

西瓜 *Citrullus lanatus* (Thunb.) Matsum. et Nakai

| 药 材 名 | 西瓜霜（药材来源：成熟果实与芒硝经加工而成的白色结晶粉末）。

| 形态特征 | 一年生蔓生草本。茎、枝密被白色或淡黄褐色长柔毛；卷须2裂。叶片宽卵形至卵状长椭圆形，长8～20 cm，宽5～15 cm，3深裂，中间裂片较长，两侧裂片较短，各裂片的边缘再不规则羽状深裂，小裂片倒卵状椭圆形或椭圆状披针形，先端小裂片的先端短尖，其余小裂片的先端多圆钝；叶柄长6～12 cm，被长柔毛。雄花花梗长3～4 cm；花冠黄色，裂片卵状长椭圆形，外面有长毛。果实近球形或长椭圆形，直径20～30（～50）cm，外皮平滑，绿色、深绿色或淡绿色而有深绿色条纹，果肉厚而多汁，红色、黄色或白色，味甜；种子多，黑色、红色或白色，扁平、光滑。花果期夏季。

| 生境分布 | 江苏各地均有栽培。

| 资源情况 | 栽培资源丰富。

| 采收加工 | 取新鲜西瓜，沿蒂头切一厚片作顶盖，挖去瓜瓤及种子，将芒硝填入瓜内，盖上顶盖，用竹签插牢，放入瓦盆内，盖好，置阴凉通风处，待析出白霜时，随时刷下，直至无白霜析出为度。

| 功效物质 | 含瓜氨酸、丙氨酸、谷氨酸、精氨酸、苹果酸、磷酸等多种具有皮肤生理活性的氨基酸，尚含腺嘌呤等重要代谢成分，以及糖类、维生素、矿物质等营养成分。番茄红素是西瓜中主要的类胡萝卜素，具有淬灭活性氧、消除自由基等功能。皮富含氨基酸、蛋白质、果胶、维生素、微量元素等多种成分，其中瓜氨酸因最先从西瓜中提取而得名，能够提高免疫系统功能、维护关节运动、平衡正常的血糖水平，还可有效清除羟基自由基，具有较强的抗氧化性。种子含有少量的可溶性糖和不可溶性糖。

| 功能主治 | 咸，寒。归脾、肺经。清热除烦，解暑生津，利尿。用于热盛伤津，小便不利，喉痹，口疮。

| 用法用量 | 外用适量，入散剂；或吹喉。

| 附　　注 | 本种喜温暖、干燥的气候，不耐寒，生长发育的最适温度为 24 ～ 30 ℃，耐旱，不耐湿，阴雨天多湿度过大时，易感病。适应性强，以土质疏松、土层深厚、排水良好的砂壤土最佳。喜弱酸性、pH 5 ～ 7 的土壤。

葫芦科 Cucurbitaceae 黄瓜属 Cucumis 凭证标本号 320803180530019LY

黄瓜 *Cucumis sativus* L.

药 材 名	黄瓜（药用部位：果实）、黄瓜皮（药用部位：果皮）、黄瓜藤（药用部位：藤茎）、黄瓜子（药用部位：种子）、黄瓜叶（药用部位：叶片）、黄瓜根（药用部位：根）、黄瓜霜（药材来源：果皮与朱砂、芒硝混合制成的白色结晶粉末）。
形态特征	一年生蔓生草本。全体有粗毛。卷须不分叉。茎和叶柄均有棱。叶片心状卵形，长、宽均为 12 ～ 18 cm，具 3 ～ 5 角或浅裂，基部弯缺成半圆形，边缘有锯齿或缘毛；叶柄粗壮，长 8 ～ 20 cm。花单性同株；雄花数朵簇生于叶腋；花梗长 0.5 ～ 2 cm；花萼裂片钻形，长 8 ～ 10 mm，有长毛；花冠黄白色，裂片椭圆状披针形，长约 2 cm，先端尖锐；花丝近无，药隔伸出；雌花单生，花萼和花瓣

与雄花相同。果实长椭圆形，黄绿色、深绿色至浅绿色或黄色（因品种而异），表面有短刺瘤；种子椭圆形，扁平，白色。花果期夏季。

| **生境分布** | 江苏各地均有栽培。

| **资源情况** | 栽培资源丰富。

| **采收加工** | **黄瓜**：夏季采收，鲜用。

黄瓜皮：夏、秋季采收果实，刨下果皮，鲜用或晒干。

黄瓜藤：夏、秋季采收，鲜用或晒干。

黄瓜子：夏、秋季采收成熟果实，剖开，取出种子，洗净，晒干。

黄瓜叶：夏、秋季采收，鲜用或晒干。

黄瓜根：夏、秋季挖，洗净，切段，鲜用或晒干。

黄瓜霜：成熟的果实剖去瓜瓤，用朱砂、芒硝各 9 g，两药和匀，灌入瓜内，倒吊阴干，待瓜外出霜，刮下晒干。

| **功效物质** | 种子含有较丰富的生育酚、角鲨烯、亚油酸与油酸等脂肪酸类及蛋白质类营养物质。根含有反式对羟基桂皮醛、4- 羟基 -3,5,5- 三甲基 -4-（3- 氧代 -1- 丁烯基）-2- 环己烯 -1- 酮、黑麦草内酯、对甲氧基苯酚、3- 吲哚甲醛、3- 氨基吲哚、3- 吲哚甲酸甲酯等成分。黄瓜中苦味化合物葫芦素类具有防治恶性肿瘤和糖尿病的功效。

| **功能主治** | **黄瓜**：清热，利水，解毒。用于热病口渴，小便短赤，水肿尿少，烫火伤，汗斑，痱疮。

黄瓜皮：清热，利水，通淋。用于水肿尿少，热结膀胱，小便淋痛。

黄瓜藤：清热，化痰，利湿，解毒。用于痰热咳嗽，癫痫，湿热泻痢，湿痰流注，疮痈肿毒，高血压。

黄瓜子：续筋接骨，祛风，消痰。用于骨折筋伤，风湿痹痛，老年痰喘。

黄瓜叶：清湿热，消毒肿。用于湿热泻痢，无名肿毒，湿脚气。

黄瓜根：清热，利湿，解毒。用于内热消渴，湿热泻痢，黄疸，疮疡肿毒，聤耳流脓。

黄瓜霜：清热明目，消肿止痛。用于风火眼，咽喉肿痛，口舌生疮，牙龈肿痛，跌打损伤。

| **用法用量** | **黄瓜**：内服适量，生食或煮熟；或绞汁服。外用适量，捣汁涂。

黄瓜皮：内服煎汤，10 ~ 15 g，鲜品加倍。

黄瓜藤：内服煎汤，10 ~ 15 g，鲜品加倍；或绞汁服。外用适量，煎汤洗；或研末撒敷。

黄瓜子：内服研末，3 ~ 10 g；或入丸、散剂。外用适量，研末调敷。

黄瓜叶：内服煎汤，10 ~ 15 g，鲜品加倍；或绞汁服。外用适量，捣敷；或捣汁涂。

黄瓜根：内服煎汤，10 ~ 15 g，鲜品加倍；或入丸剂。外用适量，捣敷。

黄瓜霜：外用适量，点眼、吹喉；或撒敷。

| 附　注 | 本种喜温暖，不耐寒冷。生育适温为 10 ~ 32 ℃。最适宜地温为 20 ~ 25 ℃，最低可承受温度为 15 ℃左右。喜湿而不耐涝，喜肥而不耐肥，宜选择富含有机质的肥沃土壤。

葫芦科 Cucurbitaceae 南瓜属 Cucurbita 凭证标本号 321322180819146LY

南瓜

Cucurbita moschata (Duch. ex Lam.) Duch. ex Poiret

| 药 材 名 | 南瓜（药用部位：果实）、南瓜瓤（药用部位：果瓤）、南瓜蒂（药用部位：瓜蒂）、南瓜子（药用部位：种子）、南瓜根（药用部位：根）、南瓜叶（药用部位：叶）、南瓜藤（药用部位：藤茎）、南瓜花（药用部位：花）、南瓜须（药用部位：卷须）、盘肠草（药用部位：幼苗）。

| 形态特征 | 一年生蔓生草本。茎具棱和沟，有粗壮短刚毛，通常在节上生根；卷须稍粗壮，3 ~ 5 裂，密被短刚毛和茸毛。叶片宽卵形或卵圆形，长 12 ~ 25 cm，宽 20 ~ 30 cm，5 浅裂或有 5 角，裂片宽三角形，先端稍钝，边缘有细齿，两面密生粗糙毛，沿边缘及叶面有白色斑块或点；叶柄粗壮，长 8 ~ 19 cm，被短刚毛。花雌雄同株，单生，黄色；雄花花萼筒钟形，裂片线形，上部扩大成叶状；花冠钟状，

5 中裂，裂片外展，有皱纹，边缘尤甚，且微向上卷；雌花花萼裂片先端显著叶状。果柄粗壮，有棱和槽，瓜蒂扩大成喇叭状；果实常有数条纵沟，形状因品种而不同；种子多数，长卵形或长圆形，灰白色，边缘薄。花期 7 ~ 8 月，果期 9 ~ 10 月。

| **生境分布** | 江苏各地城镇多有栽培。

| **资源情况** | 栽培资源丰富。

| **采收加工** | 南瓜：夏、秋季采收成熟，鲜用。

南瓜瓤：秋季采收成熟果实，剖开，取出瓜瓤，除去种子，鲜用。

南瓜蒂：秋季采收成熟果实，切取瓜蒂，晒干。

南瓜子：夏、秋季食用南瓜时，收集成熟种子，除去瓤膜，洗净，晒干。

南瓜根：夏、秋季采挖，洗净，鲜用或晒干。

南瓜叶：夏、秋季采收，鲜用或晒干。

南瓜藤：夏、秋季采收，鲜用或晒干。

南瓜花：7 ~ 8 月花开时采收，鲜用或晒干。

南瓜须：夏、秋季采收，鲜用。

盘肠草：秋后采收，鲜用或晒干。

| **功效物质** | 含有南瓜果胶、多糖、南瓜蛋白、色素、氨基酸类和葫芦苦素 B。南瓜多糖具有降低血糖水平、增强人体免疫、抗病毒等功能。果实中的黄酮类成分具有消炎、镇痛、抗菌、抗病毒、降血压、降血脂、抗衰老及抗氧化自由基等多种生理药理活性。籽用南瓜果皮富含淀粉、果胶、可溶性糖、纤维素、氨基酸、矿物质、维生素等多种营养物质。果皮还富含类胡萝卜素，类胡萝卜素具有抗恶性肿瘤、抗氧化、着色能力强等功能。南瓜子油中主要含有 10 种脂肪酸，不饱和脂肪酸含量占 90%，其中油酸含量高达 63%。

| **功能主治** | 南瓜：解毒消肿。用于肺痈，哮病，痈肿，烫伤，毒蜂蜇伤。

南瓜瓤：解毒，敛疮。用于痈肿疮毒，烫伤，创伤出血。

南瓜蒂：解毒，利水，安胎。用于痈疽肿毒，疔疮，烫伤，疮溃不敛，水肿腹水，胎动不安。

南瓜子：杀虫，下乳，利水消肿。用于绦虫病，蛔虫病，血吸虫病，钩虫病，蛲虫病，产后手足浮肿，乳汁不足，百日咳，痔疮。

南瓜根：利湿热，通乳汁。用于湿热淋证，黄疸，痢疾，乳汁不通。

南瓜叶：清热，解暑，止血。用于暑热口渴，热痢，外伤出血。

南瓜藤：清肺，平肝，和胃，通络。用于肺痨低热，肝胃气痛，月经不调，火眼赤痛，烫火伤。

南瓜花：清湿热，消肿毒。用于黄疸，痢疾，咳嗽，痈疽肿毒。

南瓜须：用于乳缩疼痛。

盘肠草：祛风，止痛。用于小儿盘肠气痛，惊风，感冒，风湿热。

| **用法用量** | 南瓜：内服适量，蒸煮；或生品捣汁。外用适量，捣敷。气滞湿阻者忌服。

南瓜瓤：外用适量，捣敷。

南瓜蒂：内服煎汤，15～30 g；或研末。外用适量，研末调敷。

南瓜子：内服煎汤，30～60 g；或研末；或制成乳剂。外用适量，煎汤熏洗。

南瓜根：内服煎汤，15～30 g，鲜品加倍。外用适量，磨汁涂；或研末调敷。

南瓜叶：内服煎汤，10～15 g，鲜品加倍；或入散剂。外用适量，研末撒。

南瓜藤：内服煎汤，15～30 g；或切段取汁。外用适量，捣汁涂；或研末调敷。

南瓜花：内服煎汤，9～15 g。外用适量，捣敷；或研末调敷。

南瓜须：内服煎汤，9～15 g。外用适量，捣敷；或研末调敷。

盘肠草：内服煎汤，3～10 g。外用适量，捣敷；或炒热敷。

| **附 注** | 本种是喜温的短日照植物，耐旱性强，对土壤要求不严，以肥沃、中性或微酸性砂壤土为宜。

葫芦科 Cucurbitaceae 南瓜属 Cucurbita 凭证标本号 321284190503022LY

西葫芦 *Cucurbita pepo* L.

| 药 材 名 | 西葫芦（药用部位：果实、种子）。

| 形态特征 | 一年生蔓生草本。茎有半透明的粗糙毛；卷须多裂，具柔毛。叶片质硬，直立，三角形或卵状三角形，不规则 5 ~ 7 浅裂，裂片先端锐尖，边缘有不规则的锐齿，基部心形，弯缺半圆形，两面有粗糙毛。花雌雄同株，单生，黄色；雄花花梗粗壮，有棱角，长 3 ~ 6 cm，被黄褐色短刚毛；花萼筒有明显 5 角，裂片线状披针形；花冠筒常向基部渐狭成钟状，长约 5 cm，直径约 3 cm，分裂至近中部，裂片直立或稍扩展，先端渐尖或锐尖；雄蕊 3，花药靠合；雌花单生；子房卵形。果柄有明显的棱沟，果蒂处变粗或稍扩大；果实形状因品种而异；种子白色，边缘拱起而钝。花期 5 月，果期 6 月。

| 生境分布 | 江苏各地城镇多有栽培。

| 资源情况 | 栽培资源较丰富。

| 采收加工 | 冬季花谢后 12 ～ 15 天，春、秋季花谢后 7 ～ 10 天，瓜重 250 g 左右采收果实；收集成熟种子，洗净，晒干。

| 功效物质 | 果实含有齐墩果烯醇、胡萝卜苷、谷甾醇、豆甾醇及较多维生素类、多聚糖及寡糖类等资源性成分。种子含有丰富的蛋白质类，油脂含量在 40% 左右，由多种脂肪酸组成，其中不饱和脂肪酸占脂肪酸总量的 80.5%。氨基酸中以精氨酸比例最高。

| 功能主治 | 果实，用于咳喘。种子，驱虫。

| 附　　注 | 本种生长期适温为 20 ～ 25 ℃，种子发芽适温为 25 ～ 30 ℃。开花结果期需要较高温度，一般保持 22 ～ 25 ℃为最佳。根系生长的最低温度为 6 ℃，根毛发生的最低温度为 12 ℃。夜温 8 ～ 10 ℃时受精果实可正常发育。光照强度要求适中，较能耐弱光。喜湿润，不耐干旱，高温干旱条件下易发生病毒病。对土壤要求不严格，砂土、壤土、黏土均可栽培。

葫芦科 Cucurbitaceae 绞股蓝属 Gynostemma 凭证标本号 321323180409117LY

绞股蓝 *Gynostemma pentaphyllum* (Thunb.) Makino

| **药 材 名** | 绞股蓝（药用部位：全草）。

| **形态特征** | 攀缘草本。卷须纤细，常 2 裂。叶膜质或纸质，常由 5 ~ 7 小叶组成鸟足状；小叶片卵状长圆形或披针形，中间小叶片长 3 ~ 10 cm，边缘有波状齿或圆齿状牙齿，两面叶脉有时具短刚毛。雄花圆锥花序分枝多，长 10 ~ 15（~ 30）cm，被柔毛；花梗长 1 ~ 4 mm，具钻状小苞片；花萼裂片三角形；花冠淡绿色或白色，5 深裂，裂片卵状披针形，具缘毛状小齿；雌花圆锥花序较小；退化雄蕊 5。果实球形，成熟时黑色，光滑，不开裂，直径 5 ~ 8 mm，无毛；种子 2，卵状心形，扁，两面具乳突。花期 3 ~ 11 月，果期 4 ~ 12 月。

| **生境分布** | 生于山沟旁丛林下。分布于江苏扬州、南京、镇江（句容）、无锡

（宜兴）、常州（溧阳）、苏州等。江苏无锡（宜兴）等有零星栽培。

| **资源情况** | 野生资源较丰富。

| **采收加工** | 夏、秋季采收，洗净，晒干。

| **功效物质** | 主要富含绞股蓝皂苷 1 ～绞股蓝皂苷 52，其中绞股蓝皂苷 3、绞股蓝皂苷 4、绞股蓝皂苷 8、绞股蓝皂苷 12 分别与人参皂苷 Rb1、人参皂苷 Rb3、人参皂苷 Rb、人参皂苷 Rf2 结构相同，另含有多糖、维生素、无机元素和黄酮类资源性成分，具有抗肿瘤、抗心血管疾病、保护肝脏等药理作用。

| **功能主治** | 微甘，凉。归肺、脾、肾经。清热，补虚，解毒。用于乏力，虚劳失精，白细胞减少症，高脂血症，病毒性肝炎，慢性胃肠炎，慢性支气管炎等。

| **用法用量** | 内服煎汤，15 ～ 30 g；或研末，3 ～ 6 g；或泡茶。外用适量，捣涂。

葫芦科 Cucurbitaceae 绞股蓝属 Gynostemma 凭证标本号 NAS00580237

喙果绞股蓝 *Gynostemma yixingense* (Z. P. Wang et Q. Z. Xie) C. Y. Wu et S. K. Chen

| 药 材 名 | 喙果绞股蓝（药用部位：全株或根茎）。

| 形态特征 | 多年生攀缘草本，长达 10 m。茎纤细，具纵棱及槽，近节处被长柔毛，余无毛。叶膜质，鸟足状，小叶 5 或 7；叶柄长 3 ~ 6 cm，上面被短柔毛；小叶片椭圆形，中央小叶长 4 ~ 8 cm，侧生小叶较小，先端渐尖或尾状渐尖，边缘具锯齿或重锯齿，基部楔形，上面绿色，近边缘处疏被 1 行微柔毛，背面淡绿色；两面沿脉被短柔毛；小叶柄长约 5 mm。卷须丝状。花雌雄异株；雄花排列成圆锥花序，长 9 ~ 12 cm，花序轴疏被微柔毛，花萼裂片椭圆状披针形，长 1 ~ 1.5 mm，宽 0.5 mm，先端钝，花冠淡绿色，5 深裂，裂片卵状披针形，长 2 ~ 2.5 mm，尾状渐尖，雄蕊 5，花丝合生，花药长约 0.2 mm，无退化雌蕊；雌花簇生于叶腋，花萼与花冠同雄花，子

房近球形，直径 1.5 ~ 2 mm，疏被微柔毛，花柱 3，略叉开，长 2.5 ~ 3 mm，柱头半月形，外缘具齿，退化雄蕊 5，钻状，与花萼裂片对生。蒴果钟形，直径 8 mm，无毛，中部具宿存花被片，顶端略平截，具 3 长达 5 mm 的长喙，成熟后沿腹缝线开裂；种子阔心形，长 3 mm，宽 4 mm，种脐端钝，另端圆形、微凹，两面具小疣状凸起。花期 8 ~ 9 月，果期 9 ~ 10 月。

| **生境分布** | 生于山谷林下乱石中。分布于江苏南京、无锡（宜兴）等。

| **资源情况** | 野生资源一般。

| **采收加工** | 可连续收获几年。在温暖的南方一般每年可收割 2 次。第 1 次在 6 月下旬至 7 月上旬，第 2 次在 11 月下旬，晒干。

| **功效物质** | 主要含有绞股蓝黄酮类（芦丁）及皂苷类资源性成分，皂苷类成分主要为喙果皂苷 A、绞股蓝皂苷、喙果皂苷 B。

| **功能主治** | 补气，止咳，平喘，涩精，抗肿瘤。

葫芦科 Cucurbitaceae 葫芦属 Lagenaria 凭证标本号 321284190702018LY

葫芦

Lagenaria siceraria (Molina) Standl.

| 药 材 名 | 壶卢（药用部位：果实、种子）、陈壶卢瓢（药用部位：老熟果实或果壳）、壶卢秧（药用部位：茎、叶、花、须）。

| 形态特征 | 一年生攀缘草本。叶片心状卵形至肾状卵形，长 10 ~ 40 cm，稍有角裂或 3 ~ 5 浅裂，先端尖锐，基部心形，边缘具不规则的齿，有腺点，两面均被微柔毛；叶柄长 5 ~ 30 cm。雄花的花梗细，较叶柄长，雌花的花梗粗，与叶柄等长或稍短；花萼长 2 ~ 3 cm，萼齿锥形；花冠白色，裂片广卵形或倒卵形，长 3 ~ 4 cm，宽 2 ~ 3 cm，边缘皱曲，先端稍凹陷而有细尖，有 5 脉；子房密生黏质长柔毛，花柱粗短，柱头 3，膨大，2 裂。果实光滑，初为绿色，后变白色或黄色，长可超过 10 cm，中间缢细，上部和下部膨大，上部大于下部；种子白色，倒卵状椭圆形，先端平截或有 2 角。花期 6 ~ 7 月，果期 7 ~ 8 月。

生境分布	江苏各地均有栽培。

资源情况	栽培资源丰富。

采收加工 　**壶卢**：秋季采收已成熟但外皮尚未木质化的果实，去皮；秋季采收成熟的果实，切开，取出种子，洗净。

陈壶卢瓢：秋末冬初采收老熟果实，切开，除去瓢心、种子，打碎，晒干。

壶卢秧：夏、秋季采收，晒干。

药材性状 　**壶卢**：本品种子呈扁长方形或卵圆形，长 1.2 ~ 1.8 cm，宽约 0.6 cm。表面浅棕色或淡白色，较光滑，并有 4 两面对称的深色花纹，花纹上密被淡黄色绒毛，一端平截或心形凹入，另一端渐尖或钝尖。种皮质硬而脆，子叶 2，乳白色，富含油性。气微，味微甜。

陈壶卢瓢：本品呈哑铃状，中部缢细，上部和下部膨大；上部大，类球形，顶端有花柱基；下部小，卵形，连于果柄。表面黄棕色，较光滑。质坚硬。气微，味甘、苦。

功效物质 　果实中氨基酸类含量较高，主要为亮氨酸、苯丙氨酸、缬氨酸、酪氨酸等，还含有多种黄酮类资源性成分，四环三萜类化合物葫芦素具有保肝、提高免疫力、抗肿瘤等多种生物活性，还富含维生素 C、β- 胡萝卜素、维生素 B 复合物、果胶、胆碱和视黄醇等。果皮含有粗蛋白、纤维素和木质素等。此外，葫芦油含有多种脂肪族醛，如辛醛、壬醛和癸醛等。

功能主治 　**壶卢**：果实，利水，消肿，通淋，散结。用于水肿，腹水，黄疸，消渴，淋病，痈肿。种子，清热解毒，消肿止痛。用于肺炎，肠痈，牙痛。

陈壶卢瓢：利水，消肿。用于水肿，臌胀。

壶卢秧：解毒，散结。用于食物、药物中毒，龋齿痛，鼠瘘，痢疾。

用法用量 　**壶卢**：内服煎汤，9 ~ 30 g，或煅存性，研末。

陈壶卢瓢：内服煎汤，10 ~ 30 g；或煅存性，研末。外用适量，烧存性，研末调敷。

壶卢秧：内服煎汤，6 ~ 30 g；或煅存性，研末。

附　　注 　本种喜温暖气候，不耐低温，喜光，对土壤要求不严格，但宜选择富含腐殖质、保肥和保水力强的土壤栽培。

葫芦科 Cucurbitaceae 葫芦属 Lagenaria 凭证标本号 321112180719019LY

瓠瓜
Lagenaria siceraria (Molina) Standl. var. *depressa* (Ser.) Hara

| 药 材 名 | 壶卢（药用部位：果实、种子）、陈壶卢瓢（药用部位：老熟果实或果壳）、壶卢秧（药用部位：茎、叶、花、须）。

| 形态特征 | 本种与葫芦的区别在于果实梨形，直径 20 ～ 30 cm。

| 生境分布 | 江苏各地均有栽培。

| 资源情况 | 栽培资源较丰富。

| 采收加工 | **壶卢**：秋季采收已成熟但外皮尚未木质化的果实，去皮；秋季采收成熟的果实，切开，取出种子，洗净。
陈壶卢瓢：秋末冬初采收老熟果实，切开，除去瓢心、种子，打碎，晒干。

　　壶卢秧：夏、秋季采收，晒干。

| **药材性状** | **壶卢**：本品呈扁球形，直径 20 ~ 30 cm，其余同"葫芦"。

陈壶卢瓢：本品果壳多为破碎的片块，形状不规则，大小不一，厚 4 ~ 7 mm。外表面黄棕色，较光滑，内表面黄白色。质坚硬，不易折断。

| **功效物质** | 主要含有 22- 脱氧葫芦素等三萜类资源性成分。种子含有丰富的蛋白质类和脂肪酸类营养成分。

| **功能主治** | **壶卢**：果实，利水，消肿，通淋，散结。用于水肿，腹水，黄疸，消渴，淋病，痈肿。种子，清热解毒，消肿止痛。用于肺炎，肠痈，牙痛。

陈壶卢瓢：苦，平。利水，消肿。用于水肿，臌胀。

壶卢秧：甘，平。解毒，散结。用于食物、药物中毒，龋齿痛，鼠瘘，痢疾。

| **用法用量** | **壶卢**：内服煎汤，15.5 ~ 31 g；或煅存性，研末。中寒者忌服。

陈壶卢瓢：内服煎汤，15.5 ~ 31 g；或烧存性，研末。外用适量，烧存性，研末调敷。

壶卢秧：内服煎汤，6 ~ 30 g；或煅存性，研末。

| **附　　注** | 本种喜温暖气候，不耐低温，喜光，对土壤要求不严格，宜选择富含腐殖质、保肥和保水力强的土壤栽培。

葫芦科 Cucurbitaceae 葫芦属 *Lagenaria* 凭证标本号 321284190702019LY

瓠子

Lagenaria siceraria (Molina) Standl. var. *hispida* (Thunb.) Hara

| 药 材 名 | 瓠子子（药用部位：种子）、蒲种壳（药用部位：老熟果皮）。

| 形态特征 | 本种与葫芦的区别在于果实长圆柱形，中部不缢缩，直或稍弯，绿白色，果肉白色。

| 生境分布 | 江苏各地均有栽培。

| 资源情况 | 栽培资源较丰富。

| 采收加工 | **瓠子子：** 秋季采收将成熟的果实，剖开，取出种子，洗净，晒干。
蒲种壳： 立秋至白露间，采收老熟果实，剖开，除去种子，晒干。

| 药材性状 | **蒲种壳：** 本品干燥时多呈破碎的条片状，厚 5 ~ 7 mm。外表黄白色

或灰黄色，平滑，内壁灰白色，如棉絮状。质脆易断，断面不平坦。以干燥、外表色黄、内壁白色、无碎屑者为佳。

| 功效物质 | 果实含有葫芦苦素 D，可用于腹胀。种子含油 51.57%，油中含有饱和脂肪酸、油酸、亚油酸等。

| 功能主治 | **瓠子子**：解毒，活血，辟秽。用于咽喉肿痛，跌打损伤，瘴气。
蒲种壳：利水消肿。用于面目四肢浮肿，臌胀，小便不通。

| 用法用量 | **瓠子子**：内服煎汤，鲜品 60 ～ 120 g；或烧存性，研末。外用适量，烧存性，研末调敷。
蒲种壳：内服煎汤，12 ～ 15 g。

| 附　　注 | （1）本种的苦者含有一种植物毒素——碱糖苷毒素，且加热后也不易被破坏，误食后可引起食物中毒。
（2）本种生长势头强，茎叶生长量大，结果多，整个生长期需水量较大。要求透气性良好、富含有机质的土壤，忌连作。在肥沃疏松、排灌方便的砂壤土上生长良好。黏重土、低洼地种植易感病。生长期间要求供给一定量的氮肥，结瓜期喜充足的磷、钾肥。生长前期喜湿润环境，开花结果期土壤和空气湿度不宜过高。

葫芦科 Cucurbitaceae 丝瓜属 Luffa 凭证标本号 321112180523013LY

丝瓜 *Luffa cylindrica* (L.) Roem.

| 药 材 名 | 丝瓜络（药用部位：成熟果实的维管束）。

| 形态特征 | 一年生攀缘草本。茎具 5 棱，光滑或棱上有粗毛；卷须稍粗壮，被短柔毛。叶片三角形或近圆形，长、宽均为 10 ~ 20 cm，掌状 5 ~ 7裂，裂片三角形或披针形，中间裂片长，先端渐尖，基部深心形，边缘有锯齿，叶面有疣点，叶背有短柔毛，具掌状脉。雄花萼裂片密被短柔毛；花瓣倒卵形，长 2 ~ 4 cm，内面基部密被黄白色长柔毛，外面具 3 ~ 5 隆起的脉，脉上密被短柔毛，先端圆或渐凹而有1 短尖头，基部渐狭；雄蕊通常 5，花丝基部有白色短柔毛，药室多回折曲；雌花的子房有柔毛，柱头 3，膨大。果实长圆柱形，长20 ~ 50 cm，直或稍弯，下垂，表面绿色，成熟时黄绿色至褐色，果肉内有强韧的纤维，如网状；种子椭圆形，边缘有膜质狭翅。花

果期 6 ~ 11 月。

| **生境分布** | 江苏各地均有栽培。

| **资源情况** | 栽培资源丰富。

| **采收加工** | 9 ~ 11 月果实成熟、果皮变黄、内部干枯时采摘，搓去外皮及果肉或用水浸泡至果皮和果肉腐烂，取出，洗净，除去种子，晒干。

| **功效物质** | 含有多糖类资源性成分，如木聚糖、甘露聚糖、半乳聚糖等。丝瓜籽油含有脂肪酸类成分，其中亚油酸、棕榈酸、硬脂酸和油酸总含量约占总脂肪酸含量的 94%。茎叶含有人参皂苷 Rg1 和人参皂苷 Re，叶中挥发油含量最多的为植醇，其次为二十烷。

| **功能主治** | 甘，凉。归肝、胃经。祛风，通络，活血，下乳。用于痹痛拘挛，胸胁胀痛，乳汁不通，乳痈肿痛。

| **用法用量** | 内服煎汤，9 ~ 15 g，鲜品 60 ~ 120 g；或烧存性，研末。外用适量，捣汁涂；或研末调敷。

| **附　　注** | 本种喜温暖气候。不耐高温，不耐寒冷。对土壤要求不严，宜选富含有机质、肥沃、保水保肥力强的黏质壤土栽培。

葫芦科 Cucurbitaceae | 苦瓜属 | *Momordica* | 凭证标本号 | 320482181005520LY

苦瓜 *Momordica charantia* L.

| **药 材 名** | 苦瓜（药用部位：果实）、苦瓜叶（药用部位：叶）、苦瓜子（药用部位：种子）、苦瓜藤（药用部位：藤茎）、苦瓜花（药用部位：花）、苦瓜根（药用部位：根）。

| **形态特征** | 一年生攀缘状柔弱草本。茎多分枝，有柔毛；卷须不分裂，具微柔毛。叶肾形或近圆形，5～7深裂，裂片有粗齿或再分裂，基部弯曲，呈半圆形，掌状脉两面疏生短毛或近光滑。雌雄花同株；花单生于叶腋，花梗细长，长5～12 cm；苞片1，肾形或圆形；雄花苞片全缘，长、宽均为5～15 mm；花萼裂片卵状披针形；花冠黄色，裂片倒卵形，长1.5～2 cm，先端钝；雄蕊3，药室"S"形折曲；柱头3，膨大，2裂。果实长椭圆形，两端渐细，长8～30 cm，有不整齐的瘤状突起，成熟时橘黄色，顶部3瓣裂；种子长圆形，长10～15 mm，包于红色肉质的假种皮内，两端各有小齿3，两面有刻纹。

| 生境分布 | 江苏各地均有栽培。

| 资源情况 | 栽培资源丰富。

| 采收加工 | 苦瓜：9 ~ 10 月采收，切片，鲜用或晒干。
苦瓜叶：7 ~ 10 月采收，鲜用或晒干。
苦瓜子：9 ~ 10 月采收成熟果实，收取种子，晒干。
苦瓜藤：7 ~ 10 月采收，切段，鲜用或晒干。
苦瓜花：6 ~ 7 月花开时采收，鲜用或烘干。
苦瓜根：8 ~ 10 月采挖，鲜用或晒干。

| 功效物质 | 主要含有糖苷类、皂苷类、黄酮类、生物碱类、三萜类、蛋白质及类固醇等，其中三萜类主要是四环三萜及其苷类、齐墩果烷型和乌苏烷型五环三萜及其苷类，还含有甾体类、有机酸类、氨基酸类等其他资源性成分，甾体类主要是谷甾醇、豆甾醇类及其苷。种子含有苦瓜凝集素、α- 苦瓜素、β- 苦瓜素、γ- 苦瓜素，以及棕榈酸、石榴酸、亚油酸、油酸、硬脂酸等有机酸。茎叶含有苦瓜二醇、大豆脑苷 I、柚皮苷等成分。

| 功能主治 | 苦瓜：清暑涤热，明目，解毒。用于暑热烦渴，消渴，赤眼疼痛，痢疾，疮痈肿毒。
苦瓜叶：清热解毒。用于疮痈肿毒，梅毒，痢疾。
苦瓜子：温补肾阳。用于肾阳不足，小便频数，遗尿，遗精，阳痿。
苦瓜藤：清热解毒。用于痢疾，疮痈肿毒，胎毒，牙痛。
苦瓜花：清热解毒，和胃。用于痢疾，胃气痛。
苦瓜根：清湿热，解毒。用于湿热泻痢，便血，疔疮肿毒，风火牙痛。

| 用法用量 | 苦瓜：内服煎汤，6 ~ 15 g，鲜品 30 ~ 60 g；或煅存性，研末。外用适量，鲜品捣敷；或取汁涂。
苦瓜叶：内服煎汤，10 ~ 15 g，鲜品 30 ~ 60 g；或研末。外用适量，煎汤洗；或捣敷；或捣汁涂。
苦瓜子：内服煎汤，9 ~ 15 g。
苦瓜藤：内服煎汤，3 ~ 12 g。外用适量，煎汤洗；或捣敷。
苦瓜花：内服煎汤，6 ~ 9 g；或焙焦，研末散。
苦瓜根：内服煎汤，10 ~ 15 g，鲜品 30 ~ 60 g。外用适量，煎汤洗；或捣敷。

| 附　注 | 本种喜温暖气候。不耐高温，不耐寒冷。对土壤要求不严，宜选富含有机质、肥沃、保水保肥力强的黏质壤土栽培。

葫芦科 Cucurbitaceae 佛手瓜属 Sechium 凭证标本号 320812201020185LY

佛手瓜 *Sechium edule* (Jacq.) Swartz

| 药 材 名 | 佛手瓜（药用部位：叶、果实）。

| 形态特征 | 草质藤本。茎攀缘或人工架生，有棱槽。叶片膜质，心形或近圆形，3 ～ 5 浅裂，中间的裂片较大，侧面的较小，先端渐尖，基部心形，弯缺较深，近圆形，深 1 ～ 3 cm，叶面稍粗糙，叶背有短毛，脉上更密；叶柄细，长 5 ～ 15 cm。雄花 10 ～ 30 成总状花序，花序梗长 8 ～ 30 cm，花萼筒短，裂片开展，长 5 ～ 7 mm，花冠宽 1.2 ～ 1.6 cm，裂至基部，具 5 脉；雌花单生，花梗长 1 ～ 1.5 cm，花冠和花萼同雄花。果实淡绿色，倒卵形，长 8 ～ 12 cm，直径 6 ～ 8 cm，上部有 5 纵沟；种子 1，卵形，长 10 cm，宽 7 cm。花期 7 ～ 9 月，果期 8 ～ 10 月。

| 生境分布 | 江苏各地偶见栽培。

| 资源情况 | 栽培资源较少。

| 采收加工 | 开花后 25 ～ 30 天瓜皮颜色由深变浅时采收，晒干。

| 功效物质 | 果实含有山柰黄素 3-*O*- 芸香糖苷。种子含有赤霉素 A1 ～赤霉素 A9。果肉至少含有 17 种氨基酸，包括 1 种人体必需氨基酸。矿质元素以钾、钙、铁和磷等元素的含量较高，维生素 B_2、维生素 C 和组氨酸的含量也较高。

| 功能主治 | 叶，用于疮痈肿毒。果实，健脾消食，行气止痛。用于胃痛，消化不良。

| 用法用量 | 内服煎汤，3 ～ 9 g。

葫芦科 Cucurbitaceae 赤瓟属 Thladiantha 凭证标本号 321084180809145LY

赤瓟
Thladiantha dubia Bunge

| 药 材 名 | 赤瓟（药用部位：果实）、赤瓟根（药用部位：根）。

| 形态特征 | 草质藤本。卷须不分叉。根块状。茎稍粗壮，有棱沟。叶片宽卵状心形，长5～8 cm，宽4～9 cm，边缘浅波状，有大小不等的细齿，先端急尖或短渐尖，基部心形；叶柄稍粗。雌雄异株；雄花单生或聚生于短枝的上端，成假总状花序，花梗细长，花萼筒极短，近辐状，裂片披针形，向外反折，具3脉，花冠黄色，裂片长圆形，长2～2.5 cm，宽1～1.5 cm，上部向外反折，先端稍急尖，具5脉，雄蕊5，着生于花萼筒檐部；雌花单生，花梗细，花萼和花冠同雄花，子房长圆形，外面密被淡黄色长柔毛。果实卵状长圆形，直径2.8 cm。花期6～8月，果期8～10月。

| 生境分布 | 生于海拔 300 m 以上的山坡、河谷及林缘。分布于江苏连云港、无锡（宜兴）等。

| 资源情况 | 野生资源一般。

| 采收加工 | 赤瓟：8 ~ 10 月果实成熟后连柄摘下，用线将果柄串起，挂于日光下或通风处，晒干。

赤瓟根：秋后采挖，鲜用，或切片，晒干。

| 药材性状 | 赤瓟：本品呈卵圆形、椭圆形至长圆形，常压扁，长 3 ~ 5 cm，直径 2.8 cm。表面橙黄色、橙红色、红色至红棕色，皱缩，有极稀的茸毛及纵沟纹，先端有残留柱基，基部有细而弯曲的果柄，果皮厚约 1 mm；内表面粘连多数黄色长圆形的小颗粒，中心有多数扁卵形、棕黑色的成熟种子，新鲜时质软而黏。气特异，味甜。

赤瓟根：本品呈纺锤形，微四棱，长 4 ~ 8 cm，直径 1.5 ~ 2.5 cm。表面土黄色或灰黄棕色，有纵沟纹及横长的皮孔样疤痕。质坚硬，难折断，断面粉质。无臭，味微苦，有刺喉感。

| 功效物质 | 主要含有黄酮类、三萜类等资源性成分，其中三萜类成分为齐墩果烷型五环三萜和葫芦素类四环三萜。赤瓟皂苷的苷元为丝石竹苷元。块茎含有皂苷类成分赤瓟苷 A、赤瓟苷 B、赤瓟苷 C、赤瓟苷 D、赤瓟苷 E、赤瓟苷 F。

| 功能主治 | 赤瓟：酸、苦，平。理气活血，祛痰利湿。用于反胃吐酸，肺痨咯血，黄疸，肠炎，痢疾，胸胁疼痛，跌打扭伤，筋骨疼痛，闭经。

赤瓟根：通乳，解毒，活血。用于乳汁不下，乳痈，痈肿，黄疸，跌打损伤，痛经。

| 用法用量 | 赤瓟：内服煎汤，5 ~ 10 g；或研末。孕妇禁服。

赤瓟根：内服煎汤，5 ~ 10 g；或研末，3 ~ 6 g。

葫芦科 Cucurbitaceae 赤瓟属 Thladiantha 凭证标本号 320482181015353LY

南赤瓟 *Thladiantha nudiflora* Hemsl. ex Forbes et Hemsl.

| 药 材 名 | 南赤瓟（药用部位：叶、根）。

| 形态特征 | 攀缘草本。全体密生柔毛状硬毛。根块状。茎有深沟棱；卷须 2 裂。叶片质稍硬，卵状心形至圆心形，长 5 ~ 16 cm，宽 4 ~ 15 cm，先端渐尖，基部侧脉沿叶基弯缺外展，边缘有具胼胝质小尖头的细锯齿；叶柄长 3 ~ 10 cm。雄花成聚伞花序，再排列成总状，花梗纤细，花萼外面有短柔毛和多细胞长毛，裂片卵状披针形，长 5 ~ 6 mm，具 3 脉，花冠黄色，裂片近长圆形，长 1 ~ 1.5 cm，具 5 脉；雌花单生，花梗细，花萼和花冠同雄花，但较大，子房狭长圆形，密生多细胞长毛。果实红色，长圆形或卵圆形，直径 2 ~ 5 cm。花期 6 ~ 8 月，果期 9 ~ 10 月。

| 生境分布 | 生于山沟边、林缘或山坡灌丛中。分布于江苏淮安、扬州、南京、镇江（句容）、常州（溧阳）、无锡（宜兴）等。

| 资源情况 | 野生资源较丰富。

| 采收加工 | 叶，春、夏季采摘，鲜用或晒干；根，秋后采挖，鲜用，或切片，晒干。

| 药材性状 | 本品根呈块状或块片状，灰棕色，去皮者灰黄色，有细纵纹，断面纤维性。味淡、微苦。

| 功效物质 | 其醇提取物对裸鼠宫颈癌 CaSki 移植瘤有抑制作用。

| 功能主治 | 苦，凉。归胃、大肠经。清热解毒，消食化滞。用于痢疾，肠炎，消化不良，脘腹胀闷，毒蛇咬伤。

| 用法用量 | 内服煎汤，9～18 g。外用适量，鲜品捣敷。孕妇慎用。

| 葫芦科 | Cucurbitaceae | 栝楼属 | Trichosanthes | 凭证标本号 | 321084180607090LY

栝楼
Trichosanthes kirilowii Maxim.

| 药 材 名 | 瓜蒌（药用部位：成熟果实）、瓜蒌子（药用部位：成熟种子）、天花粉（药用部位：块根）、瓜蒌皮（药用部位：果皮）。

| 形态特征 | 多年生攀缘草本。块根肥厚，圆柱状。茎被白色伸展柔毛；卷须腋生，先端 2 ～ 5 裂。叶片近圆形或心形，长、宽均为 7 ～ 20 cm，通常 3 ～ 5（～ 7）掌状浅裂或中裂，或不分裂而仅有不等大的粗齿，裂片常再浅裂，边缘有疏齿或缺刻状，两面沿脉被硬毛。雌雄异株；雄花数朵，生于长 10 ～ 20 cm 的总花梗上部，成总状花序，苞片倒卵形或宽卵形，长 1.5 ～ 2 cm，边缘有齿，花萼筒长约 3.5 cm，被柔毛，裂片全缘，长约 1.5 cm，花冠白色，裂片倒卵形，长约 2 cm，先端流苏状；雌花单生，花梗长约 7 cm，子房卵形，花

柱 3 裂。果柄粗壮；果实近球形，成熟时橙红色，光滑；种子多数，1 室，扁平。花期 5 ~ 8 月，果期 8 ~ 10 月。

| 生境分布 | 生于海拔 200 ~ 1 800 m 的山坡林下、灌丛中、草地和村旁田边。江苏各地均有分布。

| 资源情况 | 野生及栽培资源丰富。

| 采收加工 | **瓜蒌**：9 月下旬至 10 月上旬果实表面有白粉并变成浅黄色时分批采摘。采时，用剪刀在距果实 15 cm 处，连茎剪下，悬挂通风干燥处晾干。

瓜蒌子：采摘成熟果实，纵剖，将瓜瓤和种子放入盆内，加木灰反复搓洗，取种子，冲洗干净，晒干。

天花粉：10 ~ 11 月采挖，刮去粗皮，切成长 10 ~ 20 cm 的段，粗大者可再对切开，晒干后撞去外表的黄色层使成白色，或用硫黄熏白。

瓜蒌皮：取成熟果实，用刀切 2 ~ 4 瓣至瓜蒂处，除去种子和瓤，平放，晒干或用绳子吊起晒干。

| 药材性状 | **瓜蒌**：本品呈类球形或宽椭圆形，长 7 ~ 15 cm，直径 6 ~ 10 cm。表面橙红色

或橙黄色，皱缩或较光滑，先端有圆形的花柱残基，基部略尖，具残存的果柄。轻重不一。质脆，易破开，内表面黄白色，有红黄色丝络，果瓤橙黄色，黏稠，与多数种子黏结成团。具焦糖气。

瓜蒌子：本品呈卵状椭圆形，扁平，长 1.1 ~ 1.8 cm，宽 0.6 ~ 1.2 cm，厚约 3.5 mm。表面光滑，淡棕色或棕褐色，沿边缘有 1 圈不甚明显的棱线，先端稍尖，有一浅色的短条状种脐，基部钝圆或稍偏斜。种皮坚硬，剖开后内表面淡绿色，子叶 2，富油性。气微，有油腻感。以个均匀、饱满、油足、味甘者为佳。

天花粉：本品呈不规则圆柱形、纺锤形或瓣块状，长 8 ~ 16 cm，直径 1.5 ~ 5.5 cm。表面黄白色或淡棕黄色，有纵皱纹、细根痕及略凹陷的横长皮孔，有的有黄棕色外皮残留。质坚实，断面白色或淡黄色，富粉性，横切面可见黄色木部，略呈放射状排列，纵切面可见黄色条纹状木部。无臭，味微苦。

瓜蒌皮：本品通常卷成筒状，长 6 ~ 10 cm，常连有果柄，果柄长约 2 cm；果皮很薄，外表面橙黄色，有鲜红色斑块及细脉纹，内表面类白色至暗黄色，常附有未去净的果肉。质硬而脆。气芳香，带辣味。以色鲜泽、无果柄者为佳。

| **功效物质** | 果实主要含有油脂和有机酸类、甾醇类、氨基酸类和蛋白质、无机元素、三萜及其苷类、黄酮类、含氮化合物等。果皮含有有机酸类成分，其中，棕榈酸含量最高，亚麻酸和亚油酸次之，此外还含有甾醇类、氨基酸类、黄酮类资源性成分。种子主要含有脂肪酸类、萜类、甾醇类资源性成分，脂肪酸含量占种子有效成分的 26% ~ 30%。果瓤含有的果糖和葡萄糖占干物质量的 90% 以上，并含有有机酸酯类、酚酸类、黄酮类等资源性成分。根主要含有蛋白质、萜类、多糖等资源性成分。果实中的 4- 羟基 -2- 甲氧基苯甲酸、香叶木素 -7-O-β-D- 葡萄糖苷、腺苷具有抗血小板聚集作用，果皮总氨基酸具有祛痰活性。天花粉蛋白对糖尿病有一定的改善作用，可增强抗肿瘤的免疫反应。

| **功能主治** | **瓜蒌**：甘、微苦，寒。归肺、胃、大肠经。清热涤痰，宽胸散结，润燥滑肠。用于肺热咳嗽，痰浊黄稠，胸痹心痛，结胸痞满，乳痈，肺痈，肠痈，大便秘结。

瓜蒌子：甘、微苦，寒。归肺、胃、大肠经。润肺化痰，滑肠通便。用于燥咳痰黏，肠燥便秘。

天花粉：甘、微苦，微寒。归肺、胃经。清热泻火，生津止渴，消肿排脓。用于热病烦渴，肺热燥咳，内热消渴，疮疡肿毒。

瓜蒌皮：甘，寒。归肺、胃经。清热化痰，利气宽胸。用于痰热咳嗽，胸闷胁痛。

| **用法用量** | 瓜蒌：内服煎汤，9 ~ 15 g。不宜与乌头类药材同用。

瓜蒌子：内服煎汤，9 ~ 15 g；或入丸、散剂。外用适量，研末调敷。胃弱者宜去油取霜用。脾胃虚冷作泻者禁服。不宜与乌头类药材同用。

天花粉：内服煎汤，10 ~ 15 g。不宜与乌头类药材同用。

瓜蒌皮：内服煎汤，6 ~ 10 g；或入散剂。外用适量，烧存性，研末调敷。脾虚湿痰者不宜服。

| **附　注** | 近年来，我国以生产瓜蒌子为主要经济目的的产业发展很快，由此产生大量的资源废弃物，既浪费了资源又造成了生态环境的污染。研究表明，栝楼瓤、栝楼藤茎等废弃部位含有丰富的资源性成分，具有良好的资源化利用前景。

葫芦科 Cucurbitaceae 栝楼属 Trichosanthes 凭证标本号 321283190906016LY

长萼栝楼
Trichosanthes laceribractea Hayata

药 材 名

天花粉（药用部位：块根）。

形态特征

攀缘草本。茎具纵棱及槽，无毛或疏被短刚毛状刺毛。单叶互生；叶片纸质，形状变化较大，近圆形或阔卵形，长 5 ~ 16（~ 19）cm，宽 4 ~ 15（~ 18）cm，常 3 ~ 7 浅裂至深裂，裂片三角形、卵形或菱状倒卵形，先端渐尖，基部收缩，边缘具波状齿或再浅裂，最外侧裂片耳状，上表面深绿色，密被短刚毛状刺毛，后变为鳞片状白色糙点，下表面淡绿色，沿各级脉被短刚毛状刺毛，掌状脉 5 ~ 7；叶柄长 1.5 ~ 9 cm，具纵条纹，被短刚毛状刺毛，后变为白色糙点。卷须二至三歧。花雌雄异株；雄花总状花序腋生，总梗粗壮，长 10 ~ 23 cm，被毛或疏被短刚毛，具纵棱及槽，小苞片阔卵形，内凹，长 2.5 ~ 4 cm，宽与长近相等，先端长渐尖，边缘具长细裂片，花梗长 5 ~ 6 mm，花萼筒狭线形，长约 5 cm，先端扩大，直径 12 ~ 15 mm，基部及中部宽约 2 mm，裂片卵形，长 10 ~ 13 mm，宽约 7 mm，直伸，先端渐尖，边缘具狭的锐尖齿，花冠白色，裂片倒卵形，长 2 ~ 2.5 cm，宽 12 ~

15 mm，先端钝圆，基部楔形，边缘具纤细长流苏，花药柱长约 12 mm，药隔被淡褐色柔毛；雌花单生，花梗长 1.5 ~ 2 cm，被微柔毛，基部具一线状披针形的苞片，长约 2 cm，边缘具齿裂，花萼筒圆柱状，长约 4 cm，直径约 5 mm，萼齿线形，长 1 ~ 1.3 cm，全缘，花冠同雄花，子房卵形，长约 1 cm，直径约 7 mm，无毛。果实球形至卵状球形，直径 5 ~ 8 cm，成熟时橙黄色至橙红色，平滑；种子长方形或长方状椭圆形，长 10 ~ 14 mm，宽 5 ~ 8 mm，厚 4 ~ 5 mm，灰褐色，两端钝圆或平截。花期 7 ~ 8 月，果期 9 ~ 10 月。

| 生境分布 | 生于海拔 200 ~ 1 020 m 的山谷密林、山坡路旁、山谷阴湿处或村舍附近。江苏各地均有分布。江苏各地均有栽培。

| 资源情况 | 栽培资源较少。

| 采收加工 | 10 ~ 11 月采挖，刮去粗皮，切成长 10 ~ 20 cm 的段，粗大者可再切对开，晒干后撞去外表的黄色层使成白色或用硫黄熏白。

| 药材性状 | 本品呈不规则圆柱形、纺锤形或瓣块状，长 8 ~ 16 cm，直径 1.5 ~ 5.5 cm。表面黄白色或淡棕黄色，有纵皱纹、细根痕及略凹陷的横长皮孔，有的有黄棕色外皮残留。质坚实，断面白色或淡黄色，富粉性，横切面可见黄色木部，略呈放射状排列，纵切面可见黄色条纹状木部。无臭，味微苦。

| 功效物质 | 主要含有天花粉蛋白等蛋白质，还有多种氨基酸及肽类资源性成分。

| 功能主治 | 甘、微苦，微寒。归肺、胃经。清热生津，润肺化痰，消肿排脓。用于热病口渴，消渴多饮，肺热燥咳，疮疡肿毒。

| 用法用量 | 内服煎汤，10 ~ 15 g。不宜与乌头类药材同用。

葫芦科 Cucurbitaceae 马㼎儿属 Zehneria 凭证标本号 321084180822194LY

马㼎儿
Zehneria indica (Lour.) Keraudren

| 药 材 名 |

马㼎儿（药用部位：全草或块根）。

| 形态特征 |

一年生攀缘或平卧草本。茎细弱，有棱沟，无毛；卷须不分裂。叶片膜质，三角形或三角状心形，不分裂或 3 ~ 5 浅裂，长 3 ~ 5 cm，先端急尖或渐尖，基部近截形至心形，边缘常疏生波状锯齿，叶面深绿色，粗糙，脉上有极短的柔毛，叶背淡绿色，无毛；叶柄长 2.5 ~ 5 cm。雌雄同株；花长约 5 mm；雄花单生，稀 2 ~ 3 组成短总状花序，萼齿钻形，花冠白色至淡黄色，裂片椭圆状卵形；雌花与雄花在同一叶腋内单生，稀双生，花冠宽钟形，裂片披针形，子房纺锤形，表面有疣状突起，柱头 3，退化雄蕊腺体状。果实卵形至近球形，长 1 ~ 1.5 cm，成熟时橘红色或红色；果柄纤细，长 2 ~ 3 cm。花期 9 月，果期 10 月。

| 生境分布 |

生于林中阴湿处、路旁、田边及灌丛中。分布于江苏南部等。

资源情况

野生资源丰富。

采收加工

6 ~ 9 月采收，块根切厚片，茎叶切碎，鲜用或晒干。

药材性状

本品块根呈薯状；表面土黄色至棕黄色；切面粉白色至黄白色，粉性；质坚脆，易折断。茎纤细扭曲，暗绿色或灰白色，有细纵棱。卷须细丝状。单叶互生，皱缩，卷曲，多破碎，完整叶呈三角状卵形或心形；上表面绿色，密布灰白色小凸点，下表面灰绿色，叶脉明显。

功效物质

含有廿二酸、廿三酸、廿四酸的混合物和醛、酮、甾类混合物。

功能主治

甘、苦，凉。归肺、肝、脾经。清热解毒，消肿散结，化痰利尿。用于疮痈疔肿，痰核瘰疬，咽喉肿痛，痄腮，石淋，小便不利，湿疹，目赤黄疸，痔瘘，脱肛，外伤出血，毒蛇咬伤。

用法用量

内服煎汤，9 ~ 15 g。外用适量，鲜根、叶捣敷。

千屈菜科 Lythraceae 水苋菜属 Ammannia 凭证标本号 320482181006507LY

耳基水苋 *Ammannia arenaria* H. B. K.

| 药 材 名 |

耳基水苋菜（药用部位：全草）。

| 形态特征 |

草本，直立，少分枝，无毛，高 15 ~ 60 cm。上部的茎具 4 棱或略具狭翅。叶对生，膜质，狭披针形或矩圆状披针形，长 1.5 ~ 7.5 cm，宽 3 ~ 15 mm，先端渐尖或稍急尖，基部扩大，多少呈心状耳形，半抱茎；无柄。聚伞花序腋生，通常有花 3，多可至 15；总花梗长约 5 mm，花梗极短，长 1 ~ 2 mm；小苞片 2，线形；萼筒钟形，长 1.5 ~ 2 mm，最初基部狭，结实时近半球形，有 4 ~ 8 略明显的棱，裂片 4，阔三角形；花瓣 4，紫色或白色，近圆形，早落，有时无花瓣；雄蕊 4 ~ 8，约一半突出萼裂片之上；子房球形，长约 1 mm，花柱与子房等长或更长。蒴果扁球形，成熟时约 1/3 突出萼外，紫红色，直径 2 ~ 3.5 mm，不规则周裂；种子半椭圆形。花期 8 ~ 12 月。

| 生境分布 |

生于湿地和稻田中。江苏各地均有分布。

| **资源情况** | 野生资源丰富。

| **采收加工** | 夏、秋季采收，洗净，切碎，鲜用或晒干。

| **功效物质** | 主要含有生物碱类、黄酮类、三萜类化学成分，还含有鞣质等资源性成分。

| **功能主治** | 健脾利湿，行气散瘀。用于脾虚厌食，胸膈满闷，急、慢性膀胱炎，带下，跌打瘀肿。

| **用法用量** | 内服煎汤，12 ~ 24 g，鲜品可用至 30 g；或浸酒。

千屈菜科 Lythraceae 紫薇属 Lagerstroemia 凭证标本号 321323180411132LY

紫薇 *Lagerstroemia indica* L.

药材名

紫薇花（药用部位：花）、紫薇叶（药用部位：叶）、紫薇根（药用部位：根）、紫薇皮（药用部位：根皮、茎皮）。

形态特征

落叶灌木或小乔木，高达 7 m。树皮光滑，灰色或灰褐色。幼枝具 4 棱，稍呈翅状。叶互生或对生，无柄或近无柄，椭圆形、倒卵形或长椭圆形，先端短尖或钝，有时微凹，基部阔楔形或近圆形，光滑无毛或背面沿中脉上有毛，侧脉 3 ~ 7 对。圆锥花序顶生，长 4 ~ 20 cm，花梗及花序轴被毛；花萼 6 裂，裂片卵形，外面平滑，无棱，无毛；花瓣 6，花色丰富，白色、红色、粉红色、紫红色、蓝紫色及复色，边缘皱缩，基部有爪；雄蕊多数，外侧 6 较长，着生于花萼上。蒴果椭圆状球形或阔椭圆形，长 9 ~ 13 mm，宽 7 ~ 12 mm。果期 8 ~ 11 月。

生境分布

江苏各地均有分布。江苏各地均有栽培。

资源情况

栽培资源丰富。

| 采收加工 | 紫薇花：5～8月采收，晒干。
紫薇叶：春、夏季采收，洗净，鲜用或晒干。
紫薇根：全年均可采挖，洗净，切片，鲜用或晒干。
紫薇皮：5～6月剥取茎皮，秋、冬季采挖根，剥取根皮，洗净，切片，晒干。

| 功效物质 | 叶含有多酚类资源性成分，如龙胆酸、没食子酸、鞣花酸等；三萜酸类如科罗索酸、山楂酸、熊果酸和23-羟基熊果酸等；生物碱类如德新宁碱、德洒明碱、印车前明碱、紫薇碱、双氢蔚剔雌拉亭、德考定碱。此外，还含有9-酮基-十八碳-顺式-11-烯酸、油酸、亚油酸、亚麻酸等不饱和脂肪酸和棕榈酸等饱和脂肪酸类资源性成分。

| 功能主治 | 紫薇花：清热解毒，活血止血。用于疮疖痈疽，小儿胎毒，疥癣，血崩，带下，肺痨咯血，小儿惊风。
紫薇叶：清热解毒，利湿止血。用于疮痈肿毒，乳痈，痢疾，湿疹，外伤出血。
紫薇根：清热利湿，活血止血，止痛。用于痢疾，水肿，烫火伤，湿疹，疮痈肿毒，跌打损伤，血崩，偏头痛，牙痛，痛经，产后腹痛。
紫薇皮：清热解毒，利湿祛风，散瘀止血。用于无名肿毒，丹毒，乳痈，咽喉肿痛，肝炎，疥癣，鹤膝风，跌打损伤，内外伤出血，崩漏，带下。

| 用法用量 | 紫薇花：内服煎汤，10～15 g；或研末。外用适量，研末调敷；或煎汤洗。
紫薇叶：内服煎汤，10～15 g；或研末。外用适量，捣敷；或研末敷；或煎汤洗。
紫薇根：内服煎汤，10～15 g。外用适量，研末调敷；或煎汤洗。
紫薇皮：内服煎汤，10～15 g；或浸酒；或研末。外用适量，研末调敷；或煎汤洗。

| 附 注 | 本种半阴生，喜生于肥沃湿润的土壤上。

千屈菜科 Lythraceae 千屈菜属 Lythrum 凭证标本号 321112180723016LY

千屈菜 *Lythrum salicaria* L.

| 药 材 名 | 千屈菜（药用部位：全草）。

| 形态特征 | 多年生草本或亚灌木，高可达 1.5 m。根茎粗壮，横卧于地下。茎直立，多分枝。枝常具 4 棱，有灰白色柔毛或绒毛，或脱落无毛。叶对生或 3 轮生，有时在茎上部互生，无柄；叶片狭披针形，长 2.5 ~ 6（~ 10）cm，宽 0.5 ~ 1.5 cm，先端钝或短尖，基部圆形或心形，有时稍抱茎。顶生大型的穗状花序，由小聚伞花序组成，长可达 35 cm；苞片阔披针形至三角状卵形；萼筒长 5 ~ 8 mm，6 齿裂，有细纵棱 12，稍有粗毛，萼齿间有长于萼齿 2 倍的尾状附属物；花瓣 6，紫红色或淡紫色，生于萼筒上部，有短爪，稍皱缩；雄蕊 12，6 长 6 短。蒴果椭圆形，包于宿萼内，2 裂，裂瓣上部再 2 裂；种子细小，无翅。花期 7 ~ 9 月，果期 10 月。

| **生境分布** | 生于水旁湿地。江苏各地均有分布。 |

| **资源情况** | 野生资源丰富。 |

| **采收加工** | 秋季采收，洗净，切碎，鲜用或晒干。 |

| **药材性状** | 本品茎呈方柱状，灰绿色至黄绿色，直径 1 ~ 2 mm，有分枝；质硬，易折断，断面边缘纤维状，中空。叶片灰绿色，质脆，多皱缩破碎，完整叶对生或 3 轮生；叶片狭披针形，全缘，无柄。先端具穗状花序，花两性，每 2 ~ 3 花生于叶状苞片内；花萼灰绿色，筒状；花瓣紫色。蒴果椭圆形，全包于宿存花萼内。气微臭，味微苦。 |

| **功效物质** | 全草主要含有千屈菜苷和鞣质类，鞣质类主要为没食子酸鞣质，此外，还含有黄酮类及酚酸类化合物，黄酮类如牡荆素、荭草素、异荭草素等，酚酸类如绿原酸、没食子酸等。 |

| **功能主治** | 苦，寒。清热解毒，收敛止血。用于痢疾，泄泻，便血，血崩，疮疡溃烂，吐血，衄血，外伤出血。 |

| **用法用量** | 内服煎汤，15 ~ 30 g。外用适量，研末敷。 |

菱科 Trapaceae 菱属 Trapa 凭证标本号 NAS00602766

乌菱
Trapa bicornis Osbeck

药 材 名	菱（药用部位：果肉）、菱粉（药材来源：淀粉）、菱壳（药用部位：果皮）、菱蒂（药用部位：果柄）、菱叶（药用部位：叶）、菱茎（药用部位：茎）。
形态特征	一年生浮水或半挺水草本。根二型，着泥根铁丝状，着生于水底泥中；同化根羽状细裂，裂片丝状，淡绿色或暗红褐色。茎圆柱形，细长或粗短。叶二型；浮水叶互生，聚生于茎端，在水面形成莲座状菱盘，叶片广菱形，长 3 ~ 4.5 cm，宽 4 ~ 6 cm，表面深亮绿色，无毛，背面绿色或紫红色，密被淡黄褐色短毛（幼叶）或灰褐色短毛（老叶），边缘中上部具凹形的浅齿，下部全缘，基部广楔形，叶柄长 2 ~ 10.5 cm，中上部膨大成海绵质气囊，被短毛；沉水叶小，早落。花小，单生于叶腋，花梗长 1 ~ 1.5 cm；萼筒 4 裂，仅 1 对

萼裂片被毛，其中 2 裂片演变为角；花瓣 4，白色，着生于上位花盘的边缘；雄蕊 4，花丝纤细，花药"丁"字形着生，背着药，内向；雌蕊具 2 心皮，2 室，子房半下位，花柱钻状，柱头头状。果实具水平开展的 2 肩角，无或有倒刺，先端向下弯曲，两角间端宽 7 ~ 8 cm，弯牛角形，果实高 2.5 ~ 3.6 cm，果实表皮幼时紫红色，老熟时紫黑色，微被极短毛，果喙不明显，果柄粗壮，有关节，长 1.5 ~ 2.5 cm；种子白色，元宝形，两角钝，白色粉质。花期 4 ~ 8 月，果期 7 ~ 9 月。

| **生境分布** | 生于湖泊、河流、池塘、沼泽。江苏各地均有栽培。

| **资源情况** | 栽培资源丰富。

| **采收加工** | **菱**：7 ~ 9 月采收，鲜用或晒干。

菱粉：7 ~ 9 月果实成熟后采收，去壳，取其果肉，捣汁澄出淀粉，晒干。

菱壳：8 ~ 9 月收集果皮，鲜用或晒干。

菱蒂：7 ~ 9 月采收果实时收集果柄，鲜用或晒干。

菱叶：6 ~ 7 月采收，鲜用或晒干。

菱茎：4 ~ 8 月花开时采收，鲜用或晒干。

| **功效物质** | 含有丰富的淀粉、蛋白质、葡萄糖、不饱和脂肪酸及多种维生素，如维生素 B_1、维生素 B_2、维生素 C，胡萝卜素，以及钙、磷、铁等微量元素。

| 功能主治 | **菱**：健脾益胃，除烦止渴，解毒。用于脾虚泄泻，暑热烦渴，消渴，饮酒过度，痢疾。

菱粉：健脾养胃，清暑解毒。用于脾虚乏力，暑热烦渴，消渴。

菱壳：涩肠止泻，止血，敛疮，解毒。用于泄泻，痢疾，胃溃疡，脱肛，便血，痔疮，疔疮。

菱蒂：解毒散结。用于胃溃疡，疣赘。

菱叶：清热解毒。用于小儿走马牙疳，疮肿。

菱茎：清热解毒。用于胃溃疡，疣赘，疮毒。

| 用法用量 | **菱**：内服煎汤，9～15 g，大剂量可用至60 g；或生食。消暑除烦，宜生用；补脾益胃，宜熟用。

菱粉：内服10～30 g，沸水冲。

菱壳：内服煎汤，15～30 g，大剂量可用至60 g。外用适量，烧存性，研末调敷；或煎汤洗。

菱蒂：内服煎汤，鲜品30～45 g。外用适量，鲜品擦拭；或捣汁涂。

菱叶：内服煎汤，6～15 g，鲜品加倍。外用适量，研末搽；或鲜品捣敷。

菱茎：内服煎汤，鲜品30～45 g。外用适量，捣敷或搽。

| 附　注 | 本种喜光照充足之地，环境背阴则植株生长不良。喜温暖，不耐寒，在15～30 ℃生长良好。

菱科 Trapaceae 菱属 *Trapa* 凭证标本号 321284190702063LY

四角刻叶菱 *Trapa incisa* Sieb. et Zucc.

| 药 材 名 | 四角刻叶菱（药用部位：坚果、根）。

| 形态特征 | 一年生水生浮水草本。根二型，着泥根细铁丝状，着生于水底泥中；同化根羽状细裂，裂片丝状，淡绿褐色或深绿褐色。叶二型；浮水叶互生，聚生在主茎和分枝茎顶，在水面形成莲座状菱盘，叶片较小，斜方形或三角状菱形，表面深亮绿色，背面绿色，被少量短毛或无毛，有棕色马蹄形斑块，边缘中上部有缺刻状锐锯齿，中下部全缘，基部阔楔形，叶柄中上部稍膨大，绿色，无毛；沉水叶小，早落。花小，单生于叶腋，花梗细，无毛；萼筒 4 裂，绿色，无毛；花瓣 4，白色或微带紫红色；雄蕊 4，花丝丝状，花药"丁"字形着生，背着药，内向；子房半下位，2 室，每室具倒生胚珠 1，花柱细长，柱头头状，上位花盘，有 8 瘤状物围着子房。果实三角形，高

1.5 cm，表面凹凸不平，4 刺角细长，2 肩角刺斜上举，2 腰角斜下伸，细锥状；果喙细圆锥形，呈尖头帽状，无果冠。花期 5 ~ 10 月，果期 7 ~ 11 月。

| 生境分布 | 生于湖泊及池塘中。分布于江苏南部等。

| 资源情况 | 野生资源稀少。

| 采收加工 | 夏季花开时采收，晒干。

| 功效物质 | 富含淀粉类资源性成分。

| 功能主治 | 坚果，补脾健胃，生津止渴，解毒消肿。用于脾胃虚弱，泄泻，痢疾，暑热烦渴，饮酒过度，疮肿。根，利水通淋。用于小便淋痛。

| 用法用量 | 内服煎汤，30 ~ 45 g。

菱科 Trapaceae 菱属 *Trapa* 凭证标本号 320681160428167LY

野菱

Trapa incisa Sieb. et Zucc. var. *quadricaudata* Gluck.

| 药 材 名 | 野菱（药用部位：坚果）、野菱根（药用部位：根皮）。

| 形态特征 | 一年生浮水草本。茎细长，直径 1 ~ 2.5 mm。浮水叶生于茎顶部，排成松散的莲座状；叶片菱状三角形，长 1.5 ~ 3 cm，宽 2 ~ 4 cm，先端圆钝或短尖，基部宽楔形，两侧边较直，在中部形成近直角，上部边缘具粗齿或缺刻状尖齿，下部全缘，叶面无毛，深绿色，光滑，叶背绿色或有时略带紫色，基部常具 2 黑褐色或黑色斑，无毛或脉上具稀疏短柔毛；叶柄长 5 ~ 15 cm，纤细，有时近叶端具细长的纺锤形海绵质膨大。花瓣粉红色、淡紫色或白色，长 5 ~ 7 mm。果实三角状狭菱形，高 0.8 ~ 1.5 cm，宽 1.2 ~ 2 cm，厚 0.7 ~ 1 cm，具 4 细刺状的角，2 肩角斜向上，2 腰角斜下伸，角顶具短羽毛，果体表面具不同的肋至光滑，果喙尖头帽状或细圆锥

状，果颈高 1 ~ 3 mm，无果冠。花期 5 ~ 10 月，果期 7 ~ 9 月。

| 生境分布 | 生于湖泊、池塘、河湾或田沟等静水淡水水域中。江苏各地均有分布。江苏宿迁等有栽培。

| 资源情况 | 野生及栽培资源较丰富。

| 采收加工 | **野菱**：8 ~ 9 月采收和存储。
野菱根：采果实时取其根，切段，晒干。

| 药材性状 | **野菱**：本品呈扁三角状，有 4 角，两侧 2 角斜向上开展，宽 2 ~ 3 cm，前后 2 角向下伸长，角较尖锐。表面黄绿色或微带紫色，果壳木质化而坚硬。果肉类白色，富粉性。气微，味甜、微涩。

| 功效物质 | 主要含有淀粉类资源性成分。菱角壳含有生物碱类、酚酸类、萜类和甾体、多糖类、黄酮类，其中没食子酸及其衍生物是菱角壳的主要活性成分。

| 功能主治 | **野菱**：补脾健胃，生津止渴，解毒消肿。用于脾胃虚弱，泄泻，痢疾，暑热烦渴，饮酒过度，疮肿。
野菱根：利水通淋。用于小便淋痛。

| 用法用量 | **野菱**：内服煎汤，30 ~ 60 g。
野菱根：内服煎汤，6 ~ 15 g。

| 附　　注 | 本种为我国 Ⅱ 级重点保护野生植物。

石榴科 Punicaceae　石榴属 Punica　凭证标本号　320115170815017LY

石榴 *Punica granatum* L.

|药材名|

石榴皮（药用部位：果皮）、石榴根（药用部位：根或根皮）、石榴叶（药用部位：叶）、石榴花（药用部位：花）、酸石榴（药用部位：味酸果实）、甜石榴（药用部位：味甘果实）。

|形态特征|

落叶灌木或小乔木，高 2 ～ 7 m。小枝圆形，或略带角状，先端刺状，光滑无毛。叶对生或簇生；叶片长倒卵形至长圆形或椭圆状披针形，长 2 ～ 8 cm，宽 1 ～ 2 cm，先端短尖、钝尖或微凹，叶面具光泽，叶背中脉凸起；叶柄短。花 1 至数朵生于枝顶或腋生，有短梗；花萼钟形，橘红色，质厚，长 2 ～ 3 cm，先端 5 ～ 7 裂，裂片外面有乳头状突起；花瓣与萼片同数，互生，位于萼筒内，稍高出花萼裂片，倒卵形，通常红色，也有白色、黄色或深红色，皱缩，单瓣或重瓣。果期 9 ～ 10 月。

|生境分布|

生于向阳山坡。江苏各地庭园均有栽培。

| **资源情况** | 栽培资源丰富。

| **采收加工** | **石榴皮**：秋季采摘先端开裂的成熟果实，除去种子及隔瓤，切瓣，晒干或微火烘干。

石榴根：秋、冬季采挖，洗净，切片；或剥取根皮，切片，鲜用或晒干。

石榴叶：夏、秋季采收，洗净，鲜用或晒干。

石榴花：5 月花开时采收，鲜用或烘干。

酸石榴、甜石榴：9 ~ 10 月果实成熟时采收，鲜用。

| **药材性状** | **石榴皮**：本品呈不规则的片状或瓣状，大小不一，厚 1.5 ~ 3 mm。外表面红棕色、棕黄色或暗棕色，略有光泽，粗糙，有多数疣状突起。有的有凸起的筒状宿萼及粗短果柄或果柄痕。内表面黄色或红棕色，有隆起成网状的果蒂残痕。质硬而脆，断面黄色，略显颗粒状。

石榴根：本品呈圆柱形，根皮呈不规则的卷曲或扁平的块状；外表面土黄色，粗糙，具深棕色鳞片状木栓，脱落后留有斑窝；内表面暗棕色。折断面不明显。气微，味涩。

| **功效物质** | 果皮主要含有黄酮类、单宁类、没食子酸、鞣质、生物碱类、酚类等资源性成分，具有抗氧化、抗肿瘤、抗菌、抗病毒、抗衰老、抗炎和减脂作用，其中鞣质是果皮发挥药理活性的主要物质基础。根皮、茎皮均含有生物碱类、鞣质、没食子酸等。叶含有黄酮类成分，如金丝桃苷、异槲皮苷、瑞诺苷、番石榴苷、扁蓄苷、槲皮素；三萜类化合物，如熊果酸、白桦脂酸等。果实主要含有有机酸、氨基酸类等，其中缬氨酸和甲硫氨酸含量较高。现代研究发现，石榴皮多酚类成分具有显著的抗氧化活性，并能抑制多种肿瘤细胞的增殖。石榴皮总碱的毒性较大，可致实验动物运动障碍与呼吸麻痹。

| **功能主治** | **石榴皮**：酸、涩，温；有小毒。归大肠经。涩肠止泻，止血，驱虫。用于痢疾，肠风下血，崩漏，带下，虫积腹痛，疥癣，烫伤，疮痈。

石榴根：驱虫，涩肠，止带。用于蛔虫病，绦虫病，久泻，久痢，赤白带下。

石榴叶：酸、涩，温。收敛止泻，解毒杀虫。用于泄泻，痘风疮，癞疮，跌打损伤。

石榴花：酸、涩，温。凉血，止血。用于衄血，吐血，外伤出血，月经不调，红崩带下，中耳炎。

酸石榴：止渴，涩肠，止血。用于津伤燥渴，滑泻，久痢，崩漏，带下。

甜石榴：生津止渴，杀虫。用于咽燥口渴，虫积，久痢。

| **用法用量** | **石榴皮：**内服煎汤，3 ~ 9 g。

石榴根：内服煎汤，6 ~ 12 g。

石榴叶：内服煎汤，15 ~ 30 g。外用适量，煎汤洗；或捣敷。

石榴花：内服煎汤，3 ~ 9 g。外用适量，研末吹耳。

酸石榴：内服煎汤，6 ~ 9 g；或捣汁；或烧存性，研末。外用适量，烧存性，
撒敷。

甜石榴：内服煎汤，3 ~ 9 g；或捣汁。

野牡丹科 Melastomataceae 金锦香属 Osbeckia 凭证标本号 NAS00055377

金锦香 *Osbeckia chinensis* L.

| 药 材 名 | 天香炉（药用部位：全草或根）。

| 形态特征 | 直立草本或亚灌木，高 20 ～ 60 cm。茎四棱形，有紧贴的糙伏毛。叶对生；叶片线形或线状披针形，长 2 ～ 6 cm，宽 0.4 ～ 1 cm，纵脉 3 ～ 5，两面有糙伏毛；叶柄短。头状花序顶生，有 2 ～ 10 花，基部有 2 ～ 5 叶状总苞片；苞片卵状披针形，有缘毛；花萼无毛，裂片 4，有缘毛，裂片基部间有蜘蛛状附属物；花瓣 4，淡紫红色或粉红色，长约 1 cm，具缘毛；雄蕊 8，偏于一侧，花药先端有长喙；子房 4 室，先端有刚毛 16。蒴果卵状球形，紫红色，4 纵裂，宿存萼坛状，外面无毛或具少数刺毛状突起；种子细小，马蹄形弯曲。花期 7 ～ 9 月，果期 9 ～ 11 月。

| 生境分布 | 生于海拔 1 100 m 以下的荒山草坡、路旁、田地边或疏林向阳处。分布于江苏南京、苏州、无锡（宜兴）等。

| 资源情况 | 野生资源一般。

| 采收加工 | 夏、秋季采挖全草，或去掉地上部分，留根，洗净，鲜用或晒干。

| 功效物质 | 含有黄酮类、酚酸类、氨基酸类等资源性成分，具有降血糖、抗氧化和保肝活性。

| 功能主治 | 微甘、涩，平。化痰利湿，祛瘀止血，解毒消肿。用于咳嗽，哮喘，疳积，泄泻，痢疾，风湿痹痛，咯血，衄血，吐血，便血，崩漏，痛经，闭经，产后瘀滞腹痛，牙痛，脱肛，跌打伤肿，毒蛇咬伤。

| 用法用量 | 内服煎汤，15 ～ 60 g。外用适量，鲜全草捣敷。

| 附　　注 | 本种喜温暖的环境，稍耐旱。

柳叶菜科 Onagraceae 柳叶菜属 Epilobium 凭证标本号 320115170710023LY

柳叶菜
Epilobium hirsutum L.

药材名

柳叶菜（药用部位：全草或花、根）。

形态特征

多年生草本。茎高 50 ~ 120 cm，近基部有时木质化，常自根颈平卧生出长 1 m 多的粗壮地下匍匐根茎，中上部常多分枝，密生展开的白色长柔毛和短腺毛。茎下部和中部的叶对生，上部的叶互生；叶片卵状披针形，长 3 ~ 6 cm，边缘有细锯齿，基部无柄，略抱茎，两面有长柔毛。花单生于叶腋，或排成总状花序；萼片长椭圆形，长约 8 mm，先端尖锐，外面有毛；花瓣 4，淡红色或紫红色，宽倒卵形，长约 1 cm，先端凹缺成 2 裂；雄蕊 2 轮，外轮的花丝长 5 ~ 10 mm，内轮的花丝长 3 ~ 6 mm；柱头 4 深裂。蒴果长圆柱形，长 5 ~ 7 cm，有短腺毛；种子椭圆形，长约 1 mm，先端生有一簇白色或黄白色的种缨。花期 6 ~ 8 月，果期 7 ~ 10 月。

生境分布

生于山区和田野的湿地或水边。江苏各地均有分布。江苏南京等有栽培，常见于药圃。

| 资源情况 | 野生资源较丰富。

| 采收加工 | 全年均可采收，鲜用或晒干。

| 药材性状 | 本品叶柄细如金丝，褐栗色，具光泽，中空，中间有绿心。叶上面绿色，下面灰白色，边缘有孢子囊着生。根茎黑褐色，被鳞片，须根众多。气无，味淡。

| 功效物质 | 地上部分含有酚酸类、黄酮类、脂肪酸类、三萜类等资源性成分。

| 功能主治 | 淡，平。清热解毒，利湿止泻，消食理气。用于脘腹胀痛，牙痛，月经不调，闭经，带下，跌打骨折，疮肿，烫火伤，疥疮。

| 用法用量 | 内服煎汤，花 6 ~ 9 g，根 9 ~ 15 g。外用适量，捣敷；或研末调敷。

柳叶菜科 Onagraceae 山桃草属 *Gaura* 凭证标本号 320382180726007LY

小花山桃草 *Gaura parviflora* Dougl.

| 药 材 名 |

小花山桃草（药用部位：全草）。

| 形态特征 |

一年生草本。主根直径达2 cm。全株尤其茎上部、花序、叶、苞片、萼片密被伸展灰白色长毛与腺毛。茎直立，不分枝或在顶部花序之下少数分枝，高50～100 cm。基生叶宽倒披针形，长达12 cm，宽达2.5 cm，先端锐尖，基部渐狭，下延至叶柄；茎生叶狭椭圆形、长圆状卵形，有时菱状卵形，长2～10 cm，宽0.5～2.5 cm，先端渐尖或锐尖，基部楔形，下延至叶柄，侧脉6～12对。花序穗状，有时有少数分枝，生于茎枝先端，常下垂，长8～35 cm；苞片线形，长2.5～10 mm，宽0.3～1 mm；花傍晚开放；花管带红色，长1.5～3 mm，直径约0.3 mm；萼片绿色，线状披针形，长2～3 mm，宽0.5～0.8 mm，花期反折；花瓣白色，后变红色，倒卵形，长1.5～3 mm，宽1～1.5 mm，先端钝，基部具爪；花丝长1.5～2.5 mm，基部具鳞片状附属物，花药黄色，长圆形，长0.5～0.8 mm，花粉在开花时或开花前直接授粉在柱头上（自花受精）；花柱长3～6 mm，伸出花管部分长

1.5 ～ 2.2 mm，柱头围以花药，具 4 深裂。蒴果坚果状，纺锤形，长 5 ～ 10 mm，直径 1.5 ～ 3 mm，具不明显 4 棱；种子 4，或 3（其中 1 室的胚珠不发育），卵状，长 3 ～ 4 mm，直径 1 ～ 1.5 mm，红棕色。花期 7 ～ 8 月，果期 8 ～ 9 月。

| 生境分布 | 生于路边、荒滩地、田边。分布于江苏连云港、徐州、盐城（东台、射阳）等。

| 资源情况 | 野生资源较丰富。

| 功能主治 | 清热解毒，利尿。

| 附 注 | 小花山桃草水浸出液对萝卜、小麦和白菜种子的萌发具有抑制作用，浓度越高抑制作用越强；同一浓度不同器官的水浸出液对萝卜、小麦和白菜种子的萌发具有不同程度的抑制作用；同一器官不同浓度的水浸出液对萝卜、小麦和白菜种子的萌发亦具有不同程度的抑制作用。

柳叶菜科 Onagraceae 丁香蓼属 Ludwigia

水龙 *Ludwigia adscendens* (L.) Hara

| 药 材 名 |

过塘蛇（药用部位：全草）。

| 形态特征 |

多年生浮水或上升草本。水生浮水茎长可达 3 m，节上常簇生根状浮器，具多数须根，直立茎高达 60 cm，无毛。陆生的茎枝上则常被柔毛，很少开花。叶片倒卵形、椭圆形或倒卵状披针形，长 3 ~ 6.5 cm，宽 1.2 ~ 2.5 cm，先端常钝圆，有时近锐尖。花单生于上部叶腋，有长梗；萼片 5，三角形至三角状披针形，长 6 ~ 12 mm，先端渐狭，被短柔毛；花瓣 5，乳白色或淡黄色，倒卵形，长 8 ~ 14 mm，先端圆形；雄蕊 10，花丝白色；花盘隆起，近花瓣处有蜜腺；花柱白色。蒴果淡褐色，圆柱状，具 10 纵棱，长 2 ~ 3 cm，直径 3 ~ 4 mm，果皮薄，不规则开裂；种子在每室单列纵向排列，淡褐色，牢固地嵌入木质硬果皮内。花期 5 ~ 8 月，果期 8 ~ 11 月。

| 生境分布 |

生于水田和浅水池塘中。分布于江苏南部等。

| 资源情况 | 野生资源较丰富。

| 采收加工 | 夏、秋季采收，洗净，鲜用或晒干。

| 药材性状 | 本品茎甚长，直径 3 ～ 5 mm，红棕色，有纵直条纹，质较柔韧。节下着生多数毛发状须根，黑色，白色囊状浮器已扁瘪，不明显或脱落。叶皱缩，倒卵形至长圆状卵形。花、果实多脱落而一般。

| 功效物质 | 含有三萜类、酚酸类、黄酮类等资源性成分。

| 功能主治 | 淡，凉。清热解毒，利尿。用于感冒发热，燥热咳嗽，高热烦渴，淋痛，水肿，咽喉肿痛，口疮，风火牙痛；外用于疮痈疔肿，烫火伤，跌打伤肿，腮腺炎，带状疱疹，湿疹，皮炎，毒蛇咬伤。

| 用法用量 | 内服煎汤，9 ～ 30 g；或捣汁。外用适量，捣敷；或烧存性，调敷。

柳叶菜科 Onagraceae 丁香蓼属 Ludwigia 凭证标本号 320621181027031LY

假柳叶菜

Ludwigia epilobioides Maxim.

| 药 材 名 | 假柳叶菜（药用部位：全草）。

| 形态特征 | 一年生草本，高 20 ～ 50 cm。茎近直立或下部斜升，有棱角，多分枝。枝带四方形，略带红紫色，无毛或有短毛。单叶互生；叶片披针形，长 2 ～ 5 cm，宽 0.6 ～ 1.5 cm，近无毛，先端渐尖，基部渐狭，全缘；叶柄短。花 1 ～ 2 生于叶腋，无梗；基部有 2 小苞片；萼筒与子房合生，裂片 4 ～ 5，长约 2 mm；花瓣与萼裂片同数，黄色，稍短于萼裂片，早落；雄蕊与萼裂片同数；花盘无毛。蒴果圆柱状四方形，长 1.5 ～ 2 cm，直立或微弯，稍带紫色，成熟后室背成不规则破裂，每室有 1 ～ 2 列稀疏、嵌埋于木栓质内果皮的种子；种子多数，细小，棕黄色。花期 7 ～ 10 月，果期 9 ～ 11 月。

生境分布	生于田间水旁、沼泽地、稻田等湿润处。分布于江苏南京、无锡、徐州（新沂）等。
资源情况	野生资源较丰富。
采收加工	全年均可采收，鲜用或晒干。
功能主治	清热利水。用于黄疸，赤白痢疾等。

柳叶菜科 Onagraceae 丁香蓼属 Ludwigia 凭证标本号 320481141003150LY

丁香蓼 *Ludwigia prostrata* Roxb.

| 药 材 名 |

丁香蓼（药用部位：全草或根）。

| 形态特征 |

一年生直立草本。茎高 25 ~ 60 cm，直径 2.5 ~ 4.5 mm，下部圆柱状，上部四棱形，常淡红色，近无毛，多分枝。小枝近水平开展。叶狭椭圆形，长 3 ~ 9 cm，宽 1.2 ~ 2.8 cm，先端锐尖或稍钝，基部狭楔形，在下部骤变窄，侧脉每侧 5 ~ 11，至近边缘渐消失，两面近无毛或幼时脉上疏生微柔毛；叶柄长 5 ~ 18 mm，稍具翅；托叶几乎全退化。萼片 4，三角状卵形至披针形，长 1.5 ~ 3 mm，宽 0.8 ~ 1.2 mm，疏被微柔毛或近无毛；花瓣黄色，匙形，长 1.2 ~ 2 mm，宽 0.4 ~ 0.8 mm，先端近圆形，基部楔形；雄蕊 4，花丝长 0.8 ~ 1.2 mm，花药扁圆形，宽 0.4 ~ 0.5 mm，开花时以四合花粉直接授在柱头上；花柱长约 1 mm，柱头近卵状或球状，直径约 0.6 mm；花盘围以花柱基部，稍隆起，无毛。蒴果四棱形，长 1.2 ~ 2.3 cm，直径 1.5 ~ 2 mm，淡褐色，无毛，成熟时迅速不规则室背开裂，果柄长 3 ~ 5 mm；种子呈 1 列横卧于每室内，里生，卵状，长 0.5 ~ 0.6 mm，直径约 0.3 mm，先端稍偏斜，具小尖头，表面有横条排成的棕褐色纵横条纹；种脊线形，长约 0.4 mm。花期 6 ~ 7 月，果期 8 ~ 9 月。

| **生境分布** | 生于渠岸、河边、田埂或稻田中。江苏各地均有分布。

| **资源情况** | 野生资源较丰富。

| **采收加工** | 秋季结果时采收，切段，鲜用或晒干。

| **药材性状** | 本品全体较光滑。主根明显，长圆锥形，多分枝。茎下部节上多须根；上部多分枝，有棱角约 5，暗紫色或棕绿色；易折断，断面灰白色，中空。单叶互生，多皱缩，完整者展平后呈披针形，全缘，先端渐尖，基部渐狭，长 4 ~ 7 cm，宽 1 ~ 2 cm。花 1 ~ 2，腋生，无梗；花萼、花瓣均 4 裂，萼宿存，花瓣椭圆形，先端钝圆。蒴果条状四棱形，直立或弯曲，紫红色，先端具宿萼；种子细小，光滑，棕黄色。气微，味咸、微苦。

| **功效物质** | 主要含有没食子酸和诃子次酸三乙酯，体外抑菌试验证实对宋内痢疾杆菌、舒氏痢疾杆菌、鲍氏痢疾杆菌、志贺痢疾杆菌及金黄色葡萄球菌、铜绿假单胞菌等具有较好的抑菌作用。

| **功能主治** | 全草，清热解毒，利尿通淋，化瘀止血。用于肺热咳嗽，咽喉肿痛，目赤肿痛，湿热泻痢，黄疸，淋痛，水肿，带下，吐血，尿血，肠风便血，疔肿，疥疮，跌打伤肿，外伤出血，蛇、虫、狂犬咬伤。根，清热利尿，消肿生肌。用于急性肾炎，刀伤。

| **用法用量** | 内服煎汤，15 ~ 30 g；或浸酒；治痢疾，鲜品可用 60 ~ 120 g。外用适量，鲜品捣敷。

柳叶菜科 Onagraceae 月见草属 Oenothera 凭证标本号 320282170628480LY

月见草 *Oenothera biennis* L.

药材名

月见草（药材来源：根、种子的脂肪油）。

形态特征

二年生粗壮草本，高 50 ~ 200 cm。茎不分枝或分枝，被曲柔毛与伸展长毛。基生叶莲座状，紧贴地面，叶片倒披针形，长 10 ~ 25 cm；茎生叶椭圆形至倒披针形，长 7 ~ 20 cm，宽 1 ~ 5 cm。花序穗状，不分枝，或在主序下面具次级侧生花序；花管长 2.5 ~ 3.5 cm，直径 1 ~ 1.2 mm，黄绿色或开花时带红色，被毛；萼片绿色，有时带红色，长圆状披针形，开花时自基部反折，但又在中部上翻；花瓣黄色，稀淡黄色，宽倒卵形，长 2.5 ~ 3 cm，宽 2 ~ 2.8 cm，先端稍凹缺；花丝近等长；子房圆柱状，具 4 棱，柱头围以花药。蒴果锥状圆柱形，具明显的棱；种子在果实中呈水平状排列，暗褐色，棱形，长 1 ~ 1.5 mm，具棱角，各面具不整齐注点。花期 5 ~ 8 月，果期 8 ~ 12 月。

生境分布

生于开旷荒坡路旁。江苏各地均有分布。江苏南京、扬州（宝应）等曾有栽培。

| 资源情况 | 野生及栽培资源较丰富。

| 采收加工 | 根，秋季采挖，除去泥土，晒干。种子的脂肪油，8～12月果实成熟时采收果实，晒干，压碎，除去果壳，收集种子，用二氧化碳超临界萃取等方法获得脂肪油。

| 功效物质 | 月见草油含多种脂肪酸类资源性成分，主要包括亚油酸、γ-亚麻酸、油酸、棕榈酸、硬脂酸、顺-6,9,12-二十八碳-三烯酸、顺-9,12,15-二十八碳-三烯酸等，具有降血脂及抗动脉粥样硬化、减少体内脂肪蓄积、抗脂肪肝、抗心律失常、抗炎活性。尚有研究报道，月见草茎提取物可显著提高急性肺损伤模型鼠肺组织中的谷胱甘肽过氧化物酶的活性，降低髓过氧化物酶活性和丙二醛含量，表明月见草茎具有较强的抗氧化特性。

| 功能主治 | 甘、苦，温。祛风湿，强筋骨，活血通络，息风平肝，消肿敛疮。用于风寒湿痹，筋骨酸软，胸痹心痛，中风偏瘫，虚风内动，小儿多动，风湿麻痛，腹痛泄泻，痛经，狐惑，疮疡，湿疹。

| 用法用量 | 内服煎汤，5～15 g。

| 附　注 | 本种耐旱、耐贫瘠，黑土、砂土、黄土、幼林地、轻盐碱地、荒地、河滩地、山坡地均适合栽培。

| 柳叶菜科 | Onagraceae | 月见草属 | Oenothera | 凭证标本号 | 320382180726018LY |

黄花月见草 *Oenothera glazioviana* Mich.

| 药 材 名 |

黄花月见草（药材来源：种子的脂肪油）。

| 形态特征 |

二年生至多年生草本，高约 1 m。茎直立，粗壮，有白色长毛。基生叶莲座状，叶片倒披针形，长 15 ~ 25 cm，宽 4 ~ 5 cm，先端锐尖或稍钝；下部茎生叶有柄，叶片长椭圆状披针形，长 6 ~ 9 cm，宽 2.5 ~ 3 cm；上部茎生叶的叶渐小，几无柄，叶片边缘微波状而有细齿。花单生于枝端叶腋，密集成穗状，密生曲柔毛、长毛与短腺毛；花管长 3.5 ~ 5 cm，直径 1 ~ 1.3 mm，疏被曲柔毛、长毛与腺毛；萼筒长约 4 cm，萼片披针形，反折；花瓣金黄色，长 4 ~ 5 cm；柱头 4 裂，高过花药。蒴果圆柱形，长 1.5 ~ 2.5 cm，上部尖锐，疏生长毛，具纵棱与红色的槽；种子棱形，具棱角，表面具不整齐洼点。花期 5 ~ 10 月，果期 8 ~ 12 月。

| 生境分布 |

生于开旷荒地、田园路边。江苏公园常见栽培，连云港、扬州等曾逸为野生。

| 资源情况 | 栽培资源较丰富。

| 采收加工 | 8 ～ 12 月采收成熟果实，晒干，压碎，筛去果壳，收集种子，用二氧化碳超临界萃取等方法提取种子的脂肪油。

| 功效物质 | 含有脂肪酸类资源性成分，主要包括亚油酸、γ- 亚麻酸、油酸、棕榈酸、硬脂酸、顺 -6,9,12- 二十八碳 - 三烯酸、顺 -9,12,15- 二十八碳 - 三烯酸等。

| 功能主治 | 辛、甘，微温。归脾、肝、心经。祛风湿，强筋骨，活血通络，息风平肝，消肿敛疮。用于风寒湿痹，筋骨酸软，胸痹心痛，中风偏瘫，虚风内动，小儿多动，风湿麻痛，腹痛泄泻，痛经，狐惑，疮疡，湿疹。

| 用法用量 | 内服入丸、散剂，每次 1 ～ 2 g，每日 2 ～ 3 次。

柳叶菜科 Onagraceae 月见草属 Oenothera 凭证标本号 320831180524055LY

粉花月见草 *Oenothera rosea* L' Herit. ex Ait.

| 药 材 名 | 粉花月见草（药材来源：种子的脂肪油）。

| 形态特征 | 多年生草本。茎常丛状上升，长 30 ~ 50 cm，多分枝，被曲柔毛。基生叶倒披针形，长 1.5 ~ 4 cm，宽 1 ~ 1.5 cm，开花时枯萎；茎生叶灰绿色，叶片披针形或长圆状卵形，长 3 ~ 6 cm，宽 1 ~ 2.2 cm。花单生于茎、枝顶部的叶腋，近早晨日出开放；花管淡红色，被曲柔毛；萼片绿色，带红色，开花时反折再向上翻；花瓣粉红色至紫红色，宽倒卵形，长 6 ~ 9 mm；花丝白色至淡紫红色，花药粉红色至黄色，长圆状线形；子房花期狭椭圆状，花柱白色，柱头红色，围以花药。蒴果棒状，长 8 ~ 10 mm，具纵翅，翅间具棱，具果柄；种子每室多数，长圆状倒卵形。花期 4 ~ 11 月，果期 9 ~ 12 月。

| 生境分布 | 生于开旷荒地、草地、沟边半阴处。江苏城镇有栽培，苏州、无锡等曾逸为野生。

| 资源情况 | 栽培资源较丰富。

| 采收加工 | 9～12月采收成熟果实，晒干，压碎，筛去果壳，收集种子，用二氧化碳超临界萃取等方法提取种子的脂肪油。

| 功效物质 | 种子含油20%～30%，油中70%为亚油酸，8%～9%为人体必需的γ-亚麻酸。尚有研究报道，粉花月见草的4个极性部位均含有抗真菌成分，具有潜在的广谱抗真菌作用。

| 功能主治 | 苦，凉。祛风湿，强筋骨，活血通络，息风平肝，消肿敛疮。用于风寒湿痹，筋骨酸软，胸痹心痛，中风偏瘫，虚风内动，小儿多动，风湿麻痛，腹痛泄泻，痛经，狐惑，疮疡，湿疹。

| 用法用量 | 内服煎汤，15～30g。外用适量，捣敷。

| 附　注 | 本种适应性强，耐酸、耐旱，对土壤要求不严。

小二仙草科 Haloragidaceae 小二仙草属 Haloragis 凭证标本号 320282170702495LY

小二仙草

Haloragis micrantha (Thunb.) R. Br. ex Sieb. et Zucc.

| 药 材 名 | 小二仙草（药用部位：全草）。

| 形态特征 | 多年生纤弱草本，丛生，高20～40 cm。茎四棱形，带赤褐色，直立，基部匍匐分枝。叶小，具短柄，对生，茎上部叶有时互生；叶片通常卵形或圆形，长6～10 cm，宽4～8 mm，先端短尖或钝，边缘有小齿，基部圆形，两面均无毛，淡绿色或紫褐色。圆锥花序顶生，由细的总状花序组成；花小，两性；萼管具棱，裂片4，三角形，宿存；花瓣4，红色；雄蕊8，花药紫红色；雌蕊1，子房下位，具纵棱，花柱4，柱头密生淡红色的毛。核果近球形，长约1 mm，有8棱。花期6～7月，果期9～10月。

| 生境分布 | 生于荒坡、沙地上。分布于江苏苏州、无锡（宜兴）、南京等。

| 资源情况 | 野生资源一般。

| 采收加工 | 夏季采收，洗净，鲜用或晒干。

| 功效物质 | 全草主要含有黄酮醇及其苷类、儿茶素类资源性成分，具有祛痰、止咳、增强毛细血管抵抗力、降血脂等活性。

| 功能主治 | 苦、涩，凉。归肺、大肠、膀胱、肝经。止咳平喘，清热利湿，调经活血。用于咳嗽，哮喘，热淋，便秘，痢疾，月经不调，跌打损伤，疔疮，乳痈，烫伤，毒蛇咬伤。

| 用法用量 | 内服煎汤，10 ～ 20 g，鲜品 20 ～ 60 g；或捣绞汁。外用适量，干品研末调敷；或鲜品捣敷。

小二仙草科 Haloragidaceae 狐尾藻属 Myriophyllum 凭证标本号 320124151016018LY

穗状狐尾藻 Myriophyllum spicatum L.

| 药 材 名 | 聚藻（药用部位：全草）。

| 形态特征 | 多年生沉水草本。根茎发达。茎圆柱形，长可达 2.5 m，多分枝。叶通常 4 ~ 6 轮生，羽状深裂，长 2.5 ~ 3.5 cm，丝状细裂线形，长 1 ~ 1.5 cm；叶柄极短。穗状花序顶生，长达 10 cm；花小，无梗；花两性，单性或杂性，雌雄同株，单生于水上枝苞片状叶腋，通常 4 轮生于花序轴上，若为单性花，则雄花生于花序上部，雌花生于花序下部，中部有时为两性花；花萼很小，4 深裂，萼筒极短；花瓣 4，粉红色，近匙形；雄蕊 8，雌花无花瓣，子房下位，4 室，花柱 4，短而偏于一侧，柱头羽毛状。分果爿宽卵球形或卵状椭圆形，长 1.5 ~ 3 mm，有 4 狭而深的槽，沟缘光滑或有时具小瘤。花期 4 ~ 9 月。

| **生境分布** | 生于池塘、湖沼或水稻田中。江苏各地均有分布。

| **资源情况** | 野生资源丰富。

| **采收加工** | 4 ~ 10 月每隔 2 个月采收 1 次，鲜用、晒干或烘干。

| **功效物质** | 含有大量的脱植基叶绿素。其释放的多酚类、脂肪酸类被认为是化感成分。

| **功能主治** | 甘、淡，寒。清热，凉血，解毒。用于热病烦渴，赤白痢，丹毒，疮疖，烫伤。

| **用法用量** | 内服煎汤，鲜品 15 ~ 30 g；或捣汁。外用适量，鲜品捣敷。

八角枫科 Alangiaceae 八角枫属 Alangium 凭证标本号 320831180613109LY

八角枫 *Alangium chinense* (Lour.) Harms

| 药 材 名 | 八角枫根（药用部位：根、须根或根皮）、八角枫叶（药用部位：叶）、八角枫花（药用部位：花）。

| 形态特征 | 落叶灌木或乔木，高 3 ~ 15 m。树皮淡灰色，平滑。枝条水平状展开，小枝呈 "之" 字形折曲，疏被柔毛或无毛；幼芽有毛，生于稍膨大的叶基内（即柄下芽）。叶形不一，常卵形、椭圆形或近圆形，长 8 ~ 20 cm，宽 5 ~ 12 cm，先端渐尖，基部偏斜，宽楔形或平截，全缘或稍 3 ~ 7 (~ 9) 浅裂，基出脉 3 ~ 5 (~ 7)，叶面无毛，叶背脉分叉处常有丛毛；叶柄红色，长 2 ~ 3.5 cm。多回二歧聚伞花序腋生，有花 7 ~ 30；花梗长 1 ~ 1.5 cm；萼齿 6 ~ 8；花瓣 6 ~ 8，白色，后变乳黄色，长 1 ~ 1.5 cm，外面微被柔毛；雄蕊 6 ~ 8，花丝基部疏生粗短毛，药隔无毛；花盘球形；花柱疏生粗短毛，柱头头状，2 ~ 4 裂。核果卵圆形，长 5 ~ 7 mm，成熟时黑色。

花期 5 ～ 7 月和 9 ～ 10 月，果期 7 ～ 9 月。

| 生境分布 | 生于向阳山坡林缘。分布于江苏南部及连云港、扬州（仪征）等。

| 资源情况 | 野生资源丰富。

| 采收加工 | 八角枫根：全年均可采挖或剥取根皮，洗净，晒干。
八角枫叶：夏季采收，鲜用，或晒干研末。
八角枫花：5 ～ 7 月采收，晒干。

| 药材性状 | 八角枫根：本品细根呈圆柱形，略呈波状弯曲，长短不一，长者长可超过 1 m，直径 2 ～ 8 mm，有分枝及众多纤细须根或其残基。表面灰黄色至棕黄色，栓皮纵裂，有时剥离。质坚脆，折断面不平坦，黄白色，粉性。气微。

八角枫叶：本品呈近圆形或卵形，长 8 ～ 20 cm，宽 5 ～ 12 cm，先端长尖，全缘或有 3 ～ 7 裂，裂片不等，基部偏斜，幼时两面有毛，后仅叶脉、叶腋处有丛毛和短柔毛，主脉 4 ～ 6；瓜木叶先端渐尖，基部近心形或宽楔形，幼时两面有柔毛，后仅下面叶脉、叶腋有柔毛，主脉 3 ～ 5。

八角枫花：本品花萼钟状，有纤毛，萼齿 6 ～ 8，花瓣白色，线形，反卷，花瓣与萼齿同数；花萼 6 ～ 7 裂。

| 功效物质 | 根和茎叶主要含有酚苷、生物碱类、萜类、木脂素类、紫罗兰酮类等资源性成分。八角枫苷等酚苷类成分是八角枫抗类风湿性关节炎的主要活性成分。八角枫碱是松弛肌肉的活性成分，但可能会因为种植地区和条件不同而导致同一品种的八角枫有的不含生物碱。

| 功能主治 | 八角枫根：辛、苦，微温；有小毒。归肝、肾、心经。祛风除湿，舒筋活络，散瘀止痛。用于风湿痹痛，四肢麻木，跌打损伤。

八角枫叶：苦、辛，平；有小毒。归肝、肾经。化瘀接骨，解毒杀虫。用于跌打瘀肿，骨折，疮痈，乳痈，乳头皲裂，漆疮，疥癣，外伤出血。

八角枫花：辛，平；有小毒。归肝、胃经。散风，理气，止痛。用于头风头痛，胸腹胀痛。

| 用法用量 | 八角枫根：内服煎汤，须根 1 ～ 3 g，根 3 ～ 6 g；或浸酒。外用适量，捣敷；或煎汤洗。

八角枫叶：外用适量，鲜品捣敷；或煎汤洗；或研末撒。

八角枫花：内服煎汤，3 ～ 10 g；或研末。

八角枫科 Alangiaceae 八角枫属 Alangium 凭证标本号 320282170426443LY

毛八角枫
Alangium kurzii Craib

| 药 材 名 | 毛八角枫（药用部位：侧根、须根）。

| 形态特征 | 落叶小乔木或灌木，高 5 ～ 10 m。树皮深褐色，平滑。新生小枝紫绿色，被淡黄色绒毛，后变为深褐色，无毛。叶片纸质，近圆形或阔卵形，长 12 ～ 14 cm，先端长渐尖，基部心形或近心形，稀近圆形，偏斜，两侧不对称，全缘，叶面深绿色，叶背淡绿色，被黄褐色丝状绒毛，脉腋被簇毛，基出脉 3（～ 5）；叶柄长 2.5 ～ 4 cm，被黄褐色微绒毛，稀无毛。一或二回二歧聚伞花序，花序梗长 3 ～ 7 cm，有 5 ～ 7 花；花萼漏斗状，萼齿 6 ～ 8；花瓣 6 ～ 8，白色，后变淡黄色，线形，长 2 ～ 2.5 cm，基部靠合，上部花开时反卷，外面有淡黄色短柔毛；雄蕊 6 ～ 8，花丝被疏柔毛，药隔具长柔毛；花柱顶部膨大，柱头近球形，4 裂。核果椭圆形或长椭圆形，成熟

后黑色。花期 5 ～ 6 月，果期 9 月。

| **生境分布** | 生于山坡疏林中。分布于江苏无锡（宜兴、江阴）、苏州（吴中、相城）、镇江（句容）等。

| **资源情况** | 野生资源较丰富。

| **采收加工** | 夏、秋季间采挖，洗净，鲜用或晒干。

| **功效物质** | 根主要含有生物碱类、酚苷类、萜类、木脂素及其糖苷类资源性成分。木脂素、糖苷类成分具有抑菌活性。

| **功能主治** | 辛，温；有毒。舒筋活血，散瘀止痛。用于跌打瘀肿，骨折。

| **用法用量** | 内服煎汤，5 ～ 10 g。外用适量，鲜品捣敷；或研末调敷。

蓝果树科 Nyssaceae 喜树属 Camptotheca 凭证标本号 320282151018097LY

喜树
Camptotheca acuminata Decne.

药材名

喜树（药用部位：果实、根或根皮）、喜树叶（药用部位：叶）、喜树皮（药用部位：树皮）。

形态特征

落叶乔木。高达 20 m。树皮灰色或浅灰色，浅纵裂。叶片纸质，矩圆状卵形或矩圆状椭圆形，长 7 ~ 20（~ 25）cm，先端锐尖，基部阔楔形或近圆形，全缘或呈微波状，边缘具纤毛，叶面亮绿色，叶背淡绿色，疏生短柔毛，侧脉 10 ~ 13 对；叶柄带红色。头状花序近球形，常 2 ~ 9 再组成圆锥花序；苞片 3，两面均有短柔毛；花萼 5，裂片齿状，边缘具睫毛；花瓣 5，淡绿色，矩圆形或矩圆状卵形，外面密被短柔毛，早落；花盘显著，微裂；雄蕊 10，外轮 5 较长，常长于花瓣；子房下位，花柱先端常分成 2 ~ 3 枝。翅果着生成近球形的头状果序，狭矩圆状，长 2 ~ 2.5 cm，先端具宿存的花盘和花柱，两侧具窄翅，幼时绿色，干燥后黄褐色。花期 5 ~ 7 月。

生境分布

生于山坡林边、山谷林中。分布于江苏南

部等。

| 资源情况 | 野生资源较少。

| 采收加工 | 喜树：10 ～ 11 月采收成熟果实，晒干；全年均可采挖根或剥取根皮，以秋季采剥为好，除去外层粗皮，晒干或烘干。

喜树叶：夏、秋季采收，鲜用。

喜树皮：全年均可采收，切碎，晒干。

| 药材性状 | 喜树：本品果实呈披针形，长 2 ～ 2.5 cm，宽 5 ～ 7 mm，先端尖，有柱头残基；基部变狭，可见着生在花盘上的椭圆形凹点痕，两边有翅。表面棕色至棕黑色，微有光泽，有纵皱纹，有时可见数条角棱和黑色斑点。质韧，不易折断，断面纤维性，内有种子 1，干缩成细条状。气微，味苦。

| 功效物质 | 全株含有抗肿瘤活性的生物碱类资源性成分，喜树碱及其衍生物含量最高，可作为医药工业的原料。此外，还含有鞣花酸衍生物、脂肪酸类、黄酮类、挥发油类等资源性成分，在抗肿瘤、抗病毒方面具有一定活性。枝叶营养物质丰富。

| 功能主治 | 喜树：清热解毒，散结消癥。用于食道癌，贲门癌，胃癌，肠癌，肝癌，白血病，牛皮癣，疮肿。

喜树叶：清热解毒，祛风止痒。用于痈疮疖肿，牛皮癣。

喜树皮：活血解毒，祛风止痒。用于牛皮癣。

| 用法用量 | 喜树：内服煎汤，根皮 9 ～ 15 g，果实 3 ～ 9 g；或研末吞；或制成针、片剂。

喜树叶：外用适量，鲜品捣敷；或煎汤洗。

喜树皮：内服煎汤，15 ～ 30 g。外用适量，煎汤洗；或煎汤浓缩调涂。

| 附 注 | （1）本种被列为第一批国家重点保护野生植物，保护级别为 II 级。

（2）本种喜温暖湿润气候，不耐严寒、干燥，根深，萌芽力强，生长迅速。宜在肥沃湿润之石灰岩风化后的土壤、冲积土及河滩沙地、江湖堤岸等地栽培。在酸性、中性和弱碱性土壤上均可生长。

山茱萸科 Cornaceae 山茱萸属 Cornus 凭证标本号 320111140829041LY

梾木

Cornus macrophylla (Wall.) Sojak

| 药 材 名 | 椋子木（药用部位：心材）、白对节子叶（药用部位：叶）、丁榔皮（药用部位：树皮）、梾木根（药用部位：根）。

| 形态特征 | 落叶乔木或灌木，高达 15 m。幼枝、叶、花序、花均被淡白色短柔毛。一年生枝条赤褐色，有棱，疏生柔毛。叶对生；叶片纸质，椭圆状卵形至长圆形，长 9 ~ 18 cm，宽 4 ~ 9 cm，先端渐尖，基部宽楔形，有时稍不对称，边缘略有波状小齿，侧脉 6 ~ 8 对，弓形内弯，叶背灰绿色，被密或疏的白色平贴短柔毛；叶柄长 1.5 ~ 4 cm。顶生二歧聚伞花序圆锥状，总花梗红色，长 2.5 ~ 4 cm；花小；萼齿 4，三角形，外面有柔毛；花瓣 4，长圆形至长圆状披针形，白色或黄色，背面被贴生小柔毛；雄蕊 4；花柱短，棍棒形，宿存。核果球状，成熟时蓝黑色；果核扁球状，两侧各有 1 浅沟和 6 肋纹。花期 7 ~ 8

月，果熟期 10 月。

| 生境分布 | 生于山坡或溪边杂木林中。分布于江苏南京等。

| 资源情况 | 野生资源丰富。

| 采收加工 | **椋子木**：全年均可采收，切段，晒干。

白对节子叶：春、夏季采收，晒干。

丁榔皮：全年均可采剥，切段，晒干。

楝木根：秋后采挖，洗净，切片，晒干。

| 功效物质 | 果肉和种仁含有油脂，鲜果含油量 33% ~ 36%，出油率 20% ~ 30%，是生物柴油原料树种。

| 功能主治 | **椋子木**：甘、咸，平。活血止痛，养血安胎。用于跌打骨折，瘀伤肿痛，血虚萎黄，胎动不安。

白对节子叶：苦、辛，平。祛风通络，疗疮止痒。用于风湿痛，中风瘫痪，疮疡，风疹。

丁榔皮：甘、微苦，凉。祛风通络，利湿止泻。用于筋骨疼痛，肢体瘫痪，痢疾，水泻腹痛。

楝木根：甘、微苦，凉。清热平肝，活血通络。用于头痛，眩晕，咽喉肿痛，关节酸痛。

| 用法用量 | **椋子木**：内服煎汤，3 ~ 10 g；或浸酒。

白对节子叶：内服煎汤，6 ~ 15 g；或浸酒。外用适量，煎汤洗。

丁榔皮：内服煎汤，6 ~ 15 g。

楝木根：内服煎汤，6 ~ 15 g；或浸酒；或研末。

山茱萸科 Cornaceae 山茱萸属 *Cornus* 凭证标本号 320481170401246LY

山茱萸
Cornus officinalis Sieb. et Zucc.

| 药 材 名 | 山茱萸（药用部位：果肉）。

| 形态特征 | 落叶灌木或小乔木，高达 10 m。嫩枝绿色，老枝黑褐色。叶对生；叶片卵状椭圆形或卵状披针形，长 5 ~ 12 cm，宽 3 ~ 7.5 cm，先端渐尖，基部浑圆或宽楔形，叶面无毛或疏生柔毛，叶背稀被白色贴生短柔毛或毛较密，侧脉 6 ~ 8 对，弓形内弯，脉腋簇生黄褐色短柔毛；叶柄长约 1 cm，有平贴毛。伞形花序生于侧枝先端；总苞片 4，卵圆形，褐色；花小，先叶开放；花萼 4 裂，裂片宽三角形；花瓣 4，黄色，舌状披针形，向外反折；花盘环状，肉质；雄蕊 4，与花瓣互生；子房下位，密被贴生疏柔毛，柱头截形。核果椭圆状或长椭圆状，长 1.2 ~ 1.7 cm，成熟时红色；果核狭椭圆状，有几条不整齐的肋纹。花期 5 ~ 6 月，果期 8 ~ 10 月。

| 生境分布 | 生于海拔 400 ~ 1 500 m、稀达 2 100 m 的林缘或林中。江苏连云港、南京、无锡（宜兴）等有引种栽培。 |

| 资源情况 | 野生及栽培资源丰富。 |

| 采收加工 | 秋末冬初果皮变红色时采收果实，用文火烘或置沸水中略烫后，及时除去果核，干燥。 |

| 药材性状 | 本品呈不规则片状或囊状，长 1 ~ 1.5 cm，宽 0.5 ~ 1 cm。表面紫红色至紫黑色，皱缩，有光泽，先端有的有圆形宿萼痕，基部有果柄痕。质柔软。气微。以肉厚、柔软、色紫红者为佳。 |

| 功效物质 | 果实、叶、枝条均含有环烯醚萜类、鞣质类资源性成分。果实、果皮、果壳含有熊果酸等三萜酸类、芳香酚酸类资源性成分。莫诺苷、马钱苷、熊果酸等是发挥降血糖、降血脂、神经保护、抑菌等活性的主要成分。果实含有的黄酮类化合物的结构类型主要包括黄酮醇、二氢黄酮、花色苷和黄烷醇等，多数具有生物活性。 |

| 功能主治 | 酸，微温。归肝、肾经。补益肝肾，收涩固脱。用于眩晕耳鸣，腰膝酸痛，阳痿遗精，遗尿，尿频，崩漏，带下，大汗虚脱，内热消渴。 |

| 用法用量 | 内服煎汤，5 ~ 10 g；或入丸、散剂。 |

| 附　　注 | 本种喜温暖、湿润气候，喜光。宜选择土质肥沃、土层深厚、排水良好的砂壤土或壤土栽培。 |

山茱萸科 Cornaceae 梾木属 Swida 凭证标本号 320981170616055LY

红瑞木

Swida alba (L.) Opiz

| 药 材 名 | 红瑞木（药用部位：树皮、枝叶）、红瑞木果（药用部位：果实）。

| 形态特征 | 落叶灌木，高达 3 m。幼枝、叶、花序、花均被淡白色短柔毛。树皮紫红色。一年生小枝老后紫红色，无毛，常有白粉，略具凸起的环形叶痕，髓部白色。叶对生；叶片卵形至椭圆形，长 4 ～ 9 cm，宽 2.5 ～ 5.5 cm，先端突尖，基部楔形或阔楔形，全缘或波状反卷，侧脉 5 ～ 6 对，弓形内弯，叶背粉绿色，有时脉腋有浅褐色髯毛；叶柄长 1 ～ 2 cm。伞房状聚伞花序顶生，宽 3 ～ 5 cm；花小；萼齿 4，三角形；花瓣 4，卵状舌形，白色或黄白色；雄蕊 4；子房下位，花托近倒卵状，疏生短柔毛，花梗与子房交接处有关节。核果斜卵圆状，微扁，两端尖，花柱宿存，成熟时白色或带蓝紫色。花期 6 ～ 7 月，果期 9 月。

| 生境分布 | 生于海拔 600 ～ 2 700 m 的杂木林或针阔叶混交林中。分布于江苏北部等。江苏城镇有少量栽培。

| 资源情况 | 野生及栽培资源丰富。

| 采收加工 | 红瑞木：全年均可采收，切段，晒干。
红瑞木果：秋季果实成熟时采收，晒干。

| 功效物质 | 红色茎皮含有矢车菊素 -3- 阿拉伯糖苷、矢车菊素 -3- 半乳糖苷、飞燕草素单葡萄糖苷等花色苷类资源性成分。叶含有氨基酸类、糖类、苷类、蒽醌类、黄酮类、鞣质类、挥发油类等资源性成分。

| 功能主治 | 红瑞木：苦、微涩，寒。清热解毒，止痢，止血。用于湿热泻痢，肾炎，风湿关节痛，目赤肿痛，中耳炎，咯血，便血。
红瑞木果：滋肾强壮。用于肾虚腰痛，体弱羸瘦。

| 用法用量 | 红瑞木：内服煎汤，6 ～ 9 g。外用适量，煎汤洗；或研末撒。
红瑞木果：内服煎汤，3 ～ 9 g；或浸酒。

山茱萸科 Cornaceae 梾木属 Swida 凭证标本号 320482180704005LY

毛梾
Swida walteri (Wanger.) Sojak

| **药 材 名** | 毛梾（药用部位：枝叶）。

| **形态特征** | 落叶乔木，高达 12 m。幼枝、叶、花序、花等各部均密被白色贴生短柔毛。树皮浅褐色，常纵裂成长条。小枝成长后光滑无毛，绿白色至灰黑色。叶对生；叶片椭圆形至长椭圆形，长 4 ~ 10 cm，宽 2 ~ 5 cm，先端渐尖，基部楔形，两面均有短柔毛，叶背较密，淡绿色，侧脉 4 ~ 5 对；叶柄长 1 ~ 3 cm。伞房状聚伞花序顶生，长约 5 cm，宽约 7 cm，花密；萼齿三角形；花瓣白色，长圆状披针形；雄蕊 4；花盘明显，垫状或腺体状；子房下位，花托倒卵形，密生灰色短柔毛，花柱棍棒状。核果球状，直径约 6 mm，成熟时黑色；果核骨质，扁圆球状，有不明显的肋纹。花期 5 ~ 6 月，果期 8 ~ 10 月。

| 生境分布 | 生于山地的向阳山坡。分布于江苏南部等。

| 资源情况 | 野生资源较丰富。

| 采收加工 | 春、夏季采收，鲜用或晒干。

| 功效物质 | 叶含有鞣质。果实含油率 33% ~ 36%，种子含油率 16% ~ 20%，平均每株可产油 15 kg 以上。油中含有不饱和脂肪酸，临床应用治疗高脂血症有效率超过 90%，还含有少量的二十八烷醇、β- 谷甾醇、β- 胡萝卜素和维生素 E 等营养成分。

| 功能主治 | 解毒敛疮。用于漆疮。

| 用法用量 | 外用适量，鲜品捣涂；或煎汤洗；或研末撒。

五加科 Araliaceae 五加属 *Acanthopanax* 凭证标本号 320115170714058LY

五加
Acanthopanax gracilistylus W. W. Smith

| 药 材 名 | 五加皮（药用部位：根皮）。

| 形态特征 | 灌木，高 2 ~ 5 m，有时蔓生状。枝无刺或在叶柄基部有刺。掌状复叶在长枝上互生，在短枝上簇生；小叶 5，很少 3 ~ 4，顶生的 1 叶最大，倒卵圆形至倒卵状披针形，长 3 ~ 6 cm，宽 1.5 ~ 3.5 cm，先端渐尖或钝，基部楔形，边缘有锯齿，两面无毛或叶脉有疏刺毛。伞形花序多单生于叶腋或短枝的先端，少有 2 集生于 1 序上，总花梗长 1 ~ 3 cm；花梗纤细，长 6 ~ 10 mm；花萼全缘或有 5 小齿；花瓣 5，黄绿色；雄蕊 5，子房 2（~ 3）室，分离至基部。果实近圆球状，紫色至黑色，有种子 2。花期 5 月，果熟期 10 月。

| 生境分布 | 生于山坡林中及路旁灌丛中。江苏各地均有分布。江苏药圃常有栽培。

| 资源情况 | 野生及栽培资源较丰富。

| 采收加工 | 夏、秋季采挖根部，洗净，剥取根皮，晒干。

| 药材性状 | 本品呈不规则双卷或单卷筒状，有的呈块片状，长 4 ~ 15 cm，直径 0.5 ~
1.5 cm，厚 1 ~ 4 mm。外表面灰棕色或灰褐色，有不规则裂纹或纵皱纹及横长
皮孔；内表面黄白色或灰黄色，有细纵纹。体轻，质脆，易折断，断面不整齐，
灰白色或灰黄色。气微香，味微辣而苦。以皮厚、气香、断面灰白色者为佳。

| 功效物质 | 根皮、茎叶含有挥发油类、萜类、甾醇类、有机酸类、脂肪酸类、黄酮类、神
经酰胺类等资源性成分。根皮含有大量的二萜类化合物，具有良好的抗疲劳及
增强免疫作用。果实、叶中的三萜类化合物具有降血糖、抗肿瘤、免疫调节
活性。

| 功能主治 | 辛、苦、微甘，温。归肝、肾经。祛风除湿，补益肝肾，强筋壮骨，利水消肿。
用于风湿痹病，筋骨痿软，小儿行迟，体虚乏力，水肿，脚气。

| 用法用量 | 内服煎汤，6 ~ 9 g，鲜品加倍；或浸酒；或入丸、散剂。外用适量，煎汤熏洗；
或研末敷。

五加科 Araliaceae 楤木属 Aralia 凭证标本号 321112180727013LY

楤木
Aralia chinensis L.

| 药 材 名 | 楤木（药用部位：茎或茎皮）、楤木叶（药用部位：嫩叶）、楤木花（药用部位：花）、楤根（药用部位：根或根皮）。

| 形态特征 | 灌木或乔木。枝干具刺。二或三回羽状复叶；叶柄粗壮；小叶纸质至薄革质，卵形至长卵形，先端渐尖，基部圆形，边缘有锯齿。圆锥花序大；花白色，芳香；花瓣 5，卵状三角形；雄蕊 5；子房 5室，花柱 5，宿存，离生或基部合生。果实球形，黑色。花期 7 ～ 9月，果期 9 ～ 12 月。

| 生境分布 | 生于海拔 400 ～ 2 700 m 的杂木林中。江苏各地均有分布。江苏药圃有栽培。

| 资源情况 | 野生及栽培资源较少。

| **采收加工** | 楤木：栽培 2 ~ 3 年幼苗成林后采收，晒干，亦可鲜用。

楤木叶：春、夏季采收，鲜用或晒干。

楤木花：7 ~ 9 月花开时采收，阴干。

楤根：9 ~ 10 月采挖根，或剥取根皮，晒干。

| **药材性状** | 楤木：本品呈剥落状、卷筒状、槽状或片状，外表面粗糙不平，灰褐色、灰白色或黄棕色，有纵皱纹及横纹，有的散有刺痕或断刺；内表面淡黄色、黄白色或深褐色。质坚脆，易折断，断面纤维性。气微香，味微苦，茎皮嚼之有黏性。

楤根：本品呈圆柱形，弯曲，粗细长短不一，表面淡棕黄色或灰褐黄色，具不规则纵皱纹，外皮向外翘起，并有横向棱状、"一"字状或点状皮孔，有的具支根痕。体轻，质坚硬，不易折断，断面稍呈纤维状。老根木部中央呈空洞状，有的呈朽木状。切成段者，长 1 ~ 1.5 cm，切断面皮部较薄，暗棕黄色，木部淡黄色或类白色，具细密放射状纹理及数轮环状纹理。气微。

| **功效物质** | 根、叶含量较多的活性成分是三萜皂苷，苷元主要是齐墩果酸及其衍生物。楤木总皂苷在抑制肿瘤生长的同时可提高机体免疫功能，增强机体自身的抗肿瘤能力，还可明显降低血糖、保护肾脏、延缓衰老。楤木皂苷 C 可有效抑制人乳腺癌细胞 MCF-7 的增殖和迁移。

| **功能主治** | 楤木：祛风除湿，利水和中，活血解毒。用于风湿关节痛，腰腿酸痛，肾虚水肿，消渴，胃痛，跌打损伤，骨折，吐血，衄血，疟疾，漆疮，骨髓炎，深部脓肿。

楤木叶：甘、微苦，平。利水消肿，解毒止痢。用于肾炎性水肿，臌胀，腹泻，痢疾，疔疮肿毒。

楤木花：苦、涩，平。止血。用于吐血。

楤根：辛，平。祛风利湿，活血通经，解毒散结。用于风热感冒，咳嗽，风湿痹痛，腰膝酸痛，淋浊，水肿，臌胀，黄疸，带下，痢疾，胃痛，跌打损伤，瘀血闭经，血崩，牙疳，阴疽，瘰疬，痔疮。

| **用法用量** | 楤木：内服煎汤，15 ~ 30 g；或浸酒。外用适量，捣敷；或浸酒涂。

楤木叶：外用适量，捣敷。

楤木花：内服煎汤，9 ~ 15 g。

楤根：内服煎汤，15 ~ 30 g；或浸酒。外用适量，捣敷。

五加科 Araliaceae 楤木属 *Aralia* 凭证标本号 321112180511005LY

白背叶楤木

Aralia chinensis L. var. *nuda* Nakai

| 药 材 名 | 楤木（药用部位：茎或茎皮）。

| 形态特征 | 本种与楤木的区别在于小叶片下面灰白色，除侧脉上有短柔毛外余无毛；圆锥花序的主轴和分枝疏生短柔毛或几无毛，苞片长圆形，长 6 ~ 7 mm。

| 生境分布 | 生于山坡林中或林缘。分布于江苏无锡（宜兴）、常州（溧阳）等。江苏无锡（宜兴）、常州（溧阳）等有栽培。

| 资源情况 | 野生及栽培资源较少。

| 采收加工 | 栽培 2 ~ 3 年幼苗成林后采收，晒干，亦可鲜用。

| 功效物质 | 根皮和茎皮中齐墩果酸的含量较高，总皂苷具有明显的抗肿瘤、提高免疫功能的作用。

| 功能主治 | 甘、微苦，平。祛风除湿，利水和中，活血解毒。用于风湿关节痛，腰腿酸痛，肾虚水肿，消渴，胃痛，跌打损伤，骨折，吐血，衄血，疟疾，漆疮，骨髓炎，深部脓肿。

| 用法用量 | 内服煎汤，9 ~ 30 g。

| 附　　注 | 本种作为民族药应用广泛，可用作畲药、纳西药、白药、彝药、苗药。

五加科 Araliaceae 楤木属 Aralia 凭证标本号 3211831511051148LY

湖北楤木 *Aralia hupehensis* Hoo

| 药 材 名 | 湖北楤木（药用部位：根）。

| 形态特征 | 灌木或小乔木，高 2 ~ 8 m。小枝及其刺、叶各部、花序各部、花梗密生黄棕色绒毛。小枝通常有刺，刺粗壮。叶为二或三回羽状复叶，每小叶轴分枝基部有小叶 1 对；小叶纸质或稍革质，宽卵形或卵形，长 5 ~ 13 cm，宽 3 ~ 8 cm，先端渐尖，基部狭圆，边缘有锯齿，齿有刺尖，叶面有糙伏毛，叶背有黄色或灰色短柔毛，沿叶脉较密。伞形花序集生为大型顶生的圆锥花丛，长 25 ~ 40 cm，宽 10 ~ 20 cm，伞形花序在二级分枝上单个顶生，或另有数个侧生，全雄同株；花梗长 2 ~ 5 mm；花萼边缘有 5 齿；花瓣 5，绿白色；子房 5 室，花柱 5，分离或基部合生，开展。果实球形，有 5 棱，横径约 3 mm，成熟时黑色。花期 6 ~ 7 月，果期 8 ~ 10 月。

| **生境分布** | 生于山地林缘或灌丛中。分布于江苏南部等。

| **资源情况** | 野生资源一般。

| **采收加工** | 秋、冬季采挖，洗净，切片，鲜用或晒干。

| **功效物质** | 许多楤木属植物均含有三萜皂苷，且苷元主要为齐墩果酸及其衍生物，具有一定的镇痛、抗炎作用。

| **功能主治** | 辛、苦，微温。活血祛瘀，利水消肿。用于跌打损伤，瘀血肿痛，骨折，水肿，小便不利。

| **用法用量** | 内服煎汤，3 ~ 10 g；或浸酒。外用适量，捣烂，酒炒敷。

| **附　注** | 本种易被误认为楤木 *Aralia chinensis* L.，但后者圆锥花序总状，有长主轴，伞形花序的花数较多，苞片较长而边缘无纤毛，二者较易区别。

五加科 Araliaceae 八角金盘属 Fatsia 凭证标本号 320124151101075LY

八角金盘 *Fatsia japonica* (Thunb.) Decne. et Planch.

| 药 材 名 | 八角金盘（药用部位：叶、根皮）。

| 形态特征 | 常绿灌木或小乔木，高可达 5 m。茎光滑。叶片近圆形，革质，较大，宽 12 ~ 40（~ 50）cm，掌状 7 ~ 9（~ 11）深裂，裂片长椭圆状卵形，先端短渐尖，边缘有疏浅齿，侧脉在两面隆起，网脉在叶背稍显著，叶面深绿色，无毛，叶背淡绿色，有粒状突起；叶柄长 20 ~ 60（~ 70）cm。伞形花序排成圆锥花序，顶生，花序轴长 30 ~ 40 cm，伞形花序近球形，直径 3 ~ 5 cm，在花序轴着生处呈褐色；小苞片小，褐色；花小，花梗长 1 ~ 1.5 cm；萼齿近无；花瓣黄白色，卵状三角形，先端渐尖，长 2.5 ~ 3 mm；花盘隆起，呈半圆状；花丝与花瓣近等长；花柱 5，分离，子房下位，5 室，每室有 1 胚珠。核果近球状，先端花盘凸显，直径约 8 mm，成熟时黑

色。花期 10 ~ 11 月，果期翌年 4 月。

| 生境分布 | 江苏城镇园林和庭园中普遍有栽培。

| 资源情况 | 栽培资源丰富。

| 采收加工 | 夏、秋季采收叶，全年均可采剥根皮，均洗净，鲜用或晒干。

| 功效物质 | 根、叶、花和果实含有多种萜类资源性成分，三萜皂苷的苷元有齐墩果酸、常
春藤苷元和刺囊酸等，具有
抗肿瘤活性；单萜具有抗菌、
抗炎等生物活性；倍半萜具
有提神、抗菌消炎和镇痛等
生物活性。此外，叶中的黄
酮类、果实中的原花青素类
资源性成分具有较好的抗氧化
活性。果实原花青素的清除自
由基能力是维生素 E 的 50 倍、
维生素 C 的 20 倍，其毒副作
用低，生物利用率高。

| 功能主治 | 辛、苦，温；有小毒。化痰止
咳，散风除湿，化瘀止痛。
用于咳嗽痰多，风湿痹痛，
痛风，跌打损伤。

| 用法用量 | 内服煎汤，1 ~ 3 g。外用适
量，捣敷；或煎汤熏洗。

| 附　　注 | 本种喜湿暖、湿润气候，耐
阴，不耐干旱，有一定耐寒
力。宜栽培在排水良好、湿
润的砂壤土中。

五加科 Araliaceae 常春藤属 Hedera 凭证标本号 320584200621024LY

常春藤
Hedera nepalensis K. Koch var. *sinensis* (Tobl.) Rehd.

| 药 材 名 |

常春藤（药用部位：茎叶）、常春藤子（药用部位：果实）。

| 形态特征 |

常绿攀缘藤本。有气生根。幼枝具锈色鳞片，鳞片通常有 10 ～ 20 辐射肋。单叶，叶柄长 1 ～ 5 cm；叶片近革质，二型，营养枝上的叶片三角状卵形或戟形，长 2 ～ 6 cm，宽 1 ～ 3 cm，先端短渐尖，基部截形，稀心形，全缘或浅裂，花枝上的叶片椭圆状披针形或长椭圆状卵形，略歪斜而带菱形，稀卵形、圆卵形、披针形或箭形，长 5 ～ 12 cm，宽 2 ～ 6 cm，先端渐尖或长渐尖，全缘。伞形花序单一或 2 ～ 7 顶生，总状或伞房状排列成圆锥花序；花萼近全缘，有锈色鳞片；花瓣 5，淡黄白色，三角状卵形，外侧有鳞片，芳香；花药紫色；子房 5 室，花柱合生成柱状。果实球形，成熟后红色或黄色。花期 8 ～ 9 月，果熟期翌年 4 ～ 5 月。

| 生境分布 |

常攀缘于树上、岩石或墙壁上。江苏各地均有分布。

| **资源情况** | 野生及栽培资源较丰富。

| **采收加工** | **常春藤**：秋季采收，晒干。

常春藤子：秋季果实成熟时采收，晒干。

| **药材性状** | **常春藤**：本品茎呈圆柱形，长短不一，直径 1 ~ 1.5 cm；表面灰绿色或灰棕色，有横长皮孔，嫩枝有鳞片状柔毛；质坚硬，不易折断，断面裂片状，黄白色。叶互生，革质，灰绿色，营养枝的叶三角状卵形，花枝和果枝的叶椭圆状卵形、椭圆状披针形。气微。

常春藤子：本品呈球形，表面黄色或红色，顶端有圆形花萼残痕，中央有花柱残基，破开后，可见内分 5 室，有种子 5。

| **功效物质** | 常春藤苷 C 和 α- 常春藤皂苷是主要活性成分，具有解痉、抗肿瘤、抗炎和免疫调节等作用。

| **功能主治** | **常春藤**：辛、苦，平。归肝、脾、肺经。祛风，利湿，和血，解毒。用于风湿痹痛，瘫痪，口眼㖞斜，衄血，月经不调，跌打损伤，咽喉肿痛，疔疮痈肿，肝炎，蛇虫咬伤。

常春藤子：甘、苦，温。补肝肾，强腰膝，行气止痛。用于体虚羸弱，腰膝酸软，血痹，脘腹冷痛。

| 用法用量 | **常春藤**：内服煎汤，6 ~ 15 g；或研末；或浸酒；或捣汁。外用适量，捣敷；
或煎汤洗。

常春藤子：内服煎汤，3 ~ 9 g；或浸酒。

五加科 Araliaceae 刺楸属 Kalopanax 凭证标本号 321112180723013LY

刺楸
Kalopanax septemlobus (Thunb.) Koidz.

| 药 材 名 | 刺楸树皮（药用部位：树皮）、刺楸树根（药用部位：根或根皮）、刺楸茎（药用部位：茎枝）、刺楸树叶（药用部位：叶）。

| 形态特征 | 落叶乔木，高 10 ~ 15 m。树皮暗灰棕色，纵裂，枝干有粗大、鼓钉状刺。单叶；叶片纸质，近圆形，直径 7 ~ 20 cm，掌状 5 ~ 7 裂，具放射状主脉 5 ~ 7，两面均明显，裂片长不及全叶片的 1/2，三角状卵圆形至椭圆状卵形，先端渐尖或长尖，边缘有细锯齿，无毛或叶背基部脉腋有毛簇；叶柄长 6 ~ 30 cm。复伞形花序呈圆锥花序状，大而顶生，长 15 ~ 25 cm，直径 20 ~ 30 cm，伞形花序直径 1 ~ 3 cm，有花多数；小花的花梗细长；萼具 5 小齿；花瓣 5，白色或淡黄绿色。核果球状，直径约 5 mm，成熟时蓝黑色。花期 7 ~ 8 月，果熟期 10 ~ 11 月。

| 生境分布 | 生于山地疏林中。江苏各地均有分布。

| 资源情况 | 野生资源一般。

| 采收加工 | 刺楸树皮：栽后 15 ~ 20 年，胸围达 20 cm 以上后，全年均可采收，剥取树皮，洗净，晒干。

刺楸树根：夏末秋初采挖，洗净，切片；或剥取根皮，切片，鲜用或晒干。
刺楸茎：全年均可采收，洗净，切片，鲜用或晒干。
刺楸树叶：夏、秋季采收，鲜用。

| 药材性状 | 刺楸树皮：本品呈卷筒状或弧状弯曲成条块状，长宽不一，厚 1.3 ~ 3.5 mm。外表面灰白色至灰褐色，粗糙，有灰黑色纵裂隙及横向裂纹，散生黄色圆点状皮孔，不明显；皮上有钉刺，长 1.3 cm，基部直径 1 ~ 1.7 cm，纵向延长成椭圆形，先端扁平、尖锐，长约 3 mm，钉刺脱落可露出黄色内皮；内表面棕黄色或紫褐色，光滑，有明显细纵纹。质坚韧，不易折断，折断面外部灰棕色，内部灰黄色，具强纤维性，呈明显片层状。气微香，味苦。以质干燥、皮厚实、钉刺多者为佳。

刺楸茎：本品呈圆柱形，长 10 ~ 20 cm，直径 1 cm。表面灰色至灰棕色，有黄棕色圆点状皮孔和淡棕色的角状刺，刺尖锐，侧扁，基部扁而宽阔，呈长椭圆形，微有光泽。质坚硬，折断面木部纤维性或裂片状，中央可见白色髓部。气微。

| 功效物质 | 根皮和叶均含有皂苷类资源性成分，常春藤皂苷元是刺楸根皮中的主要活性成分，具有保肝、抗肿瘤、止痛、止痉、抗真菌、杀虫等多种药理活性。

| 功能主治 | 刺楸树皮：辛、苦，凉。归脾、胃经。祛风除湿，活血止痛，杀虫止痒。用于风湿痹痛，肢体麻木，风火牙痛，跌打损伤，骨折，痈疽疮肿，口疮，痔肿，疥癣。

刺楸树根：苦、微辛，平。归肺、脾经。凉血散瘀，祛风除湿，解毒。用于肠虚下血，风湿热痹，跌打损伤，骨折，周身浮肿，疮疡肿毒，瘰疬，痔疮。
刺楸茎：辛，平。祛风除湿，活血止痛。用于风湿痹痛，胃痛。
刺楸树叶：辛、微甘，平。解毒消肿，祛风止痒。用于疮疡肿毒或破溃，风疹瘙痒，风湿痹痛，跌打肿痛。

| **用法用量** | **刺楸树皮：** 内服煎汤，9 ~ 15 g；或浸酒。外用适量，煎汤洗；或捣敷；或研末调敷。

刺楸树根： 内服煎汤，9 ~ 15 g；或浸酒。外用适量，捣敷；或煎汤洗。

刺楸茎： 内服煎汤，9 ~ 15 g。外用适量，煎汤洗。

刺楸树叶： 外用适量，煎汤洗；或捣烂，炒热敷。

五加科 Araliaceae 通脱木属 Tetrapanax 凭证标本号 NAS00030849

通脱木
Tetrapanax papyrifer (Hook.) K. Koch

| 药材名 | 通草（药用部位：茎髓）。

| 形态特征 | 灌木，高达 4 m。具匍匐茎。根茎直径 6 ~ 9 cm。小枝粗壮，无刺，淡棕色或淡黄棕色，髓心大，纸质，白色，幼枝密被锈色或淡褐色绒毛。单叶集生于茎顶；叶片近圆形，直径达 50 cm，掌状分裂，浅裂或深裂达叶长的 2/3，裂片 5 ~ 11，卵状长圆形，先端渐尖，全缘或具粗锯齿，每裂片常有 2 ~ 3 小裂片，叶面无毛，叶背密被锈色星状毛；托叶先端 2 裂，锥形；叶柄粗壮，长超过 50 cm，无毛。圆锥状复伞形花序长超过 50 cm，伞形花序直径 1 ~ 2 cm；花序梗、花萼和花瓣外侧密被星状绣黄色绒毛；萼齿不明显；花瓣淡黄色，长约 2 mm。果实球状，紫黑色，直径约 4 mm。花期 10 ~ 12 月，果期翌年 1 ~ 2 月。

| 生境分布 | 江苏南京等有栽培。

| 资源情况 | 栽培资源较少。

| 采收加工 | 秋季割取茎，截成段，趁鲜取出髓部，理直，晒干。

| 药材性状 | 本品呈圆柱形，长 20 ~ 40 cm，直径 1 ~ 2.5 cm。表面白色或淡黄色，有浅纵沟纹。体轻，质松软，稍有弹性，易折断，断面平坦，显银白色光泽，中央有直径 0.3 ~ 1.5 cm 的空心或半透明的薄膜，纵剖面呈梯状排列，实心者（仅在细小茎髓中的某小段）一般。以条粗壮、色洁白、有弹性、空心有隔膜者为佳。

| 功效物质 | 茎髓含有甾酮类、甾醇类、甾苷类、神经酰胺类资源性成分。叶、花、果实及根主要含有齐墩果烷型三萜及其三萜皂苷类，此外，还含有甾苷类、黄酮类、苯衍生物类、神经酰胺类及微量元素等。叶中的三萜类化合物具有抗肝毒性、抗炎作用，花和果实中的黄酮类成分具有细胞毒活性。

| 功能主治 | 甘、淡，微寒。归肺、胃经。清热利尿，通气下乳。用于湿热淋证，水肿尿少，乳汁不下。

| 用法用量 | 内服煎汤，2 ~ 5 g。

| 附　　注 | 本种喜温暖湿润气候，不耐旱，怕涝。对土壤要求不严，在红壤、棕壤、褐土、砂壤土中均生长良好，尤其适宜在土层疏松肥沃的砂壤土中生长，表现为生长快、株形大、产量高。

伞形科 Umbelliferae 当归属 Angelica 凭证标本号 320115150825006LY

骨缘当归

Angelica cartilaginomarginata (Makino ex Y. Yabe) Nakai var. *foliosa* C. Q. Yuan et R. H. Shan

| 药 材 名 |

骨缘当归（药用部位：全草或根）。

| 形态特征 |

二年生或多年生草本，高达 1.5 m。根粗大，纺锤形。茎直立，圆形，光滑。叶柄长 10 ～ 15 cm，基部有鞘，半抱茎；叶片坚纸质，卵形至长圆状卵形，三出式分裂，一回羽状至 2 回三出式羽状分裂，第 1 回裂片有短柄或近无柄，末回裂片阔卵形至长圆形，长 5 ～ 6.5 cm，宽 2 ～ 3 cm，常 2 ～ 3 裂，先端尖锐或长尖，边缘有密锯齿，齿缘骨质，表面绿色，背面近苍白色，细脉明显，上部叶片较缩小，鞘较长。花序为疏松的复伞形花序，叉式分枝，伞梗长 1 ～ 3 cm；无总苞；小总苞有少数线形的小苞片；伞幅 10 ～ 12，不等长；花白色，萼齿不明显；花瓣圆卵形，先端内折；花柱基扁平至短圆锥形，柱头短，叉开。果实椭圆形至圆卵形，长 2 ～ 3.5 mm，宽 1.5 ～ 3 mm，背棱和中棱尖锐，侧棱有窄翅，分生果背部扁平，背槽中有油管 1，侧槽中有油管 2，合生面有油管 4。花期 9 月。

| 生境分布 | 生于山区林下及林缘草丛中。分布于江苏、镇江（句容）、南京等。

| 资源情况 | 野生资源一般。

| 采收加工 | 7~9月采收，切段，晒干。

| 功效物质 | 含有香豆素类、甾醇类、色原酮类、脂肪酸类等资源性成分，如正葵酸、月桂酸、骨缘当归素、蝉翼素、白花前胡素F、佛手柑内酯及β-谷甾醇等。当归属植物普遍含有香豆素类化合物，具有光敏作用，有一定的抗炎、抗菌活性。

| 功能主治 | 祛风除湿。用于头痛，腹痛。

| 附　注 | 江苏镇江等地民间将本种的全草作"山藁本"或"土藁本"入药。

伞形科 Umbelliferae 当归属 Angelica 凭证标本号 320481170401324LY

杭白芷

Angelica dahurica (Fisch. ex Hoffm.) Benth. et Hook. f. ex Franch. et Sav. cv.
Hangbaizhi

| 药 材 名 | 白芷（药用部位：根）、白芷叶（药用部位：叶）。

| 形态特征 | 多年生高大草本，高达 2 m。根圆锥形，上方下圆，有分枝。叶坚纸质，
有柄，三出式 2 回羽状分裂，最后裂片卵形至长卵形，长 4 ~ 8 cm，
宽 1.5 ~ 4 cm。伞幅 12 ~ 30，花黄绿色。果实长圆形至椭圆形，
长 4 mm，宽约 3 mm；背棱和中棱丝线状，侧棱延展成薄翅，分
生果的背部扁平，每槽中有油管 1，合生面有油管 2。花期夏季。

| 生境分布 | 江苏盐城（大丰）、南京、无锡（宜兴）等有栽培。

| 资源情况 | 栽培资源较丰富。

| 采收加工 | **白芷**：夏、秋季间叶黄时采挖，除去须根及泥沙，晒干或低温干燥。

白芷叶：春、夏季采收，晒干。

| 药材性状 | 白芷：本品呈圆锥形，长 10 ～ 20 cm，直径 2 ～ 2.5 cm。上部近方形或类方形，表面灰棕色，有多数皮孔样横向突起，长 0.5 ～ 1 cm，略排成 4 纵行，先端有凹陷的茎痕。质坚实，较重，断面白色，粉性，皮部密布棕色油点，形成层环棕色，近方形。气芳香，味辛、微苦。以独支、条粗壮、质硬、体重、粉性足、香气浓者为佳。

| 功效物质 | 根含有挥发油约 0.24%，其中，饱和烃类含量最高，醇类及各种不饱和烃类次之。此外，还含有酯、苯等衍生物。香豆素类含量 0.2% ～ 1.2%，主要为欧前胡内酯、异欧前胡内酯、氧化前胡素、白当归素、珊瑚菜素等。此外，还含有胡萝卜苷、生物碱、谷甾醇及多种维生素等资源性成分。香豆素类化合物为光活性物质，具有解痉、镇痛、降血压、抗微生物作用。叶、茎、果实含有与根相同的欧前胡素、异欧前胡素、水合氧化前胡素等，以及挥发油类成分。

| 功能主治 | 白芷：解表散寒，祛风止痛，宣通鼻窍，燥湿止带，消肿排脓。用于感冒头痛，眉棱骨痛，鼻塞流涕，鼻衄，鼻渊，牙痛，带下，疮疡肿痛。
白芷叶：祛风解毒。用于瘾疹，丹毒。

| 用法用量 | 白芷：内服煎汤，3 ～ 10 g；或入丸、散剂。外用适量，研末撒；或研末调敷。
白芷叶：外用适量，煎汤洗；或研末扑。

| 附　　注 | 本种喜温暖、湿润气候，耐寒。宜在阳光充足且土层深厚、疏松肥沃、排水良好的砂壤土中栽培。种子在恒温下发芽率低，在变温下发芽较好，以 10 ～ 30 ℃变温为佳。

拐芹
Angelica polymorpha Maxim.

|**药材名**| 拐芹（药用部位：根）。

|**形态特征**| 多年生草本，高 0.5 ~ 1.5 m。根圆锥形，直径达 0.8 cm，外皮灰棕
色，有少数须根。茎单一，细长，中空，有浅沟纹，光滑无毛或有
稀疏的短糙毛，节处常为紫色。叶 2 ~ 3 回三出式羽状分裂；叶片
卵形至三角状卵形，长 15 ~ 30 cm，宽 15 ~ 25 cm，茎上部无叶或
带有小叶、略膨大的叶鞘，叶鞘薄膜质，常带紫色，第 1 回和第 2
回裂片有长叶柄，小叶柄通常膝曲或弧形弯曲，末回裂片有短柄或
近无柄，卵形或菱状长圆形，纸质，长 3 ~ 5 cm，宽 2.5 ~ 3.5 cm，
3 裂，两侧裂片又多为不等的 2 深裂，基部截形至心形，先端具长
尖，边缘有粗锯齿、大小不等的重锯齿或缺刻状深裂，齿端有锐
尖头，两面脉上疏被短糙毛或下表面无毛。复伞形花序直径 4 ~

10 cm，花序梗、伞幅和花梗密生短糙毛；伞幅 11 ~ 20，长 1.5 ~ 3 cm，开展，上举；总苞片 1 ~ 3 或无，狭披针形，有缘毛；小苞片 7 ~ 10，狭线形，紫色，有缘毛；萼齿退化，少为细小的三角状锥形；花瓣匙形至倒卵形，白色，无毛，渐尖，先端内曲；花柱短，常反卷。果实长圆形至近长方形，基部凹入，长 6 ~ 7 mm，宽 3 ~ 5 mm，背棱短翅状，侧棱膨大成膜质的翅，与果体等宽或略宽，棱槽内有油管 1，合生面有油管 2，油管狭细。花期 8 ~ 9 月，果期 9 ~ 10 月。

| 生境分布 | 生于山坡杂木林下、灌丛、阴湿草丛或山谷溪水旁。分布于江苏连云港、南京等。

| 资源情况 | 野生资源较少。

| 采收加工 | 夏、秋季间花开前采挖，洗净，晒干。

| 功效物质 | 根含有氧化前胡素、欧芹酚甲醚、欧前胡内酯、补骨脂素、白当归素等香豆素类资源性成分，还含有 20 多种挥发油类成分，具有一定的抗菌、抗溃疡活性。地上部分含有拐芹色原酮 A、去甲基丁香色原酮、乙酰水合氧化前胡素、α- 香树脂醇等成分。

| 功能主治 | 辛，温。发表祛风，温中散寒，理气止痛。用于风寒表证，风湿痹痛，脘腹、胸胁疼痛，跌打损伤。

| 用法用量 | 内服煎汤，3 ~ 9 g；或研末。外用适量，捣敷。

伞形科 Umbelliferae 当归属 Angelica 凭证标本号 320115150925008LY

紫花前胡

Angelica decursiva (Miq.) Franch. et Sav.

| 药 材 名 |

前胡（药用部位：根）。

| 形 态 特 征 |

多年生草本，高 1 ～ 2 m。根粗大，纺锤形，有数个支根。叶片近坚纸质，1 ～ 2 回羽状分裂，下方的第 1 回裂片有小叶柄，3 裂，小叶柄的边缘呈翅状延长，侧方裂片和先端裂片的基部合并，或先端裂片有 3 小裂片，在共同的小叶柄上有翅状延长，翅有锯齿，末回裂片椭圆形、长圆状披针形至倒卵状椭圆形，长 5 ～ 13 cm，宽 2.5 ～ 5.5 cm，边缘有细而规则的锯齿，叶柄长 10 ～ 20 cm；茎上部叶片逐渐简化成广阔、膨大的紫色叶鞘。复伞形花序顶生或腋生，伞梗长 3 ～ 8 cm，有柔毛；总苞 1 ～ 2；小总苞数个，披针形；伞幅 10 ～ 20，有柔毛，紫色，长 2 ～ 4.5 cm；花深紫色，成近球形的小伞形花序，花梗丝线状。果实卵圆形至卵状椭圆形，长约 6 mm，宽约 4 mm，分生果背部扁平，每棱槽有油管 1 ～ 3，合生面有油管 4 ～ 6；胚乳腹面平直。秋季开花。

| 生 境 分 布 |

生于山坡草地或疏林下。江苏各地均有分布。

| 资源情况 | 野生及栽培资源丰富。

| 采收加工 | 秋、冬季地上部分枯萎时采挖，除去茎叶、须根、泥土，晒干或炕干。

| 药材性状 | 本品主根分枝或有侧根。主根圆柱形，长 8 ~ 15 cm，直径 0.8 ~ 1.7 cm，根头部有茎痕及残留的粗毛（叶鞘）；侧根数条，长 7 ~ 30 cm，直径 2 ~ 4 mm，细圆柱形。根的表面黑褐色或灰黄色，有细纵皱纹和灰白色的横长皮孔。主根质坚实，不易折断，断面不整齐，皮部与木部极易分离，皮部较窄，浅棕色，散生黄色油点，接近形成层处较多；中央木部黄白色，占根的绝大部分；支根质脆软，易折断，木部近白色。有香气，味淡而后苦、辛。以条整齐、身长、质坚实、断面黄白色、香气浓者为佳。

| 功效物质 | 根含有呋喃香豆素类，主要为前胡苷，香豆素类化合物具有抗神经衰弱、抗凝血、抗氧化、抗菌、抗肿瘤、抗结核、降血糖、抗抑郁、抗炎等多方面的药理活性；前胡苷元具有抗菌作用。此外，还含有海绵甾醇、甘露醇、挥发油，挥发油的主要成分为爱草脑及柠檬烯。

| 功能主治 | 苦、辛，微寒。归肺经。降气化痰，散风清热。用于痰热喘满，咯痰黄稠，风热咳嗽痰多。

| 用法用量 | 内服煎汤，5 ~ 10 g；或入丸、散剂。

伞形科 Umbelliferae 峨参属 Anthriscus 凭证标本号 321324160509028LY

峨参

Anthriscus sylvestris (L.) Hoffm.

| **药 材 名** | 峨参（药用部位：根）、峨参叶（药用部位：叶）。

| **形态特征** | 二年生或多年生草本，高达 1.5 m。根圆锥形。叶有柄，基部有鞘；叶片为三出式的 2 回羽状分裂或 2 回羽状分裂，裂片披针状圆卵形，长 1.5 ~ 3 cm，宽 0.5 ~ 1.5 cm，先端长尖，基部无柄或有小柄，边缘羽状分裂或齿裂；茎上部的叶近无柄。伞形花序顶生或腋生，伞梗长 3 ~ 10 cm；伞幅 8 ~ 12，不等长；无总苞；小总苞片 5 ~ 8，广披针形至椭圆形，反折，边缘薄膜质，有睫毛；花白色，常带绿色或黄色，花柱较花柱基长 2 倍。果实线状管形，长 6 ~ 10 mm，宽 2.5 mm，表面光滑，先端逐渐窄狭成喙而有 10 棱，基部有一环细毛，喙长约及果实的 1/5。花期 4 月。

| 生境分布 | 生于山坡林下。分布于江苏南京、镇江、苏州（常熟）、常州（溧阳）、无锡（宜兴）、南通等。

| 资源情况 | 野生资源丰富。

| 采收加工 | **峨参**：3～4月或9～10月采挖，截去茎秆，洗净，刮去粗皮及尾须，用沸水略烫后，晒干或微火烘干。
峨参叶：夏、秋季间采收，鲜用或晒干。

| 药材性状 | **峨参**：本品呈圆锥形，略弯曲，多分叉，下部渐细，半透明，长3～12 cm，中部直径1～1.5 cm。外表面黄棕色或灰褐色，有不规则的纵皱纹，上部有细密环纹，可见凸起的横长皮孔，有的侧面有疔疤。质坚实，沉重，断面黄色或黄棕色，角质样。气微，味微辛、微麻。

| 功效物质 | 根含有苯丙素类、黄酮类、甾体类、脂肪酸及有机酸类等成分，具有抗肿瘤、抗氧化、抗衰老、免疫调节等作用。峨参总黄酮和多糖具有显著的抗氧化和免疫调节作用。峨参内酯（脱氧鬼臼毒素）抗肿瘤活性强，但毒性较大。叶含有挥发性成分，主要为左旋香桧烯，还含有苯酚、苯甲酚、愈创木酚等。花含有黄酮苷。

| 功能主治 | **峨参**：甘、辛，温。归脾、胃、肺经。益气健脾，活血止痛。用于脾虚腹胀，乏力食少，肺虚咳嗽，体虚自汗，老人夜尿频数，气虚水肿，劳伤腰痛，头痛，痛经，跌打瘀肿。
峨参叶：止血，消肿。用于创伤出血，肿痛。

| 用法用量 | **峨参**：内服煎汤，9～15 g；或浸酒。外用适量，研末调敷。
峨参叶：外用适量，研末撒或调敷；或鲜品捣敷。

伞形科 Umbelliferae 芹属 Apium 凭证标本号 320681170514129LY

旱芹

Apium graveolens L.

| **药 材 名** | 旱芹（药用部位：全草）。

| **形态特征** | 二年生或多年生草本。有圆锥根和多数支根。茎直立，高 50 ~ 150 cm，有棱角或直槽。根生叶长圆形至倒卵形，长 7 ~ 18 cm，宽 3.5 ~ 8 cm，通常 3 浅裂达中部或 3 全裂，裂片近菱形，边缘有圆锯齿或锯齿，叶柄长 3 ~ 26 cm；茎生叶通常楔形，3 全裂或条裂。伞形花序多数；伞幅 7 ~ 16，长 0.7 ~ 2.5 cm；花黄绿色；萼齿小或不明显；花瓣圆卵形，先端内折；花柱基平陷，花柱短，显著叉开。果实近圆形至椭圆形，长 1.5 mm，宽 1.5 ~ 2 mm，果棱尖锐，线形。花期 5 月。

| **生境分布** | 江苏各地均有栽培。

| 资源情况 | 栽培资源丰富。

| 采收加工 | 春、夏季采收，洗净，多为鲜用。

| 功效物质 | 茎叶含有芹菜苷、佛手柑内酯、挥发油、有机酸、胡萝卜素、维生素 C、糖类等。其中，酸性成分有降血压作用，碱性成分有镇静作用。

| 功能主治 | 甘、辛、微苦，凉。平肝，清热，祛风，利水，止血，解毒。用于肝阳眩晕，风热头痛，咳嗽，黄疸，小便淋痛，尿血，崩漏，带下，疮疡肿毒。

| 用法用量 | 内服煎汤，9 ~ 15 g，鲜品 30 ~ 60 g；或绞汁；或入丸剂。外用适量，捣敷；或煎汤洗。

| 附　　注 | 本种耐寒，要求较冷凉、湿润的环境条件，在高温干旱的条件下生长不良。生长适温为 15 ~ 20 ℃。对土壤的要求较严格，以肥沃、疏松、通气性良好、保水保肥力强的壤土或黏壤土为宜。

伞形科 Umbelliferae 柴胡属 Bupleurum 凭证标本号 320703150821403LY

北柴胡
Bupleurum chinense DC.

| 药 材 名 |

柴胡（药用部位：根）。

| 形 态 特 征 |

多年生草本，高 50 ～ 85 cm。主根较粗大，棕褐色，质坚硬。茎单一或数个，表面有细纵槽纹，实心，上部多回分枝，微呈"之"字形曲折。基生叶倒披针形或狭椭圆形，长 4 ～ 7 cm，宽 6 ～ 8 mm，先端渐尖，基部收缩成柄，早枯落；茎中部叶倒披针形或广线状披针形，长 4 ～ 12 cm，宽 6 ～ 18 mm，有时达 3 cm，先端渐尖或急尖，有短芒尖头，基部收缩成叶鞘，抱茎，脉 7 ～ 9，叶面鲜绿色，叶背淡绿色，常有白霜；茎顶部叶同形，但更小。复伞形花序很多，花序梗细，常水平伸出，形成疏松的圆锥状；总苞片 2 ～ 3 或无，甚小，狭披针形，长 1 ～ 5 mm，宽 0.5 ～ 1 mm，脉 3，很少 1 或 5 脉；伞幅 3 ～ 8，纤细，不等长，长 1 ～ 3 cm；小总苞片 5，披针形，长 3 ～ 3.5 mm，宽 0.6 ～ 1 mm，先端尖锐，具 3 脉，向叶背凸出；小伞直径 4 ～ 6 mm，花 5 ～ 10；花梗长 1 mm；花直径 1.2 ～ 1.8 mm；花瓣鲜黄色，上部向内折，中肋隆起，小舌片矩圆形，先端 2 浅裂；花

柱基深黄色，宽于子房。果实广椭圆形，棕色，两侧略扁，长约 3 mm，宽约 2 mm，棱狭翼状，淡棕色，每棱槽有油管 3，很少 4，合生面有油管 4。花期 9 月，果期 10 月。

| 生境分布 | 生于向阳山坡路边、沟旁或草丛中。分布于江苏徐州（铜山、新沂）、连云港（赣榆）、南京、镇江（句容）等。

| 资源情况 | 野生资源丰富。

| 采收加工 | 春、秋季采挖，除去茎叶及泥沙，干燥。

| 药材性状 | 本品呈圆锥形，主根顺直或稍弯曲，下部分枝，根头膨大，呈疙瘩状，长 6 ~ 20 cm，直径 0.6 ~ 1.5 cm。外皮灰褐色或灰棕色，有纵皱纹及支根痕，顶部有细毛或坚硬的残茎。质较坚韧，不易折断，断面纤维性，木部黄白色。气微香，味微苦、辛。以根条粗长、皮细、支根少者为佳。

| 功效物质 | 根主要含有皂苷类、挥发油类、黄酮类、多糖、香豆素类资源性成分，还含有甾醇类、木脂素类等。柴胡皂苷和挥发油是其发挥解热、镇痛、镇静、抗炎、抗病毒、保肝护肾、抗肿瘤的主要活性成分。地上部分主要含有黄酮醇类化合物，苷元类型主要是山柰酚、槲皮素和异鼠李素，是抗病毒的主要有效成分。

| 功能主治 | 苦、辛，微寒。归肝、胆经。解表退热，疏肝解郁，升举阳气。用于感冒发热，寒热往来，胸胁胀痛，月经不调，子宫脱垂，脱肛。

| 用法用量 | 内服煎汤，3 ~ 10 g；或入丸、散剂。外用适量，煎汤洗；或研末调敷。

伞形科 Umbelliferae | 柴胡属 Bupleurum | 凭证标本号 320830161011042LY

红柴胡
Bupleurum scorzonerifolium Willd.

| 药 材 名 | 柴胡（药用部位：根）。

| 形态特征 | 多年生草本，高 30 ～ 60 cm。根圆锥状。茎呈"之"字形曲折分枝。叶线状披针形或披针状长圆形，长 6 ～ 16 cm，宽 2 ～ 4 mm，先端长尖。伞形花序通常有伞幅 3 ～ 5，少有 10，线形，长 6 ～ 20 mm；总苞有 1 ～ 2 苞片；小总苞有 5 窄披针形、长尖的小苞片，较花伞长，但较果伞略短。果实椭圆状卵形，长 2 mm，宽 1.5 mm。花期 7 ～ 8 月。

| 生境分布 | 生于向阳山坡。分布于江苏徐州（新沂）、连云港（赣榆）、淮安（盱眙）、南京、镇江（句容）、无锡（宜兴）等。

| 资源情况 | 野生资源较丰富。

| 采收加工 | 春、秋季采挖，除去茎叶及泥沙，干燥。

| 药材性状 | 本品较细，分枝少，多弯曲不直，长 4 ~ 10 cm，直径 6 ~ 10 mm。表面红棕色，有纵皱纹及须根痕，顶部无疙瘩头，而有地上茎叶枯死后遗留的毛状纤维。质脆，易折断，断面平坦，呈淡棕色。气微香，味微苦、辛。以根条粗长、无须根者为佳。

| 功效物质 | 根含有皂苷类、木脂素苷类、挥发油类、黄酮类及多糖。地上部分含有芸香苷等黄酮类资源性成分。柴胡总皂苷具有镇静、抗炎作用。柴胡总黄酮具有较强的抗流感病毒作用，且抗炎、降温效果较好，对多种细菌有较强的抑制或杀灭作用。

| 功能主治 | 苦、辛，微寒。归肝、胆经。解表退热，疏肝解郁，升举阳气。用于感冒发热，寒热往来，胸胁胀痛，月经不调，子宫脱垂，脱肛。

| 用法用量 | 内服煎汤，3 ~ 10 g；或入丸、散剂。外用适量，煎汤洗；或研末调敷。

| 附　　注 | 江苏以少花红柴胡 *Bupleurum scorzonerifolium* Willd. f. *pauciflorum* Shan et Y. Li 作"柴胡"入药，在春季采集，又称"春柴胡"或"芽胡"。

伞形科 Umbelliferae 柴胡属 Bupleurum 凭证标本号 321183151015862LY

少花红柴胡

Bupleurum scorzonerifolium Willd. f. *pauciflorum* Shan et Y. Li

| **药 材 名** | 春柴胡（药用部位：带根全草）。

| **形态特征** | 本种与红柴胡的主要区别在于伞幅少，仅 2 ~ 3，很少 4 ~ 5，较短，长 3 ~ 12 mm，每小伞有花 4 ~ 6，很少 8。

| **生境分布** | 生于向阳山坡。分布于江苏南京、镇江（句容）、无锡（宜兴）等。

| **资源情况** | 野生资源较少。

| **采收加工** | 春季苗期采挖，除去泥沙，切段，干燥。

| **功效物质** | 主要含有皂苷类、黄酮类等资源性成分。柴胡总皂苷有镇静、抗炎

作用。柴胡总黄酮抗流感病毒作用较强。

| **功能主治** | 解表退热，疏肝解郁，升举阳气。用于感冒发热，寒热往来，胸胁胀痛，月经不调，子宫脱垂，脱肛。

| 伞形科 | Umbelliferae | 积雪草属 | Centella | 凭证标本号 | 320683201014028LY |

积雪草 *Centella asiatica* (L.) Urban

| 药 材 名 | 积雪草（药用部位：全草）。

| 形态特征 | 多年生草本。茎匍匐，有匍匐枝。叶圆形或肾形，直径 1 ~ 6 cm，边缘有钝齿或宽钝齿，表面光滑，背面有细毛；叶柄长 5 ~ 15 cm，上端有柔毛。伞形花序单生或 2 ~ 5 簇生，伞梗生于叶腋，长 0.5 ~ 2 cm，短于叶柄；总苞片 2，卵形，长 3 ~ 4 mm，宽约 1.5 mm；每伞形花序通常有花 3，中间的花无梗，两侧的花有梗；萼齿不明显；花瓣卵形，长 1 ~ 1.5 mm，宽 0.7 ~ 1 mm。果实扁圆形，长 2 mm，宽 3 mm，幼嫩时有柔毛，成熟时光滑，主棱间有网状纹相连。

| 生境分布 | 生于阴湿的草地或水沟边。分布于江苏无锡（宜兴）、苏州（常熟、

吴中、相城）等。

| 资源情况 | 野生资源较丰富。

| 采收加工 | 夏、秋季采收，除去泥沙，晒干。

| 药材性状 | 本品多皱缩成团。根圆柱形，长 3 ~ 4.5 cm，直径 1 ~ 1.5 mm，淡黄色或灰黄色，有纵皱纹。茎细长，弯曲，淡黄色，在节处有明显的细根残迹或残留的细根。叶多皱缩破碎，灰绿色，完整的叶圆形或肾形，直径 2 ~ 6 cm，边缘有钝齿，下面有细毛；叶柄长 1.5 ~ 7 cm，常扭曲，基部具膜质叶鞘。气特异。

| 功效物质 | 主要含有三萜类、挥发油类、多炔烯类、黄酮类、甾醇类等资源性成分，具有抗肿瘤、抑制瘢痕增生、抗溃疡、抗菌、消炎等生物活性。积雪草苷为积雪草的主要活性成分，具有显著的促进创面愈合、抑制瘢痕形成的作用，在治疗心血管疾病、抗肿瘤、保护肝脏等方面亦具有一定的疗效。积雪草总黄酮是其主要的抗氧化活性成分。

| 功能主治 | 苦、辛，寒。归肺、脾、肾、膀胱经。清热利湿，解毒消肿。用于湿热黄疸，中暑腹泻，石淋，血淋，疮痈肿毒，跌打损伤。

| 用法用量 | 内服煎汤，9 ~ 15 g，鲜品 15 ~ 30 g；或捣汁。外用适量，捣敷；或绞汁涂。

| 附　　注 | 本种的全草可用于配制防暑凉茶。

伞形科 Umbelliferae 明党参属 Changium 凭证标本号 320125150505165LY

明党参
Changium smyrnioides Wolff

| 药 材 名 | 明党参（药用部位：根）。

| 形态特征 | 多年生草本。根纺锤形或长索形。茎高达 1 m，幼嫩时有乳白色粉霜，上部分枝，枝疏散开展，下方的分枝互生，上方的分枝近对生，有小分枝。根生叶具长柄，柄长 30 ~ 35 cm，叶的第 1 回裂片广卵形，有小柄，长约 10 cm，第 2 回裂片卵形至长圆状卵形，有小柄，长约 3 cm，第 3 回裂片广卵形，长、宽均约 2 cm，基部截形或楔形，无小柄，3 裂或羽状缺刻，小裂片长圆状披针形，长 2 ~ 4 mm，宽 1 ~ 2 mm；茎上部叶缩小成鳞片状或叶鞘状。伞梗长 3 ~ 10 cm，伞幅 6 ~ 10，小伞形花序有花 10 ~ 15，花白色，侧生的伞形花序的花多数不孕。果实圆卵形至卵状长圆形，果棱不明显。花期 4 ~ 5 月。

| 生境分布 | 生于向阳山坡、草丛、林缘、竹林边。分布于江苏南京、镇江（句容）、苏州、无锡（宜兴）等。 |

| 资源情况 | 野生资源较丰富。 |

| 采收加工 | 4～5月采挖，除去须根，洗净，置沸水中煮至无白心，取出，刮去外皮，漂洗，干燥。 |

| 药材性状 | 本品呈纺锤形或长纺锤形，长至15 cm，直径1.5 cm。外表面淡黄白色，具蜡样光泽，有明显支根痕。质坚硬而脆，易折断，断面不整齐，黄白色，半透明，粉质。形成层与木部极易分离。气微香，味甘甜。以粗壮均匀、质坚实而重、皮细、断面黄色而半透明者为佳。 |

| 功效物质 | 含有多糖、脂肪酸类、磷脂类、胆碱类、氨基酸类、香豆素类、挥发油类等资源性成分。明党参多糖是调节免疫、抗疲劳和抗缺氧的主要活性成分。根中游离和结合脂肪酸总量达1.35%，果实中总量达51.83%。脂肪酸类、磷脂类、胆碱类和氨基酸类成分与其补益生津、平肝和胃的功效有密切关系，亦具有延缓衰老的作用；香豆素类成分具有显著的体外抗肿瘤活性；挥发油类成分具有较好的祛痰作用，6,9-十八碳二炔酸甲酯可能是明党参润肺化痰的有效成分。 |

| 功能主治 | 甘、微苦，微寒。归肝、脾经。润肺化痰，养阴和胃，平肝，解毒。用于肺热咳嗽，呕吐反胃，食少口干，目赤眩晕，疔毒疮疡。 |

| 用法用量 | 内服煎汤，6～12 g；或熬膏。 |

| 附　　注 | 本种的根为华东地区的著名药材之一。 |

伞形科 Umbelliferae 蛇床属 Cnidium 凭证标本号 320982150722159LY

蛇床 *Cnidium monnieri* (L.) Cuss.

| 药 材 名 | 蛇床子（药用部位：果实）。

| 形态特征 | 一年生草本，高30～80 cm。茎直立，分枝。根生叶有柄，基部宽而呈叶鞘状，叶片卵形，2～3回三出式羽状全裂，末回裂片线状披针形，尖锐，长2～10 mm，宽1～3 mm；茎上部叶和根生叶相似。伞形花序顶生与侧生，伞梗长2～9 cm；总苞有8～10线形长尖的苞片，长5～7 mm，边缘有缘毛；小总苞片数个，线形或丝线形；伞幅15～30，不等长，长1～2 cm；花白色。果实长圆状圆卵形，长2.5～3 mm，宽1.5～2 mm，光滑，背面略扁平；胚乳腹面略凹陷。花期5月。

| 生境分布 | 生于田野、路旁、沟边。江苏各地均有分布。

| 资源情况 | 野生资源丰富。

| 采收加工 | 夏、秋季果实成熟时采收，除去杂质，晒干。

| 药材性状 | 本品呈椭圆形，由 2 分果合成，长约 2 mm，直径约 1 mm，灰黄色，先端有 2 向外弯曲的宿存花柱基；分果背面略隆起，有凸起的脊线 5，接合面平坦，有 2 棕色略凸起的纵线，其中有一浅色的线状物。果皮松脆。种子细小，灰棕色，有油性。气香，味辛、凉而有麻舌感。以颗粒饱满、灰黄色、气味浓厚者为佳。

| 功效物质 | 果实含有香豆素类、挥发油类等资源性成分，此外，还含有棕榈酸、β- 谷甾醇、香柑内酯、异虎耳草素、花椒毒酚、哥伦比亚内酯、圆白芷素、食用白芷素等。种子含有香柑内酯、欧山芹素及食用白芷素。总香豆素具有平喘、祛痰作用。

| 功能主治 | 辛、苦，温；有小毒。归脾、肾经。燥湿祛风，杀虫止痒，温肾壮阳。用于阴痒带下，湿疹瘙痒，湿痹腰痛，肾虚阳痿，宫冷不孕。

| 用法用量 | 内服煎汤，3 ～ 9 g；或入丸、散剂。外用适量，煎汤熏洗；或制成坐药、栓剂；或研末调敷。

伞形科 Umbelliferae 芫荽属 Coriandrum 凭证标本号 321023170422258LY

芫荽 *Coriandrum sativum* L.

| 药 材 名 | 胡荽（药用部位：带根全草）、芫荽茎（药用部位：茎梗）、胡荽子（药用部位：果实）。

| 形态特征 | 一年生或二年生草本。茎直立，有条纹。叶有柄，柄长 3 ~ 15 cm；初生的根生叶 1 ~ 2 回羽状分裂，小叶片广卵形或扇形半裂，基部楔形；茎下部叶和茎上部叶 2 ~ 3 回羽状细裂，小叶片线形，长 2 ~ 15 mm，宽 0.5 ~ 1.5 mm，具钝头，全缘。伞形花序顶生和与叶对生，伞梗长 2 ~ 8 cm；无总苞；小总苞有少数线形小苞片；伞幅 3 ~ 8，长 1 ~ 2.5 cm。果实圆形，直径 3 ~ 4 mm，光滑。花期 4 ~ 5 月。

| 生境分布 | 江苏各地均有栽培。

| 资源情况 | 栽培资源丰富。

| 采收加工 | 胡荽：春季采收，洗净，晒干。

芫荽茎：春季采收，洗净，晒干。

胡荽子：8 ~ 9 月果实成熟时采收果枝，晒干，打下果实，除净杂质，再晒至足干。

| 药材性状 | 胡荽：本品多卷缩成团。茎、叶枯绿色。干燥茎直径约 1 mm。叶多脱落或破碎，完整的叶 1 ~ 2 回羽状分裂。根呈须状或长圆锥形，表面类白色。具浓烈的特殊香气。

芫荽茎：本品多卷缩成团，枯绿色，干燥品直径约 1 mm。具浓烈的特殊香气。

胡荽子：本品为 2 小分果合生成的双悬果，呈圆球形，直径 3 ~ 4 mm，淡黄棕色至土黄棕色，先端可见极短的柱头残迹，多分裂为 2，周围有残存的花萼 5。表面较粗糙，不甚明显的波状棱线 10 与明显的纵直棱线 12 相间排列，基部钝圆，有时可见小果柄或果柄痕。小分果背面隆起，腹面中央下凹，具 3 纵行的棱线，中央较直，两侧呈弧形弯曲，有时可见悬果柄。质稍坚硬。气香，用手揉碎散发出特殊而浓烈的香气，味微辣。

| 功效物质 | 茎叶含有脂肪醛类、香豆素类、挥发油类、黄酮类、酚类、氨基酸类、维生素类等化学成分，具有降血糖、抗氧化、抗焦虑、利尿、降低胆固醇等药理作用。果实含有脂肪酸类、甾醇类、母育酚和挥发油类资源性成分。挥发油类成分芳樟醇在果实中含量较高，具有抗炎和抑菌活性。

| 功能主治 | **胡荽：**辛，温。归肺、胃经。发表透疹，消食开胃，止痛解毒。用于风寒感冒，麻疹，痘疹透发不畅，食积，腹脘胀痛，呕恶，头痛，牙痛，脱肛，丹毒，疮肿初起，蛇咬伤。

芫荽茎：辛，温。归肺、胃经。宽中健胃，透疹。用于胸脘胀闷，消化不良，麻疹不透。

胡荽子：辛、酸，平。健胃消积，理气止痛，透疹解毒。用于食积，食欲不振，胸膈满闷，脘腹胀痛，呕恶反胃，泻痢，肠风便血，脱肛，疝气，麻疹，痘疹不透，白秃疮，头痛，牙痛，耳痈。

| 用法用量 | **胡荽：**内服煎汤，9 ~ 15 g，鲜品 15 ~ 30 g；或捣汁。外用适量，煎汤洗；或捣敷。

芫荽茎：内服煎汤，3 ~ 9 g。外用适量，煎汤喷涂。

胡荽子：内服煎汤，6 ~ 12 g；或入丸、散剂。外用适量，煎汤含漱；或煎汤熏洗。

| 附　　注 | 本种有抗寒性强、生长期短、栽培容易等特性，生育期 60 ~ 90 天，各地不同的自然条件均可栽培。以阳光充足、雨水充沛、土壤肥沃疏松的石灰性砂壤土为宜。

伞形科 Umbelliferae 鸭儿芹属 Cryptotaenia 凭证标本号 320282150730198LY

鸭儿芹

Cryptotaenia japonica Hassk.

| 药 材 名 | 鸭儿芹（药用部位：茎叶）、鸭儿芹果（药用部位：果实）、鸭儿芹根（药用部位：根）。

| 形态特征 | 多年生草本。茎高 30 ~ 90 cm，呈叉式分枝。叶片广卵形，长 5 ~ 18 cm，3 全裂，中间小叶片菱状倒卵形，长 3 ~ 10 cm，宽 2.5 ~ 7 cm，先端短尖，基部楔形，两侧小叶片斜倒卵形，小叶片边缘有锯齿或有时 2 ~ 3 浅裂，叶柄长 5 ~ 17 cm；茎上部的叶无柄，小叶片披针形。伞幅 2 ~ 3，不等长，长 8 ~ 20 mm，通常彼此靠近，整个花序呈圆锥形；总苞和小总苞各有 1 ~ 3 线形、早落的苞片和小苞片；小伞形花序有 2 ~ 4 花，花白色。果实线状长卵形，侧面扁平，光滑，果棱细线状，圆钝。花期 4 ~ 5 月。

| 生境分布 | 生于林下阴湿处。分布于江苏南京、常州（溧阳）、无锡（宜兴）等。

| 资源情况 | 野生资源较丰富。

| 采收加工 | 鸭儿芹：夏、秋季间采割，鲜用或晒干。
鸭儿芹果：7 ~ 10 月采收成熟的果序，除去杂质，洗净，晒干。
鸭儿芹根：夏、秋季间采挖，除去茎叶，洗净，晒干。

| 功效物质 | 全草含有黄酮类和挥发油类资源性成分，挥发性萜类化合物占总挥发性成分的82%，具有清咽、保肝降酶等作用。

| 功能主治 | 鸭儿芹：辛、苦，平。归心、肺经。祛风止咳，利湿解毒，化瘀止痛。用于感冒咳嗽，肺痈，淋痛，疝气，月经不调，风火牙痛，目赤翳障，痈疽疮肿，皮肤瘙痒，跌打肿痛，蛇虫咬伤。
鸭儿芹果：辛，温。归脾、胃经。消积顺气。用于食积腹胀。
鸭儿芹根：辛，温。归肺经。发表散寒，止咳化痰，活血止痛。用于风寒感冒，咳嗽，跌打肿痛。

| 用法用量 | 鸭儿芹：内服煎汤，15 ~ 30 g。外用适量，捣敷；或研末撒；或煎汤洗。
鸭儿芹果：内服煎汤，3 ~ 9 g；或研末。
鸭儿芹根：内服煎汤，9 ~ 30 g；或研末。

伞形科 Umbelliferae 胡萝卜属 *Daucus* 凭证标本号 320111170814007LY

野胡萝卜

Daucus carota L.

| 药 材 名 | 南鹤虱（药用部位：果实）、鹤虱风（药用部位：地上部分）、野胡萝卜根（药用部位：根）。

| 形态特征 | 二年生草本，高 15 ~ 120 cm。茎单生，倒生糙硬毛。根生叶薄膜质，长圆形，2 ~ 3 回羽状多裂，末回裂片线形至披针形，长 2 ~ 15 mm，宽 0.8 ~ 4 mm，先端尖锐，有小凸头，光滑或有糙硬毛，叶柄长 3 ~ 12 cm，有鞘；茎生叶近无柄，有叶鞘，末回裂片通常细长。伞梗长 10 ~ 55 cm，倒生糙硬毛；总苞有多数苞片，叶状，羽状分裂，少有不裂的，边缘膜质，有绒毛，裂片细长，细线形或线形，长 3 ~ 30 mm，反折；小总苞有线形、不裂或羽状分裂的小苞片；伞幅多数，长 2 ~ 7.5 cm，紧贴，果时伞外缘的伞幅向内弯折；

花白色、黄色或淡红色。果实圆卵形，长 3 ~ 4 mm，宽 2 mm。花期 5 ~ 7 月。

| **生境分布** | 生于田边、路旁、旷野草丛中。江苏各地均有分布。

| **资源情况** | 野生资源丰富。

| **采收加工** | **南鹤虱**：秋季果实成熟时割取果枝，晒干，打下果实，除去杂质。

鹤虱风：6 ~ 7 月花开时采割，除去泥土、杂质，洗净，鲜用或晒干。

野胡萝卜根：春季花开前采挖，除去茎叶，洗净，鲜用或晒干。

| **药材性状** | **南鹤虱**：本品呈椭圆形，多裂为分果，长 3 ~ 4 mm，宽 1.5 ~ 2 mm。表面棕黄色或灰棕色，先端有残留花柱基，基部钝圆，背面有 4 窄翅状次棱，翅上密生 1 列横向黄白色钩刺，长可达 1.5 mm，次棱间凹下处有不明显主棱，其上散生短柔毛，分果的接合面较平坦，有 3 暗色纵纹（油管）及 3 弧形脉纹（维管束），脉缘上具柔毛。种仁类白色，有油性。体轻，搓碎时有特异香气。以籽粒充实、种仁类白色、有油性者为佳。

| **功效物质** | 果实含有倍半萜类、黄酮类、糖类、季铵生物碱类、氨基酸类、甾醇类、香豆素类等资源性成分。种子含有挥发油类成分。叶含有胡萝卜素、胡萝卜碱、吡咯烷、葡萄糖苷、苹果酸等。根含有胡萝卜素、挥发油类等，挥发油中主要

成分为蒎烯、柠檬烯、胡萝卜醇等，还含有胡萝卜酸。具有杀虫、抗菌、抗腹泻、抗炎、镇痛、扩张冠状动脉和保肝等作用。

| 功能主治 | **南鹤虱**：苦、辛，平；有小毒。归脾、胃、大肠经。杀虫消积。用于蛔虫病，蛲虫病，绦虫病，虫积腹痛，疳积。

鹤虱风：辛、微甘，寒；有小毒。杀虫健脾，利湿解毒。用于虫积，疳积，脘腹胀满，水肿，黄疸，烟毒，疮疹湿痒，斑秃。

野胡萝卜根：甘、微辛，凉。归脾、胃、肝经。健脾化滞，凉肝止血，清热解毒。用于脾虚食少，腹泻，惊风，逆血，血淋，咽喉肿痛。

| 用法用量 | **南鹤虱**：内服煎汤，6～9 g；或入丸、散剂。外用适量，煎汤熏洗。

鹤虱风：内服煎汤，6～15 g。外用适量，煎汤洗；或研末调敷。

野胡萝卜根：内服煎汤，15～30 g。外用适量，捣汁涂。

伞形科 Umbelliferae 胡萝卜属 Daucus 凭证标本号 320982150723191LY

胡萝卜
Daucus carota L. var. *sativa* Hoffm.

药 材 名	胡萝卜（药用部位：根）、胡萝卜子（药用部位：果实）、胡萝卜叶（药用部位：基生叶）。
形态特征	本种与野胡萝卜的区别在于根肉质，长圆锥形，粗肥，呈红色或黄色。
生境分布	江苏各地均有栽培。
资源情况	栽培资源丰富。
采收加工	**胡萝卜**：冬季采挖，除去茎叶、须根，洗净。 **胡萝卜子**：夏季果实成熟时采收，除净杂质，晒干。

胡萝卜叶：冬、春季连根挖出，削取带根头部的叶，洗净，鲜用或晒干。

| **功效物质** | 根含有胡萝卜素类、维生素类、花色素类、糖类、脂肪油类、挥发油类、伞形花内酯等。种子含有挥发油类、黄酮类、脂肪油类等。叶含有木犀草素 -7- 葡萄糖苷。胡萝卜素可治疗夜盲症。

| **功能主治** | 胡萝卜：甘、辛，平。归脾、肝、肺经。健脾和中，滋肝明目，化痰止咳，清热解毒。用于脾虚食少，体虚乏力，脘腹痛，泻痢，视物昏花，雀目，咳喘，百日咳，咽喉肿痛，麻疹，水痘，疖肿，烫火伤，痔漏。

胡萝卜子：苦、辛，温。燥湿散寒，利水杀虫。用于久痢，久泻，虫积，水肿，宫冷腹痛。

胡萝卜叶：辛、甘，平。理气止痛，利水。用于脘腹痛，浮肿，小便不利，淋痛。

| **用法用量** | 胡萝卜：内服煎汤，30 ~ 120 g；或生食；或捣汁；或煮食。外用适量，煮熟捣敷；或切片烧热敷。

胡萝卜子：内服煎汤，3 ~ 9 g；或入丸、散剂。

胡萝卜叶：内服煎汤，30 ~ 60 g；或切碎蒸熟食。

| **附　注** | 本种对气候的选择不严，各地均可栽培，但喜冷凉，喜光照充足。适宜于中性土中栽培，在微酸性和微碱性土中也能生长良好。重黏土、低温或排水不良的土地则不宜栽培。

伞形科 Umbelliferae 茴香属 Foeniculum 凭证标本号 321112181124002LY

茴香 *Foeniculum vulgare* Mill.

药材名

小茴香（药用部位：果实）、茴香茎叶（药用部位：茎叶）、茴香根（药用部位：根）。

形态特征

一年生或二年生草本。全体有强烈的茴香气味。茎直立，高可达 2 m，圆而有细纹，乳绿色，分枝。叶圆卵形至广三角形，长 30 cm，宽 40 cm，羽状多裂，深绿色，末回裂片线形，长 4 ～ 40 mm，宽约 0.5 mm，下部的叶柄长 7 ～ 14 mm，有鞘，上部的叶柄部分或全部成鞘。伞形花序顶生与侧生，顶生的伞形花序大，直径可达 15 cm；伞梗长 4 ～ 25 mm；伞幅 8 ～ 30，开展伸长，不等长，长 2 ～ 8 cm；花黄色，花梗长 4 ～ 6 cm。果实长圆形，长 3.5 ～ 6 mm，宽 1.5 ～ 2.5 mm，果棱尖锐。花期 6 ～ 7 月。

生境分布

江苏各地均有栽培。

资源情况

栽培资源丰富。

| 采收加工 | **小茴香**：秋季果实初熟时采割植株，晒干，打下果实，除去杂质。
茴香茎叶：夏、秋季割取地上部分，鲜用或晒干。
茴香根：7 月间采挖，除去茎叶，洗净，鲜用或晒干。

| 药材性状 | **小茴香**：本品呈细圆柱形，两端略尖，有时略弯曲，长 3.5 ~ 6 mm，直径 1.5 ~ 2.5 mm；表面黄绿色至棕色，光滑无毛，先端有圆锥形黄棕色的花柱基，有时基部有小果柄。分果长椭圆形，背面隆起，有 5 纵直棱线，接合面平坦，中央色较深，有纵沟纹。横切面近五角形，背面的四边约等长。气特异而芳香，味微甜而辛。以粒大饱满、色黄绿、气味浓者为佳。

| 功效物质 | 果实、叶、花主要含有甾醇及糖苷、挥发油类、生物碱类、氨基酸类及脂肪油等，还含有单宁、黄酮类、皂苷类、三萜类等多种资源性成分。挥发油类具有抗炎镇痛、抗菌、增加胃肠蠕动、保肝、抗肝纤维化等作用。根皮中的东莨菪素具有祛风、抗炎、止痛、祛痰、平喘、抗肿瘤等作用，5- 羟甲基糠醛具有抗氧化作用。

| 功能主治 | **小茴香**：辛，温。归肝、肾、膀胱、胃经。温肾暖肝，行气止痛，和胃。用于寒疝腹痛，睾丸偏坠，脘腹冷痛，食少吐泻，胁痛，肾虚腰痛，痛经。
茴香茎叶：甘、辛，温。理气和胃，散寒止痛。用于恶心呕吐，疝气，腰痛，痈肿。
茴香根：辛、甘，温。温肾和中，行气止痛，杀虫。用于寒疝，耳鸣，胃寒呕逆，腹痛，风寒湿痹，鼻疳，蛔虫病。

| 用法用量 | **小茴香**：内服煎汤，3 ~ 6 g；或入丸、散剂。外用适量，研末调敷；或炒热温熨。
茴香茎叶：内服煎汤，10 ~ 15 g；或捣汁；或浸酒。外用适量，捣敷。
茴香根：内服煎汤，9 ~ 15 g，鲜品加倍；或鲜品捣汁；或浸酒。外用适量，捣敷；或煎汤洗。

| 附　注 | 本种喜湿润凉爽气候，耐盐，适应性强，对土壤要求不严，但以地势平坦、肥沃疏松、排水良好的砂壤土或轻碱性黑土为宜。前茬以玉米、高粱、荞麦和豆为宜。

伞形科 Umbelliferae 天胡荽属 *Hydrocotyle* 凭证标本号 320684160428156LY

天胡荽

Hydrocotyle sibthorpioides Lam.

| 药 材 名 | 天胡荽（药用部位：全草）。

| 形态特征 | 多年生草本，有气味。茎细长而匍匐，平铺地上成片。叶圆形或肾形，直径 0.5 ~ 3.5 cm，不分裂或有 5 ~ 7 浅裂，近全缘或有浅钝齿，表面光滑，背面有柔毛，或两面光滑至密生柔毛；叶柄长 0.5 ~ 9 cm。伞形花序与叶对生，单生于节上，伞梗长 0.5 ~ 3 cm；总苞片 4 ~ 10，倒披针形，长约 2 mm；每伞形花序有花 10 ~ 15，花无梗或有短梗；无萼齿；花瓣卵形，绿白色。果实略呈心形，长 1 ~ 1.5 mm，宽 1.5 ~ 2 mm，侧面扁平，光滑或有斑点，中棱略锐。花期 5 月。

| 生境分布 | 生于湿润的草地。分布于江苏南京、扬州、苏州（常熟、吴江、昆

山）、无锡（宜兴）、南通等。

| **资源情况** | 野生资源丰富。

| **采收加工** | 夏、秋季间采收，洗净，晒干。

| **药材性状** | 本品多皱缩成团。根细，表面淡黄色或灰黄色。茎极纤细，弯曲，黄绿色，节处有根痕及残留细根。叶多皱缩破碎，完整叶圆形或近肾形，5～7浅裂，少不分裂，边缘有钝齿；托叶膜质；叶柄长约0.5 cm，扭曲状。伞形花序小。双悬果略呈心形，两侧压扁。气香。

| **功效物质** | 全草含有挥发油类、三萜皂苷类、黄酮类、酚类等资源性成分，提取物具有抗乙型肝炎表面抗原、抗肿瘤、免疫调节、抗菌等作用。所含槲皮素及其糖苷具有去除胆汁淤积及体外抗肿瘤活性。

| **功能主治** | 辛、微苦，凉。清热利湿，解毒消肿。用于黄疸，痢疾，水肿，淋证，目翳，喉肿，疮痈肿毒，带状疱疹，跌打损伤。

| **用法用量** | 内服煎汤，9～15 g，鲜品30～60 g；或捣汁。外用适量，捣敷；或捣汁涂。

| **附　　注** | 本种民间用于治疗跌打损伤。

伞形科 Umbelliferae 天胡荽属 Hydrocotyle 凭证标本号 320125150505115LY

破铜钱

Hydrocotyle sibthorpioides Lam. var. *batrachium* (Hance) Hand.-Mazz. ex Shan

| 药 材 名 | 天胡荽（药用部位：全草）。

| 形态特征 | 本种与天胡荽的区别在于叶片 3 ~ 5 深裂，有时深达基部，裂片倒卵形，具圆齿。

| 生境分布 | 生于湿润的草地。分布于江苏南京、扬州、苏州（常熟、吴江、昆山）、无锡（宜兴）、南通等。

| 资源情况 | 野生资源一般。

| 采收加工 | 夏、秋季间采收，洗净，晒干。

| 药材性状 | 本品多皱缩成团。茎纤细。叶多破碎；完整叶展平后近圆形，叶片

3 ～ 5 深裂几达基部，侧裂片间有一侧或两侧仅裂达基部的 1/3 处，裂片楔形。气微香，味淡。

| **功效物质** | 全草含有挥发油，主要包括萜及萜醇类化合物、脂肪族化合物和芳香族化合物等，具有杀虫、抗菌活性。此外，还含有黄酮类、三萜类、甾醇类、木脂素类、香豆素类等成分。

| **功能主治** | 辛、微苦，凉。清热利湿，解毒消肿。用于黄疸，痢疾，水肿，淋证，目翳，喉肿，疮痈肿毒，带状疱疹，跌打损伤。

| **用法用量** | 内服煎汤，9 ～ 15 g，鲜品 30 ～ 60 g；或捣汁。外用适量，捣敷；或捣汁涂。

伞形科 Umbelliferae 水芹属 Oenanthe 凭证标本号 320111150919029LY

水芹
Oenanthe javanica (Bl.) DC.

| 药 材 名 | 水芹（药用部位：全草）、芹花（药用部位：花）。

| 形态特征 | 多年生草本。茎高 15 ~ 80 cm，直立或基部匍匐。根生叶有柄，柄长达 10 cm，有鞘，叶片 1 ~ 2 回羽状分裂，末回裂片卵形至菱状披针形，长 2 ~ 5 cm，宽 1 ~ 2 cm，边缘有牙齿或圆齿状锯齿；茎上部叶无柄，裂片和根生叶的裂片相似，但较小。伞梗顶生，通常与叶对生，长 2 ~ 16 cm；伞幅 6 ~ 16，长 1 ~ 3 cm；无总苞；小总苞有 2 ~ 8，线形，长 2 ~ 4 mm；花白色；萼齿线状披针形，与花柱基近等长；花瓣倒卵形，长 1 mm，宽 0.75 mm，有一长而内折的小舌片；花柱基圆锥形，花柱直立或两侧分开。果实近四角状椭圆形或筒状长圆形，长 2.5 ~ 3 mm，宽 2 mm，侧棱较背棱和中棱隆起，木栓质，分生果的横剖面近五边状半圆形，每棱槽中有油管 1，

合生面有油管 2。花期 6 ~ 7 月，果期 8 ~ 9 月。

| 生境分布 | 生于低湿洼地或水沟中。江苏各地均有栽培。

| 资源情况 | 栽培资源较丰富。

| 采收加工 | **水芹**：9 ~ 10 月采收，洗净，鲜用或晒干。
芹花：6 ~ 7 月花开时采收，晒干。

| 药材性状 | **水芹**：本品多皱缩成团。茎细而弯曲。匍匐茎节处有须根。叶皱缩，展平后基生叶三角形或三角状卵形，1 ~ 2 回羽状分裂，末回裂片卵形至菱状披针形，长 2 ~ 5 cm，宽 1 ~ 2 cm，边缘具不整齐尖齿或圆锯齿。质脆，易碎。气微香。

| 功效物质 | 叶含有缬氨酸、丙氨酸、异亮氨酸、1- 二十醇、1- 二十二醇、1- 二十四醇、β- 谷甾醇和 C_{15} ~ C_{29} 饱和碳氢化合物，另含有多糖等。根含有香豆精、伞形花内酯、硬脂酸、花生酸、二十六烷酸、莳萝油脑等。全草含有异鼠李素、樟烯、β- 蒎烯、香芹烯、丁香油酚等。全草水提取物具有保肝作用。

| 功能主治 | **水芹**：辛、甘，凉。归肺、肝、膀胱经。清热解毒，利尿止血。用于感冒，暴热烦渴，吐泻，浮肿，小便不利，淋痛，尿血，便血，吐血，衄血，崩漏，月经过多，目赤，咽喉肿痛，口疮，牙疳，乳痈，痈疽，瘰疬，疰腮，带状疱疹，痔疮，跌打伤痛。
芹花：用于脉溢。

| 用法用量 | **水芹**：内服煎汤，30 ~ 60 g；或捣汁。外用适量，捣敷；或捣汁涂。
芹花：内服煎汤，3 ~ 9 g。

| 附　注 | 本种喜湿润、肥沃土壤，耐涝及耐寒性强。适宜生长温度 15 ~ 20 ℃，能耐 0 ℃以下的低温。

伞形科 Umbelliferae 香根芹属 Osmorhiza 凭证标本号 320830160408007LY

香根芹
Osmorhiza aristata (Thunb.) Makino et Yabe

| 药 材 名 | 香根芹果（药用部位：果实）、香根芹根（药用部位：根）。

| 形态特征 | 多年生草本，高 30 ~ 80 cm。叶片三角形至圆形，长 7 ~ 20 cm，三出式羽状分裂或 2 回三出式分裂，裂片长圆状卵形至卵状三角形，长 1.5 ~ 9 cm，宽 1 ~ 6 cm，先端圆钝至长尖，边缘有粗大的锯齿、缺刻或羽状浅裂，或近基部的边缘呈羽状半裂，叶脉上有长硬毛；叶柄长 5 ~ 26 cm。伞形花序顶生与腋生，伞梗长 3.5 ~ 25 cm；通常无总苞；小总苞有 1 至数个线形或披针形的小苞片，反折，有粗毛；伞幅 3 ~ 6；花白色，花柱与花柱基长 1.5 ~ 2.5 mm，花柱基短圆锥形。果实线状棒形，长 10 ~ 22 mm，先端圆钝或突尖，基部有尾，尾长 5 ~ 8 mm，果棱有稀疏的刺毛，尾上的刺毛较浓密；心皮柄 2 裂达中部。花期 4 月。

| 生境分布 | 生于林下较阴湿处。分布于江苏连云港、南京、镇江（句容）、无锡（宜兴）等。

| 资源情况 | 野生资源一般。

| 采收加工 | 香根芹果：6 ～ 7 月果实成熟时采收，晒干。

香根芹根：夏季采挖，除去茎叶，洗净，晒干。

| 功效物质 | 全草含有多炔化合物。根茎含有挥发油类资源性成分，主要有紫茎芹醚、1-烯丙基 -2,4- 二甲氧基苯、茴香醚、O- 甲基胡椒酚、茴香醛、2,4- 二甲氧基苯甲醛、甾醇等。

| 功能主治 | 香根芹果：驱虫，止痢，利尿。用于蛔虫病，蛲虫病，慢性痢疾，肾炎性水肿。

香根芹根：辛，温。健脾消食，养肝明目。用于消化不良，夜盲症。

| 用法用量 | 香根芹果：内服煎汤，3 ～ 9 g；或研末。

香根芹根：内服煎汤，15 ～ 30 g。

| 伞形科 | Umbelliferae | 山芹属 | Ostericum | 凭证标本号 | 3211831609280001LY

大齿山芹
Ostericum grosseserratum (Maxim.) Kitagawa

| 药 材 名 | 山水芹菜（药用部位：根）。

| 形态特征 | 多年生草本。根圆锥形，单一或分枝。茎单生，细长，近圆管状，上部开展成叉状分枝。叶薄膜质，有柄，柄长 4 ~ 18 cm，有鞘；叶片广三角形，2 ~ 3 回三出式分裂，第 1 回和第 2 回的裂片有短柄，末回裂片有短柄或近无柄，广卵形至菱形，长 2 ~ 5 cm，宽 1.5 ~ 3 cm，基部楔形，先端尖锐至长尖，有 2 ~ 4 深裂片，裂片边缘有缺刻状大锯齿，齿圆钝，有短尖头，上部叶有短柄，叶片 3 裂；小裂片披针形至长圆形，先端圆钝或尖锐。复伞形花序伞梗长 2 ~ 10 cm；总苞有 4 ~ 5 线形苞片；小总苞有 5 钻形的小苞片；伞幅 6 ~ 14，有棱角，不等长；花白色，花梗丝线状，不等长，长 4 ~ 7 mm；萼齿相等，卵形，尖锐，宿存；花瓣倒卵形，先端内折；花

柱基矮，圆锥状，花柱短，叉开。果实近圆形，先端收缩，基部凹入，背棱突出，尖锐，侧棱薄翅状，分生果背面扁平，每棱槽中有油管 1，合生面有油管 2 ~ 4。花期 7 ~ 8 月。

| 生境分布 | 生于山坡、林缘、草丛中。分布于江苏连云港（赣榆）、常州（溧阳）、无锡（宜兴）、南京等。

| 资源情况 | 野生资源一般。

| 采收加工 | 秋季采挖，除去茎叶，洗净，晒干。

| 药材性状 | 本品主根常斜生，圆锥形或狭长圆锥形，常分枝，长 6 ~ 12 cm，直径 0.5 ~ 1.2 cm。表面棕色，具不整齐的纵皱纹，并可见须根及点状须根痕，近根头处可见横环纹；根头部较膨大，常见茎残基及基生叶叶柄残基。质硬脆，折断面皮部淡棕色或黄棕色，较疏松，多裂隙；木部白色或黄白色。气微，味淡。

| 功效物质 | 根、果实、茎、叶均含有挥发油类资源性成分，此外，还含有肉豆蔻酸、棕榈酸、硬脂酸、二十八烷酸、丁二酸、β- 谷甾醇、胡萝卜苷、异东莨菪素和蔗糖等。

| 功能主治 | 辛、微甘，温。补中健脾，温肺止咳。用于脾虚泄泻，虚寒咳嗽。

| 用法用量 | 内服煎汤，3 ~ 9 g。

| 附　注 | 本种的根在江苏部分地区代"独活"或"当归"用。

伞形科 Umbelliferae 前胡属 Peucedanum 凭证标本号 320382180726016LY

前胡

Peucedanum praeruptorum Dunn

| 药材名 |

前胡（药用部位：根）。

| 形态特征 |

多年生草本，高 60 ~ 90 cm。根圆锥形或短圆柱状，黄褐色，有支根。茎粗大，圆形。基生叶和茎下部叶有叶柄，基部宽展成广卵状长圆形的叶鞘；叶片薄膜质，圆形至广卵形，三出式 2 ~ 3 回羽状分裂，第 1 回裂片有叶柄，卵圆形，第 2 回裂片有短柄或近无柄，卵形，末回裂片菱状倒卵形，基部楔形，3 裂或不规则羽裂，边缘有锯齿；茎上部叶和下部叶相似，分裂较少。伞形花序顶生或腋生，伞梗有柔毛，长 3 ~ 5 cm；无总苞；小总苞由 8 披针形小苞片组成；伞幅 6 ~ 15，有柔毛，不等长，长 1 ~ 3 cm；花白色。果实卵圆形，长约 4 mm，宽约 3 mm，侧棱有窄翅，分生果背部扁平，每棱槽中有油管 3 ~ 5，合生面有油管 6 ~ 10。花期 8 ~ 9 月，果期 10 ~ 11 月。

| 生境分布 |

生于山坡林下或林缘草丛中，亦有栽培。分布于江苏南京、无锡（宜兴）、常州（溧阳）等。江苏南通、无锡等有栽培。

| 资源情况 | 野生及栽培资源一般。

| 采收加工 | 秋、冬季地上部分枯萎时采挖，除去茎叶、须根、泥土，晒干或炕干。

| 药材性状 | 本品形状不一，圆锥形、圆柱形或纺锤形，稍弯曲，或有支根，但根端及支根多已除去，长 3 ~ 9 cm，直径 1 ~ 1.5 cm。表面黑褐色或灰黄色，根头部有茎痕及残留的粗毛（叶鞘），根的上端密生环纹，多发黑，下部有纵沟及纵皱纹，并有横列皮孔和须根痕。质较柔软，易折断，断面疏松；皮部占根的主要部分，周边乳白色，内层有黄棕色的圈，中心木部窄，有淡黄白色的菊花纹；散在多数金黄色油点，有香气，味甘而后苦。以条整齐、身长、断面黄白色、香气浓者为佳。

| 功效物质 | 根主要含有香豆素类资源性成分，主要有白花前胡甲素、白花前胡乙素、白花前胡丙素、白花前胡丁素等，还含有挥发油类等。白花前胡甲素有扩张冠状动脉、促进原发性血小板凝集的作用。

| 功能主治 | 苦、辛，微寒。归肺经。降气化痰，散风清热。用于痰热喘满，咯痰黄稠，风热咳嗽痰多。

| 用法用量 | 内服煎汤，5 ~ 10 g；或入丸、散剂。

伞形科 Umbelliferae 前胡属 Peucedanum 凭证标本号 320703160906494LY

泰山前胡

Peucedanum wawrae (Wolff) Su

| 药 材 名 |

泰山前胡（药用部位：根）。

| 形态特征 |

多年生草本，高达 80 cm。根纺锤状或圆柱状，不分枝或分枝。茎上部分枝叉式展开。基生叶无毛，叶片 2 ~ 3 回三出式分裂，1 回羽片有长柄，末回羽片广卵圆形，基部心形，长 1 ~ 3 cm，3 裂至中部或基部，裂片楔状倒卵圆形，边缘有尖锯齿或三角齿，齿有硬尖头；茎上部叶向上渐简化，分裂回数渐少；茎最上部叶常 3 裂。复伞形花序顶生与侧生，分枝很多；花序梗及伞幅均有极短绒毛；伞幅 6 ~ 8，长 0.5 ~ 1 cm；总苞片无或 1 ~ 3；小总苞片 4 ~ 6，细条形，长于花，有细柔毛；萼齿钻形，显著；花瓣白色。果实背腹压扁，卵圆形至长圆形，背部果棱等宽，有柔毛；棱槽有油管 2 ~ 3，合生面有油管 2 ~ 4。花期 8 ~ 11 月，果期 9 ~ 11 月。

| 生境分布 |

生于山坡草丛中。分布于江苏连云港、淮安（盱眙）、南京、常州（溧阳）等。

| 资源情况 | 野生资源稀少。

| 采收加工 | 秋、冬季地上部分枯萎时采挖，除去茎叶、须根、泥土，晒干或炕干。

| 药材性状 | 本品呈圆锥形或圆柱形，常有分枝，长 2.5 ~ 16 cm，直径 0.5 ~ 1.5 cm，根头部有茎痕及纤维状物。外表面黑褐色或黄棕色，上部有密集的横纹，下部有纵沟，并有多数凸起的横向皮孔。质脆，易折断，断面不整齐，黄白色，皮部可见裂隙及多数油点，形成层区呈淡棕色，木部具放射状纹理，占根的比例因根的老嫩程度不同而不一。老根断面纤维性。气芳香，味微苦、辛。

| 功效物质 | 根含有白花前胡素 E、白花前胡素 F。

| 功能主治 | 辛，温。归肺、肝经。降气化痰，散风清热。用于痰热喘满，咯痰黄稠，风热咳嗽痰多。

| 用法用量 | 内服煎汤，6 ~ 15 g。

| 附　　注 | 本种的根在江苏作"前胡"的代用品。

伞形科 Umbelliferae 变豆菜属 Sanicula 凭证标本号 321112180728007LY

变豆菜
Sanicula chinensis Bunge

| 药 材 名 |

变豆菜（药用部位：全草）。

| 形 态 特 征 |

多年生草本，高达 1 m。茎上部重复叉式分枝。根生叶和基部叶有柄，叶柄扁平，长约30 cm，叶片近圆形，通常 3 裂，很少 5 裂，中间裂片楔状倒卵形，两侧裂片各有 1 深缺刻，边缘有重锯齿；茎生叶逐渐变小，近无柄，通常 3 裂。花序 2～3 回叉式分枝，侧枝向两旁开展伸长，中间的分枝较短；总苞片羽状分裂，长约 8 mm；小总苞片倒披针形或线形，长约 1.5 mm；伞幅 2～3；小伞形花序有花 8～10；花黄白色，雄花 5～7，有梗，两性花 3～4，无梗。果实球状圆卵形，长 5 cm，宽 4 cm，先端有喙状的萼齿，果刺直立，先端钩曲，基部略膨大，分生果的横剖面近圆形；胚乳腹面略凹陷，具油管 5，或仅合生面 2 油管大而明显。花期 4 月。

| 生 境 分 布 |

生于山区林下草丛中。分布于江苏南部及连云港等。

| **资源情况** | 野生资源丰富。

| **采收加工** | 夏、秋季采收，鲜用或晒干。

| **功能主治** | 辛、微甘，凉。解毒，止血。用于咽痛，咳嗽，月经过多，尿血，外伤出血，疮痈肿毒。

| **用法用量** | 内服煎汤，6 ~ 15 g。外用适量，捣敷。

伞形科 Umbelliferae 防风属 Saposhnikovia 凭证标本号 320803180703177LY

防风 *Saposhnikovia divaricata* (Turcz.) Schischk.

| 药 材 名 | 防风（药用部位：根）。

| 形态特征 | 多年生草本，高 30 ～ 80 cm。根粗壮，细长圆柱形，有分枝，淡黄棕色，根头处被有纤维状叶残基及明显的环纹。茎单生，自基部分枝较多，斜上升，与主茎近等长，有细棱。基生叶丛生，有扁长的叶柄，基部有宽叶鞘，叶片卵形或长圆形，长 14 ～ 35 cm，宽 6 ～ 8（～ 18）cm，2 回或近 3 回羽状分裂，第 1 回裂片卵形或长圆形，有柄，长 5 ～ 8 cm，第 2 回裂片下部具短柄，末回裂片狭楔形，长 2.5 ～ 5 cm，宽 1 ～ 2.5 cm；茎生叶与基生叶相似，但较小，顶生叶简化，有宽叶鞘。复伞形花序多数，生于茎和分枝先端，花序梗长 2 ～ 5 cm；伞幅 5 ～ 7，长 3 ～ 5 cm，无毛；小伞形花序有花 4 ～ 10；无总苞片；小总苞片 4 ～ 6，线形或披针形，先端长，长

约 3 mm，萼齿短三角形；花瓣倒卵形，白色，长约 1.5 mm，无毛，先端微凹，具内折小舌片。双悬果狭圆形或椭圆形，长 4 ～ 5 mm，宽 2 ～ 3 mm，幼时有疣状突起，成熟时渐平滑，每棱槽内通常有油管 1，合生面有油管 2；胚乳腹面平坦。花期 8 ～ 9 月，果期 9 ～ 10 月。

| 生境分布 | 江苏药用植物园有少量栽培。

| 资源情况 | 栽培资源较少。

| 采收加工 | 春、秋季采挖未抽花茎植株的根，除去须根及泥沙，晒干。

| 药材性状 | 本品呈长圆锥形或长圆柱形，下部渐细，有的略弯曲，长 15 ～ 30 cm，直径 0.5 ～ 2 cm。表面灰棕色，粗糙，有纵皱纹、多数横长皮孔及点状凸起的细根痕，根头部有明显密集的环纹，有的环纹上残存棕褐色毛状叶基。体轻，质松，易折断，断面不平坦，皮部浅棕色，有裂隙，散生黄棕色油点，木部浅黄色。气特异，味微甘。以条粗壮、断面皮部浅棕色、木部浅黄色者为佳。

| 功效物质 | 根主要含有色酮类和香豆素类资源性成分，如防风色酮醇、升麻素、升麻素苷、香柑内酯、补骨脂素、欧前胡内酯、珊瑚菜素等，尚含有人参炔醇、镰叶芹二醇等聚乙炔类成分，防风酸性多糖 A、防风酸性多糖 C，以及挥发油、β- 谷甾醇、甘露醇、香草酸等。升麻素苷具有抗炎活性，防风多糖具有抗过敏、抗肿瘤和免疫调节活性。

| 功能主治 | 辛、甘，微温。归膀胱、肝、脾经。祛风解表，胜湿止痛，止痉。用于感冒头痛，风湿痹痛，风疹瘙痒，破伤风。

| 用法用量 | 内服煎汤，5 ～ 10 g；或入丸、散剂。外用适量，煎汤熏洗。

| 附 注 | 本种喜凉爽气候，耐寒，耐干旱。宜选阳光充足且土层深厚、疏松肥沃、排水良好的砂壤土栽培，不宜在酸性大、黏性重的土壤中栽培。

伞形科 Umbelliferae 泽芹属 Sium 凭证标本号 3211831511111206LY

泽芹
Sium suave Walt.

| 药 材 名 | 苏土藁本（药用部位：地上部分）。

| 形态特征 | 多年生草本。有须根。茎粗大，高 60 ~ 120 cm，通常在近基部的节上生根。叶长圆形至卵形，长 6 ~ 25 cm，宽 7 ~ 18 mm，1 回羽状分裂；小叶片披针形至线形，长 1 ~ 4 cm，宽 3 ~ 15 mm，边缘有锯齿；叶柄通常呈细管状，长 1 ~ 8 cm。伞梗粗壮，长 3 ~ 10 cm；总苞有 6 ~ 10 披针形或线形的苞片，尖锐，全缘或有缺刻，反折；小总苞有线状披针形的小苞片，长 1 ~ 3 mm，尖锐，全缘；伞幅 10 ~ 20，细长，长 1.5 ~ 3 cm；花白色，花梗长 3 ~ 5 mm；萼齿细小；花柱基短圆锥形。果实卵形，长 2 ~ 3 mm。花期 9 月。

| 生境分布 | 生于山区林下草丛中、沟河边、溪流旁或较潮湿处。分布于江苏连

云港、扬州（宝应）、盐城、南通、镇江（句容）、苏州、无锡（宜兴）等。

| **资源情况** | 野生资源一般。

| **采收加工** | 夏季采收，鲜用或晒干。

| **药材性状** | 本品茎呈圆柱形，长 60 ~ 100 cm，直径 0.3 ~ 1.5 cm，节明显；表面绿色或棕绿色，有多数纵直纹理及纵脊；质脆，易折断，断面较平坦，白色或黄白色；上部茎中间为大型空洞。叶大多脱落，残留的小叶片呈披针形，叶缘有锯齿；叶柄呈管状，基部呈鞘状抱茎。复伞形花序，花白色。双悬果卵形。气清香，味淡。以茎粗、色绿、香气浓者为佳。

| **功效物质** | 主要含有呋喃香豆素类、挥发油类资源性成分。

| **功能主治** | 甘，平。祛风止痛，降血压。用于感冒，头痛，高血压，头晕。

| **用法用量** | 内服煎汤，12 ~ 15 g。

伞形科 Umbelliferae 窃衣属 *Torilis* 凭证标本号 320116180717019LY

小窃衣
Torilis japonica (Houtt.) DC.

| 药 材 名 | 窃衣（药用部位：全草或果实）。

| 形态特征 | 一年生或多年生草本，高达 75 cm。茎直立，单生，有细直纹和刺毛。叶卵形，长尖，两面有稀疏紧贴的粗毛，1 ~ 2 回羽状分裂；小叶片披针状卵形，羽状深裂，末回裂片披针形至长圆形，边缘有条裂状的粗齿、缺刻或分裂。花序顶生与腋生，伞梗长 4 ~ 25 cm；总苞有 4 ~ 12 线形的苞片；小总苞有数个近钻形的小苞片，通常较花梗长；伞幅 4 ~ 12，近相等，长 0.5 ~ 2.5 cm；花白色，每小伞形花序有花 4 ~ 12，花梗细长；萼齿三角状披针形；花瓣倒心形，先端内折，外部有紧贴细毛。果实圆卵形，长 1.5 ~ 4 mm，宽 1.5 ~ 3 mm，分生果有直立向内弯曲或有钩的皮刺；胚乳腹面凹陷。花期 6 月。

| 生境分布 | 生于路旁荒地及草丛中。江苏各地均有分布。

| 资源情况 | 野生资源一般。

| 采收加工 | 夏末秋初采收，鲜用或晒干。

| 药材性状 | 本品果实为长圆形的双悬果，多裂为分果，分果长 3 ~ 4 mm，宽 1.5 ~ 2 mm。表面棕绿色或棕黄色，先端有微凸的残留花柱，基部圆形，常残留小果柄；背面隆起，密生钩刺，刺的长短与排列均不整齐，状似刺猬。接合面凹陷成槽状，中央有 1 脉纹。体轻。搓碎时有特异香气，味微辛、苦。

| 功效物质 | 主要含有倍半萜类和挥发油类资源性成分，此外还含有窃衣内酯、氧化窃衣内酯、窃衣醇酮等，具有抗真菌、驱虫、杀滴虫等活性。

| 功能主治 | 苦、辛，平。归脾、大肠经。杀虫止泻，收湿止痒。用于虫积腹痛，泻痢，疮疡溃烂，阴痒，带下，风疹，湿疹。

| 用法用量 | 内服煎汤，6 ~ 9 g。外用适量，捣汁涂；或煎汤洗。

伞形科 Umbelliferae 窃衣属 Torilis 凭证标本号 320381180524067LY

窃衣
Torilis scabra (Thunb.) DC.

药 材 名	窃衣（药用部位：全草或果实）。
形态特征	本种与小窃衣的主要区别在于无总苞；伞幅 2 ~ 4。果实长圆形，长 3 ~ 8 mm，宽 1.5 ~ 4 mm。花期 4 ~ 6 月。
生境分布	生于路旁荒地。江苏各地均有分布。
资源情况	野生资源丰富。
采收加工	夏末秋初采收，鲜用或晒干。
功效物质	主要含有倍半萜类和挥发油类资源性成分。种子含有窃衣素。果实含有葎草烯、左旋大牻牛儿烯 D、窃衣内酯、氧化窃衣内酯、窃衣

醇酮等，具有抗真菌、驱虫、杀滴虫等活性。窃衣素对肿瘤细胞多药耐药性有逆转作用。

| **功能主治** | 苦、辛，平。归脾、大肠经。杀虫止泻，收湿止痒。用于虫积腹痛，泻痢，疮疡溃烂，阴痒，带下，风疹，湿疹。

| **用法用量** | 内服煎汤，6 ~ 9 g。外用适量，捣汁涂；或煎汤洗。

杜鹃花科 Ericaceae 杜鹃属 Rhododendron 凭证标本号 321183150416690LY

满山红
Rhododendron mariesii Hemsl. et Wils.

| 药 材 名 | 满山红（药用部位：叶）。

| 形态特征 | 落叶灌木，高 1 ~ 3 m。上部小枝常轮生。幼枝、幼叶、花芽鳞片、花萼、花梗、子房和果实均被黄棕色或黄褐色柔毛。叶 2 ~ 3 丛生于枝端；叶片厚纸质或近革质，卵形至宽卵形，长 3 ~ 7 cm，宽 2 ~ 4 cm，先端急尖，有短尖头，基部钝圆，边缘微反卷，全缘或中部以上有不明显的钝齿。花芽卵球形，鳞片阔卵形；花 2（~ 3）簇生于枝端，先叶开放；花梗短，常包于鳞芽内；花萼 5 浅裂；花冠深紫色，漏斗状，5 深裂，裂片长圆形，上方裂片有紫红色斑点；雄蕊（8 ~）10，不等长，与花冠近等长，花药紫红色。蒴果圆柱形，长约 1 cm。花期 4 ~ 5 月，果熟期 7 ~ 8 月。

| 生境分布 | 生于山地稀疏灌丛中。江苏各地均有分布，主要分布于南部。

| 资源情况 | 野生资源丰富。

| 采收加工 | 夏、秋季采收，除去杂质，鲜用、晒干或阴干。

| 功效物质 | 叶富含挥发油、黄酮类、内酯类、金丝桃苷、异金丝桃苷、杜鹃素、杜鹃黄素、棉花皮素、山柰酚、杨梅树皮素、槲皮素、石竹烯氧化物、木藜芦毒素Ⅰ等成分，对呼吸系统有镇咳、祛痰、平喘作用。叶蒸馏得到的挥发油具有止咳、祛痰功效，可用于急、慢性支气管炎。

| 功能主治 | 苦，寒。止咳，祛痰。用于慢性支气管炎，咳嗽。

| 用法用量 | 内服煎汤，鲜品 15.5 ~ 31 g。

杜鹃花科 Ericaceae 杜鹃属 Rhododendron 凭证标本号 320481170401053LY

羊踯躅 *Rhododendron molle* (Blum) G. Don

| 药 材 名 | 闹羊花（药用部位：花）、羊踯躅根（药用部位：根）。

| 形态特征 | 落叶灌木。茎高可达 1.5 m，带褐色。幼枝有柔毛和刚毛。叶片纸质，长椭圆形至椭圆状倒披针形，长 5 ~ 10 cm，宽 2 ~ 4 cm，先端钝而有短尖头，基部楔形，边缘有向上微弯的睫毛；叶柄短。花 5 ~ 10 排成顶生伞形总状花序，几与叶同时开放；萼片半圆形，边缘有睫毛；花冠黄色或金黄色，钟状漏斗形，外面被微柔毛，5 裂，裂片椭圆形或卵状长圆形，上方 1 较大，有淡绿色斑点；雄蕊 5，与花冠近等长，花丝中部以下有微柔毛。蒴果长椭圆形，长 2 ~ 2.5 cm，深褐色，有 5 纵肋，被短柔毛和疏刚毛。花期 4 ~ 5 月，果熟期 7 ~ 8 月。

| 生境分布 | 生于山坡、山顶疏林、灌丛中。分布于江苏南部及连云港等。

| 资源情况 | 野生资源一般。

| 采收加工 | **闹羊花**：4～5月花初开时采收，阴干或晒干。
羊踯躅根：全年均可采挖，洗净，切片，晒干。

| 药材性状 | **闹羊花**：本品数花簇生于同一总梗上，多脱落为单朵，灰黄色至黄褐色，皱缩。花萼5裂，裂片半圆形至三角形，边缘有较长的细毛。花冠钟状，筒部较长，长约2.5 cm，先端卷折，5裂。花瓣宽卵形，先端钝或微凹。雄蕊5，花丝卷曲，等长或略长于花冠，中部以下有茸毛，花药红棕色，顶孔裂。雌蕊1，柱头头状。花梗长1～2.8 cm，棕褐色，有短茸毛。气微。

| 功效物质 | 含有以闹羊花毒素类为主的二萜类化合物，具有抗类风湿性关节炎、降血压、减慢心率等作用。

| 功能主治 | **闹羊花**：辛，温；有大毒。归肝经。祛风除湿，散瘀定痛。用于风湿痹痛，跌打损伤，皮肤顽癣。

羊踯躅根：辛，温；有毒。归脾经。祛风除湿，化痰止咳，散瘀止痛。用于风湿痹痛，痛风，咳嗽，跌打肿痛，痔漏，疥癣。

| 用法用量 | **闹羊花**：内服煎汤，0.6～1.5 g；或浸酒；或入丸、散剂。外用适量，煎汤洗。

羊踯躅根：内服煎汤，1.5～3 g。外用适量，研末调敷；或煎汤洗；或煎汤涂擦。

杜鹃花科 Ericaceae 杜鹃属 Rhododendron 凭证标本号 320481151024300LY

马银花

Rhododendron ovatum (Lindl.) Planch. ex Maxim.

| 药 材 名 | 马银花（药用部位：根）。

| 形态特征 | 常绿灌木或小乔木，高达4m。嫩枝疏生具柄腺体和短柔毛。叶片革质，卵形或椭圆状卵形，长3~5cm，宽1.5~2.5cm，先端短尖而微凹，中脉延伸成小凸尖，基部稍圆，上面中脉有短柔毛；叶柄具狭翅，被短柔毛。花芽圆锥形，具鳞片数枚，边缘反卷，外面被短柔毛，长5~10mm；花单生于枝端叶腋；花梗和花萼被褐色短柔毛和短柄腺毛；花萼5深裂，裂片宽卵形，长约5mm；花冠5深裂，淡紫色、紫色或粉红色，上瓣有深紫色斑点，筒内有短柔毛；雄蕊5，不等长，稍短于花冠，花丝中下部有柔毛；花柱伸出花冠。蒴果卵球形，长约7mm，被短柔毛和腺毛，有稍增大的宿萼包围。花期4~5月，果熟期9~10月。

| **生境分布** | 生于林下或灌丛中。分布于江苏无锡（宜兴）等。

| **资源情况** | 野生资源一般。

| **采收加工** | 夏、秋季采挖，洗净，切片，晒干。

| **功能主治** | 苦，平；有毒。归膀胱经。清湿热，解疮毒。用于湿热带下，痈肿，疔疮。

| **用法用量** | 内服煎汤，1.5 ~ 3 g。外用适量，煎汤洗。

杜鹃花科 Ericaceae 杜鹃属 Rhododendron 凭证标本号 320115150409008LY

杜鹃
Rhododendron simsii Planch.

| 药 材 名 | 杜鹃花根（药用部位：根）、杜鹃花叶（药用部位：叶）、杜鹃花（药用部位：花）、杜鹃花果实（药用部位：果实）。

| 形态特征 | 落叶灌木，高约 2 m。除花冠和花丝外全株各部均有棕褐色扁平的糙伏毛。叶常聚生于枝顶；叶片厚纸质，卵状椭圆形至倒披针形，长 2 ~ 6 cm，宽 1 ~ 3 cm，先端尖，基部楔形，边缘微反卷，有细锯齿，叶背糙伏毛较密。花 2 ~ 6 簇生于枝端；花萼 5 深裂，裂片椭圆状卵形，长 2 ~ 4 mm；花冠鲜红色或深红色，宽漏斗状，长 4 ~ 5 cm，5 裂，上方 1 ~ 3 裂片内面有深红色斑点；雄蕊 7 ~ 10，与花冠近等长，花丝中部以下有微毛，花药紫色。蒴果卵圆形，长约 1 cm。花期 4 ~ 5 月。

| **生境分布** | 生于山坡、丘陵灌丛中。分布于江苏南部及连云港等。江苏连云港、常州、无锡、镇江等有栽培。 |

| **资源情况** | 栽培资源丰富。 |

| **采收加工** | **杜鹃花根**：全年均可采挖，洗净，鲜用，或切片，晒干。
杜鹃花叶：春、秋季采收，鲜用或晒干。
杜鹃花：4～5月花盛开时采收，烘干。
杜鹃花果实：8～10月果实成熟时采收，晒干。 |

| **药材性状** | **杜鹃花根**：本品呈细长圆柱形，弯曲，有分枝，长短不等，直径约1.5 cm，根头部膨大，有多数木质茎基。表面灰棕色或红棕色，较光滑，有网状细皱纹。质坚硬，难折断，断面淡棕色。 |

| **功效物质** | 根部主要含有黄酮类成分。叶含有红花杜鹃素甲、乙等黄酮类成分。花含有的花色素苷和黄酮苷类成分具有止咳祛痰的作用。 |

| **功能主治** | **杜鹃花根**：酸、甘，温。和血止血，消肿止痛。用于月经不调，吐血，衄血，便血，崩漏，痢疾，脘腹疼痛，风湿痹痛，跌打损伤。
杜鹃花叶：酸，平。清热解毒，止血，化痰止咳。用于疮痈肿毒，荨麻疹，外伤出血，支气管炎。
杜鹃花：甘、酸，平。归肝、脾、肾经。和血，调经，止咳，祛风湿，解疮毒。用于吐血，衄血，崩漏，月经不调，咳嗽，风湿痹痛，痈疖疮毒。
杜鹃花果实：活血止痛。用于跌打肿痛。 |

| **用法用量** | **杜鹃花根**：内服煎汤，15～30 g；或浸酒。外用适量，研末敷；或鲜根皮捣敷。
杜鹃花叶：外用适量，鲜品捣敷；或煎汤洗。
杜鹃花：内服煎汤，9～15 g。外用适量，捣敷。
杜鹃花果实：内服研末，1～2 g。 |

杜鹃花科 Ericaceae 越桔属 Vaccinium 凭证标本号 320482180617172LY

南烛

Vaccinium bracteatum Thunb.

药材名

南烛根（药用部位：根）、南烛叶（药用部位：叶）、南烛子（药用部位：果实）。

形态特征

常绿灌木，高 1 ~ 3 m。多分枝；幼枝有柔毛，老枝紫褐色，无毛。叶片薄革质，卵形、椭圆形或长椭圆形，长 2.5 ~ 6 cm，宽 1 ~ 2.5 cm，先端短尖或渐尖，基部楔形或宽楔形，边缘有细齿，叶背中脉略有刺毛。总状花序腋生或顶生；苞片叶状，长约 1 cm，宿存；小苞片 2，线形或卵形，长 1 ~ 3 mm；花萼钟状，5 浅裂，裂片小三角形；花冠白色，圆筒状坛形，口部收缩，内有细柔毛，裂片小三角形，反折；花药背部无芒状附属物，顶部药管长为药室的 2 倍。浆果球形，直径 4 ~ 6 mm，幼时有细柔毛，成熟时紫黑色，稍被白粉。花期 6 ~ 7 月，果期 8 ~ 11 月。

生境分布

生于山坡灌丛或林下。分布于江苏南部等。

资源情况

野生资源较丰富。

| 采收加工 | 南烛根：全年均可采挖，鲜用，或切片，晒干。

南烛叶：8 ~ 9 月采收，拣净杂质，晒干。

南烛子：8 ~ 10 月果实成熟后采摘，晒干。

| 药材性状 | 南烛子：本品呈类球形，直径 4 ~ 6 mm。表面暗红褐色至紫黑色，稍被白粉，略有细纵纹，先端具黄色点状的花柱痕迹，基部有细果柄或果柄痕。有时有宿萼，包被果实 2/3 以上，萼筒钟状，先端 5 浅裂，裂片短三角形。质松脆，断面黄白色，内含多数长卵状三角形的种子，橙黄色或橙红色。气微，味酸而稍甜。

南烛叶：本品卵形、椭圆形或长椭圆形，长 2.5 ~ 6 cm，宽 1 ~ 2.5 cm，两端尖锐，边缘有稀疏的细锯齿，多向外反卷，上面暗棕色，有光泽，主脉凹陷，下面棕色叶脉明显凸起；叶柄短而不明显。质脆，气微，味苦、涩。

| 功效物质 | 根主要含有黄酮类及有机酸类成分。叶含有槲皮素和芦丁等黄酮类成分。果实含有多种多酚性化合物，如花色素苷和一些苷元等。

| 功能主治 | 南烛根：酸、微甘，平。散瘀，止痛。用于牙痛，跌打肿痛。

南烛叶：酸、涩，平。归心、脾、肾经。益肠胃，养肝肾。用于脾胃气虚，久泻，少食，肝肾不足，腰膝乏力，须发早白。

南烛子：酸、甘，平。归肝、肾经。补肝肾，强筋骨，固精气，止泻痢。用于肝肾不足，须发早白，筋骨无力，梦遗，带下不止，久泻久痢。

| 用法用量 | 南烛根：内服煎汤，9 ~ 15 g；或研末。外用适量，捣敷；或煎汤洗。

南烛叶：内服煎汤，6 ~ 9 g；或熬膏；或入丸、散剂。

南烛子：内服煎汤，9 ~ 15 g；或入丸剂。

| 紫金牛科 | Myrsinaceae | 紫金牛属 | Ardisia | 凭证标本号 | 320582190913250LY

朱砂根
Ardisia crenata Sims

| 药 材 名 |

朱砂根（药用部位：根）。

| 形态特征 |

灌木，高 1 ~ 2 m。有匍匐根茎。茎无毛，不分枝。叶互生，在花枝先端常 2 ~ 3 或更多叶近生，坚纸质，狭椭圆形或椭圆形，长 8 ~ 15 cm，宽 2.5 ~ 4 cm，先端渐尖，基部楔形，边缘波状或皱波状，有边缘腺点，两面无毛，常有凸起的腺点，侧脉 10 ~ 20 对，具不规则的边缘。花序伞形或聚伞状，生于侧枝上，萼片、花冠裂片、花药背部均有腺点；萼片卵形或长圆形，先端钝；花瓣披针状卵形，急尖；雄蕊短于花瓣。核果球形，成熟时鲜红色，直径 7 ~ 8 mm，有黑色腺点。花期 5 ~ 6 月，果期 7 ~ 10 月。

| 生境分布 |

生于山谷林下背阴潮湿处。分布于江苏南部等。

| 资源情况 |

野生资源一般。

| 采收加工 | 秋季采挖，切碎，鲜用或晒干。

| 药材性状 | 本品簇生于略膨大的根茎上，呈圆柱形，略弯曲，长 5 ～ 25 cm，直径 2 ～ 10 mm。表面棕褐色或灰棕色，具多数纵皱纹及横向或环状断裂痕，皮部与木部易分离。质硬而脆，易折断，折断面不平坦，皮部厚，约占断面的一半，类白色或浅紫红色，木部淡黄色。气微，味微苦、辛，有刺舌感。以条粗、皮厚者为佳。

| 功效物质 | 根富含三萜皂苷类成分，主要包括朱砂根苷、百两金皂苷、朱砂根新苷 A 和朱砂根新苷 B，以及次生单糖苷 3-*O-α-L*- 仙客来苷元 A- 吡喃阿拉伯糖苷等，具有抑菌、抗炎等生物活性。叶含有氨基酸类、香豆素类、皂苷类、酚性成分和糖类等成分。

| 功能主治 | 苦、辛，凉。清热解毒，活血止痛。用于咽喉肿痛，风湿热痹，黄疸，痢疾，跌打损伤，丹毒，乳腺炎，睾丸炎。

| 用法用量 | 内服煎汤，15 ～ 30 g。外用适量，捣敷。

紫金牛科 Myrsinaceae 紫金牛属 Ardisia 凭证标本号 320581180331043LY

紫金牛

Ardisia japonica (Thunb.) Blume

| 药 材 名 |

平地木（药用部位：全株）。

| 形态特征 |

小灌木或近灌木，高 10 ~ 30 cm。有匍匐根茎。枝及花序有褐色柔毛。叶对生或在枝端轮生，纸质，椭圆形，长 3 ~ 7 cm，宽 2 ~ 3 cm，先端尖，基部楔形，边缘有尖锯齿，两面疏生腺点，背面中脉有毛。聚伞或伞形花序，腋生或近顶生；花梗长 7 ~ 10 mm，常下弯，被微毛；萼片、花冠裂片、花药背部均有腺点；萼片卵形，具缘毛；花瓣广卵形，密具腺点；雄蕊短于花瓣。核果球形，鲜红色，直径 5 ~ 6 mm，有黑色腺点。花期 4 ~ 6 月，果期 11 月至翌年 1 月。

| 生境分布 |

生于林下、谷地、溪旁阴湿处。分布于江苏南部及连云港等。

| 资源情况 |

野生资源一般。

| 采收加工 |

8 ~ 9 月采挖，宜用挖密留稀的办法，或每

隔 25 cm 留苗 2 ～ 3 株，过 2 ～ 3 年又可收获，挖后洗净，晒干。

药材性状　本品呈不规则的段。根茎圆柱形而弯曲，直径约 0.2 cm；表面暗褐色至黑褐色，具细纵皱纹，疏生须根。茎略呈扁圆柱形，直径 0.2 ～ 0.5 cm；表面红棕色，具细纵皱纹，有的具分枝及互生叶痕；切面中央有淡棕色髓部。叶占大部分，多切断或破碎，完整者略呈椭圆形，灰绿色至棕绿色，先端较尖，基部楔形，边缘具细锯齿，背面网状脉明显，近革质。气微，味微涩。

功效物质　全草含挥发油 0.1% ～ 2%，有抗菌和平喘作用。挥发油由龙脑、β- 桉叶油醇、4-松油烯醇等 61 种成分组成。去油后可得岩白菜素，为镇咳有效成分。此外，尚含有五环三萜皂苷类成分，具有显著的抗肿瘤、抗艾滋病病毒活性。

功能主治　辛、微苦，平。归肺、肝经。化痰止咳，利湿，活血。用于新久咳嗽，痰中带血，黄疸，水肿，淋证，带下，闭经，痛经，风湿痹痛，跌打损伤，睾丸肿痛。

用法用量　内服煎汤，10 ～ 30 g。